핵심만 빠르게~ 단기간에

내신 공부의 힘을 키운다

내공의 힘

세계사

구성과 특징

STRUCTURE

내신 개념 정리

III. 서아시아·인도 지역의 역사

02 인도의 역사와 다양한 종교·문화의 출현

A 불교의 [illegible]주의 등장

1. 불교와 자이나교 [illegible]

크샤트리아는 정치와 군사를 맡았고 바이샤는 생산을 담당하였다.

(1) 배경: 기원전 [illegible]에 철기 문화 전파 → [illegible]리아와 바이샤 성장 → 정복 전쟁 [illegible]라만 중심 사회 비판 [illegible]기경 등장

	[illegible]	자이나교
[illegible]	[illegible]	바르다마나
공통점	[illegible], 브라만교의 지나친 권위주의와 신분 차별 반대, 카스트제 극복 노력 → 크샤트리아와 바이샤의 지지	
차이점	인간 평등, 윤리적 실천을 통한 해탈 주장	엄격한 계율과 고행을 통한 해탈 주장, 살생 금지

불교의 가르침은 대중에게 큰 환영을 받았다.

2. 마우리아 왕조

(1) 성립: 기원전 4세기경 찬드라굽타 마우리아가 건국

(2) 전성기: 기원전 3세기경 아소카왕 때 이룩

최초로 북인도가 통일되었다.

영토 확장	남부를 제외한 인도 대부분 지역 통일
중앙 집권 강화	각지에 도로 건설, 전국에 감찰관 파견 등
불교 장려	• 불교의 보호와 포교 노력: 불경 정리, 불교의 가르침을 새긴 돌기둥과 스투파(불탑) 축조 • 상좌부 불교 발전: 개인의 해탈 강조, 동남아시아 지역에 포교단을 파견하여 전파

(3) 쇠퇴: 아소카왕 사후 급격히 쇠퇴 → 이민족이 자주 침입하여 인도 북부가 다시 분열되었다.

3. 인도 남부: 데칸고원을 중심으로 안드라 왕조를 비롯한 여러 나라 발전, 해상 무역으로 번영

★ 4. 쿠샨 왕조와 간다라 양식

(1) 쿠샨 왕조

① 성립과 발전: 1세기경 쿠샨족이 쿠샨 왕조 수립(인도 북부 재통일) → 중국·인도·이란을 연결하는 비단길을 차지하고 중계 무역으로 번영

② 전성기: 2세기 중엽 카니슈카왕 때 이룩

영토 확장	북인도에서 중앙아시아에 이르는 영토 확보
불교 장려	불교 전파, 사원과 탑 축조 → 대승 불교 발전(중생의 구제 추구 → 중앙아시아, 동아시아로 전파)

③ 쇠퇴: 3세기 중엽 사산 왕조 페르시아의 침입 이후 쇠퇴

(2) 간다라 양식 – 부처를 예배의 대상으로 삼아 불상을 만들었던 대승 불교의 확산으로 널리 전파되었다.

성립	알렉산드로스의 원정으로 인도 서북부에 헬레니즘 문화 전파 → 간다라 지방에서 인도와 헬레니즘 문화가 융합된 불상 제작
영향	대승 불교와 함께 중앙아시아를 거쳐 동아시아로 전파

B 굽타 왕조와 인도 고전 문화의 발전

1. 굽타 왕조

분열되었던 북인도는 굽타 왕조가 성립되면서 다시 통일되었다.

(1) 성립: 4세기 초 인도 북부에서 찬드라굽타 1세가 건국

(2) 전성기(찬드라굽타 2세): 벵골만에서 아라비아해까지 최대 영토 확보, 중앙과 지방 행정 조직 정비, 농지 개간, 동서 해상 무역 독점, 학문과 예술 장려

(3) 멸망: 5세기 중엽 이후 에프탈의 침입과 왕위 계승 분쟁으로 멸망(550)

(4) 굽타 왕조 이후의 북인도: 7세기 초 바르다나 왕조가 북인도 재통일 → 여러 소왕국으로 분열

★ 2. 힌두교

성립	브라만교를 바탕으로 민간 신앙과 불교 등이 융합되어 종교 형태를 갖춤
특징	다양한 신 숭배(브라흐마, 비슈누, 시바 등), 카스트에 따른 의무 수행 강조(→ 직업 세습에 의한 카스트제가 인도 사회에 정착), 『마누 법전』 정리
발전	힌두교의 신 비슈누가 왕의 모습으로 나타났다고 주장하여 왕의 권위 강화 → 왕실의 적극적인 보호를 받으며 성장

카스트의 생활 방식을 규정하여 힌두교도의 일상생활에 영향을 주었다.

3. 인도 고전 문화의 발전

(1) 배경: 민족의식 고취 → 인도 고유의 색채 강조

(2) 발달

문학	산스크리트어 문학 발달(서사시인 『라마야나』와 『마하바라타』 정리, 칼리다사의 희곡 『샤쿤탈라』 완성)
미술	간다라 양식에 인도 고유의 특색이 융합된 굽타 양식 출현(아잔타 석굴 사원, 엘로라 석굴 사원의 불상과 벽화가 대표적) → 중앙아시아를 거쳐 동아시아에 전파
불교	불교 쇠퇴, 불교 교리의 연구 지속 → 많은 구법승이 날란다 사원에서 수행
자연 과학	• 발달: 천문학(지구 구형과 자전·월식의 원리 확인, 지구의 둘레 계산), 수학('0'의 개념 최초 도입, 10진법 사용, 원주율 계산) 등 발달 • 영향: 이슬람 세계의 자연 과학 발달에 기여

이슬람 세계에 전해져 아라비아 숫자 형성에 기여하였다.

간다라 양식과 굽타 양식

곡선미, 옷 주름의 선 생략, 얇은 옷으로 신체의 윤곽을 그대로 드러낸 것이 특징이다.

간다라 불상(간다라 양식)

아잔타 제1 석굴의 연화수 보살상(굽타 양식)

사르나트에서 출토된 불상(굽타 양식)

그리스 신상에 보이는 곱슬곱슬한 머리카락, 오똑한 콧날, 자연스럽고 깊게 새겨진 옷 주름 등의 특징을 갖추었다.

44 III. 서아시아·인도 지역의 역사

시험에 자주 나오는 주제를 선별하여 교과 내용을 정리하였습니다. 한눈에 들어오는 표, 자료 등으로 단원의 핵심 개념을 효율적으로 학습할 수 있습니다.

단계적 문제 풀이

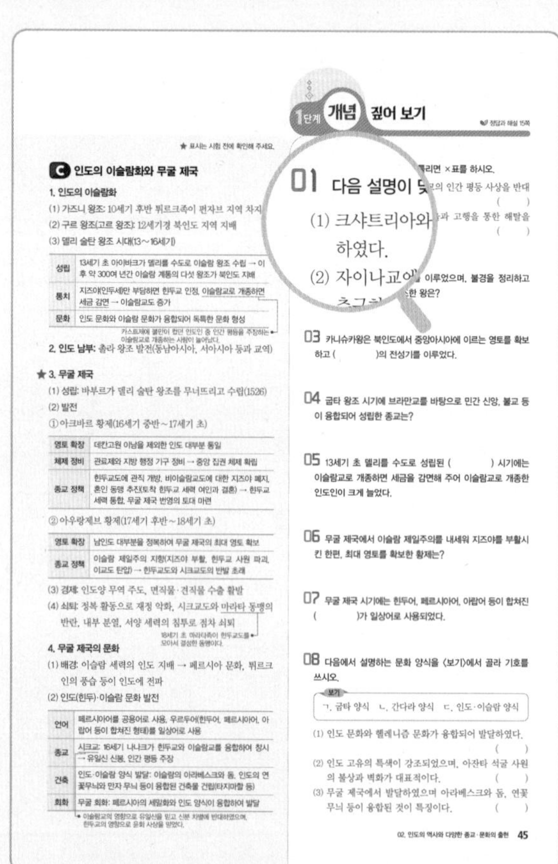

1단계 개념 짚어 보기

단원의 핵심 개념을 잘 이해했는지 단답형 문제를 통해 꼼꼼하게 체크할 수 있습니다.

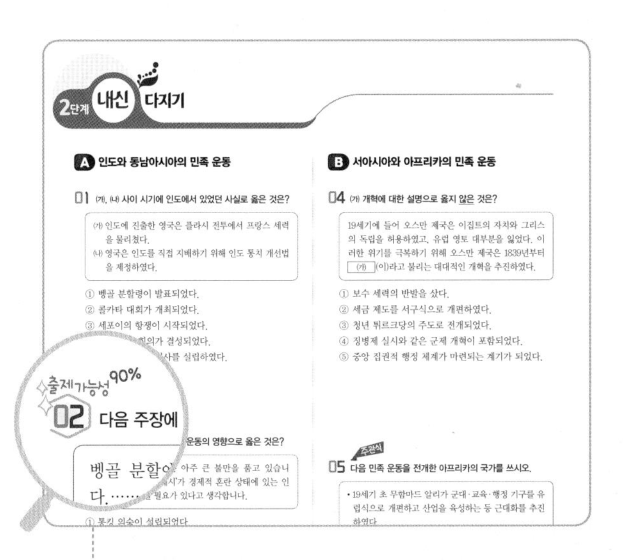

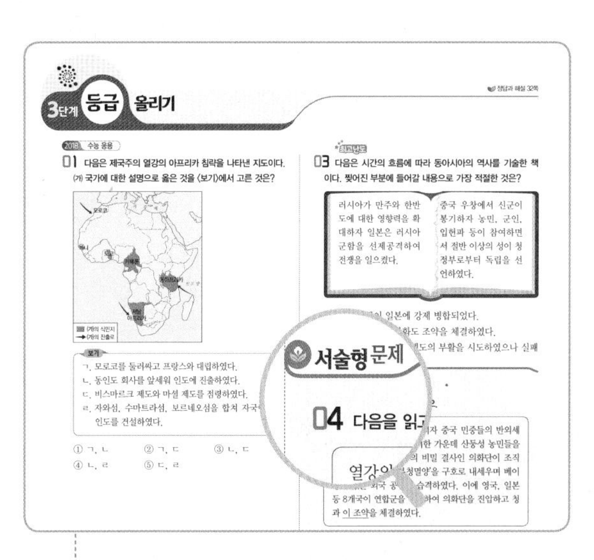

2단계 내신 다지기

교과서를 철저히 분석하여 학교 시험에 출제될 가능성이 높은 문제로만 구성하였습니다. 핵심 자료를 활용한 다양한 문제로 실전 감각을 키울 수 있습니다.

3단계 등급 올리기

내신 1등급 달성에 도움을 주는 통합형 문제와 서술형 문제를 구성하였습니다. 고난도 문제를 통해 사고력과 응용력을 향상시킬 수 있습니다.

내공 점검

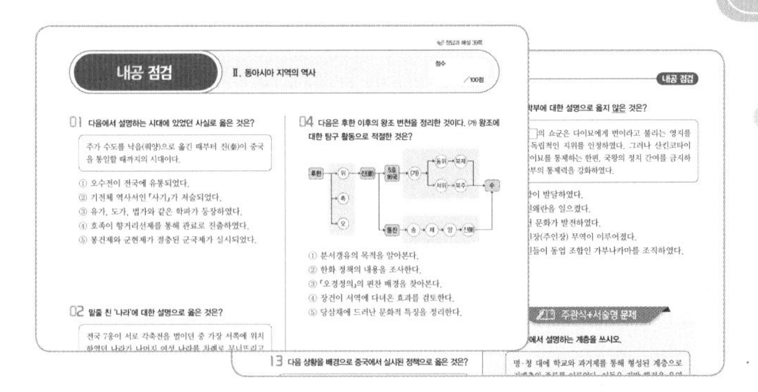

- 대단원별로 시험 대비 실전 문제를 구성하였습니다. 중간·기말 고사 직전에 자신의 실력을 최종 점검할 수 있습니다.

내공과 내 교과서 단원 비교하기

단원명		내공	비상교육	금성	미래엔	천재교육
Ⅰ 인류의 출현과 문명의 발생	01 세계사 학습과 선사 문화	8 ~ 11	10 ~ 20	12 ~ 18	10 ~ 18	12 ~ 22
	02 문명의 발생	12 ~ 15	21 ~ 29	20 ~ 26	20 ~ 26	24 ~ 32
Ⅱ 동아시아 지역의 역사	01 동아시아 세계의 형성	16 ~ 23	34 ~ 48	34 ~ 46	32 ~ 44	38 ~ 46
	02 동아시아 세계의 발전	24 ~ 29	49 ~ 59	48 ~ 56	46 ~ 54	48 ~ 56
	03 동아시아 세계의 변동	30 ~ 35	60 ~ 70	58 ~ 68	56 ~ 64	58 ~ 68
Ⅲ 서아시아·인도 지역의 역사	01 서아시아의 여러 제국과 이슬람 세계의 형성	36 ~ 43	76 ~ 87	76 ~ 88	70 ~ 80	76 ~ 95
	02 인도의 역사와 다양한 종교·문화의 출현	44 ~ 49	88 ~ 99	90 ~ 96	82 ~ 90	96 ~ 109

차례

CONTENTS

I 인류의 출현과 문명의 발생

II 동아시아 지역의 역사

III 서아시아 · 인도 지역의 역사

유럽 · 아메리카 지역의 역사

제국주의와 두 차례 세계 대전

현대 세계의 변화

내공 점검

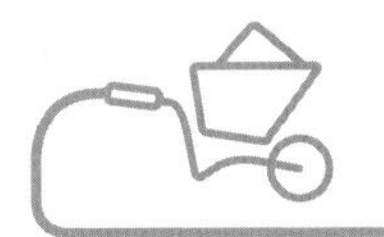

01 세계사 학습과 선사 문화

★ 표시는 시험 전에 확인해 주세요.

A 세계사 학습의 필요성

1. 세계사와 세계화

(1) 세계사와 세계화의 의미

세계사	지구에서 활동한 인류 전체에 대한 종합적인 이야기, 지구사 개념 등장
세계화	국가 간 교류가 증대되어 개인과 사회 집단이 갈수록 하나의 세계 안에서 삶을 만들어 가는 과정

(2) 세계화 시대의 세계사: 교통과 통신의 발달로 지역 간 교류가 확대되어 상호 의존성 증대, 문명 간 갈등과 대립 심화 → 세계사의 역할 강조

상호 교류가 진전되면서 민족, 인종, 종교, 계급 간의 갈등과 대립이 심화되기도 한다.

2. 세계사 탐구

자민족 중심주의는 각 지역 세계가 상호 교류로 발전하였음을 무시하고 국가 간의 대립과 갈등을 조장할 수 있다.

의미	과거에 인간이 남긴 기록, 유물이나 유적 등을 통해 과거를 복원하고 재구성하는 과정
방법	사료 수집 → 사료 비판 → 새로운 해석이나 결론 도출
유의점	• 자기 민족의 우월성을 내세우는 자민족 중심주의 지양(유럽 중심주의, 오리엔탈리즘, 중화주의 등) → 사료를 철저히 비판하고 어떤 관점에서 역사가 서술되었는지 파악해야 함 • 다문화적·다중심적·상대주의적 시각 필요 • 역사적 사실의 원인과 영향, 현재에 갖는 의미 등을 광범위하게 연구

역사가의 사료 비판

역사가가 수집한 사료를 종합하고 역사적 진실에 다가가기 위해 사료 비판의 절차를 거친다는 것을 보여 준다.

역사가는 기록을 수집해 읽고 기록 자체의 확실성과 진실성을 평가하려고 노력하며, 그런 연후에야 비로소 그 기록을 이용한다.

\- 마르크 블로크

★ 3. 세계사 학습의 의미와 필요성

(1) 세계사 학습의 의미: 인류가 현재에 이르는 발전 과정을 탐구하는 것

(2) 세계사 학습의 필요성

① 인간에 대한 이해 제공: 다양한 환경과 여러 시대에서 활동한 인류의 삶과 행동을 보다 풍부하게 이해

② 역사적 사고력·통찰력 향상: 세계사의 인과 관계와 의미를 파악하는 과정에서 비판적 사고 능력과 역사적 안목을 기름

오늘날 일어나는 갈등의 배경을 역사적 맥락에서 파악하여 해결 방안을 모색할 수 있다.

③ 문화 상대주의 관점 습득: 인류의 보편적 가치 및 상대주의의 관점에서 다른 문화 이해

④ 교훈 습득: 모범적 사례를 본받거나 재앙이 담긴 사례를 반성하고 극복하여 보다 나은 미래 계획

⑤ 우리의 위상 파악과 진로 모색: 우리나라의 장단점 파악 → 미래에 나아갈 길 모색 가능

B 인류의 출현과 선사 문화

1. 인류의 출현과 진화

인류	특징
오스트랄로피테쿠스	• 약 400만 년 전 출현 • 최초의 인류, 두 발로 서서 걸음(직립 보행), 간단한 도구 사용
호모 에렉투스	• 약 180만 년 전 출현 • 완전한 직립 보행, 불과 언어 사용
호모 네안데르탈렌시스	• 약 40만 년 전 출현 • 주로 유럽과 지중해 일대에서 등장, 신체 구조와 뇌 용량이 현생 인류와 비슷, 시체 매장 풍습
호모 사피엔스	• 약 20만 년 전 출현 • 현생 인류의 조상(유럽의 크로마뇽인, 중국의 상동인 등), 황색·백색·흑색 인종과 같은 형질상의 특징을 갖춤, 동굴 벽화 등의 예술품 제작

사후 세계의 관념이 있었음을 알 수 있다.

★ 2. 구석기 시대

시기	인류의 출현부터 약 1만 년 전까지
도구	뗀석기 사용(주먹도끼, 찍개, 자르개 등)
생활	사냥과 채집으로 식량 획득, 동굴·바위 그늘·숲속·막집 등에 거주, 이동·무리 생활, 불과 언어 사용
예술 활동	알타미라와 라스코 동굴 벽화(사냥의 성공 기원), 빌렌도르프의 비너스(다산과 풍요 기원) 등 제작

★ 3. 신석기 시대

신석기 시대에 농경과 목축이 시작되면서 인류의 생활과 사회가 크게 변화한 것을 일컫는다.

시작	약 1만 년 전 빙하기가 끝난 후 시작
도구	간석기(돌낫, 돌괭이, 갈돌과 갈판 등), 토기, 뼈 도구 사용
생활	• 신석기 혁명: 농경과 목축 시작 → 생산력 증대, 인구 증가, 정착 생활(움집 등에 거주), 촌락 형성 • 의복 제작: 뼈바늘과 베틀 활용
사회 변화	혈연적 씨족 사회 형성, 같은 조상을 모심, 재산의 공동 소유·공동 분배 → 신석기 시대 후기에 일부 지역에서 부족 형성, 계급 분화, 사유 재산 형성, 지배층 등장
신앙	원시적 종교 의식 등장(영혼 숭배, 토테미즘, 애니미즘, 거석 숭배 등)

태양, 물, 나무 등에 정령이 깃들었다고 믿은 신앙이다.

구석기 시대와 신석기 시대의 유물과 유적

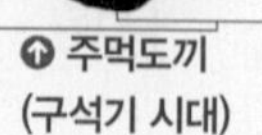

주먹도끼(구석기 시대)

돌칼(신석기 시대)

움집(신석기 시대)

구석기 시대에는 뗀석기를 사용하였고, 신석기 시대에는 간석기를 사용해 농사를 지었다.

신석기 시대 사람들은 주로 움집을 짓고 정착해서 생활하였다.

01 다음 설명이 맞으면 ○표, 틀리면 ×표를 하시오.

(1) 자민족 중심주의적인 시각에 따라 세계사를 탐구해야 한다. ( )

(2) 세계사 학습이란 인류가 현재에 이르는 발전 과정을 탐구하는 과정이다. ( )

(3) 교통과 통신의 발달로 지역 간 교류가 확대되면서 세계사의 역할이 강조되고 있다. ( )

02 ( )는 국가 간 교류가 증대되어 개인과 사회 집단이 갈수록 하나의 세계 안에서 삶을 만들어 가는 과정이다.

03 다음에서 설명하는 인류를 〈보기〉에서 골라 기호를 쓰시오.

보기

ㄱ. 호모 사피엔스　　ㄴ. 호모 에렉투스

ㄷ. 오스트랄로피테쿠스　　ㄹ. 호모 네안데르탈렌시스

(1) 시체를 매장하기 시작하였다. ( )

(2) 약 400만 년 전에 출현한 최초의 인류이다. ( )

(3) 불과 언어를 사용하였으며 완전한 직립 보행을 시작하였다. ( )

(4) 현생 인류의 조상으로 동굴 벽화와 같은 예술품을 남겼다. ( )

04 ( ) 시대 사람들은 식물의 열매와 뿌리를 채집하거나 짐승이나 물고기를 잡아 식량으로 삼았다.

05 신석기 시대에 농경과 목축이 시작되면서 인류의 생활과 사회가 크게 변화한 것을 일컫는 말은?

06 신석기 시대에 등장한 원시적 종교 의식으로 태양과 물, 나무 등에 정령이 깃들었다고 믿은 신앙은?

07 신석기 시대에는 촌락 주민들이 같은 조상을 모시고 재산을 공동으로 소유하며 생산물을 공평하게 나누어 혈연적인 ( )를 형성하였다.

정답과 해설 2쪽

A 세계사 학습의 필요성

01 다음 글에서 알 수 있는 세계사의 탐구 방법으로 가장 적절한 것은?

> 역사가는 기록을 수집해 읽고 기록 자체의 확실성과 진실성을 평가하려고 노력하며, 그런 연후에야 비로소 그 기록을 이용한다. – 마르크 블로크

① 사료 비판의 절차를 거친다.
② 인간의 과거 업적을 모두 모은다.
③ 기록자의 주장을 그대로 수용한다.
④ 국수주의적 태도로 사료를 해석한다.
⑤ 자민족 중심주의적 입장에서 세계사를 바라본다.

02 다음에서 설명하는 관점을 쓰시오.

> 자기 민족의 문화가 우월하다고 보는 관점이다. 근대사가 서양을 중심으로 발전하였다는 유럽 중심주의, 동양인들이 서양인들보다 열등하다고 믿는 오리엔탈리즘, 중국이 세계의 중심이라는 중화주의 등이 대표적이다.

출제가능성 90%

03 다음 글을 통해 알 수 있는 세계사 학습의 목적으로 가장 적절한 것은?

> 이 책은 프랑스와 독일이 공동으로 출간한 프랑스의 역사 교과서이다. 2006년 프랑스와 독일은 두 나라의 역사 이해와 화해를 위해서 각국의 언어로 쓰인 공동 역사 교과서를 출간하였다.

① 유럽 중심주의 시각을 갖출 수 있다.
② 자국 문화의 우수성을 확인할 수 있다.
③ 자연을 이용하고 극복하도록 도와준다.
④ 근대 중심주의적인 태도를 함양할 수 있다.
⑤ 지역 간의 갈등을 조정하는 데 도움을 준다.

B 인류의 출현과 선사 문화

04 다음 특징을 가진 인류에 대한 설명으로 옳은 것은?

- 약 40만 년 전에 출현하였다.
- 주로 유럽과 지중해 일대에 살았다.
- 신체 구조와 뇌 용량이 현생 인류와 비슷하였다.

① 시체를 매장하였다.
② 최초로 출현한 인류이다.
③ 간석기 도구로 농사를 지었다.
④ 완전한 직립 보행을 시작하였다.
⑤ 혈연 중심의 씨족 사회를 형성하였다.

출제가능성 90%

05 다음 유물을 제작한 시기의 생활 모습으로 옳은 것은?

① 베틀로 옷을 지어 입었다.
② 동굴이나 막집에 거주하였다.
③ 농사를 지어 먹을거리를 얻었다.
④ 토기를 만들어 곡식을 보관하였다.
⑤ 태양과 물 등에 정령이 있다고 믿었다.

06 (가)에 들어갈 내용으로 적절한 것은?

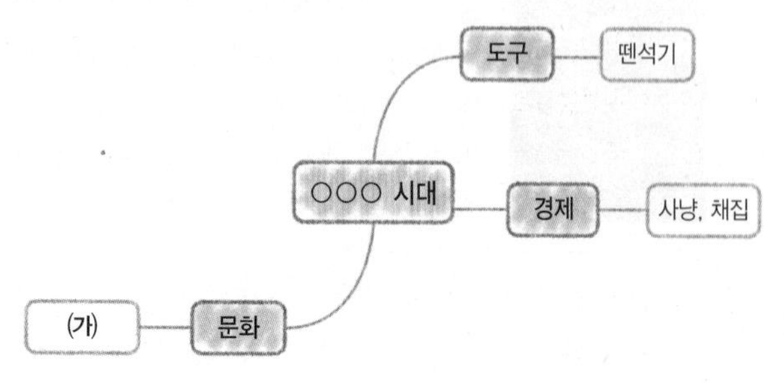

① 시체 매장
② 애니미즘 발생
③ 왕의 무덤 제작
④ 베틀로 의복 제작
⑤ 거석 숭배 신앙 등장

07 밑줄 친 '인류 생활의 변화'에 해당하는 사실로 옳지 않은 것은?

약 1만 년 전 지구에서 마지막 빙기가 끝나면서 지구의 기온이 올라가 생태계가 변화하였다. 식물의 분포가 변화하는 한편, 몸집이 큰 동물들이 사라졌고 몸집이 작고 빠른 동물들과 다양한 어패류가 번성하였다. 이러한 자연환경의 변화는 인류 생활의 변화를 가져왔다.

① 간석기를 만들었다.
② 애니미즘이 생겨났다.
③ 농경과 목축이 시작되었다.
④ 언어를 사용하기 시작하였다.
⑤ 토기를 만들어 생산물을 보관하였다.

08 다음 돌칼이 제작된 시기에 대한 탐구 활동 주제로 적절하지 않은 것은?

① 농사가 시작된 배경
② 토기를 활용한 용도
③ 베틀로 옷을 만드는 과정
④ 원시적 종교 의식의 종류
⑤ 알타미라 동굴 벽화를 그린 이유

출제가능성 90%

09 (가), (나) 주거지를 주로 사용하던 사람들에 대한 설명으로 옳은 것은?

(가)

↑ 나무로 만든 막집

(나)

↑ 움집

① (가) – 뼈바늘로 옷을 만들어 입었다.
② (가) – 한곳에 정착하여 촌락을 형성하였다.
③ (나) – 같은 조상을 모시고 공동 재산을 가졌다.
④ (나) – 알타미라와 라스코 동굴에 벽화를 남겼다.
⑤ (가), (나) – 마지막 빙기가 끝난 후에 등장하였다.

정답과 해설 3쪽

01 지도에 표시된 인류에 대한 탐구 활동으로 가장 적절한 것은?

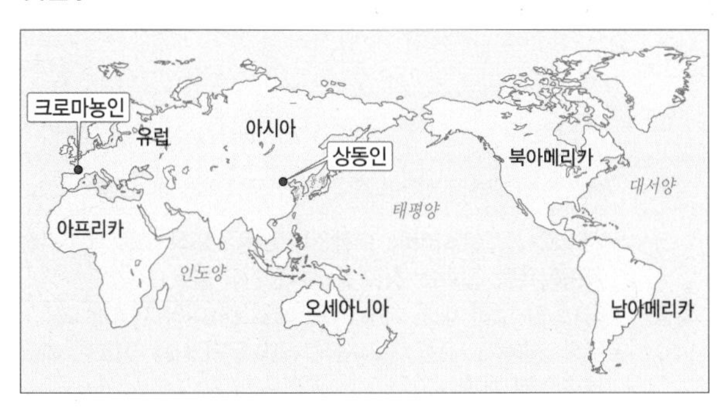

① 움집의 제작 과정을 검토한다.
② 토기의 사용 용도를 알아본다.
③ 직립 보행이 시작된 계기를 찾아본다.
④ 동굴 벽화의 의미와 특징을 조사한다.
⑤ 농경의 도입과 생산력 변화의 관계를 살펴본다.

2017 교육청 응용

02 밑줄 친 '이 시대' 사람들의 생활 모습으로 옳은 것은?

 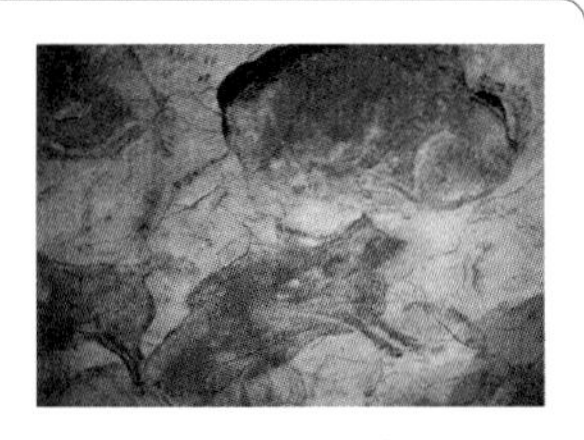

위 사진은 이 시대의 유적이다. 왼쪽 사진은 매머드의 뼈로 만든 막집으로, 이 시대 사람들이 이동 생활을 하면서 임시 거처로 삼은 곳이다. 오른쪽 사진은 알타미라 동굴 벽화로, 사냥의 성공을 비는 주술적 의미를 담고 있다고 알려져 있다.

① 왕을 살아 있는 신으로 여겼다.
② 토기를 만들어 음식을 저장하였다.
③ 뼈바늘을 사용하여 옷을 만들어 입었다.
④ 태양과 물에 정령이 깃들어 있다고 믿었다.
⑤ 뗀석기로 식물의 열매와 뿌리를 채집하였다.

최고난도

03 (가) 시기에 변화된 생활 모습으로 옳은 것을 〈보기〉에서 고른 것은?

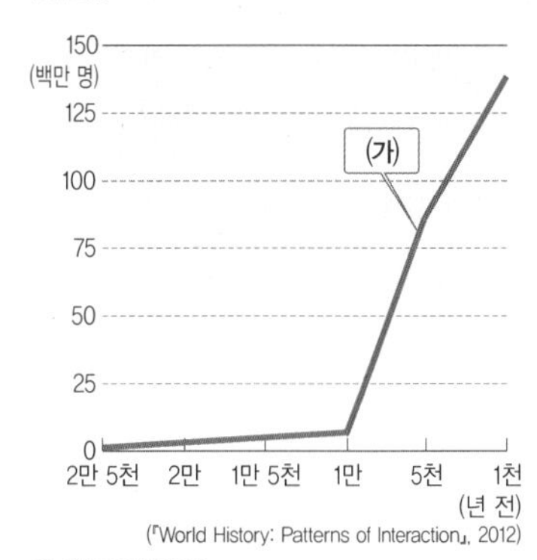

인구의 변화

보기

ㄱ. 농경과 목축을 시작하였다.
ㄴ. 불로 음식을 익혀 먹게 되었다.
ㄷ. 간석기와 토기를 사용하게 되었다.
ㄹ. 언어를 사용하기 시작하면서 긴밀한 협동을 하게 되었다.

① ㄱ, ㄴ ② ㄱ, ㄷ ③ ㄴ, ㄷ
④ ㄴ, ㄹ ⑤ ㄷ, ㄹ

서술형 문제

04 다음을 읽고 물음에 답하시오.

> (가) 사람들은 사냥, 채집의 생업 경제에만 의존하여 살았다. 그런데 빙하기가 끝나자마자 환경을 대하는 인간의 태도가 변화하였다. …… 인간의 생업 경제를 변화시킨 최초의 혁명은 인간이 스스로 식량 공급을 통제할 수 있는 길을 열어 주었다. – 고든 차일드

(1) (가) 시대를 쓰시오.

(2) 밑줄 친 '최초의 혁명'의 의미를 서술하시오.

문명의 발생

★ 표시는 시험 전에 확인해 주세요.

A 메소포타미아 문명과 이집트 문명

1. 문명의 발생

(1) 문명 발생의 조건

① 지리적 특징: 따뜻한 기후, 농경에 유리한 큰 강 유역

② 성립 요건: 청동기 사용(정복 활동 활발), 계급 발생, 문자 사용, 도시 국가 등장

└ 의사 표현이나 제사 의식, 조세 징수 과정에서 문자가 발명되었다.

(2) 4대 문명의 발생: 메소포타미아 문명(티그리스강, 유프라테스강 유역), 이집트 문명(나일강 유역), 인도 문명(인더스강, 갠지스강 유역), 중국 문명(황허강 유역) 발생

2. 메소포타미아 문명

성립	기원전 3500년경 수메르인이 티그리스강·유프라테스강 사이의 메소포타미아 지역에 도시 국가 건설(우르, 라가시 등)
변천	• 아카드인: 수메르인의 국가 정복 • 아무르인: 바빌로니아 왕국 건설(함무라비왕이 메소포타미아 전역을 통일하고 전성기 이룩, 함무라비 법전 편찬)
특징	• 지형: 홍수가 잦음, 개방적이어서 이민족이 자주 침입 • 정치·사회: 신권 정치 실시, 지배층(신관, 관리, 군인)·피지배층(평민, 노예)으로 구분 • 경제: 농업 발달, 수레 사용으로 교역 발달 • 종교: 다신교 신봉, 현세를 중시하는 종교관 발달(「길가메시 서사시」에 드러남) • 문화: 지구라트 건축, 점성술 발달, 쐐기 문자 사용(점토판에 기록), 태음력과 60진법 사용

└ 함무라비 법전: 보복적 성격을 가졌으며, 바빌로니아 사회에 사유 재산과 계급이 존재하였음을 보여 준다.

★ 3. 이집트 문명

성립	나일강의 주기적인 범람으로 형성된 비옥한 땅에서 여러 도시 국가 발달 → 기원전 3000년경 통일 왕국 수립
특징	• 지형: 폐쇄적 → 외침이 적어 오랫동안 통일 국가 유지 • 정치·사회: 파라오의 신권 정치, 지배층(제사장, 관료)과 피지배층(백성)으로 구분 • 종교: 다신교 신봉, 내세적 종교관 발달(영혼 불멸 사상, 사후 세계 신봉 → 미라, 피라미드, 「사자의 서」 제작) • 문화: 의학·측량술·기하학·천문학 발달, 태양력과 10진법 사용, 상형 문자 사용, 파피루스로 종이 제작

└ 「사자의 서」: 죽은 자를 위한 안내서로, 사후 세계에서의 절차에 대한 내용을 담고 있다.

4. 지중해 연안의 국가들

히타이트	철제 무기와 전차를 이용한 정복 활동 전개, 철기 문화를 서아시아에 전파
페니키아	• 지중해와 흑해 무역 주도, 카르타고를 비롯한 많은 식민 도시 건설 • 표음 문자 사용 → 그리스에 전파, 알파벳의 기원이 됨
헤브라이	• 이스라엘 왕국 건국(기원전 11세기): 솔로몬왕 때 전성기 이룩, 이후 이스라엘과 유대로 분열 • 유대교 창시: 유일신(여호와) 신봉, 크리스트교와 이슬람교에 영향을 줌

B 인도 문명과 중국 문명

1. 인도 문명

(1) 인더스 문명

성립	기원전 2500년경 인더스강 상류 펀자브 지방에서 성립
특징	• 계획도시 건설(하라파, 모헨조다로 등): 포장 도로·배수 시설·공중목욕탕·집회소·창고 등 설치, 인장 출토 • 경제: 밀·보리 재배, 가축 사육, 메소포타미아 지역과 교역 • 문화: 청동기 사용, 채도 제작, 상형 문자 사용, 정교한 예술품과 장식품 제작
쇠퇴	기원전 1800년경부터 홍수, 수로 변경, 기후 변화 등으로 쇠퇴

└ 인장: 인장에 새겨진 문자와 동물 문양 등은 아직까지 해석되지 않고 있다.

(2) 아리아인의 이동

이동 경로	기원전 1500년경 인더스강 유역으로 남하하여 펀자브 지방에 정착 → 기원전 1000년경 갠지스강 유역으로 진출
생활 모습	• 경제: 철제 농기구와 관개 사업으로 농업 생산력 증대 • 사회: 카스트(바르나)제 확립(원주민 지배의 수단, 혈통에 따라 브라만·크샤트리아·바이샤·수드라로 계급 구분) • 신앙: 브라만교 성립(『베다』를 경전으로 삼음)

└ 브라만교: 자연 현상을 신앙의 대상으로 삼고 이를 신격화한 종교이다.

★ 2. 중국 문명

(1) 신석기 문화: 기원전 8000년경~기원전 6000년경 황허강·랴오허강·창장강 유역에서 형성, 양사오·룽산 문화 발달

(2) 청동기 문화

하 왕조	기원전 2500년경 황허강 중류에서 출현, 기록상 왕조
상 왕조	• 시작: 기원전 1600년경 황허강 중류 지역에서 발전 • 정치: 신권 정치 → 점복의 내용을 갑골문으로 기록 • 사회: 지배층(귀족)·피지배층(평민, 노예)으로 구성 • 경제: 농업과 목축 발전, 청동으로 무기와 제사용 도구 제작, 돌과 나무로 농기구 제작 • 문화: 역법 제작(태음력 사용), 순장 풍습 존재
주 왕조	• 성립: 기원전 11세기경 상을 멸망시키고 호경에 도읍함(서주 시대) → 창장강 하류까지 영토 확대 • 정치: 봉건제 실시(종법과 예법 중시), 천명사상·덕치주의 표방 • 쇠퇴: 지방 제후의 세력 강화, 왕실 약화 → 이민족의 침입으로 낙읍 천도(동주 시대)

└ 갑골문: 갑골문은 거북의 배딱지와 소의 어깨뼈 등에 새긴 문자로, 오늘날 한자의 기원이 되었다.

주의 봉건제 └ 적장자 상속을 원칙으로 하는 종법제를 바탕으로 운영되었다.

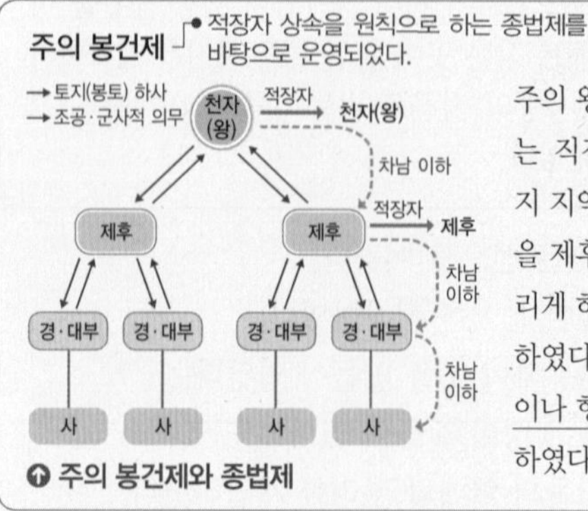

⊙ 주의 봉건제와 종법제

주의 왕은 도읍과 직할지는 직접 다스리고, 나머지 지역은 친족과 공신들을 제후로 임명하여 다스리게 하는 봉건제를 실시하였다. 왕은 주로 친척이나 형제를 제후로 임명하였다.

└ 주의 봉건제는 혈연관계를 기반으로 하였다.

01 문명 발생의 조건을 〈보기〉에서 골라 기호를 쓰시오.

보기
ㄱ. 문자 사용
ㄴ. 철제 농기구 사용
ㄷ. 따뜻한 기후와 풍부한 수량
ㄹ. 계급의 발생과 도시 국가의 출현

02 (   )의 함무라비왕은 수메르의 옛 법을 집대성하여 함무라비 법전을 편찬하였다.

03 이집트의 왕인 (   )는 태양신 '라'의 아들이자 살아 있는 최고신으로 여겨졌다.

04 다음은 메소포타미아 문명과 이집트 문명을 비교한 표이다. ㉠~㉢에 들어갈 내용을 각각 쓰시오.

구분	메소포타미아 문명	이집트 문명
지형	개방적 지형	(㉠) 지형
종교관	현세적 종교관	(㉡) 종교관
문자	(㉢)	상형 문자

05 헤브라이에서 창시되었으며 여호와를 유일신으로 믿고 크리스트교와 이슬람교에 영향을 준 종교는?

06 기원전 2500년경 인더스강 상류 펀자브 지방의 비옥한 평야 지대에서 (   )이 성립되었다.

07 기원전 1500년경에서 기원전 1000년경에 인도 지역에 정착하여 카스트제를 만든 민족은?

08 중국의 상 왕조에서는 점복의 내용을 (   )으로 기록하였는데, 이는 한자의 기원이 되었다.

09 중국의 주 왕조에서 왕이 도읍과 직할지만 직접 다스리고 나머지 지역은 제후에게 다스리게 한 제도는?

2단계 내신 다지기

정답과 해설 3쪽

A 메소포타미아 문명과 이집트 문명

01 지도에 표시된 영역에서 발달한 문명에 대한 설명으로 옳은 것은?

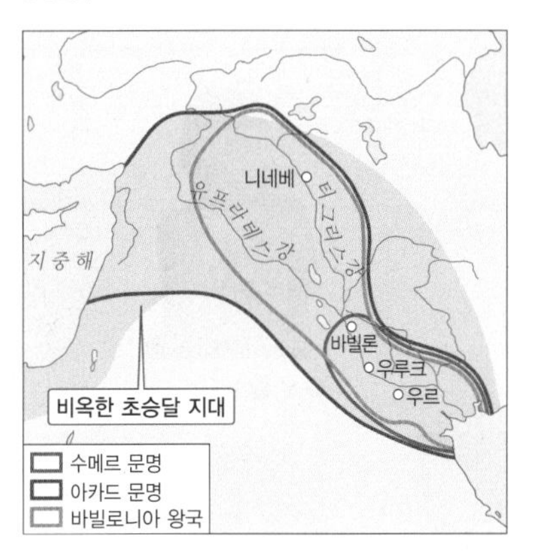

① 파피루스로 종이를 제작하였다.
② 왕을 태양신 '라'의 아들로 간주하였다.
③ 도시마다 지구라트라는 신전을 세웠다.
④ 자연 현상을 찬미하는 『베다』를 남겼다.
⑤ 알파벳의 기원이 된 표음 문자를 만들었다.

출제가능성 90%

02 다음 법전을 편찬한 문명에 대한 탐구 활동으로 적절한 것은?

제40조 사들여 보유하고 있는 농지, 과수원 또는 가옥은 매각할 수 있다.
제128조 아내를 맞이하면서 계약서를 작성하지 않으면 혼인은 무효가 된다.
제196조 자유인의 눈을 멀게 하면 그의 눈도 멀게 한다.
제198조 귀족이 평민의 눈을 빼거나 뼈를 부러뜨렸으면 은화 1미나를 바쳐야 한다.

① 유대교 창시의 의의를 검토한다.
② 카스트제를 만든 목적을 조사한다.
③ 파라오의 역할과 권력의 크기를 알아본다.
④ 「길가메시 서사시」에 담긴 종교관을 파악한다.
⑤ 카르타고를 식민 도시로 세운 계기를 살펴본다.

03 다음 필기 내용에 해당하는 문명의 유물과 유적으로 옳은 것은?

- 성립: 기원전 3000년경
- 위치: 나일강 유역
- 특징: 폐쇄적 지형으로 오랫동안 통일 왕국 유지
- 전개: 고왕국 → 중왕국 → 신왕국

① 
갑골문

② 
인물상

③ 
지구라트

④ 
모헨조다로

⑤ 
스핑크스와 피라미드

B 인도 문명과 중국 문명

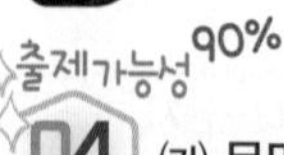

04 (가) 문명에 대한 설명으로 옳은 것은?

이 인장은 (가) 에서 출토되었다. (가) 사람들은 메소포타미아 지역과 교역을 하였는데, 이는 인장이 메소포타미아 지역에서 발견된 사실로 짐작할 수 있다.

① 태양력과 10진법을 사용하였다.
② 함무라비왕 때 전성기를 이루었다.
③ 스톤헨지와 같은 거석문화를 남겼다.
④ 하라파, 모헨조다로 등 계획도시를 세웠다.
⑤ 지구라트를 지어 도시마다 수호신을 섬겼다.

주관식

05 다음에서 설명하는 제도를 쓰시오.

아리아인이 기원전 1500년경 펀자브 지방을 정복한 후 점차 동쪽으로 이동하여 세력을 확대하면서 원주민을 다스리기 위해 만든 신분 제도이다. 이 제도에 따라 브라만, 크샤트리아, 바이샤, 수드라로 계급이 구분되었다.

06 다음 주장을 뒷받침하기 위해 조사할 내용으로 가장 적절한 것은?

중국 상 왕조에서는 나라에 중요한 일이 있을 때 점을 쳐서 결정하는 신권 정치를 실시하였다.

① 갑골문의 내용
② 브라만교의 교리
③ 파라오 권력의 근거
④ 모헨조다로의 도시 구조
⑤ 「사자의 서」의 역할과 의미

07 다음은 주 왕조에서 실시한 제도이다. 이 제도에 대한 설명으로 옳지 않은 것은?

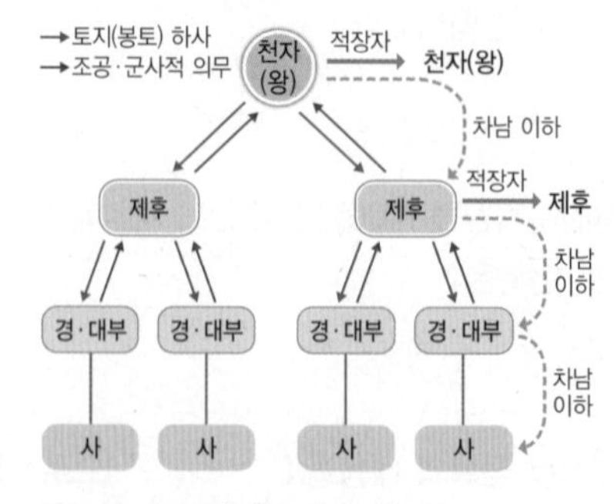

① 왕이 도읍을 다스렸다.
② 『베다』를 근거로 성립되었다.
③ 혈연관계를 기반으로 하였다.
④ 종법제를 바탕으로 운영되었다.
⑤ 왕실의 친족 등이 제후가 되었다.

2018 수능 응용

01 밑줄 친 '이 문명'에 대해 학생들이 나눈 대화 내용으로 적절한 것을 〈보기〉에서 고른 것은?

> **이 문명 특별 기획전**
>
> 기획전에서는 쐐기 문자가 새겨진 점토판이 전시됩니다. 그리고 쐐기 문자로 쓰인 「길가메시 서사시」를 다룬 영상도 공개됩니다. 이번 전시회에서 이 문명의 숨결을 느껴 보세요.
>
> 
> ⊙ 쐐기 문자가 새겨진 점토판

보기
ㄱ. 갑: 하라파와 모헨조다로 등의 도시를 세웠어요.
ㄴ. 을: 농업에 필요한 태음력과 60진법을 고안하였지요.
ㄷ. 병: 도시마다 지구라트를 세워 각기 다른 신을 믿었어요.
ㄹ. 정: 왕을 '파라오'라고 부르고 살아 있는 신으로 여겼어요.

① ㄱ, ㄴ　② ㄱ, ㄷ　③ ㄴ, ㄷ　④ ㄴ, ㄹ　⑤ ㄷ, ㄹ

최고난도

02 (가) 문명에서 볼 수 있었던 모습으로 적절한 것은?

> **수행 평가 보고서**
>
> 1. 탐구 주제: (가) 의 문자
> 2. 조사 내용: 로제타식을 통해 본 문자의 해석 과정
>
> 
> ⊙ 로제타석
>
> 로제타석에는 민중 문자와 그리스 문자가 함께 새겨져 있다. 그래서 로제타석은 (가) 의 상형 문자를 해독하는 데 밑거름이 되었다. 이 상형 문자가 사용된 예로는 「사자의 서」를 들 수 있다.

① 각종 노역에 동원되는 수드라
② 피라미드 건설을 명하는 파라오
③ 갑골에 점의 내용을 기록하는 정인
④ 지구라트에서 제사를 주관하는 제사장
⑤ 식민지 카르타고에 물품을 보내는 상인

03 지도와 같이 이동한 민족에 대한 보고서 주제로 적절한 것은?

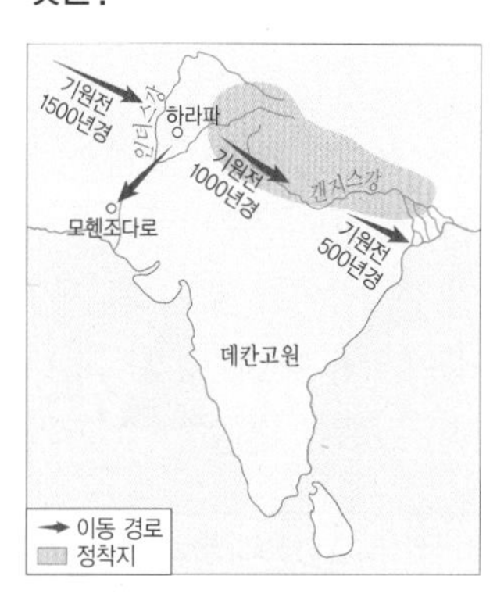

① 「사자의 서」에 담긴 종교관
② 브라만교의 성립과 『베다』의 특징
③ 모헨조다로 유적의 건축학적 의의
④ 갑골문 내용으로 본 정치 체제의 특징
⑤ 나일강의 범람이 천문학 발달에 미친 영향

서술형 문제

04 다음을 보고 메소포타미아 문명과 이집트 문명에서 형성된 종교관의 특징을 자연환경과 연관하여 서술하시오.

> • 길가메시여, 당신은 생명을 찾을 수 없을 것입니다. 신들이 인간을 만들 때 죽음도 함께 붙여 주었습니다. …… 좋은 음식으로 배를 채우십시오. 밤낮으로 춤추며 즐기십시오. …… 이것 또한 인간의 운명이니까요.
> – 메소포타미아, 「길가메시 서사시」
>
> •
> 
>
> 위 유물은 이집트의 「사자의 서」로, 아누비스 신의 안내로 죽은 자가 심판받는 모습이 그려져 있다.

01 동아시아 세계의 형성

A 춘추 전국 시대

1. 춘추 전국 시대의 전개

(1) 배경: 주 왕실의 권위 약화, 견융족의 침입으로 주가 수도 호경을 빼앗기고 낙읍(뤄양)으로 천도(동주)

(2) 전개: 춘추 시대(춘추 5패가 존왕양이를 명분으로 제후국 통솔) → 전국 시대(전국 7웅이 약육강식의 경쟁)

존왕양이: 주 왕실을 받들고 오랑캐를 물리친다는 뜻이다.

★ 2. 춘추 전국 시대의 변화

정치	유력한 제후국이 주변 도시 국가를 통합하여 영토 국가로 발전, 일부 지역에서 중앙 집권적인 군현제 실시
경제	• 농업 발달: 철제 농기구 보급, 우경 시작 → 농업 생산량 급증, 토지 사유화의 진전으로 소농민 출현(사회의 기초 단위 형성) • 상공업 발달: 농산물의 상품화, 제철업·제염업·직물업 발달, 대도시 형성, 도전·포전 등 화폐 유통
사회	능력 중심의 인재 등용(변법 실시), 철제 무기 사용으로 전쟁 규모 확대(→ 일반 백성의 사회적 지위 상승) → 신분 질서 재편(사농공상의 개념 등장)

변법: 부국강병을 위한 개혁을 말한다.

3. 제자백가의 등장

제자백가: 제후국들이 경쟁적으로 유능한 인재를 등용하는 과정에서 등장한 다양한 사상가와 학파로, 현실 문제를 해결할 정치사상을 제시하였다.

유가	공자(인·예 중심의 도덕 정치 주장)·맹자(성선설 주장)·순자(성악설 주장) 등이 주장, 효도·우애 등 가족 윤리를 확장하여 사회 질서를 바로잡으려 함, 중국 사상과 문화의 주류 형성
도가	노자·장자 등이 주장, 인위적인 제도 배제, 무위자연 주장 → 중국인의 자연관·회화·시 등에 영향
법가	상앙·한비자 등이 주장, 군주의 권위 존중, 법·형벌에 의한 사회 질서 유지 강조 → 강력한 왕권 확립을 원하는 제후들이 환영
묵가	묵자 등이 주장, 겸애(차별 없는 사랑)와 상호 부조를 통한 평화 추구, 신분보다 개인의 능력 중시, 검소한 생활 강조

B 진·한 제국

1. 진의 중국 통일

(1) 중국 통일: 법가 사상에 따른 상앙의 변법이 성공하여 부국강병 이룩 → 진이 중국을 최초로 통일(기원전 221)

(2) 시황제의 정책

중앙 집권 정책	황제 칭호 도입(스스로 시황제라 칭함), 군현제 실시, 전국에 도로망 건설
통일 정책	화폐·도량형·문자 통일(→ 지역 간 교류 활성화), 사상 통일(법가 이외의 사상·학문 탄압 → 분서갱유 단행)
대외 정책	흉노를 토벌하고 만리장성 축조, 광둥 지방과 베트남 북부까지 영토 확장

군현제: 전국을 36개의 군으로 나누어 관리를 파견하였다.

화폐 통일: 각 제후국의 화폐를 반량전으로 통일하였다.

(3) 멸망: 가혹한 통치, 대규모 토목 공사에 따른 백성의 반발 → 진승·오광의 난 등 농민 반란으로 멸망(기원전 206)

분서갱유: '책을 불태우고(분서), 선비를 묻어 죽인다(갱유).'는 뜻으로, 시황제가 단행한 사상 통제 정책이다.

★ 2. 한의 성립과 발전

(1) 한의 성립: 유방(고조)이 건국, 중국 재통일(기원전 202) → 장안에 도읍, 군국제 실시(군현제와 봉건제 절충)

(2) 무제의 통치

중앙 집권 정책	군현제를 전국적으로 시행, 동중서의 건의를 받아들여 유교를 통치 이념으로 채택
대외 정책	남월·고조선을 정복하고 군현 설치, 흉노 제압, 흉노를 견제하기 위해 장건을 대월지에 파견(→ 비단길 개척)
통제 경제 정책	잦은 대외 원정으로 재정 부족 문제 발생 → 소금과 철의 전매제 실시, 균수법·평준법 실시, 오수전 주조

한 무제의 통제 경제 정책

흉노는 우리 나라의 신하로서 따르지 않고, 때때로 변경을 황폐하게 하고 있습니다. …… 돌아가신 선제는 변경의 백성이 오랫동안 흉노의 침략에 고통스러워하는 것을 불쌍히 여겨, …… 방위력의 증강에 전력하였습니다. 그러나 그 결과 재정이 어려워져 소금, 철, 술의 전매 및 수출입 금지법을 시행하게 되었습니다. - 『염철론』

선제: 한 무제를 가리킨다.

한 무제는 재정을 확보하기 위해 통제 경제 정책을 실시하였다.

(3) 신의 성립과 멸망: 외척과 환관의 권력 다툼으로 전한 쇠퇴 → 외척 왕망이 한을 멸망시키고 신 건국(8) → 토지 국유화, 노비 매매 금지 등의 개혁 실시 → 호족들의 반발로 멸망

(4) 후한의 성립과 발전

① 성립: 유수(광무제)가 호족의 지원을 받아 뤄양을 도읍으로 한 재건(후한 성립, 25) → 전한의 제도 부활, 유교 장려

② 멸망: 외척·환관의 정쟁 심화, 호족의 대토지 소유 확대, 농민 반란 발생 → 황건적의 난을 계기로 멸망(220)

3. 한의 경제, 사회, 문화

(1) 경제

① 농업 발달: 철제 농기구 보급 확대, 농업 기술 발달 → 농업 생산력 증대, 토지의 사유화 진전

② 상공업 발달: 서역과의 교역 활발, 상업 도시 번성, 화폐 유통

(2) 사회: 대토지와 노비를 소유한 호족의 성장 → 향거리선제를 통해 관료로 진출하여 중앙 정치 주도

향거리선제: 지방관이 유교적 소양이 있는 인재를 중앙에 추천하여 관료로 선발한 제도이다.

(3) 문화

유교	유가 사상이 유교로 발전, 무제가 통치 이념화(→ 태학 설립, 오경박사 설치), 훈고학이 유학의 주류 형성
불교	후한 초 비단길을 통해 서역으로부터 전래
신선 사상	후한 말 도가 사상과 결합하여 태평도, 오두미도 등 민간 신앙으로 발전
역사서	사마천의 『사기』(전한), 반고의 『한서』(후한) 등 기전체 역사서 등장 → 중국 정사 서술의 모범이 됨
과학 기술	후한 대 채윤이 제지술 개량 → 학문과 사상 발전에 기여

★ 표시는 시험 전에 확인해 주세요.

C 위진 남북조 시대

1. 위진 남북조 시대의 전개

선비족의 복장과 언어를 금지하는 등의 정책은 호한 융합을 촉진하였으나 선비족 지배층의 반발을 사 북위의 분열을 초래하였다.

삼국 시대		후한 멸망 이후 삼국(위·촉·오) 시대 전개 → 진(晉)이 통일
5호 16국 시대		5호(흉노, 선비, 저, 갈, 강)의 화북 침입 → 5개 유목 민족이 화북에 16국 건국, 진이 강남에 이주하여 동진 건국
남북조 시대	북조	북위(선비족)가 화북 통일, 효문제의 한화 정책 실시 → 동위와 서위로 분열 → 북제와 북주로 계승
	남조	한족의 강남 이주, 정치 불안정으로 잦은 왕조 교체(동진 → 송 → 제 → 양 → 진)

★ 2. 위진 남북조 시대의 사회와 경제

각 지방에 파견된 중정관이 인재를 9품으로 나누어 중앙에 추천한 제도이다.

(1) 문벌 귀족 사회 형성: 9품중정제 실시 → 호족이 고위 관직 세습, 문벌 귀족으로 성장(대토지 소유, 중앙 관직 독점)

(2) 강남 개발 촉진: 강남에 이주한 한족이 창장강 유역 개발, 벼농사 보급 → 강남의 경제력 향상, 인구 증가

(3) 균전제 실시: 북위 효문제가 처음으로 시행, 자영농 육성을 위해 농민에게 토지 분배

3. 위진 남북조 시대의 문화

북조 왕실이 불교를 후원하여 윈강·룽먼 석굴 등 대규모 석굴 사원을 조성하였다.

(1) 불교: 남북조 시대에 융성, 북조에서 석굴 사원 조성

(2) 도교: 민간 신앙과 도가 사상이 결합하여 종교로 발전

(3) 귀족 문화: 도연명의 「귀거래사」, 고개지의 「여사잠도」 유명

(4) 청담 사상: 남조에서 유행, 속세를 떠나 인물 평론과 철학적 논의 등을 나눔, 죽림칠현이 대표적

D 수·당 제국

1. 수의 발전과 멸망

건국	북주의 외척인 양견(문제)이 수 건국(581) → 남북조 통일(589)
발전	• 문제: 율령 반포, 3성 6부의 통치 조직 마련, 균전제·조용조·부병제 정비, 9품중정제 폐지, 과거제 실시 • 양제: 대운하 완성(화북과 강남 연결 → 남북 간 물자 유통 활성화), 대외 진출 활발(돌궐·안남·고구려 공격)
멸망	대규모 토목 공사, 고구려 원정 실패 → 농민 반란으로 멸망(618)

과거제: 시험으로 관리를 선발한 제도이다.

2. 당의 발전과 멸망

변방 지역을 지키기 위해 설치한 군정 사령관이다. 이들은 안사의 난 이후 주둔 지역의 군사, 재정, 행정을 장악하였다.

건국	이연(고조)이 장안을 도읍으로 하여 건국(618)
발전	• 태종: '정관의 치' 이룩, 율령 체제 정비, 동돌궐 복속 • 고종: 서돌궐·백제·고구려를 멸망시킴, 베트남 복속 • 현종: '개원의 치' 이룩, 절도사 설치, 대외 확장
멸망	안사의 난(755~763) 이후 중앙 정부 약화, 절도사 세력 강화 → 황소의 난(875)으로 쇠퇴 → 절도사 주전충에게 멸망(907)

안사의 난: 절도사인 안녹산과 그의 부하인 사사명이 일으킨 반란이다.

★ 3. 당의 통치 제도: 율령 체제로 운영

정치	중앙을 3성 6부·지방을 주현제로 통치, 정복지에 기미 정책 실시		
토지	균전제	성인 남자에게 균전(토지) 지급	안사의 난 전후 균전제 붕괴, 장원 확산 → 양세법·모병제 실시
조세	조용조	균전을 받은 농민에게 세금 부과	
군사	부병제	균전을 받은 농민에게 병역 부과	

양세법: 조용조와 달리 재산에 따라 세금을 부과하였으며, 세금을 호세와 지세로 정리하여 여름과 가을 두 차례에 걸쳐 내도록 하였다.

4. 당의 사회, 경제, 문화

(1) 사회: 과거와 음서를 통해 문벌 귀족이 관직과 특권 독점 → 귀족 중심의 사회 형성

(2) 경제: 화북 지방에서 2년 3작 시행, 비전 사용, 상인 조합인 행(行) 출현, 국제 무역 활발, 시박사 설치(무역 관리)

비전: 일종의 약속 어음이다.

(3) 문화: 귀족적·국제적·개방적 성격

유학	공영달이 훈고학을 집대성한 『오경정의』 편찬(과거 시험의 수험서 역할 → 유교 경전 해석의 획일화 초래)
종교	불교 발전(현장, 의정 등의 인도 순례), 왕실의 보호로 도교 융성, 조로아스터교·경교·이슬람교 등 외래 종교 유행
예술	시 유행(이백, 두보 등 유명), 서예 발달, 당삼채 유행

E 한반도·일본의 발전과 동아시아 문화권

1. 한반도의 발전

삼국 시대	고구려·백제·신라가 중앙 집권 국가로 발전
남북국 시대	통일 신라와 발해가 남북국 형성, 당·일본과 교류

2. 일본 열도의 발전

쇼토쿠 태자의 개혁: 중앙 집권 체제를 강화하고 불교 진흥 정책을 폈다.

야마토 정권	4세기경 통일 국가 형성, 6세기 쇼토쿠 태자의 개혁, 아스카 문화 발달, 645년 다이카 개신 추진(국왕 중심의 중앙 집권 체제 확립), 7세기 말 '일본' 국호와 '천황' 칭호 사용
나라 시대	8세기 초 헤이조쿄(나라) 천도로 성립, 도다이사 건립 등 불교 문화 융성, 『고사기』·『일본서기』·『만엽집』 편찬, 견당사와 견신라사를 파견하여 선진 문물 수용
헤이안 시대	8세기 말 헤이안쿄 천도로 성립, 견당사 파견 중지, '가나' 사용 등 국풍 문화 발달, 귀족·호족 세력의 독자적 세력 형성

헤이조쿄: 당의 장안성을 본떠 건설한 도시이다.

3. 동아시아 문화권의 형성

(1) 배경: 신라, 발해, 일본 등이 당의 제도와 문화 수용

(2) 동아시아 문화권의 요소

율령 체제	당 대에 확립 → 동아시아 각국의 중앙 관제 정비에 영향을 줌
유교	동아시아 지역의 정치 이념이자 사회 규범으로 기능
불교	중국화한 불교가 한반도와 일본에 전래
한자	동아시아 지역의 공용 문자로 기능

1단계 개념 짚어 보기

01 춘추 전국 시대에는 철제 농기구가 보급되고 소를 이용한 농사법인 (　　　　)이 시작되었다.

02 법가 사상에 기반한 개혁으로 부국강병을 이룩하여 중국을 최초로 통일한 왕조는?

03 다음 설명이 맞으면 ○표, 틀리면 ×표를 하시오.

(1) 전국 시대에는 일곱 나라가 약육강식의 경쟁을 벌였다. (　　)

(2) 한 고조는 군현제와 봉건제를 절충한 군국제를 실시하였다. (　　)

(3) 진 시황제는 각 제후국에서 사용하던 화폐를 오수전으로 통일하였다. (　　)

04 한 대에 대토지와 노비를 소유하고 향거리선제를 통해 관료로 진출하여 중앙 정치를 주도한 세력은?

05 다음에서 설명하는 관리 등용 제도를 〈보기〉에서 골라 기호를 쓰시오.

보기

ㄱ. 과거제　　ㄴ. 9품중정제　　ㄷ. 향거리선제

(1) 수 문제가 처음 실시한 제도로, 시험으로 관리를 선발하였다. (　　)

(2) 한 대에 지방관이 유교적 소양이 있는 인물을 중앙에 추천하여 관료를 선발한 제도이다. (　　)

(3) 위진 남북조 시대에 각 지방의 중정관이 지역의 여론을 토대로 인재를 9품으로 나누어 중앙에 추천한 제도이다. (　　)

06 수 양제는 화북과 강남 지방을 연결하는 (　　　　)를 완성하여 남북 간 물자 유통과 경제 통합을 강화하였다.

07 당은 균전제를 실시하여 성인 남자에게 일정한 토지를 나누어 주었고, 그 대가로 (㉠　　　　)의 세금을 부과하고 (㉡　　　　)를 통한 병역의 의무를 부여하였다.

08 일본의 야마토 정권 시기에 당의 율령 체제를 본떠 국왕 중심의 중앙 집권 체제 확립을 도모한 개혁은?

2단계 내신 다지기

A 춘추 전국 시대

출제가능성 90%

01 지도의 형세를 이룬 시기에 중국에서 있었던 사실로 옳은 것은?

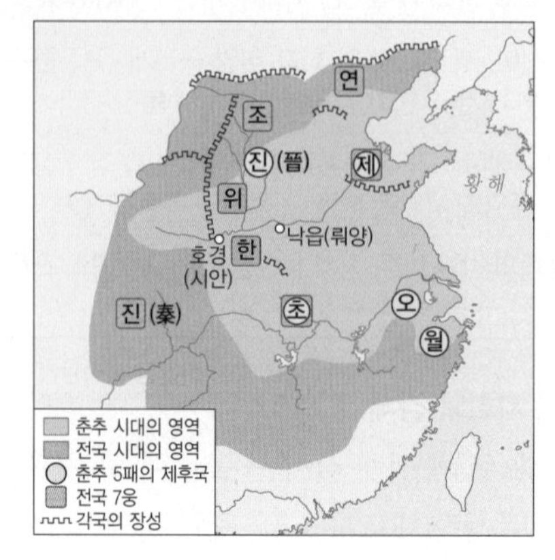

① 화폐가 반량전으로 통일되었다.
② 서역으로부터 불교가 전래되었다.
③ 부국강병을 위한 변법이 실시되었다.
④ 만리장성 축조를 비롯한 대규모 토목 공사가 추진되었다.
⑤ 국가의 중요한 일을 점을 쳐서 결정하는 신권 정치가 실시되었다.

02 밑줄 친 부분을 뒷받침하는 사례로 적절하지 않은 것은?

주 왕조가 견융족의 침입을 받아 수도를 낙읍(뤄양)으로 옮기면서 시작된 이 시대는 정치적으로 각국이 경쟁하는 형세를 이루는 혼란기였다. 그러나 <u>경제적·사회적으로는 이전보다 크게 발전하였다</u>.

① 사농공상의 개념이 등장하였다.
② 일반 백성의 사회적 지위가 상승하였다.
③ 도전·포전 등 다양한 화폐가 유통되었다.
④ 철제 농기구의 보급과 우경의 도입으로 농업 생산량이 급증하였다.
⑤ 토지 사유화의 진전으로 대토지와 노비를 소유한 호족이 성장하였다.

출제가능성 90%

03 다음은 어느 보고서의 머리말이다. 이 보고서에 포함될 주제로 적절한 것을 〈보기〉에서 고른 것은?

> 춘추 전국 시대에는 제후국들이 부국강병을 위해 능력 있는 인재를 등용하면서 다양한 사상가와 학파가 등장하였다. 이 보고서에서는 춘추 전국 시대에 등장한 학파별 사상을 살펴보고자 한다.

보기
ㄱ. 묵가 – 인위적인 제도를 배격하다.
ㄴ. 도가 – 차별 없는 사랑을 주장하다.
ㄷ. 법가 – 법·형벌에 의한 엄격한 통치를 강조하다.
ㄹ. 유가 – 가족 윤리를 통한 사회 질서 유지를 주장하다.

① ㄱ, ㄴ ② ㄱ, ㄷ ③ ㄴ, ㄷ
④ ㄴ, ㄹ ⑤ ㄷ, ㄹ

04 다음 사상에 대한 설명으로 옳은 것은?

> 명철한 군주는 뭇 신하가 법(法)을 벗어날 궁리를 못 하게 하고, 법의 적용에 온정을 기대하지 못하게 하며, 모든 행동은 법에 따르지 않는 것이 없게 한다.

① 군주의 권위를 존중하였다.
② 맹자, 순자 등이 주장하였다.
③ 신분보다 개인의 능력을 중시하였다.
④ 상호 부조를 통한 평화를 추구하였다.
⑤ 인과 예 중심의 도덕 정치를 주장하였다.

B 진·한 제국

05 다음 가상 인터뷰의 (가) 인물에 대한 설명으로 옳은 것은?

> • 기자: 중국을 통일하고 최초로 황제에 즉위한 것을 축하드립니다. 중국을 통일한 비결은 무엇인가요?
> • (가) : 법가 사상을 바탕으로 한 개혁에 성공하여 통일의 기반을 마련할 수 있었지요.

① 변방에 절도사를 설치하였다.
② 균수법과 평준법을 실시하였다.
③ 다양한 문자를 전서체로 통일하였다.
④ 존왕양이를 명분으로 제후국을 통솔하였다.
⑤ 호한 융합을 위하여 한화 정책을 시행하였다.

06 다음 사건이 일어난 왕조에 대한 설명으로 옳은 것은?

> 일반 백성이 가지고 있는 서적 가운데 의학, 점복, 농업, 임업에 관계되는 것을 제외하고 모두 불태웠다. …… 국가의 명령을 거역하고, 황제를 비판하거나 국법을 어긴 460여 명을 수도 셴양에 산 채로 묻어 죽였다. –「사기」

① 남월과 고조선을 정복하였다.
② 호족이 중앙 관료로 진출하였다.
③ 진승·오광의 난을 계기로 멸망하였다.
④ 종법제를 바탕으로 한 봉건제를 실시하였다.
⑤ 강남과 화북을 연결하는 대운하를 완성하였다.

주관식

07 다음에서 설명하는 제도를 쓰시오.

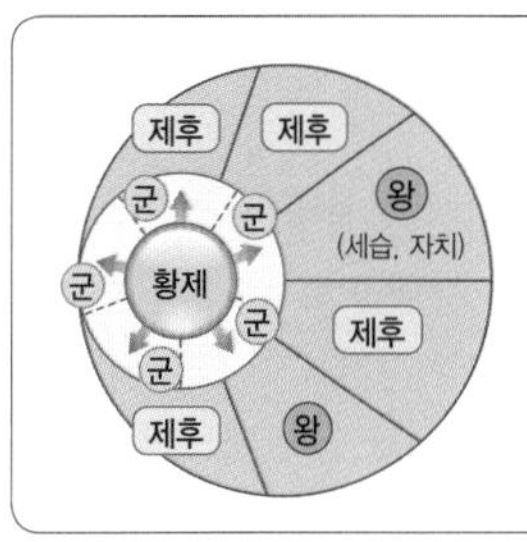

> 이 그림은 한의 통치 제도를 그린 것이다. 한 고조는 수도와 그 근처의 지역은 군현을 두어 황제가 직접 통치하고, 먼 지역은 왕족이나 공신들을 제후로 봉하여 다스리게 하였다.

출제가능성 90%

08 밑줄 친 '황제'의 업적으로 옳은 것은?

> 돈과 곡식을 담당하는 관리는 소금과 철을 담당하는 관리의 말을 빌려 "산과 바다는 천지의 보고로서 모두 황실 재정을 담당하는 관청에 속하는 것이 마땅합니다. …… 사적으로 동전을 주조하거나 소금을 만들거나 하는 자는 벌로 왼발에 쇠로 된 족쇄를 채우고 기물을 몰수하는 것이 좋겠습니다."라고 황제에게 아뢰어 청하였다. –「사기」

① 과거제를 도입하였다.
② 노비 매매를 금지하였다.
③ 유교를 통치 이념으로 채택하였다.
④ '황제' 칭호를 처음으로 사용하였다.
⑤ 광둥 지방과 베트남 북부까지 영토를 확장하였다.

09 다음은 중국의 어느 왕조에 대한 발표 주제이다. (가)에 들어갈 내용으로 적절하지 않은 것은?

- 정치: 장건을 대월지에 파견한 목적과 그 영향
- 경제: 장안·뤄양 등 상업 도시의 번성
- 사회: 토지 사유화의 진전과 호족의 성장
- 문화: (가)

① 기전체로 서술된 역사서의 등장
② 죽림칠현의 활동을 통해 본 청담 사상
③ 태평도, 오두미도 등 민간 신앙의 발전
④ 유교 경전 연구의 주류를 형성한 훈고학
⑤ 제지술의 개량이 학문과 사상의 발달에 미친 영향

C 위진 남북조 시대

출제가능성 90%

10 다음 내용에 해당하는 시대에 있었던 사실로 옳은 것은?

- 후한 멸망 이후 수가 중국을 재통일할 때까지의 분열 시기를 말한다.
- 북방 민족이 화북 지방을 차지하여 북방 민족의 문화와 한족의 문화가 융합되었고, 강남으로 이주한 한족이 창장강 유역을 개발하여 강남의 경제력이 향상되었다.

① 균전제가 처음으로 실시되었다.
② 소금과 철의 전매제가 시행되었다.
③ 절도사 안녹산이 반란을 일으켰다.
④ 동서 교통로인 비단길이 개척되었다.
⑤ 제후국들이 존왕양이를 명분으로 각축을 벌였다.

11 자료를 활용한 보고서 주제로 적절한 것은?

중정관을 두어 9품을 정하고 있는데, 등급의 높고 낮음이 그의 뜻에 달려 있어, …… 천자의 권한을 빼앗고 있습니다. …… 이런 까닭에 상품(上品)에는 천한 가문이 없으며, 하품(下品)에는 권세 있는 가문이 없다고 합니다.

① 제자백가의 등장
② 사(士) 계층의 성장
③ 문벌 귀족 사회의 형성
④ 황제 독재 체제의 강화
⑤ 분서갱유를 통한 사상의 탄압

12 다음 작품이 그려진 시대의 문화에 대한 설명으로 옳은 것을 〈보기〉에서 고른 것은?

위 작품은 고개지가 『여사잠』이라는 교훈서를 그림으로 그린 「여사잠도」이다. 이 작품에는 귀족들의 생활상이 드러나 있다.

보기
ㄱ. 이국적인 특색의 당삼채가 유행하였다.
ㄴ. 현장, 의정 등의 승려들이 인도를 순례하였다.
ㄷ. 윈강, 룽먼 등지에 대규모 석굴 사원이 조성되었다.
ㄹ. 인물 평론과 철학적 논의를 나누는 청담 사상이 유행하였다.

① ㄱ, ㄴ ② ㄱ, ㄷ ③ ㄴ, ㄷ
④ ㄴ, ㄹ ⑤ ㄷ, ㄹ

D 수·당 제국

13 다음 토목 공사를 추진한 왕조에 대한 발표 내용으로 적절한 것은?

대업 원년(605)에 황허 남쪽의 여러 군에서 남녀 백만여 명을 징발하여 통제거를 건설하게 하였다. …… 이로 인해 천하의 물자 운송이 편리해졌다. 대업 4년(608)에 다시 황허 북쪽의 여러 군에서 남녀 백만여 명의 백성을 징발하여 영제거를 건설하게 하였다.

① 갑: 과거제를 도입하였어요.
② 을: 양세법을 실시하였어요.
③ 병: 황소의 난으로 쇠퇴하였지요.
④ 정: 균수법과 평준법을 실시하여 물가를 안정시켰어요.
⑤ 무: 정복지를 간접 지배 방식인 기미 정책으로 다스렸어요.

14 (가) 왕조에 대한 탐구 활동으로 적절한 것은?

이 도자기는 (가) 왕조가 동서 교통로를 장악하여 서역과 교류하는 과정에서 만들어졌다. 녹색, 백색, 황색의 세 가지 색을 사용하여 만들어진 이 도자기에는 낙타, 서역인, 서역 악기 등이 표현되어 있다.

① 한화 정책을 추진한 배경을 알아본다.
② 5호의 침입이 왕조에 미친 영향을 파악한다.
③ 변방 지역에 절도사를 설치한 결과를 분석한다.
④ 소금과 철의 전매제를 실시한 배경을 찾아본다.
⑤ 향거리선제를 통해 관리가 된 사람을 조사한다.

출제가능성 90%

15 다음 제도가 시행된 배경으로 옳은 것은?

호구별 재산에 따라 세금을 부과한 조세 제도로, 각종 세금을 호세와 지세로 정리하였고 세금을 여름과 가을, 두 차례에 걸쳐 납부하도록 하였다.

① 황소의 난이 일어났다.
② 귀족 소유의 장원이 증가하였다.
③ 흉노 정벌 과정에서 재정이 악화되었다.
④ 자영농 육성을 위하여 균전제가 실시되었다.
⑤ 화북과 강남을 연결하는 대운하가 완성되었다.

16 밑줄 친 '이 시기'의 경제와 문화에 대한 설명으로 옳은 것은?

이 시기에는 율령 체제가 정비되어 3성 6부를 기초로 하는 중앙 정치 조직이 완성되었고, 지방에는 주·현이 편성되었다. 정복지에는 토착 세력을 지방관으로 임명하여 복속 지역을 간접 지배하는 기미 정책을 실시하였다.

① 채윤이 제지술을 개량하였다.
② 도연명이 「귀거래사」를 저술하였다.
③ 화북 지방에서 2년 3작이 시작되었다.
④ 윈강 석굴, 룽먼 석굴 등이 조성되었다.
⑤ 창장강 유역에 벼농사가 처음으로 보급되었다.

E 한반도·일본의 발전과 동아시아 문화권

17 지도는 고대 일본의 중심지를 표시한 것이다. (가), (나) 시대에 대한 설명으로 옳은 것은?

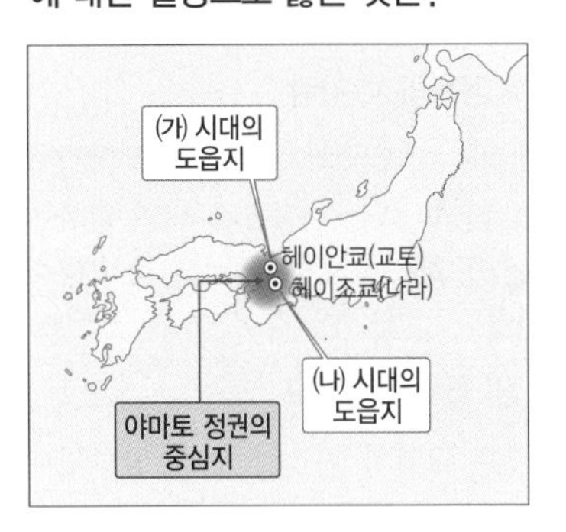

① (가) – 쇼토쿠 태자가 개혁을 추진하였다.
② (가) – '일본' 국호가 사용되기 시작하였다.
③ (나) – 당의 장안성을 본뜬 수도가 건설되었다.
④ (나) – 아스카 지방을 중심으로 불교문화가 발달하였다.
⑤ (가), (나) – 일본 고유의 국풍 문화가 발달하였다.

18 다음 내용에 해당하는 사례로 적절한 것은?

일본에서는 9세기 말부터 견당사 파견이 중지되면서 당의 문화를 일본 고유의 풍토와 관습에 조화시키려는 문화적 특징이 나타났다.

① 『만엽집』 발행
② 도다이사 건립
③ 『일본서기』 편찬
④ 가나 문자의 형성
⑤ 다이카 개신 단행

19 다음 역사 신문 제작 계획서에 따라 작성된 신문 기사의 제목으로 적절하지 않은 것은?

- 주제: 동아시아 문화권의 형성
- 제작 방향: 당 대에 중국의 제도와 문화가 동아시아에 전파되어 동아시아 국가들이 공유하게 된 공통의 문화 요소가 잘 드러나도록 한다.

① 동아시아에 건립된 공자 사당을 찾아서
② 한자, 동아시아의 공용 언어로 사용되다
③ 법가 사상, 동아시아의 통치 이념이 되다
④ 일본과 발해의 중앙 관제, 중국과 비슷하면서 달라
⑤ 비단길을 통해 전래된 불교, 중국화되어 동아시아에 전파되다

01 다음 신문에서 다루는 시기에 대한 설명으로 옳은 것은?

세계사 신문

인재 등용의 새 바람

각국의 경쟁이 치열해지자 제후국의 군주들은 부국강병을 위해 유능한 인재를 찾고 있다. 이들은 능력만 있다면 국적도 신분도 상관없이 적극적으로 인재를 초빙하여 관리로 등용할 전망이다.

[특집] 화폐 이모저모

상업이 발달하자 각국은 교역의 편리를 위해 앞다투어 화폐를 제작하였다. 도전, 포전 등 시중에 유통되고 있는 다양한 화폐의 이모저모를 분석하였다.

① 동서 교통로인 비단길이 개척되었다.
② 일종의 약속 어음인 비전이 사용되었다.
③ 철제 농기구가 보급되고 우경이 시작되었다.
④ 태평도, 오두미도 등 민간 신앙이 발전하였다.
⑤ 조로아스터교, 경교 등 외래 종교가 유행하였다.

최고난도

02 (가), (나)에 해당하는 사상에 대한 설명으로 옳은 것은?

(가) 힘으로써 남을 복종하게 하면 힘이 부족해서 복종하는 것이지 마음으로부터 복종하는 것은 아니다. 덕으로써 남을 복종하게 하면 마음으로 기뻐하며 진정으로 복종하게 된다.
(나) 천하에 규제하는 명령이 많아질수록 인간은 더 빈궁해지고, 민간에 예리한 무기가 많아질수록 사회는 더 혼란해진다. 백성의 기술이 좋아질수록 쓸데없는 물건들은 더 많아지고, 법령이 정비될수록 도적은 더 늘어난다.

① (가) – 도교의 성립에 영향을 주었다.
② (가) – 법·형벌에 따른 통치를 주장하여 제후들에게 환영을 받았다.
③ (나) – 한 대에 통치 이념으로 채택되었다.
④ (나) – 겸애와 상호 부조를 통한 평화를 추구하였다.
⑤ (가), (나) – 진 대에 분서갱유의 단행으로 탄압받았다.

2016 수능 응용

03 빈칸에 들어갈 내용으로 옳은 것은?

탐구 활동 보고서

- 주제: ○ ○○○의 통일 정책과 황제 지배 체제의 확립
- 모둠별 탐구 활동
  - 1모둠: 화폐와 도량형을 통일한 내용을 파악한다.
  - 2모둠: 분서갱유를 단행한 배경과 결과를 분석한다.
  - 3모둠: ____________________

① 군현제를 실시한 효과를 분석한다.
② 균전제를 도입한 목적을 조사한다.
③ 고구려 원정을 추진한 이유를 찾아본다.
④ 장건을 대월지에 파견한 배경을 정리한다.
⑤ 오수전을 주조하여 전국에 유통시킨 이유를 알아본다.

04 밑줄 친 '이 책'이 저술된 왕조에서 있었던 사실로 옳은 것은?

역사 공부방 | 질문과 답변 | **추천 도서**

- 추천 도서: 최초의 기전체 역사서, ○○
- 추천 이유

<u>이 책</u>은 역사를 본기, 표, 서, 세가, 열전으로 나누어 서술하는 편찬 형식을 처음 시도한 역사서이다. 특히 개인의 전기를 중심으로 역사를 서술하여 재미있게 읽을 수 있다. <u>이 책</u>은 출간 이후 중국 정사 서술의 모범이 되었다고 한다.

① 제자백가가 등장하였다.
② 과거제가 처음 실시되었다.
③ 상인 조합인 행(行)이 결성되었다.
④ 수도에 태학을 설립하고 오경박사를 두어 유교를 보급하였다.
⑤ 만리장성 축조, 아방궁 건설 등 대규모 토목 공사가 추진되었다.

05 다음은 중국의 어느 시대를 다룬 책의 차례이다. 이 책에 들어갈 사진 자료로 적절한 것은?

차례

①

갑골문

②

당삼채

③

반량전

④
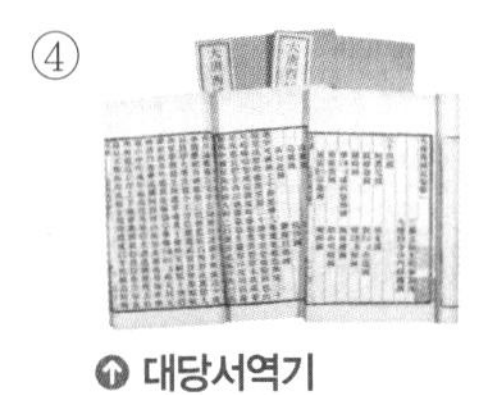
대당서역기

⑤

원강 석굴의 불상

06 다음 비석을 세운 왕조에서 있었던 사실로 옳은 것은?

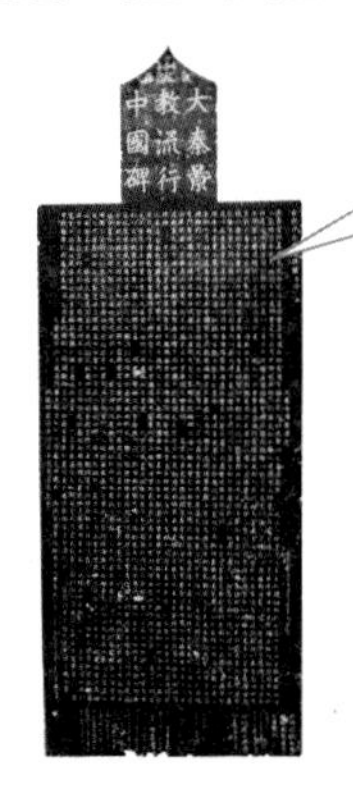

대진국(로마)의 승려 아라본은 멀리에서 경전과 성상을 가지고 장안에 와서 바쳤다. 그 교지를 자세히 관찰해 보니, …… 사물을 살리고 사람을 이롭게 하는 것이기 때문에 천하에 실행하는 것이 마땅하다. – 대진 경교 유행 중국비문

① 황건적의 난이 일어났다.
② 9품중정제가 실시되었다.
③ 공영달이 『오경정의』를 편찬하였다.
④ 강남과 화북을 잇는 대운하가 완성되었다.
⑤ 죽림칠현이 인물 평론과 철학적 논의를 나누었다.

07 밑줄 친 '이 시대'에 볼 수 있었던 모습으로 가장 적절한 것은?

도다이사 대불전의 대불

도다이사는 일본의 이 시대에 건립된 대표적인 불교 사원이다. 이 시대에는 수도 헤이조쿄를 중심으로 불교문화가 발달하여 불교 사원과 불상 등이 많이 제작되었다.

① 가나를 사용하는 지식인
② 『고사기』를 집필하는 관료
③ 귀족의 장원을 지키는 무사
④ 견당사 폐지를 발표하는 천황
⑤ 다이카 개신의 단행을 알리는 관리

서술형 문제

08 다음을 읽고 물음에 답하시오.

흉노는 우리 나라의 신하로서 따르지 않고, 때때로 변경을 황폐하게 하고 있습니다. …… 돌아가신 ㉠ 황제는 변경의 백성이 오랫동안 흉노의 침략에 고통스러워하는 것을 불쌍히 여겨, 성채를 쌓고 망루대를 설치하고 병사를 주둔시켜 방위력의 증강에 전력했습니다. 그러나 그 결과 ㉡ 재정이 어려워져 …… 시행하게 되었습니다. – 『염철론』

(1) ㉠에 해당하는 한의 황제를 쓰시오.

(2) (1)의 황제가 ㉡을 배경으로 실시한 정책을 두 가지 서술하시오.

02 동아시아 세계의 발전

★ 표시는 시험 전에 확인해 주세요.

A 송의 발전과 북방 민족의 대두

1. 송의 건국과 발전

(1) 송의 건국: 5대 10국의 분열기에 조광윤(태조)이 건국(960)

(2) 태조의 정책: 문치주의 채택(절도사의 권한 회수, 문관 우대), 황제권 강화(중앙군 강화, 재상권 축소, 전시 도입)

- 전시: 과거 시험의 최종 단계로, 황제가 직접 주관하여 석차를 결정하였다.

(3) 왕안석의 신법: 문치주의로 국방력 약화, 북방 민족의 압박으로 재정 악화, 관리 수 증가 → 재정 수입 확대와 군사력 강화를 목표로 신법 추진 → 보수파(구법당)와 지주·대상인의 반발로 실패, 구법당과 신법당의 당쟁 심화

(4) 남송의 성립과 멸망: 금의 침입으로 화북 지역 상실, 임안(항저우)으로 천도(남송 성립, 1127) → 금과 평화 유지, 강남 개발 → 몽골의 침략으로 멸망(1279)

★ 2. 송의 사회, 경제, 문화

- 사대부: 과거를 통해 등용되었고, 지주층으로서 전호(소작농)를 지배하였다.

사회		학교·서원 증가, 과거제 완성 → 학자 관료층인 사대부 성장
경제	농업	참파 벼 도입, 용골차 보급, 모내기법 확산 → 농업 생산력 향상, 지주 전호제 확산, 인구 급증
	상공업	석탄 사용의 보편화로 제철·자기·견직업 발달, 전국적인 규모의 시장권 형성, 상업 도시 성장, 행·작 등 동업 조합 결성, 교자·회자 등 지폐 유통
	무역	조선술 발달, 나침반 발명 → 해상 무역 발달, 광저우 등이 국제 무역 항구로 번영, 시박사 설치
문화		서민 문화 발달(잡극, 구어체 문학 등), 과학 기술 발달(활판 인쇄술·화약 무기·나침반 발명), 성리학 발달(주희가 집대성, 대의명분과 화이론 중시), 역사서 편찬 활발(사마광의 『자치통감』 등)

- 『자치통감』: 연대순으로 역사를 기록하는 편년체 역사서의 모범이 되었다.

3. 북방 민족의 대두

요(거란)	• 성립: 야율아보기가 거란족을 통일하고 건국(916) • 발전: 발해를 멸망시킴, 연운 16주 차지, 국호를 '요'로 개칭 • 통치: 이중 지배 체제 채택(북면관제·남면관제) • 문화: 거란 문자 제정, 『거란국사』와 『(거란)대장경』 편찬
서하	탕구트족이 건국(1038), 동서 교역로 장악, 서하 문자 제정
금(여진)	아구다가 부족을 통일하고 건국(1115), 요를 멸망시킴, 송의 수도 카이펑을 함락한 후 중도(베이징)로 천도하여 화북 지배, 이중 지배 체제 채택(맹안 모극제·주현제), 여진 문자 제정

B 몽골 제국의 발전과 동서 교류

1. 몽골 제국의 발전

(1) 몽골 제국의 성립: 테무친이 몽골족 통일 후 칭기즈 칸에 추대됨 → 천호제 실시, 서하·금 공격, 중앙아시아 정복

(2) 몽골 제국의 발전: 칭기즈 칸 사후 여러 울루스로 분열, 이후 칸들의 정복 활동으로 대제국 건설, 쿠빌라이가 원 건국

- 원 건국: 대도(베이징)를 수도로 하여 건국하였다.

(3) 원의 중국 통치: 남송과 대리를 멸망시키고 유목 민족 최초로 중국 전역 지배

- 색목인: 색목인은 중앙아시아, 서아시아 등지에서 온 외국 사람들로, 주로 재정과 행정을 담당하였다.

정치	몽골 제일주의 채택(몽골인이 고위직 독점, 색목인 우대, 한인·남인 차별), 중국의 관료제·주현제 활용, 과거제 폐지(후기 부활)
경제	지주 전호제 유지, 목화 재배 전국 확대(면직업 발달), 상업 번성, 교초(지폐) 통용, 동서 교역 활발
문화	라마교(티베트 불교) 유행, 서민 문화 발전(『서상기』, 『비파기』 등 원곡 유행), 공문서에 파스파 문자(몽골 문자) 사용

(4) 원의 쇠퇴: 쿠빌라이 사후 황위 계승 분쟁 발생, 지배층의 사치, 교초 남발로 물가 폭등 → 홍건적의 난 발발(백련교도 중심) → 주원장에 의해 북쪽으로 밀려남(1368)

★ 2. 몽골 제국의 동서 교류

(1) 유라시아 교역망의 통합: 몽골 제국의 대제국 건설로 동서 교통로 확보, 역참제 시행, 해상 무역 발전(항구 도시 번영, 대운하 정비), 이슬람 상인이 원거리 무역 주도

(2) 동서 문화 교류: 여러 민족의 종교와 문화에 관대

인적 교류	카르피니(교황 사절), 마르코 폴로(『동방견문록』 저술), 이븐 바투타(『여행기』 저술) 등이 동서 왕래
물적 교류	이슬람의 천문학·수학·대포 제작 기술 등이 중국에 전래, 곽수경이 이슬람 역법을 참고해 수시력 제작, 중국의 화약 무기·나침반·인쇄술 등이 서양에 전파

마르코 폴로가 본 역참

수도는 많은 도로가 각 지방을 향하여 나 있다. …… 국내 여러 지방으로 통하는 주요 도로에는 25～30마일마다 역참이 배치되어 있다. …… 각 역참에는 300～400마리의 말이 사신을 위해 준비되어 있다. 이러한 시설은 칸의 명령이 행하여지는 모든 지방과 왕국에 갖추어져 있다. - 『동방견문록』

- 원은 광대한 제국을 통치하기 위해 제국 전체에 일정한 거리마다 역참을 설치하였다.

C 한반도와 일본의 발전

1. 고려의 발전

정치	후삼국 통일(936) → 문벌 귀족 사회 형성 → 무신 정권 수립 → 원의 간섭 → 공민왕의 개혁 노력
문화	상감 청자, 금속 활자, 팔만대장경 등 제작

2. 가마쿠라 막부의 발전

정치	12세기 말 미나모토노 요리토모가 일본 최초의 무가 정권 수립, 봉건제 시행 → 원의 침입을 격퇴하는 과정에서 쇠퇴
경제	일부 지역에 이모작 보급, 화폐 경제 발달, 상인 동업 조합 조직
문화	선종과 성리학 도입, 정토종 유행(→ 불교의 대중화)

- 봉건제: 쇼군과 가신 사이에 토지를 매개로 주종 관계가 형성되었다. 쇼군이 실질적인 지배권을 행사하고, 천황은 형식적인 지위만 유지하였다.

01 다음 설명이 맞으면 ○표, 틀리면 ×표를 하시오.

(1) 송 대에는 경전의 자구 해석을 중심으로 유학을 연구하는 훈고학이 발전하였다. ( )
(2) 12세기 초 정강의 변으로 금이 화북 지역을 점령하자 송은 임안으로 천도하여 왕조를 재건하였다. ( )
(3) 사마광이 저술한 역사서 『자치통감』은 연대순으로 역사를 기록하는 편년체 역사서의 모범이 되었다. ( )

02 송 대에 도입된 것으로, 가뭄에 강하고 단기간에 성장이 가능하여 1년에 두 번 수확할 수 있었던 벼 품종은?

03 탕구트족이 건국하였으며 동서 교역로를 장악하여 송과 대립한 왕조는?

04 금은 이중 지배 체제를 채택하여 유목민을 (   ), 농경민을 주현제로 통치하였다.

05 다음은 원의 인구 구성을 정리한 표이다. ㉠~㉢에 해당하는 내용을 각각 쓰시오.

지배 계층	몽골인	주요 관직 독점, 정치와 군사 담당
	(㉠)	중앙아시아, 서아시아 등지에서 온 외국인, 주로 재정·행정 업무 담당
피지배 계층	(㉡)	여진인, 거란인, 금 지배하의 한족
	(㉢)	남송 지배하의 한족, 가장 심한 차별을 받음

06 원은 동 생산량의 부족을 보완하고 교역의 편의를 위해 지폐인 (   )를 발행하였다.

07 베네치아 상인으로 원 대에 중국을 방문하고 돌아가 『동방견문록』을 저술한 인물은?

08 12세기 말 미나모토노 요리토모가 (   )를 개창하여 일본 최초의 무가 정권을 수립하였다.

정답과 해설 7쪽

A 송의 발전과 북방 민족의 대두

01 밑줄 친 '이 인물'의 정책으로 옳지 않은 것은?

> 당의 멸망 후 화북 지방에서는 절도사들이 세운 5개 왕조가 차례로 성립하였고, 주로 남중국에서 10개의 지방 정권이 난립하였다. 이러한 상황에서 절도사였던 이 인물은 960년에 송을 건국하고 분열된 중국을 통일해 갔다.

① 재상의 권한을 축소하였다.
② 사회·군사 조직인 천호제를 만들었다.
③ 절도사의 권한을 중앙으로 회수하였다.
④ 중앙군을 강화하여 황제에 직속시켰다.
⑤ 문관을 우대하는 문치주의를 채택하였다.

출제 가능성 90%

02 (가) 제도의 시행이 송 대 사회에 미친 영향으로 옳은 것은?

> 이 그림은 (가) 광경을 묘사한 것이다. 황제가 직접 주관한 (가)은/는 황제가 직접 석차를 결정하였고, 이 결과는 이후 승진에 영향을 주었다.

① 재상의 인사권이 강화되었다.
② 문벌 귀족 사회가 형성되었다.
③ 사대부가 사회의 지배층을 형성하였다.
④ 신법당과 구법당 간의 당쟁이 일어나게 되었다.
⑤ 지방 인재를 추천하는 중정관의 역할이 강화되었다.

03 다음에서 설명하는 개혁이 실시된 배경으로 옳은 것은?

> 송 신종 대의 재상 왕안석이 재정 수입의 확대와 군사력 강화를 위해 단행한 개혁이다. 개혁 결과 일시적으로 재정이 개선되었다. 그러나 개혁은 보수파 관료와 지주·대상인 등의 반발로 실패하였다.

① 교초의 남발로 물가가 폭등하였다.
② 금의 침입으로 화북 지역을 상실하였다.
③ 고구려 원정 실패로 백성의 원성을 샀다.
④ 문치주의 채택으로 국방력이 약화되었다.
⑤ 균전제의 붕괴로 조용조의 운영이 어려워졌다.

04 빈칸에 들어갈 내용으로 옳은 것을 〈보기〉에서 고른 것은?

송 대에는 각종 학교와 서원의 수가 증가하였고, 인쇄술의 발달로 서적이 대중화되었다. 또한 황제가 관리 선발에 직접 참여하여 과거제가 강화되었다. 이러한 상황을 배경으로 송에서는 새로운 사회 계층이 등장하였는데, 이들은 ______________________

보기
ㄱ. 세습적인 특권에 의존하였다.
ㄴ. 지주층으로서 전호를 지배하였다.
ㄷ. 훈고학을 사상적 기반으로 삼았다.
ㄹ. 유교적 소양을 갖춘 학자 관료층이었다.

① ㄱ, ㄴ ② ㄱ, ㄷ ③ ㄴ, ㄷ
④ ㄴ, ㄹ ⑤ ㄷ, ㄹ

출제가능성 90%

05 다음 작품이 그려진 시대의 경제 발전에 대한 설명으로 옳지 않은 것은?

수도 카이펑의 번화한 모습을 그린 장택단의 「청명상하도」

① 가뭄에 강한 참파 벼가 도입되었다.
② 교자·회자 등의 지폐가 유통되었다.
③ 목화 재배가 전국적으로 확대되었다.
④ 상공업자들이 동업 조합을 결성하였다.
⑤ 석탄 사용이 보편화되어 수공업이 발달하였다.

주관식

06 다음에서 설명하는 학문을 쓰시오.

송 대에는 유학 연구가 심화되어 인간의 심성과 우주의 원리를 탐구하는 새로운 학문 경향이 나타났고, 이는 주희에 의해 새로운 유학으로 집대성되었다. 이 학문은 북방 민족의 침략으로 수세에 몰린 송의 대외 관계를 반영하여 상하의 구별을 정당화하는 대의명분과 화이론을 중시하였다.

07 다음 내용을 뒷받침하는 사례로 적절한 것은?

송 대에는 경제가 발달하면서 서민들의 생활 수준이 높아졌다. 여기에 도시 생활에 대한 규제도 완화되어 도시를 중심으로 서민 문화가 발달하였다.

① 잡극과 구어체 문학이 유행하였다.
② 공영달이 『오경정의』를 편찬하였다.
③ 티베트 불교인 라마교가 유행하였다.
④ 『서상기』, 『비파기』 등이 인기를 끌었다.
⑤ 윈강 석굴과 같은 대규모 석굴 사원이 조성되었다.

08 다음 유물이 발명된 왕조에 대한 보고서 주제로 가장 적절한 것은?

나침반

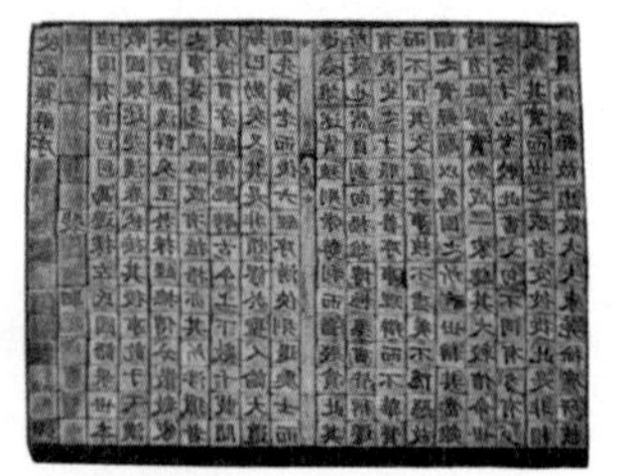
점토 활자판

① 동서 교류와 역참제
② 편년체 역사서의 등장
③ 동아시아 문화권의 형성
④ 맹안 모극제의 시행 배경
⑤ 홍건적의 난과 왕조의 멸망

09 다음은 중국의 어느 왕조에 대한 발표 주제이다. 이 왕조에 대한 설명으로 옳은 것은?

• 1모둠: 야율아보기의 부족 통일과 왕조 건립 과정
• 2모둠: 대장경 편찬을 비롯한 전통문화 유지 노력
• 3모둠: 연운 16주 획득이 동아시아 정세에 미친 영향

① 파스파 문자를 제정하여 사용하였다.
② 임안을 수도로 정하고 왕조를 재건하였다.
③ 남송과 연합한 몽골의 침입을 받아 멸망하였다.
④ 한족의 문물을 수용하는 한화 정책을 추진하였다.
⑤ 유목민을 북면관제, 농경민을 남면관제로 지배하였다.

10 다음 제도를 실시한 왕조에 대한 설명으로 옳은 것은?

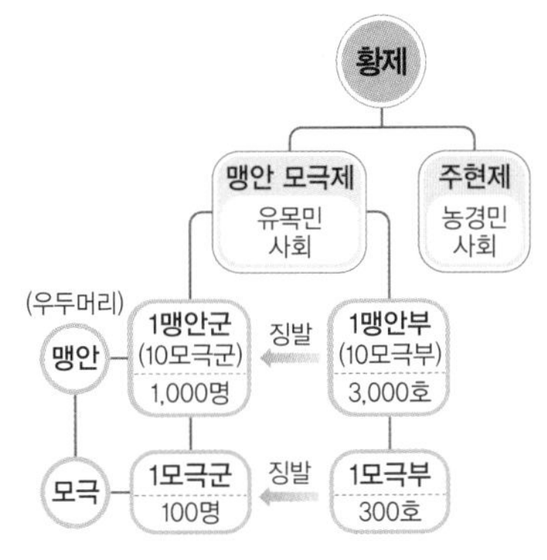

① 송과 전연의 맹약을 체결하였다.
② 두 차례의 일본 원정을 단행하였다.
③ 천호제 조직을 토대로 정복 활동을 벌였다.
④ 화북과 강남을 연결하는 대운하를 완성하였다.
⑤ 송의 수도를 함락시키고 화북 지방을 차지하였다.

12 (가) 왕조에 대한 설명으로 옳은 것을 〈보기〉에서 고른 것은?

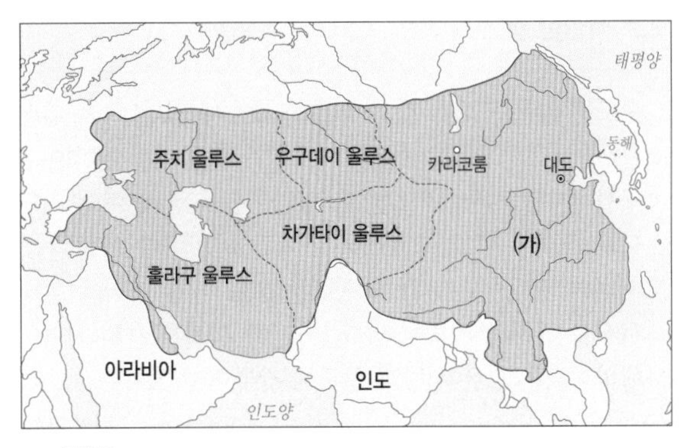

보기
ㄱ. 고유 문자인 여진 문자를 사용하였다.
ㄴ. 유목 민족 최초로 중국 전역을 지배하였다.
ㄷ. 관료제와 주현제 등 중국의 제도를 통치에 활용하였다.
ㄹ. 국경 지역에 절도사를 파견하여 변경을 방어하도록 하였다.

① ㄱ, ㄴ ② ㄱ, ㄷ ③ ㄴ, ㄷ
④ ㄴ, ㄹ ⑤ ㄷ, ㄹ

B 몽골 제국의 발전과 동서 교류

11 다음 내용에 해당하는 인물의 업적으로 옳은 것은?

• 약력: 몽골 제국의 제5대 칸이자 원의 초대 황제
• 활동: 대도(베이징)를 수도로 하여 원 건국, 여러 민족의 종교와 문화에 관대하여 불교와 라마교, 도교, 크리스트교, 이슬람교를 모두 보호

① 몽골족을 통일하였다.
② 남송과 대리를 정복하였다.
③ 사회·군사 조직인 천호제를 만들었다.
④ 서하와 금을 공격하고 중앙아시아를 정복하였다.
⑤ 선비족의 복장과 언어를 금지하여 호한 융합을 촉진하였다.

출제가능성 90%

13 다음은 원 대 인구 구성을 나타낸 도표이다. 이 도표에 대해 학생들이 나눈 대화 내용으로 옳지 않은 것은?

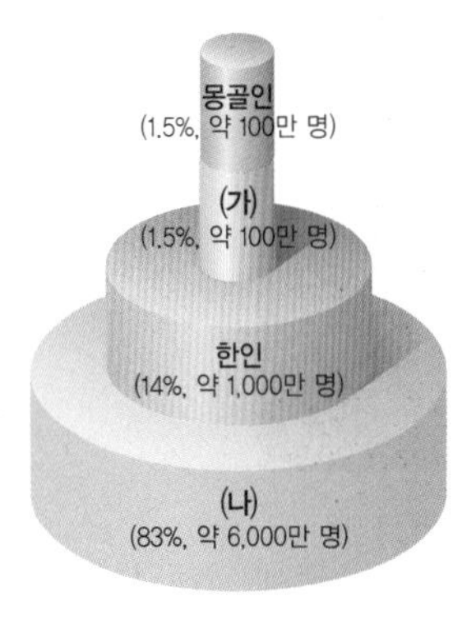

① 갑: (가)는 주로 재정과 행정 업무를 담당하였어.
② 을: (나)에는 여진족, 거란족이 포함되었어.
③ 병: 몽골인은 정치·군사의 주요 관직을 독점하였지.
④ 정: 몽골인과 (가)는 지배 계층, 한인과 (나)는 피지배 계층을 형성하였어.
⑤ 무: 원이 몽골 제일주의에 따라 민족을 차별하는 정책을 시행하였음을 알 수 있어.

14 다음 글에서 설명하는 제도를 도입한 왕조에 대한 탐구 활동으로 적절한 것은?

> 수도는 많은 도로가 각 지방을 향하여 나 있다. …… 칸은 사신들이 이 도로를 통행할 때 필요한 물자는 무엇이든 구할 수 있도록 준비시키고 있다. …… 국내 여러 지방으로 통하는 주요 도로에는 25~30마일마다 역참이 배치되어 있다. …… 각 역참에는 300~400마리의 말이 사신을 위해 준비되어 있다. 이러한 시설은 칸의 명령이 행하여지는 모든 지방과 왕국에 갖추어져 있다.
>
> – 마르코 폴로, 『동방견문록』

① 절도사의 권한을 축소한 이유를 알아본다.
② 문치주의 정책이 왕조에 미친 영향을 찾아본다.
③ 아구다가 부족을 통일하고 나라를 세운 과정을 정리한다.
④ 백련교도가 중심이 된 홍건적이 반란을 일으킨 배경을 살펴본다.
⑤ 사마광의 『자치통감』 등 역사서가 활발하게 편찬된 이유를 조사한다.

출제가능성 90%

15 다음 유물을 사용한 왕조의 동서 문화 교류에 대한 설명으로 옳지 않은 것은?

패자

교초

① 이슬람의 천문학과 수학 등이 중국에 전해졌다.
② 중국을 방문한 이븐 바투타가 『여행기』를 저술하였다.
③ 이슬람의 역법을 참고하여 곽수경이 수시력을 제작하였다.
④ 경교의 전래와 유행을 기념하여 대진 경교 유행 중국비가 건립되었다.
⑤ 중국의 화약 무기·나침반·인쇄술이 이슬람 세계를 통해 서양에 전파되었다.

C 한반도와 일본의 발전

16 다음 내용에 해당하는 막부에 대한 설명으로 옳은 것을 〈보기〉에서 고른 것은?

> • 12세기 말 미나모토노 요리토모가 무사 간의 대결에서 승리한 후 개창하였다.
> • 쇼군이 막부의 최고 지배자로서 군림하고 무사 계급을 다스리는 일본 특유의 봉건제가 형성되었다.

보기
ㄱ. 역사서인 『고사기』와 『일본서기』가 편찬되었다.
ㄴ. 일부 지역에서 쌀과 보리의 이모작이 이루어졌다.
ㄷ. 새로운 불교 종파인 정토종이 유행하여 불교가 대중화되었다.
ㄹ. 왕실과 귀족 사이의 대립이 심해지자 수도를 헤이안쿄로 옮겼다.

① ㄱ, ㄴ ② ㄱ, ㄷ ③ ㄴ, ㄷ
④ ㄴ, ㄹ ⑤ ㄷ, ㄹ

17 다음 사건이 일본에 미친 영향으로 적절한 것은?

몽고습래회사

위 그림은 일본군이 원의 침입에 저항하는 모습을 그린 것이다. 원은 일본에 두 차례 침략하였으나 태풍이 불어와 모두 실패하였다.

① '일본'이라는 국호를 사용하게 되었다.
② 무사가 독자적인 세력으로 성장하였다.
③ 봉건 질서가 동요하여 가마쿠라 막부가 쇠퇴하였다.
④ 일본 고유의 특색이 반영된 국풍 문화가 발달하였다.
⑤ 중앙 집권 체제 확립을 위하여 다이카 개신이 단행되었다.

3단계 등급 올리기

최고난도

01 다음 가상 편지와 관련된 왕조에서 있었던 사실로 옳은 것은?

> ○○에게
> 잘 지내나, 친구여. 나는 청명절을 맞아 수도 카이펑을 방문하였다네. 이곳은 지금 활기로 가득해. 발길 닿는 곳마다 다양한 공연이 있는데, 원숭이를 사용한 기예, 벌과 나비를 부리는 기예, 개미를 불러내는 기예가 특히 내 눈을 사로잡았네. 이 편지를 쓴 후에는 와자에 가서 잡극 공연을 볼 예정이야. 카이펑에 오니 여기서 우리 함께 공부하였던 생각이 나 편지 쓰네. 그럼 다시 만날 때까지 건강하기를 바라네.
> 오랜 벗, △△로부터

① 유목민을 맹안 모극제로 다스렸다.
② 요, 서하 등 북방 민족이 침입하였다.
③ 훈고학이 유학 연구의 주류를 형성하였다.
④ 마르코 폴로가 중국을 방문하고 『동방견문록』을 저술하였다.
⑤ 서민 문화가 발달하여 『서상기』, 『비파기』 등이 널리 읽혔다.

02 다음과 같이 경제가 발전한 시기에 볼 수 있었던 모습으로 적절한 것은?

경제로 보는 역사 | 중국 편

⊙ 경직도
벼농사 지역에 모내기법이 널리 보급되었다.

⊙ 교자
거래 규모가 커지자 지폐인 교자가 유통되었다.

① 수시력으로 날짜를 계산하는 관리
② 재정 업무를 처리하는 색목인 관리
③ 보급받은 참파 벼 종자를 심는 농민
④ 역참의 통행증인 패자를 확인하는 관리자
⑤ 일본 원정에 동원되어 일본으로 향하는 병사

2016 수능 응용

03 (가), (나) 왕조에 대한 설명으로 옳은 것은?

> • (가) 의 부족민에게 다른 요역은 부과되지 않았고, 성인 남자는 모두 병사가 되었다. 부족장을 패근이라 하고 군대를 지휘하게 되면 맹안, 모극이라 하였다. 맹안은 천부장, 모극은 백부장의 역할을 담당하였다.
> • 테무친은 쿠릴타이를 열어 많은 사람의 축복을 받으며 보좌에 앉았다. 칭기즈 칸이란 칭호가 테무친에게 봉헌되었고, 그는 (나) 을/를 함께 세우며 노력한 이들에게 상으로 천 호씩 나누어 맡겼다.

① (가) – 파스파 문자를 만들어 사용하였다.
② (가) – 남송을 멸망시키고 중국에 대한 통치권을 장악하였다.
③ (나) – 역참제를 정비하여 통치에 활용하였다.
④ (나) – 발해를 멸망시키고 연운 16주를 획득하였다.
⑤ (가), (나) – 호한 융합 촉진을 위하여 적극적인 한화 정책을 실시하였다.

서술형 문제

04 다음을 읽고 물음에 답하시오.

청묘법	농민에게 저렴한 이자로 돈을 빌려주는 제도
시역법	소상인에게 싼 이자로 자금을 빌려주는 제도
모역법	농민에게 요역 대신 돈을 내게 하고, 그 돈으로 정부가 실업자를 고용하여 노역을 대신하게 하는 제도
균수법	정부가 물품을 구입하고 다른 지역에 유통시켜 물가를 안정시키고 재정 확대를 꾀한 제도
보갑법	직업 군인 제도를 고쳐 병농 일치의 민병을 양성하는 제도
보마법	재산에 따라 백성에게 말을 사육하게 하고 전쟁 때 이를 징발하는 제도

(1) 송 대에 위 개혁을 추진한 관리를 쓰시오.

(2) 위 개혁이 실시된 배경을 서술하시오.

03 동아시아 세계의 변동

★ 표시는 시험 전에 확인해 주세요.

A 명·청 제국의 발전

★ 1. 명의 건국과 발전

(1) 건국과 발전

건국		주원장(홍무제)이 난징에서 명 건국(1368), 몽골 축출
발전	홍무제 (태조)	• 유교 문화 회복: 육유 반포, 과거제 정비 • 황제권 강화: 재상제 폐지, 6부 직접 통솔 • 제도 정비: 어린도책·부역황책 정비, 이갑제 실시
	영락제 (성조)	자금성 건설, 베이징 천도, 내각 대학사 설치, 정화의 항해 추진(7차 항해 → 조공 체제 확대)

이갑제: 관리의 수탈을 줄이고자 농민이 직접 조세 징수와 치안 등을 담당하도록 한 제도이다.

(2) 장거정의 개혁: 환관 득세, 몽골과 왜구의 침략 등으로 재정 악화 → 토지 조사 실시, 일조편법을 전국으로 확대 시행

(3) 멸망: 농민 봉기, 이자성의 농민군이 베이징 점령(1644)

★ 2. 청의 건국과 발전

(1) 건국: 누르하치(태조)가 후금 건국(1616) → 홍타이지(태종)가 국호를 '청'으로 변경 → 순치제가 베이징 천도(1644)

(2) 전성기

강희제	삼번의 난·타이완의 반청 세력 진압, 네르친스크 조약 체결
옹정제	군기처 설치, 비밀 상주문 제도 도입, 지정은제 전국 실시
건륭제	몽골, 신장, 티베트에 대한 통치권 확보 → 최대 영토 확보

(3) 청의 한족 통치

강경책	변발과 호복 강요, 문자의 옥, 금서 지정 등으로 사상 통제
회유책	과거제 시행, 만한 병용제 실시, 대규모 편찬 사업 추진

문자의 옥: 특정한 문자나 용어 사용을 구실로 한족 지식인을 탄압하였다.

청의 한족 통치 방식

• 지금부터 수도 내외는 10일, 그 밖은 명령서가 도착한 날로부터 10일 이내에 변발하라. ● 청은 한족에게 변발을 강요하였다. - 『세조실록』

• 내각 대학사는 만주인과 한인 각 2명, 협판 대학사는 만주인과 한인 각 1명, 학사는 만주인 6명과 한인 4명, 전적은 만주인·한인·한군 팔기에서 각 2명이 임명되었다. - 『청사고』, 직관지

● 청은 주요 관직에 만주족과 한족을 같이 임명하는 만한 병용제를 실시하였다.

B 명·청의 사회, 경제, 문화

1. 명·청의 사회

(1) 신사층의 성장: 학교와 과거제의 결합으로 형성

신사층: 전·현직 관료와 학위 소지자 등으로 구성되었다.

특권	가벼운 형벌의 면책, 요역 면제, 조세 감면 등
활동	세금 징수와 교화 활동 등 지방 행정 질서 유지, 대토지 소유 및 고리대 운영 등 개인적 이익 추구

(2) 서민 운동: 부유한 서민층 등장, 서민 의식 향상 → 소작료 납부 거부 운동, 직용의 변, 노복의 신분 해방 운동 등 전개

★ 2. 명·청의 경제

(1) 농업, 수공업, 상업 발달

농업	상품 작물 재배 확산, 감자·고구마 등 외래 작물 도입, 창장강 중·상류 지방에서 벼농사 발달
수공업	창장강 하류 지방 중심, 도자기 생산·면직업·견직업 발달
상업	장거리 교역 발달, 도시 발달, 대상인 집단 성장

대상인 집단: 산시 상인, 신안 상인 등 대상인 집단은 동향 조직인 회관과 동업 조합인 공소를 설립하였다.

(2) 대외 교류

명	해금 정책 시행(조선과 조공 무역, 일본과 감합 무역 등만 허용) → 후기에 해금이 완화되어 사무역 증가
청	해금 정책 시행 → 타이완의 반청 세력 진압 이후 해외 무역 허용 → 18세기 중반 이후 공행 무역 실시(광저우만 개항, 무역 통제)

(3) 은 경제의 수립: 서양과의 교역으로 대량의 은 유입 → 은을 화폐로 사용 → 일조편법(명), 지정은제(청) 시행

일조편법: 여러 항목의 세금을 토지세와 인두세로 통합하여 은으로 내게 하였다.

지정은제: 인두세를 토지세에 합쳐 은으로 한꺼번에 징수하게 하였다.

3. 명·청의 문화

(1) 학문

명	• 성리학: 통치 이념으로 채택, 영락제가 유교 경전 편찬 • 양명학: 왕수인이 제창, 심즉리와 지행합일 강조 • 실학: 실용 중시, 『본초강목』·『농정전서』·『천공개물』 등 편찬
청	• 고증학: 현실 정치를 멀리하고 경전을 실증적으로 연구 • 공양학: 시대 변화에 따른 현실 인식 및 개혁 강조

(2) 서민 문화: 연극·경극(청) 성행, 구어체 소설 유행

(3) 서양 문물의 전래

명	마테오 리치: 「곤여만국전도」 제작, 『천주실의』 저술, 『기하원본』 번역
청	아담 샬·카스틸리오네 등 활약, 전례 문제 발생(→ 금교령 선포)

전례 문제: 18세기에 들어온 일부 선교사들이 제사를 비롯한 중국의 전통을 비판하자 전례 논쟁이 일어났다.

C 조선과 일본의 발전

1. 조선의 발전

전기	이성계가 건국(1392), 훈민정음 창제 등 민족 문화 발전
후기	수취 제도 개혁, 상품 화폐 경제 발달, 서민 문화 발달

★ 2. 일본의 발전

무로마치 막부	아시카가 다카우지가 개창, 명과의 감합 무역으로 경제 안정, 쇼군의 후계자 분쟁으로 쇠퇴(→ 전국 시대 전개)
에도 막부	• 정치: 도쿠가와 이에야스가 개창, 막번 체제 성립, 엄격한 법규와 산킨코타이로 다이묘 통제 • 경제: 농업 발전, 상공업 발달·도시 번성(→ 조닌 성장) • 대외 교류: 슈인장(주인장) 무역 → 쇄국 정책, 네덜란드인에게 나가사키 개방 • 문화: 조선의 통신사를 통해 선진 문물 수용, 난학 융성, 조닌 문화 발달, 국학 운동 전개

슈인장(주인장) 무역: 해외로 가는 상인들에게 무역 허가증(슈인장)을 주어 무역을 진흥한 정책이다.

조닌 문화: 경제력을 갖춘 도시 상공업자인 조닌이 주로 향유한 문화로 가부키, 우키요에 등이 대표적이다.

난학: 네덜란드인을 통해 수용한 서양의 학문이다.

1단계 개념 짚어 보기

01 다음 설명이 맞으면 ○표, 틀리면 ×표를 하시오.

(1) 명의 영락제는 자금성을 건설하고 베이징으로 천도하였다. ( )

(2) 청은 이자성의 농민군이 베이징을 점령한 사건을 계기로 멸망하였다. ( )

(3) 청의 강희제는 몽골, 신장, 티베트 등을 정복하여 왕조의 최대 영토를 확보하였다. ( )

02 청이 한족 지식인의 반청 사상을 억압하기 위해 특정한 문자나 용어 사용을 구실로 사상을 탄압한 사건은?

03 명·청 대의 (   )은/는 학교와 과거제의 결합으로 형성된 계층으로, 가벼운 형벌을 면하고 요역을 면제받는 등의 특권을 누렸다.

04 청 대에 광저우에서 서양에 대한 무역을 독점한 관허 상인들의 조합은?

05 청 대에는 인두세를 토지세에 합쳐 한꺼번에 은으로 징수하는 (   )가 시행되었다.

06 다음에서 설명하는 학문을 〈보기〉에서 골라 기호를 쓰시오.

보기

ㄱ. 고증학　　　　ㄴ. 공양학　　　　ㄷ. 양명학

(1) 명 대에 왕수인이 제창하였으며 심즉리와 지행합일을 강조하였다. ( )

(2) 청 대에 현실 정치를 멀리하고 실증적인 경전 연구를 중시한 학문이다. ( )

(3) 19세기에 시대 변화에 따라 현실 정치 문제에 관심을 두면서 개혁을 강조한 학문이다. ( )

07 에도 막부는 (   )를 통제하기 위해 엄격한 법규를 제정하고 산킨코타이를 실시하였다.

08 에도 막부 시기에 도시와 상공업의 발달을 배경으로 중산층으로 성장한 상공업자는?

2단계 내신 다지기

정답과 해설 9쪽

A 명·청 제국의 발전

01 밑줄 친 '그'가 실시한 정책으로 옳지 않은 것은?

> 가난한 농민 출신인 그는 원 말 반원 세력을 규합한 후 난징을 수도로 나라를 세워 황제 자리에 올랐다. 이어서 그는 몽골을 몰아내고 한족 왕조를 부활하였다.

① 재상제를 폐지하였다.
② 내각 대학사를 설치하였다.
③ 부역황책과 어린도책을 만들었다.
④ 6부를 황제 직속으로 편입하였다.
⑤ 육유를 만들어 백성에게 보급하였다.

주관식

02 다음에서 설명하는 제도를 쓰시오.

> • 시행 목적: 관리의 수탈 방지
> • 내용: 인접한 110호를 1리로 편성하고, 부유한 10호는 이장호, 나머지 100호는 갑수호로 하여 10갑으로 나누었다. 각 이장호와 갑수호는 10년 교대로 이와 갑의 조세 징수와 치안 유지, 수리 시설 정비 등을 담당하였다.

출제가능성 90%

03 지도의 원정로를 따라 이루어진 항해에 대한 설명으로 옳은 것을 〈보기〉에서 고른 것은?

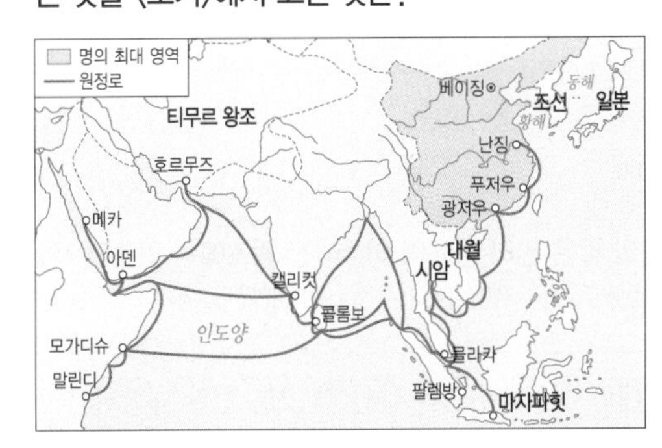

보기

ㄱ. 왜구 소탕을 목적으로 전개되었다.
ㄴ. 영락제의 명령에 따라 추진되었다.
ㄷ. 네르친스크 조약을 체결하는 계기가 되었다.
ㄹ. 명 중심의 조공 체제가 확대되는 결과를 가져왔다.

① ㄱ, ㄴ　　② ㄱ, ㄷ　　③ ㄴ, ㄷ
④ ㄴ, ㄹ　　⑤ ㄷ, ㄹ

04 (가)에 들어갈 내용으로 옳은 것은?

> 명 중기 이후에는 환관이 득세하여 정치가 문란하였고, [(가)]하여 재정이 악화되었다. 장거정은 이와 같은 문제를 해결하기 위해 전국적인 토지 조사를 실시하였고, 새로운 조세 제도인 일조편법을 전국으로 확대 시행하였다.

① 임진왜란에 참전
② 홍건적의 난이 발발
③ 교초의 남발로 물가가 폭등
④ 요, 서하 등 북방 민족이 침입
⑤ 몽골과 왜구가 지속적으로 침입

05 다음 제도를 시행한 황제에 대한 설명으로 옳은 것은?

> 지방관이 직접 황제에게 상주문을 전달하도록 하여 비밀 정보를 수집한 제도이다. 이 제도를 통해 황제는 나라의 모든 정보를 장악하였다.

① 군기처를 설치하였다.
② 삼번의 난을 진압하였다.
③ 왕조의 최대 영토를 확보하였다.
④ 타이완의 반청 세력을 제압하였다.
⑤ 여진족을 통일하고 후금을 건국하였다.

출제가능성 90%

06 다음과 같은 관리 등용이 이루어진 왕조에서 있었던 사실로 옳은 것은?

> 내각 대학사는 만주인과 한인 각 2명, 협판 대학사는 만주인과 한인 각 1명, 학사는 만주인 6명과 한인 4명, 전적은 만주인·한인·한군 팔기에서 각 2명이 임명되었다.

① 성리학이 집대성되었다.
② 이자성의 난이 발생하였다.
③ 장거정이 개혁을 단행하였다.
④ 네르친스크 조약이 체결되었다.
⑤ 왕수인이 양명학을 제창하였다.

B 명·청의 사회, 경제, 문화

07 다음은 어느 세력에 대한 평가이다. 이 세력에 대한 설명으로 옳은 것은?

> • 긍정적 평가: 명 대부터 지배층을 형성한 이들은 지방에서 세금 징수, 교화 활동 등에 참여하여 지방 행정 질서를 유지하는 데 기여하였다.
> • 부정적 평가: 이들은 조세 감면을 비롯한 특권을 누리고 있으면서도 대토지를 소유하고 고리대를 운영하는 등 개인적인 이익을 추구하였다.

① 세습적인 특권에 의존하였다.
② 소작료 납부 거부 운동을 전개하였다.
③ 회관·공소 등을 세워 이익을 도모하였다.
④ 전·현직 관료, 학위 소지자 등으로 구성되었다.
⑤ 안사의 난을 계기로 독자적인 세력을 확대하였다.

08 지도와 같이 산업이 발달한 시기의 경제 상황으로 옳은 것을 〈보기〉에서 고른 것은?

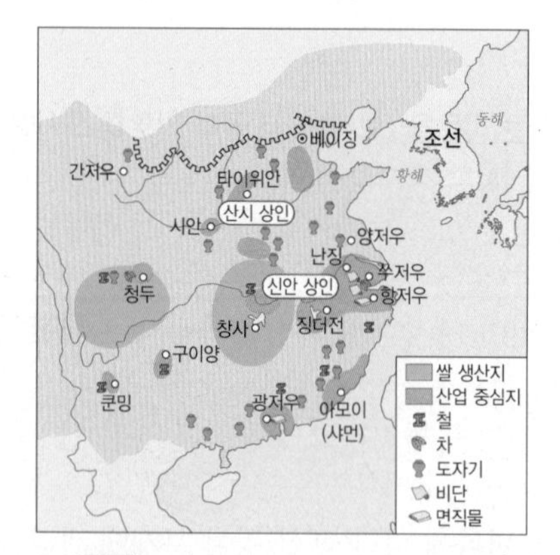

보기

ㄱ. 감자, 고구마 등의 외래 작물이 전래되었다.
ㄴ. 차, 면화, 사탕수수 등 상품 작물의 재배가 확산되었다.
ㄷ. 창장강 중·상류는 수공업, 창장강 하류는 농업 중심지였다.
ㄹ. 상공업자들이 행·작 등의 동업 조합을 결성하여 이익을 도모하였다.

① ㄱ, ㄴ ② ㄱ, ㄷ ③ ㄴ, ㄷ
④ ㄴ, ㄹ ⑤ ㄷ, ㄹ

09 (가), (나) 왕조의 대외 교류에 대한 설명으로 옳지 않은 것은?

> (가) 소수의 만주족이 세운 왕조로, 다수인 한족을 효과적으로 지배하기 위해 강경책과 회유책을 적절히 활용하였다.
> (나) 한족 문화의 회복을 표방한 왕조로, 오랜 몽골족 지배의 잔재를 청산하고 중국의 전통문화인 유교를 부흥하고자 하였다.

① (가) – 광저우에서 공행 무역을 전개하였다.
② (가) – 타이완의 반청 세력을 제압한 후 해외 무역을 허용하였다.
③ (나) – 일본과 감합 무역을 실시하였다.
④ (나) – 선교사를 추방하고 크리스트교 포교를 금지하였다.
⑤ (가), (나) – 왕조 초기에 해금 정책을 추진하였다.

출제가능성 90%

10 다음 선언을 계기로 시행된 조세 제도에 대해 학생들이 나눈 대화 내용으로 옳은 것을 〈보기〉에서 고른 것은?

> 천하가 평정된 지 오래되어 호구가 날로 번창하니 인정을 헤아려 정세를 부과하는 일이 어렵다. 인정은 늘더라도 토지는 늘지 않으니 현재의 세역 장부에 등재된 인정 수를 늘리거나 줄이지 말고 영구히 고정하라. 그리고 지금 이후 태어나는 인정은 꼭 정세를 거둘 필요가 없다.
> – 『성조실록』

보기
ㄱ. 갑: 잡다한 세금을 토지세와 인두세로 통합한 제도야.
ㄴ. 을: 중국의 인구가 급격하게 증가하는 데 영향을 주었지.
ㄷ. 병: 세금을 여름과 가을 두 번에 걸쳐 납부하도록 하였어.
ㄹ. 정: 중국에 대량의 은이 유입된 상황을 배경으로 시행되었어.

① ㄱ, ㄴ ② ㄱ, ㄷ ③ ㄴ, ㄷ
④ ㄴ, ㄹ ⑤ ㄷ, ㄹ

11 (가) 학문에 대한 설명으로 옳은 것은?

> 주원장은 명을 건국한 후 한족의 전통문화를 회복하기 위해 성리학을 통치 이념으로 삼았다. 그러나 점차 성리학이 형식화되자 왕수인은 이를 비판하고 (가) 을/를 제창하였다.

① 금석학·갑골학 등으로 발전하였다.
② 실천을 강조하는 지행합일을 내세웠다.
③ 문헌에 근거한 실증적 연구에 집중하였다.
④ 시대 변화에 따른 현실 인식과 개혁을 강조하였다.
⑤ 『농정전서』, 『천공개물』 등의 편찬에 영향을 주었다.

12 다음 책이 편찬된 시기의 문화에 대한 설명으로 옳은 것은?

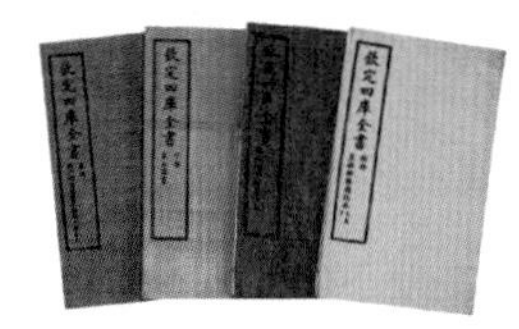
사고전서

> 이 책은 대규모 편찬 사업의 하나로 약 8만 권에 이르는 서적을 경(經), 사(史), 자(子), 집(集)의 4부로 분류하여 편찬한 것이다.

① 채윤이 제지술을 개량하였다.
② 서민 오락 시설인 와자가 형성되었다.
③ 이국적인 특색을 지닌 당삼채가 유행하였다.
④ 『홍루몽』을 비롯한 구어체 소설이 인기를 끌었다.
⑤ 연대순으로 역사를 기록한 『자치통감』이 편찬되었다.

13 자료의 상황이 전개된 배경으로 옳은 것은?

> "…… 선교사 중에서 역법과 특별한 기능에 능통한 자는 베이징으로 올려 보내 쓰고, 나머지는 모두 마카오로 보내소서. …… 천주당은 모두 공소(公所)로 바꾸고 크리스트교에 입신한 자는 해당 지방관이 엄히 금지하며, 전처럼 모여서 『성서』를 읽거나 하면 중죄로 다스리소서." 라는 요청에 옹정제는 …… "주청한 대로 하라."라고 하였다.

① 성리학이 통치 이념으로 채택되었다.
② 마테오 리치가 『천주실의』를 저술하였다.
③ 선교사 사이에서 전례 문제가 발생하였다.
④ 교황의 사절인 카르피니가 중국을 방문하였다.
⑤ 백련교도가 중심이 되어 홍건적의 난을 일으켰다.

C 조선과 일본의 발전

14 (가) 막부에 대한 설명으로 옳은 것은?

아시카가 다카우지가 교토에서 개창한 (가) 에 대해 알고 있어?

응, 지난 세계사 시간에 배웠어. 일본의 (가) 은/는 명과의 감합 무역을 통해 경제적 안정을 이루었대.

① 일본 최초의 무가 정권이다.
② '일본'이라는 국호를 사용하기 시작하였다.
③ 상인에게 무역 허가증인 슈인장을 발급하였다.
④ 쇼군의 후계자를 둘러싼 분쟁으로 쇠퇴하였다.
⑤ 일본 고유의 특색이 반영된 국풍 문화를 발전시켰다.

출제가능성 90%

15 다음 제도를 시행한 시기에 일본에서 볼 수 있었던 모습으로 적절한 것을 〈보기〉에서 고른 것은?

위 그림은 에도로 향하는 아이즈번 다이묘의 행렬이다. 산킨코타이의 시행으로 다이묘들은 1년마다 자신의 영지와 에도에 번갈아 머물러야 했다.

보기
ㄱ. 다이카 개신을 준비하는 관리
ㄴ. 원의 군대에 맞서 싸우는 무사
ㄷ. 나가사키에서 네덜란드인과 교역하는 상인
ㄹ. 서양의 해부학 서적인 『해체신서』를 읽는 학자

① ㄱ, ㄴ ② ㄱ, ㄷ ③ ㄴ, ㄷ
④ ㄴ, ㄹ ⑤ ㄷ, ㄹ

16 밑줄 친 '막부'가 일본을 지배한 시기에 있었던 사실로 옳지 않은 것은?

이 그림은 나가사키의 인공 섬인 데지마의 모습을 묘사한 것이다. 막부는 쇄국 정책을 강화한 이후 사무역을 엄격히 통제하였으나 예외적으로 서양 국가 중 네덜란드에만 이곳을 통한 무역을 허용하였다.

① 조선을 침략하여 임진왜란을 일으켰다.
② 네덜란드인을 통해 서양의 학문을 받아들였다.
③ 조선의 통신사를 통해 선진 문물을 받아들였다.
④ 상인들이 동업 조합인 가부나카마를 결성하였다.
⑤ 고대 일본의 정신으로 회귀할 것을 주장하는 국학 운동이 전개되었다.

[17~18] 다음을 보고 물음에 답하시오.

가부키 극장

도시의 풍경을 그린 우키요에

17 위 문화를 주로 향유한 계층에 대한 설명으로 옳은 것은?
① 쇼군에게서 번이라는 영지를 받았다.
② 중앙과 지방의 직할지를 통치하였다.
③ 상공업의 발달을 배경으로 성장하였다.
④ 산킨코타이에 의해 막부의 통제를 받았다.
⑤ 병농 분리 정책으로 조카마치에 거주하였다.

18 위 문화가 발달한 시대에 대한 탐구 주제로 적절한 것은?
① 난학의 발달 배경
② 쇼토쿠 태자의 개혁
③ 가나 문자의 형성 과정
④ 견당사를 통한 문화 교류
⑤ 정토종의 유행과 불교 대중화

정답과 해설 11쪽

최고난도

01 밑줄 친 '이 왕조'에 대한 탐구 활동으로 적절한 것은?

이 왕조 시기 중국의 학자들은 선교사와 교류하면서 식물학, 농학, 지리학 등 실용적인 학문을 발전시켰다. 그리하여 『천공개물』과 같은 중국의 전통 과학 기술 서적이 편찬되었다.

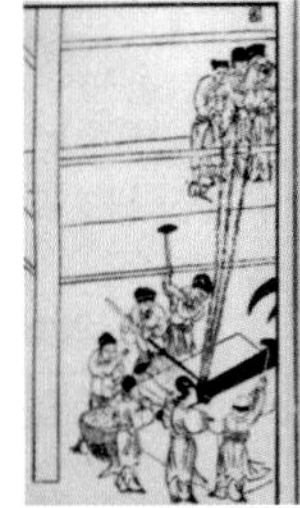

『천공개물』의 일부분

① 문치주의를 채택한 이유를 검색한다.
② 전례 문제가 일어난 배경을 파악한다.
③ 일조편법의 내용과 시행 배경을 알아본다.
④ 문자의 옥으로 탄압받은 학자의 명단을 조사한다.
⑤ 서양 상인의 무역 활동을 광저우로 제한한 이유를 살펴본다.

02 다음은 어느 중국인의 가상 일기이다. 이 일기가 쓰인 시기에 대한 설명으로 옳은 것을 〈보기〉에서 고른 것은?

○○월 ○○일
내일은 고구마를 수확하는 날이다. 십 수 년 전 바다 건너에서 들어온 고구마는 날씨의 영향을 크게 받지 않아서 해마다 수확량이 많은 편이다. 작년에는 비가 너무 적게 내려서 많은 농작물이 피해를 입었는데, 고구마 수확량이 많아 어린 자식들과 기근을 넘길 수 있었다. 참으로 신통한 작물이다.

보기

ㄱ. 화북 지방에서 2년 3작이 시작되었다.
ㄴ. 소작인들이 소작료 납부 거부 운동을 일으켰다.
ㄷ. 나침반이 발명되어 원거리 해상 무역이 가능해졌다.
ㄹ. 창장강 하류 지방에서 면직업과 견직업 등 수공업이 발달하였다.

① ㄱ, ㄴ ② ㄱ, ㄷ ③ ㄴ, ㄷ
④ ㄴ, ㄹ ⑤ ㄷ, ㄹ

2016 수능 응용

03 (가) 인물의 활동으로 옳은 것은?

세계사 신문

예수회 선교사인 (가) 이/가 제작한 「곤여만국전도」가 중국의 학자들 사이에서 인기를 끌고 있다. 세계를 유럽, 아프리카, 아메리카, 아시아, 메카라니카로 구분한 이 지도는 중국인들의 세계관에 큰 영향을 줄 것으로 분석된다.

① 서광계와 함께 『기하원본』을 번역하였다.
② 『오경정의』를 저술한 공영달과 교류하였다.
③ 농업 기술 서적인 『농정전서』를 편찬하였다.
④ 조상에 대한 제사를 우상 숭배라고 비판하였다.
⑤ 『동방견문록』을 저술하여 서양에 중국을 소개하였다.

서술형 문제

04 청이 다음 명령과 같은 취지에서 실시한 정책을 두 가지 서술하시오.

수도 내외는 10일, 그 밖은 명령서가 도착한 날로부터 10일 이내에 변발하라. 그에 따르는 자는 우리나라 백성으로 간주하고 거역하면 엄벌에 처할 것이다.

05 지도와 같은 은의 이동이 중국 경제에 미친 영향을 서술하시오.

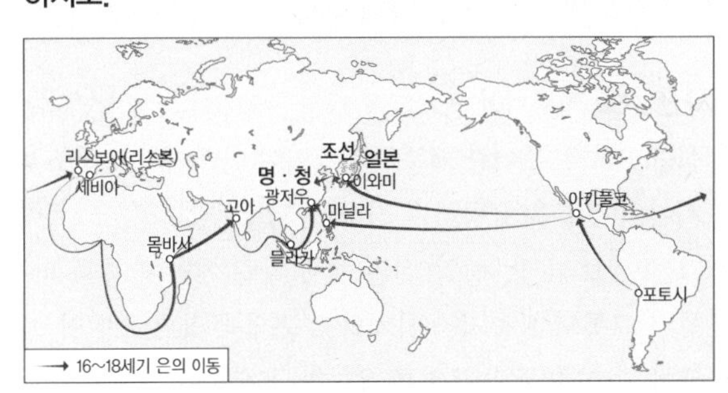

01 서아시아의 여러 제국과 이슬람 세계의 형성

A 고대 서아시아 세계

1. 아시리아

(1) 서아시아 통일: 기원전 7세기경 철제 무기와 기마 전술을 바탕으로 서아시아의 상당 부분 통일

(2) 발전: 중앙 집권적 통치(군용 도로와 역전제 정비, 정복지에 총독 파견), 지구라트 건설, 학문 장려

(3) 멸망: 피지배 민족에 대한 강압적인 통치로 각지에서 반란이 일어나 멸망(기원전 612)

- 피정복민을 강제로 이주시키고 무거운 세금을 매겼다.

★ 2. 아케메네스 왕조 페르시아

(1) 서아시아 재통일: 키루스왕이 아케메네스 왕조 페르시아 건국, 서아시아 재통일(기원전 525)

(2) 발전: 다리우스 1세 때 전성기 이룩

- 이집트와 지중해 연안에서 인더스강에 이르는 대제국을 건설하였다.

다리우스 1세	영토 확장, 속주에 총독과 감찰관('왕의 눈', '왕의 귀') 파견, 도로('왕의 길') 건설, 역참제 정비, 도량형 제도와 화폐 통일, 페르세폴리스 건설
관용 정책	공납 징수의 대가로 피정복민의 전통과 신앙 존중

(3) 문화

특징	국제적 문화 발달(페르세폴리스 유적이 대표적)
종교	조로아스터교(기원전 6세기경 창시): 세상을 선의 신(아후라 마즈다)과 악의 신(아리만)이 싸우는 장소로 인식, 불과 유일신 숭배 → 유대교, 크리스트교, 이슬람교 등에 영향을 줌

- 조로아스터교의 최후의 심판, 죽은 자의 부활, 천국과 지옥 등의 교리가 영향을 미쳤다.

(4) 멸망: 그리스·페르시아 전쟁 패배, 총독들의 반란 → 알렉산드로스에게 멸망(기원전 330)

3. 파르티아

- 아케메네스 왕조 페르시아의 전통을 계승하였다.

성립	기원전 3세기 중엽 이란계 민족이 수립
발전	대제국 건설 → 로마, 인도, 중국(한)을 연결하는 동서 교역로를 장악하고 중계 무역으로 번영
멸망	국력 쇠퇴 → 사산 왕조 페르시아의 공격으로 멸망(226)

4. 사산 왕조 페르시아

(1) 성립: 3세기 초 이란 계통의 농경민이 아케메네스 왕조 페르시아의 부흥을 표방하며 건국

- 메소포타미아에서 인더스강에 이르는 제국을 건설하였다.

(2) 발전: 영토 확장, 중앙 집권 체제 확립(지방에 총독 파견), 동서 교통의 요충지를 차지하고 중계 무역으로 번영

(3) 문화: 여러 민족의 문화를 융합한 국제적인 성격

종교	조로아스터교를 국교로 삼음, 마니교 등장
공예	금은 세공품, 유리 공예품 제작 → 유럽 및 이슬람 세계, 동아시아에 전파(동서 문화 교류에 기여)

(4) 멸망: 이슬람 세력에 멸망(651)

B 이슬람 세계의 형성

1. 이슬람교의 성립과 확산

배경	6세기 이후 사산 왕조 페르시아와 비잔티움 제국의 대립 → 새로운 교통로 개척으로 메카와 메디나 번성 → 빈부 격차 심화, 종교에 따른 부족 간의 대립 심화
성립	7세기경 무함마드가 유일신 알라를 믿는 이슬람교 정립
특징	우상 숭배 배격, 인간 평등 주장 → 민중의 지지 획득
확산	메카 보수 귀족들의 탄압 → 무함마드가 메디나로 피신(헤지라, 622) → 메디나에서 교세 확장 → 메카 장악(630), 아라비아반도 대부분 통일

- '성스러운 이주'라는 뜻으로, 이슬람력의 원년이다.

★ 2. 이슬람 제국의 성립과 확대

- 수니파는 4대 칼리프 알리의 후손이 아니어도 칼리프가 될 수 있다고 보았으나, 시아파는 알리와 그의 후손만을 정통으로 보았다.

정통 칼리프 시대 (632~661)	• 성립: 무함마드 사후 칼리프 선출 • 영토 확장: 이집트, 시리아, 사산 왕조 페르시아를 정복하여 대제국 건설
우마이야 왕조 (661~750)	• 성립: 4대 칼리프 암살 → 우마이야 가문이 칼리프 세습(→ 이슬람교가 수니파와 시아파로 분열) • 발전: 다마스쿠스에 도읍, 영토 확장 • 통치 방식: 아랍인 우대 → 비아랍인의 불만 초래
아바스 왕조 (750~1258)	• 성립: 아바스 가문이 비아랍인과 시아파의 도움을 받아 건국 • 세력 확대: 바그다드에 도읍, 당과의 탈라스 전투 승리, 모든 이슬람교도의 평등 강조 • 멸망: 몽골의 침입으로 멸망
후우마이야 왕조	우마이야 왕조의 일파가 이베리아반도에 건국(756), 지중해 무역 장악, 학문과 문예 장려
파티마 왕조	10세기 초 시아파가 북아프리카에 건국, 이집트 정복, 수도 카이로 건설

- 아바스 왕조는 범이슬람 제국으로 성장하였다.

⊙ 이슬람 제국의 영토 확장

- 아바스 왕조는 탈라스 전투에서 승리하여 동서 무역의 주도권을 장악하였다.

3. 이슬람의 사회와 문화

사회	『쿠란』의 가르침을 중심으로 생활, 동서 교역 활발
문화	• 특징: 이슬람교와 아랍어를 공통 요소로 이슬람 문화권 형성 • 발달: 신학·법학·언어학·역사학·지리학 발전, 설화 문학 발달(『아라비안나이트』가 대표적), 모스크 양식과 아라베스크 발달, 자연 과학 발달(수학, 화학, 천문학, 의학 등의 지식이 유럽의 근대 과학 성립에 영향을 줌)

- 이슬람교에서 사람과 동물을 그리는 것을 우상 숭배로 여겨 금지하였기 때문에 덩굴이나 기하학적 무늬를 배열한 장식 무늬인 아라베스크가 발달하였다.

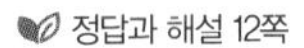
정답과 해설 12쪽

★ 표시는 시험 전에 확인해 주세요.

C 이슬람 세계의 팽창

1. 이슬람 세계의 다원화

서아시아와 중앙아시아를 아우르는 영토를 차지하였다.

셀주크 튀르크	• 성립: 10세기 중반 카스피해 부근에서 발흥 • 세력 확대: 부와이 왕조 정복, 바그다드 입성(1055) 후 아바스 왕조로부터 술탄의 칭호 획득, 대제국 건설 • 멸망: 크리스트교 세계와 장기간 십자군 전쟁 전개, 내분으로 쇠퇴 → 13세기 몽골의 침입으로 멸망
티무르 왕조	• 성립: 티무르가 건국(1370), 몽골 제국의 재건 표방 • 발전: 앙카라 전투에서 오스만 제국 제압, 동서 무역 독점(수도 사마르칸트가 중계 무역으로 번영)
사파비 왕조	• 이스마일 1세: 사파비 왕조 건국(1501), 페르시아인의 민족의식 부흥에 노력, 시아파 이슬람교를 국교로 채택 • 아바스 1세(전성기): 이스파한 천도, 바그다드 수복

★ 2. 오스만 제국

(1) 성립: 오스만족이 아나톨리아 지역에서 수립(1299)

(2) 발전

메흐메트 2세	콘스탄티노폴리스 점령(비잔티움 제국 멸망) → 이스탄불로 이름을 바꾼 후 수도로 삼음(1453)
셀림 1세	맘루크 왕조 정복(16세기 초) → 아시아·아프리카·유럽에 걸친 대제국 건설 → 술탄이 칼리프의 칭호도 계승
술레이만 1세(전성기)	헝가리 정복, 오스트리아의 빈 공격, 유럽 연합 함대 격파 → 지중해 해상권 장악

(3) 통치 방식

오스만 제국이 정복지의 크리스트교도 중 우수한 인재를 뽑은 제도이다.

① 통치 체제: 술탄이 중앙 집권적 통치 기구로 대부분 지배, 티마르제·데브시르메 제도 실시(관료와 예니체리 충당)

② 이민족 통치: 관용 정책 실시

관료나 군사들에게 술탄의 직할지를 제외한 영토의 징세권을 준 제도이다.

내용	지즈야(인두세)만 납부하면 종교 공동체(밀레트)의 자치 허용, 종교와 관계없이 능력에 따라 인재 등용
결과	다양한 민족과 종교 공존, 제국의 안정화에 기여

오스만 제국의 관용 정책

"폐하, 서로 다른 많은 종교가 어떻게 평화롭게 공존할 수 있습니까?"라고 묻자, 오스만 제국의 황제 술레이만 1세는 …… "사람의 운명을 결정하는 것은 출신과 신분이 아니고 바로 능력이라오." …… 라고 답하였다.

– 뷰즈벡, 『터키에서의 편지』

오스만 제국에서는 출신이나 종교와 관계없이 능력에 따라 인재를 등용하였다.

(4) 경제와 문화

경제	국제 무역 번성(유라시아 교역 활발), 이스탄불 번영
문화	• 특징: 이슬람 문화에 튀르크·페르시아·비잔티움 문화 융합 • 발달: 모스크 건축, 궁정 문학 유행, 자연 과학 발달, 아라베스크 발달, 페르시아 세밀화 유행

(5) 쇠퇴: 술탄의 통제력 약화, 17세기 말부터 서양 세력의 침입으로 지속적인 영토 상실, 지중해 무역 쇠퇴

01 다음 설명이 맞으면 ○표, 틀리면 ×표를 하시오.

(1) 아케메네스 왕조 페르시아는 조로아스터교를 국교로 채택하였다. ( )

(2) 아시리아는 강압적인 통치에 반발한 피지배 민족의 반란으로 멸망하였다. ( )

(3) 아케메네스 왕조 페르시아의 다리우스 1세는 '왕의 길'이라는 도로망을 건설하였다. ( )

02 3세기 초 이란 계통의 농경민이 아케메네스 왕조 페르시아의 부흥을 표방하며 건국한 나라는?

03 무함마드가 622년 메카의 보수적인 귀족들의 탄압을 피해 메디나로 피신한 사건을 (　　　)라고 한다.

04 다음 사건이 있었던 시기를 <보기>에서 골라 기호를 쓰시오.

> 보기
> ㄱ. 아바스 왕조　　ㄴ. 우마이야 왕조
> ㄷ. 정통 칼리프 시대

(1) 칼리프를 선출하였다. ( )

(2) 이슬람교가 수니파와 시아파로 분열하였다. ( )

(3) 비아랍인 이슬람교도에 대한 차별을 없앴다. ( )

05 이슬람교도는 이슬람교의 경전인 『(　　　)』의 가르침을 중심으로 생활하였다.

06 11세기 중엽 바그다드에 입성하여 아바스 왕조의 칼리프로부터 술탄의 칭호를 받은 왕조는?

07 (　　　)는 몽골 제국의 재건을 표방하며 왕조를 수립하고 사마르칸트를 수도로 삼았다.

08 헝가리를 정복하고 유럽의 연합 함대를 격파하는 등 오스만 제국의 전성기를 이룩한 왕은?

09 오스만 제국은 제국 내 이교도들이 지즈야(인두세)만 납부하면 종교 공동체인 (　　　)의 자치를 허용하였다.

A 고대 서아시아 세계

01 (가) 왕조에 대한 설명으로 옳은 것은?

> 티그리스강 상류의 도시 국가에서 출발한 (가) 은/는 북방 민족으로부터 배운 기마 전술을 바탕으로 기병대를 조직하고, 철제 무기로 무장한 강력한 군사력을 토대로 주변 지역을 정복하였다. 그 결과 기원전 7세기에 페니키아, 바빌로니아, 이집트를 아우르는 대제국을 건설하였다.

① 알렉산드로스의 침공으로 멸망하였다.
② 피지배 민족을 강압적으로 통치하였다.
③ 바그다드에 입성하여 아바스 왕조로부터 술탄의 칭호를 얻었다.
④ 속주에 '왕의 귀', '왕의 눈'이라고 불리는 감찰관을 파견하였다.
⑤ 중국 한과 인도 쿠샨 왕조, 로마를 연결하는 중계 무역으로 번영하였다.

02 다음은 고대 서아시아 세계의 변천 과정을 그린 것이다. (가), (나) 왕조에 대한 설명으로 옳지 않은 것은?

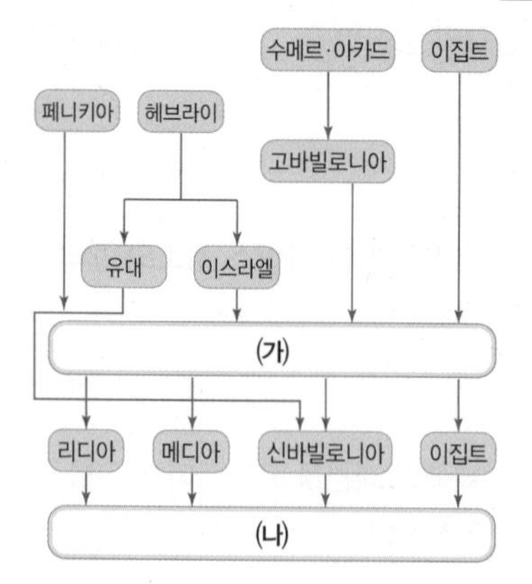

① (가) – 3세기 초에 이란 계통의 농경민이 건국하였다.
② (가) – 철제 무기와 기마 전술을 바탕으로 세력을 확대하였다.
③ (나) – 불을 숭배하는 조로아스터교를 믿었다.
④ (나) – 피지배 민족의 전통과 신앙을 존중하는 정책을 펼쳤다.
⑤ (가), (나) – 중앙 집권적 통치를 실시하였다.

출제가능성 90%

03 다음과 같이 지방을 통치한 왕조에 대한 설명으로 옳지 않은 것은?

> 전국을 20여 개의 속주로 구분하고 각 주마다 총독을 파견하여 지방 행정과 질서 유지를 담당하게 하였다. 그리고 이른바 '왕의 눈', '왕의 귀'라 불리는 감찰관을 파견하여 총독을 감시하였다.

① 페르세폴리스를 수도로 세웠다.
② '왕의 길'이라는 도로를 건설하였다.
③ 피정복민에게 관용 정책을 실시하였다.
④ 기원전 4세기 알렉산드로스에게 멸망하였다.
⑤ 정치·종교의 지도자로 칼리프를 선출하였다.

04 밑줄 친 '도로'를 건설한 왕의 업적으로 옳은 것은?

> 수도인 수사에서 사르디스까지 2,600km에 이르는 포장 도로로서, 보통 사람은 90일이나 걸리는 그 길을 급사(急使)는 9일 만에 달렸다. – 헤로도토스, 『역사』

① 마니교 후원
② 역참제 정비
③ 예니체리 육성
④ 탈라스 전투 승리
⑤ 사산 왕조 페르시아 정복

주관식

05 다음에서 설명하는 종교를 쓰시오.

> 세상을 빛과 선의 신인 아후라 마즈다와 어둠과 악의 신인 아리만이 싸우는 곳으로 보았으며, 아후라 마즈다를 유일신으로 섬겼다. 선악의 대결, 죽은 자의 부활, 최후의 심판, 천국과 지옥 등의 교리는 훗날 유대교, 크리스트교, 이슬람교 등에 영향을 주었다.

06 (가) 왕조에 대한 설명으로 옳은 것은?

⊙ 은제 물병(왼쪽)과 유리 물병(오른쪽)

왼쪽 유물은 아케메네스 왕조 페르시아를 계승한 (가) 의 은제 물병이고 오른쪽 유물은 신라의 유리 물병이다. 두 유물의 형태가 유사한 것을 통해 (가) 의 문화가 신라의 문화에 영향을 주었음을 짐작할 수 있다.

① 이스마일 1세가 수립하였다.
② 조로아스터교를 국교로 삼았다.
③ 알렉산드로스의 침공으로 멸망하였다.
④ '왕의 길'이라고 불리는 도로를 건설하였다.
⑤ 지즈야를 걷고 밀레트의 자치를 허용하였다.

B 이슬람 세계의 형성

07 다음과 같은 내용의 경전을 가진 종교에 대한 설명으로 옳은 것은?

알라는 모세에게 성서를 주고 …… 마리아의 아들 예수에게 권능을 내려 성령으로 그를 보호하였다. …… 그 누구도 구별하지 아니하며 알라만을 믿는다.

① 파티마 왕조에서 성립되었다.
② 아후라 마즈다를 최고신으로 섬겼다.
③ 신 앞에서 인간이 평등하다고 보았다.
④ 『베다』의 가르침이 일상생활에 큰 영향을 주었다.
⑤ 신을 표현한 그림과 조각으로 사원의 내부를 장식하였다.

08 (가) 시기에 있었던 사실로 옳은 것은?

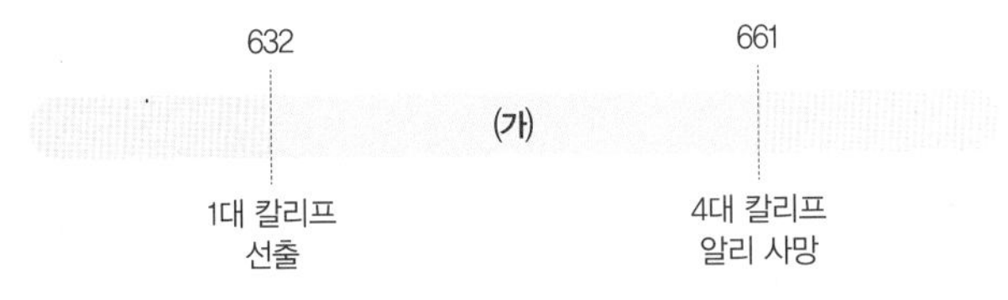

① 사산 왕조 페르시아가 멸망하였다.
② 셀주크 튀르크가 바그다드에 입성하였다.
③ 이슬람 제국이 탈라스 전투에서 승리하였다.
④ 메흐메트 2세가 비잔티움 제국을 정복하였다.
⑤ 우마이야 왕조의 일파가 후우마이야 왕조를 세웠다.

출제가능성 90%

09 지도와 같은 영역을 차지한 이슬람 왕조에서 있었던 사실로 옳은 것은?

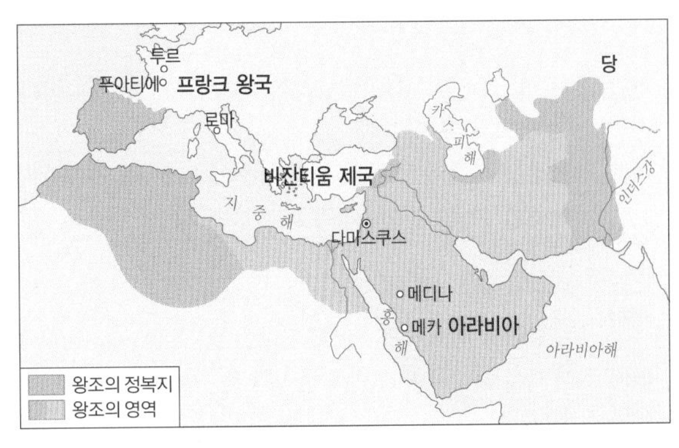

① 칼리프를 선출하였다.
② 아랍인 우대 정책을 실시하였다.
③ 시아파 이슬람교를 국교로 삼았다.
④ 무함마드가 이슬람교를 정립하였다.
⑤ '왕의 눈', '왕의 귀'로 불린 감찰관이 속주의 총독을 감독하였다.

출제가능성 90%

10 밑줄 친 '이 왕조'에 대한 설명으로 옳은 것을 〈보기〉에서 고른 것은?

⊙ 바그다드

⊙ 바그다드 바스라 도서관

위 그림은 이 왕조의 수도로 건설된 바그다드의 모습과 도서관을 그린 것이다. 이 왕조 시기 탈라스 전투를 계기로 제지술이 전래되어 각종 전문 서적이 필사되었고 이러한 지식이 각지의 도서관을 통해 보급되었다.

보기
ㄱ. 시아파의 도움을 받아 성립되었다.
ㄴ. 모든 이슬람교도의 평등을 내세웠다.
ㄷ. 앙카라 전투에서 오스만 제국을 물리쳤다.
ㄹ. 북인도와 이베리아반도까지 영토를 확장하였다.

① ㄱ, ㄴ ② ㄱ, ㄷ ③ ㄴ, ㄷ
④ ㄴ, ㄹ ⑤ ㄷ, ㄹ

11 다음 의무를 가진 교도들이 형성한 문화권에 대한 설명으로 옳지 않은 것은?

의무	내용
신앙 고백	"알라 외에는 신이 없고 무함마드는 신의 사도이다." 라고 신앙 고백한다.
예배	일정한 시간에 메카를 향해 하루에 다섯 번 예배한다.
금식	라마단 한 달 동안 해 뜰 무렵부터 해 질 녘까지 금식한다.
희사	인도주의적 자선으로 부자와 가난한 사람 모두 수입의 일정액을 공동체에 바친다.
메카 순례	여건이 허락하면 평생에 한 번 이상 성지인 메카를 순례한다.

① 대수법과 삼각법을 완성하였다.
② 화약, 나침반, 제지법이 발명되었다.
③ 예방 의학과 외과 분야가 발달하였다.
④ 영(0)을 포함한 아라비아 숫자 체계가 완성되었다.
⑤ 알칼리와 산의 구별법, 승화 작용 등을 발견하였다.

C 이슬람 세계의 팽창

출제가능성 90%

12 (가) 국가에 대한 설명으로 옳은 것을 〈보기〉에서 고른 것은?

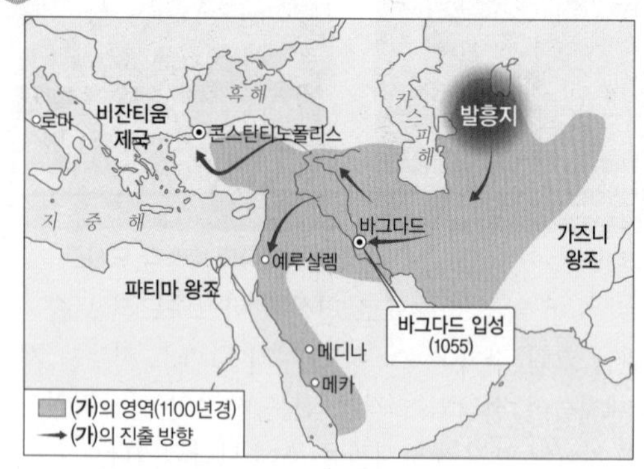

보기
ㄱ. 예니체리를 창설하였다.
ㄴ. 탈라스 전투에서 당의 군대를 물리쳤다.
ㄷ. 크리스트교 세계와 십자군 전쟁을 벌였다.
ㄹ. 아바스 왕조의 칼리프로부터 술탄의 칭호를 획득하였다.

① ㄱ, ㄴ　② ㄱ, ㄷ　③ ㄴ, ㄷ
④ ㄴ, ㄹ　⑤ ㄷ, ㄹ

13 밑줄 친 '이 왕조'에 대한 설명으로 옳은 것은?

> 중앙아시아 지역이 혼란해지자 14세기 후반 티무르가 칭기즈 칸의 후예임을 자처하며 몽골 제국의 재건을 내걸고 <u>이 왕조</u>를 세웠다. 그리고 정복 활동을 통해 인도의 서북부에서 지중해 연안까지 이어지는 영토를 차지하였다. 하지만 티무르는 칭기즈 칸을 본보기로 삼아 대제국을 건설하기 위해 대군을 이끌고 중국의 명을 정복하러 가던 도중 사망하였다.

① 콘스탄티노폴리스를 점령하였다.
② 동서 무역을 독점하여 번영하였다.
③ 조로아스터교를 국교로 채택하였다.
④ 우마이야 가문이 칼리프를 세습하였다.
⑤ 페르시아인의 민족의식 부흥을 위해 노력하였다.

[14~15] 다음을 읽고 물음에 답하시오.

> 이스마일 1세는 1501년 이란 지역을 중심으로 왕조를 수립하고, 페르시아 군주의 칭호로 쓰이던 '샤'를 사용하는 등 페르시아인의 민족의식 부흥에 힘썼다. (가) 때는 군사력을 강화하고 오스만 제국에 빼앗긴 바그다드를 되찾아 영토를 넓히는 등 전성기를 맞았다.

14 윗글에 해당하는 왕조에 대한 탐구 활동으로 적절한 것은?
① 데브시르메 제도의 내용을 알아본다.
② 몽골 제국의 부활을 내세운 이유를 찾아본다.
③ 밀레트를 중심으로 관용 정책의 내용을 정리한다.
④ '왕의 길' 건설이 왕권 강화에 미친 영향을 살펴본다.
⑤ 시아파 이슬람교를 국교로 정한 후 주변국과의 관계 변화를 조사한다.

15 (가) 황제의 활동으로 옳은 것은?
① 분서갱유 단행
② 이스파한 천도
③ 부와이 왕조 정복
④ 앙카라 전투 승리
⑤ 오스트리아의 빈 공격

16 다음은 어느 왕조에 대한 발표 주제이다. (가)에 들어갈 주제로 적절한 것은?

> • 1모둠: 밀레트 제도 시행의 효과
> • 2모둠: 지중해 해상권 장악의 의미
> • 3모둠: 앙카라 전투 패배 이후의 체제 정비
> • 4모둠: 술탄이 칼리프의 칭호를 계승한 배경
> • 5모둠: (가)

① 아랍인 우대 정책의 영향
② 십자군 전쟁의 배경과 결과
③ 비잔티움 제국을 멸망시킨 과정
④ 이슬람교가 수니파와 시아파로 분리된 계기
⑤ 아바스 왕조로부터 술탄의 칭호와 정치적 실권을 위임 받은 배경

출제가능성 90%

17 지도의 영역을 차지한 제국에 대한 설명으로 옳은 것은?

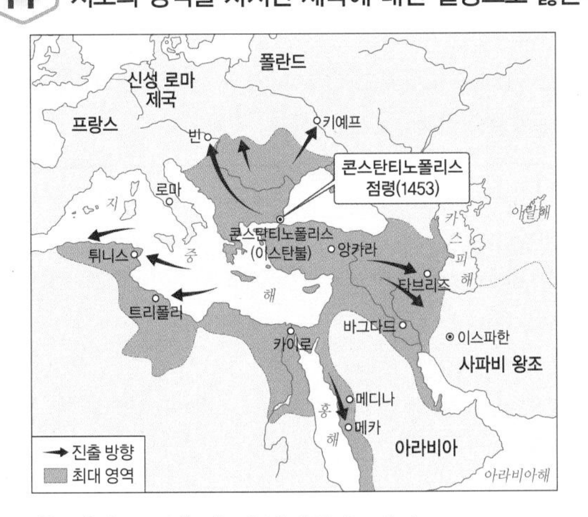

① 아바스 1세 때 전성기를 누렸다.
② 아케메네스 왕조 페르시아의 부흥을 표방하며 건국되었다.
③ 여러 민족의 문화를 받아들여 페르세폴리스 왕궁 유적을 조성하였다.
④ 아랍인을 우대하고 아랍인 외의 이슬람교도를 차별하는 정책을 펼쳤다.
⑤ 지즈야(인두세)만 납부하면 종교 공동체를 만들어 자치를 누리도록 허용하였다.

18 다음 내용에 해당하는 인물에 대한 설명으로 옳은 것은?

인물 카드

• 약력: 오스만 제국의 전성기를 이끈 술탄
• 재위 기간: 1520 ~ 1566년
• 업적: 헝가리 정복과 오스트리아의 빈 공격, 법전을 편찬하여 오스만 제국의 정부 조직과 행정 제도 정비, 건축·문학 등 후원

① 이스탄불을 수도로 삼았다.
② 비잔티움 제국을 멸망시켰다.
③ 몽골 제국의 재건을 표방하였다.
④ 이집트의 맘루크 왕조를 정복하였다.
⑤ 유럽의 연합 함대를 무찌르고 지중해 해상권을 장악하였다.

19 다음 문화유산을 남긴 왕조에 대해 학생들이 나눈 대화 내용으로 적절하지 않은 것은?

① 갑: 이슬람교 외의 다른 종교를 탄압하였어.
② 을: 페르시아의 영향을 받아 세밀화가 유행하였어.
③ 병: 데브시르메 제도를 실시하여 관료와 예니체리를 충당하였지.
④ 정: 직할지를 제외한 지역을 다스리는 관료나 군인에게 티마르를 주었어.
⑤ 무: 술탄이 칼리프의 칭호까지 획득하여 이슬람 세계의 최고 지배자로 군림하였어.

01 다음 글을 남긴 서아시아 왕조의 통치 체제에 대한 설명으로 옳은 것은?

> 수사, 훌륭하고 성스러운 도시, …… 나는 정복하였다. 나는 이 궁궐에 들어갔고, 나는 금은보화를 넣어 둔 그들의 보물 창고를 열었다. …… 나는 수사의 지구라트를 부숴 버렸다. …… 나는 엘람의 사원을 파멸로 몰아넣었다. 나는 그들의 신과 여신들을 바람에 날려 버렸다. 나는 그들의 조상과 옛 왕의 무덤을 짓밟았고, 무덤에 햇빛이 들게 하였으며, 그들의 뼈를 꺼내 아슈르의 영토로 가져갔다.
> – 왕이 엘람 왕국을 정복하고 새긴 문자판

① 군사적 봉건제인 티마르제를 시행하였다.
② 봉건제와 군현제를 절충하여 군국제를 실시하였다.
③ 전국을 주(州)로 나누고 총독을 파견하여 직접 통치하였다.
④ 피지배 민족의 전통과 신앙을 존중하는 관용 정책을 펼쳤다.
⑤ 모든 이슬람교도의 평등을 표방하여 아랍인의 특권을 폐지하였다.

02 밑줄 친 '그'의 업적으로 옳은 것을 <보기>에서 고른 것은?

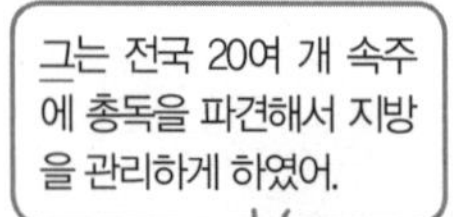

그는 전국 20여 개 속주에 총독을 파견해서 지방을 관리하게 하였어.

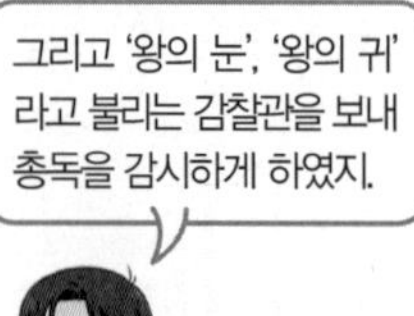

그리고 '왕의 눈', '왕의 귀'라고 불리는 감찰관을 보내 총독을 감시하게 하였지.

보기

ㄱ. 조로아스터교를 국교로 지정하였다.
ㄴ. 서아시아 세계를 최초로 통일하였다.
ㄷ. 새로운 왕궁으로 페르세폴리스를 건설하였다.
ㄹ. '왕의 길'이라 불린 도로와 역참제를 정비하였다.

① ㄱ, ㄴ ② ㄱ, ㄷ ③ ㄴ, ㄷ
④ ㄴ, ㄹ ⑤ ㄷ, ㄹ

03 빈칸에 들어갈 내용으로 적절한 것은?

> **세계사 연구 동아리에서 회원을 모집합니다.**
>
> 이번 달에는 진정한 의미의 이슬람 제국이라고 불리는 ○○○ 왕조에 대해 살펴보면서 오늘날 이슬람 세계를 이해하는 실마리를 찾고자 합니다. 다음 주제로 진행될 예정이니 많은 참여 바랍니다.
>
> • 주제
> – 1주 차: 시아파의 도움을 받아 왕조를 세우다.
> – 2주 차: 탈라스 전투의 승리로 비단길을 장악하다.
> – 3주 차: 수도 바그다드, 세계 교역의 중심지가 되다.
> – 4주 차: ____________________
>
> • 장소: ○○ 고등학교 4층 도서관

① 헤지라가 단행되다.
② 『아베스타』가 집대성되다.
③ 무함마드의 계승자를 선출하다.
④ 아랍인과 비아랍인의 차별을 없애다.
⑤ 이집트와 사산 왕조 페르시아를 무너뜨리다.

2018 평가원 응용

04 다음은 이슬람 세계의 변천을 시기 순서대로 쓴 책이다. 찢어진 부분에 들어갈 내용으로 적절한 것은?

> 우마이야 가문의 아브드 알 라흐만은 우마이야 왕조의 일파를 이끌고 이베리아반도에서 코르도바를 수도로 하는 새로운 왕조를 수립하였다.
>
> 중앙아시아의 유목민 일파가 부와이 왕조를 무너뜨리고 마침내 칼리프가 있는 바그다드에 입성하였고, 지배자는 술탄의 칭호를 받았다.

① 아바스 왕조가 몽골 제국에 정복당하였다.
② 파티마 왕조가 수립되어 칼리프 칭호를 사용하였다.
③ 이슬람 세력이 탈라스에서 당군과 전투를 벌여 승리하였다.
④ 조로아스터가 아후라 마즈다를 최고신으로 섬기는 종교를 창시하였다.
⑤ 무함마드가 메카의 보수적인 귀족층의 탄압을 피해 메디나로 피신하였다.

05 다음 유적으로 대표되는 문화권에 대한 발표 주제로 적절하지 않은 것은?

Post Card

○○야, 엄마는 지금 이스라엘에 와 있어. 어제는 예루살렘에 있는 바위의 돔 사원을 보고 왔단다. 우마이야 왕조의 칼리프가 지은 이 사원은 황금 돔이 매우 아름다웠어. 벽면은 여러 가지 색깔의 타일로 만들어졌는데, 타일 중 일부는 아라베스크나 『쿠란』의 구절로 장식되어 있었어. 다음에 ○○도 이곳에 꼭 와 보면 좋겠구나!

① 성지 순례를 위한 지리학 연구
② 유럽의 근대 과학 성립에 미친 영향
③ 자유로운 상업 활동의 보장과 도시의 성장
④ 천체 관측 기구를 이용한 지구 구형설의 증명
⑤ 숫자 영(0) 개념의 최초 사용과 그 수학사적 의의

최고난도

06 (가) 국가에서 볼 수 있었던 모습으로 적절한 것은?

다큐드라마 기획안

• 기획 의도
(가) 에서 술탄의 상비군 역할을 하였던 예니체리를 다룬 드라마를 제작하여 (가) 이/가 광대한 영토를 차지하고 발전한 원동력을 이해하는 시간을 제공한다.

• 고증 자료

① 십자군 전쟁에 참여하는 상인
② 탈라스 전투를 승리로 이끈 장군
③ 티마르에 대한 징세권을 받은 관료
④ 셀주크 튀르크에 술탄의 칭호를 주는 칼리프
⑤ 우마이야 가문의 칼리프 세습을 비판하는 이슬람교도

서술형 문제

07 다음 글을 참고하여 밑줄 친 '아후라 마즈다'를 믿은 종교가 제국의 발전에 미친 영향을 서술하시오.

나, 다리우스 왕은 위대한 왕, 왕 중 왕이다. 광명의 신 아후라 마즈다의 높으신 뜻에 따라 왕이 되었다. 제국을 나에게 주신 아후라 마즈다의 높으신 뜻에 따라 나는 나에게 속한 이 나라들, 즉 페르시아, 엘람, 바빌로니아, 이집트, 아라비아 …… 인더스강가, 이 모든 지역을 지배하는 왕이다. 왕이 말하노라. 나에게 속한 이 나라들은 아후라 마즈다의 높으신 뜻에 따라 나를 왕으로 섬겼고 나에게 공물을 바쳤다.

– 다리우스 1세 전승 기념비의 비문

08 다음을 읽고 물음에 답하시오.

합스부르크의 대사 뷰즈벡이 "폐하, 서로 다른 많은 종교가 어떻게 평화롭게 공존할 수 있습니까?"라고 묻자, 술탄이 답하기를, "그것이 바로 내 제국이 크게 성공할 수 있는 비결 아니겠는가. …… 대사는 나를 도와 우리 위대한 제국을 세우고 경영하는 사람들이 모두 노예 출신이라는 사실을 아오? …… 사람의 운명을 결정하는 것은 출신과 신분이 아니고 바로 능력이라오. 그 능력이 햇빛에 빛날 때 그 찬란함을 볼 수 있는 것이지."

– 뷰즈벡, 『터키에서의 편지』

(1) 밑줄 친 모습의 기반이 된 오스만 제국의 공동체를 쓰시오.

(2) 윗글을 통해 알 수 있는 오스만 제국의 통치 방식을 서술하시오.

02 인도의 역사와 다양한 종교·문화의 출현

A 불교의 성립과 통일 왕조의 등장

1. 불교와 자이나교의 출현

(1) 배경: 기원전 7세기경 갠지스강 유역에 철기 문화 전파 → 정복 전쟁 활발, 상업 발달 → 크샤트리아와 바이샤 성장 → 브라만교의 형식화된 제사 의식과 브라만 중심 사회 비판

- 크샤트리아는 정치와 군사를 맡았고 바이샤는 생산을 담당하였다.

(2) 불교와 자이나교의 성립: 기원전 6세기경 등장

구분	불교	자이나교
창시자	고타마 싯다르타(석가모니)	바르다마나
공통점	윤회 사상에 기반, 브라만교의 지나친 권위주의와 신분 차별 반대, 카스트제 극복 노력 → 크샤트리아와 바이샤의 지지	
차이점	인간 평등, 윤리적 실천을 통한 해탈 주장	엄격한 계율과 고행을 통한 해탈 주장, 살생 금지

- 불교의 가르침은 대중에게 큰 환영을 받았다.

2. 마우리아 왕조

(1) 성립: 기원전 4세기경 찬드라굽타 마우리아가 건국

(2) 전성기: 기원전 3세기경 아소카왕 때 이룩

- 최초로 북인도가 통일되었다.

영토 확장	남부를 제외한 인도 대부분 지역 통일
중앙 집권 강화	각지에 도로 건설, 전국에 감찰관 파견 등
불교 장려	• 불교의 보호와 포교 노력: 불경 정리, 불교의 가르침을 새긴 돌기둥과 스투파(불탑) 축조 • 상좌부 불교 발전: 개인의 해탈 강조, 동남아시아 지역에 포교단을 파견하여 전파

(3) 쇠퇴: 아소카왕 사후 급격히 쇠퇴

- 이민족이 자주 침입하여 인도 북부가 다시 분열되었다.

3. 인도 남부: 데칸고원을 중심으로 안드라 왕조를 비롯한 여러 나라 발전, 해상 무역으로 번영

★ 4. 쿠샨 왕조와 간다라 양식

(1) 쿠샨 왕조

① 성립과 발전: 1세기경 쿠샨족이 쿠샨 왕조 수립(인도 북부 재통일) → 중국·인도·이란을 연결하는 비단길을 차지하고 중계 무역으로 번영

② 전성기: 2세기 중엽 카니슈카왕 때 이룩

영토 확장	북인도에서 중앙아시아에 이르는 영토 확보
불교 장려	불교 전파, 사원과 탑 축조 → 대승 불교 발전(중생의 구제 추구 → 중앙아시아, 동아시아로 전파)

③ 쇠퇴: 3세기 중엽 사산 왕조 페르시아의 침입 이후 쇠퇴

(2) 간다라 양식

- 부처를 예배의 대상으로 삼아 불상을 만들었던 대승 불교의 확산으로 널리 전파되었다.

성립	알렉산드로스의 원정으로 인도 서북부에 헬레니즘 문화 전파 → 간다라 지방에서 인도와 헬레니즘 문화가 융합된 불상 제작
영향	대승 불교와 함께 중앙아시아를 거쳐 동아시아로 전파

B 굽타 왕조와 인도 고전 문화의 발전

1. 굽타 왕조

(1) 성립: 4세기 초 인도 북부에서 찬드라굽타 1세가 건국

- 분열되었던 북인도는 굽타 왕조가 성립되면서 다시 통일되었다.

(2) 전성기(찬드라굽타 2세): 벵골만에서 아라비아해까지 최대 영토 확보, 중앙과 지방 행정 조직 정비, 농지 개간, 동서 해상 무역 독점, 학문과 예술 장려

(3) 멸망: 5세기 중엽 이후 에프탈의 침입과 왕위 계승 분쟁으로 멸망(550)

(4) 굽타 왕조 이후의 북인도: 7세기 초 바르다나 왕조가 북인도 재통일 → 여러 소왕국으로 분열

★ 2. 힌두교

성립	브라만교를 바탕으로 민간 신앙과 불교 등이 융합되어 종교 형태를 갖춤
특징	다양한 신 숭배(브라흐마, 비슈누, 시바 등), 카스트에 따른 의무 수행 강조(→ 직업 세습에 의한 카스트제가 인도 사회에 정착), 『마누 법전』 정리
발전	힌두교의 신 비슈누가 왕의 모습으로 나타났다고 주장하여 왕의 권위 강화 → 왕실의 적극적인 보호를 받으며 성장

- 카스트의 생활 방식을 규정하여 힌두교도의 일상생활에 영향을 주었다.

3. 인도 고전 문화의 발전

(1) 배경: 민족의식 고취 → 인도 고유의 색채 강조

(2) 발달

문학	산스크리트어 문학 발달(서사시인 『라마야나』와 『마하바라타』 정리, 칼리다사의 희곡 『샤쿤탈라』 완성)
미술	간다라 양식에 인도 고유의 특색이 융합된 굽타 양식 출현(아잔타 석굴 사원, 엘로라 석굴 사원의 불상과 벽화가 대표적) → 중앙아시아를 거쳐 동아시아에 전파
불교	불교 쇠퇴, 불교 교리의 연구 지속 → 많은 구법승이 날란다 사원에서 수행
자연 과학	• 발달: 천문학(지구 구형과 자전·월식의 원리 확인, 지구의 둘레 계산), 수학('0'의 개념 최초 도입, 10진법 사용, 원주율 계산) 등 발달 • 영향: 이슬람 세계의 자연 과학 발달에 기여

- '0'의 개념 최초 도입: 이슬람 세계에 전해져 아라비아 숫자 형성에 기여하였다.

간다라 양식과 굽타 양식

⊙ 간다라 불상(간다라 양식)

- 그리스 신상에 보이는 곱슬곱슬한 머리카락, 오뚝한 콧날, 자연스럽고 깊게 새겨진 옷 주름 등의 특징을 갖추었다.

⊙ 아잔타 제1 석굴의 연화수 보살상(굽타 양식)

⊙ 사르나트에서 출토된 불상(굽타 양식)

- 곡선미, 옷 주름의 선 생략, 얇은 옷으로 신체의 윤곽을 그대로 드러낸 것이 특징이다.

★ 표시는 시험 전에 확인해 주세요.

C 인도의 이슬람화와 무굴 제국

1. 인도의 이슬람화

(1) 가즈니 왕조: 10세기 후반 튀르크족이 펀자브 지역 차지

(2) 구르 왕조(고르 왕조): 12세기경 북인도 지역 지배

(3) 델리 술탄 왕조 시대(13~16세기)

성립	13세기 초 아이바크가 델리를 수도로 이슬람 왕조 수립 → 이후 약 300여 년간 이슬람 계통의 다섯 왕조가 북인도 지배
통치	지즈야(인두세)만 부담하면 힌두교 인정, 이슬람교로 개종하면 세금 감면 → 이슬람교도 증가
문화	인도 문화와 이슬람 문화가 융합되어 독특한 문화 형성

카스트제에 불만이 컸던 인도인 중 인간 평등을 주장하는 이슬람교로 개종하는 사람이 늘어났다.

2. 인도 남부: 촐라 왕조 발전(동남아시아, 서아시아 등과 교역)

★ 3. 무굴 제국

(1) 성립: 바부르가 델리 술탄 왕조를 무너뜨리고 수립(1526)

(2) 발전

① 아크바르 황제(16세기 중반~17세기 초)

영토 확장	데칸고원 이남을 제외한 인도 대부분 통일
체제 정비	관료제와 지방 행정 기구 정비 → 중앙 집권 체제 확립
종교 정책	힌두교도에 관직 개방, 비이슬람교도에 대한 지즈야 폐지, 혼인 동맹 추진(토착 힌두교 세력 여인과 결혼) → 힌두교 세력 통합, 무굴 제국 번영의 토대 마련

② 아우랑제브 황제(17세기 후반~18세기 초)

영토 확장	남인도 대부분을 정복하여 무굴 제국의 최대 영토 확보
종교 정책	이슬람 제일주의 지향(지즈야 부활, 힌두교 사원 파괴, 이교도 탄압) → 힌두교도와 시크교도의 반발 초래

(3) 경제: 인도양 무역 주도, 면직물·견직물 수출 활발

(4) 쇠퇴: 정복 활동으로 재정 악화, 시크교도와 마라타 동맹의 반란, 내부 분열, 서양 세력의 침투로 점차 쇠퇴

18세기 초 마라타족이 힌두교도를 모아서 결성한 동맹이다.

4. 무굴 제국의 문화

(1) 배경: 이슬람 세력의 인도 지배 → 페르시아 문화, 튀르크인의 풍습 등이 인도에 전파

(2) 인도(힌두)·이슬람 문화 발전

언어	페르시아어를 공용어로 사용, 우르두어(힌두어, 페르시아어, 아랍어 등이 합쳐진 형태)를 일상어로 사용
종교	시크교: 16세기 나나크가 힌두교와 이슬람교를 융합하여 창시 → 유일신 신봉, 인간 평등 주장
건축	인도·이슬람 양식 발달: 이슬람의 아라베스크와 돔, 인도의 연꽃무늬와 만자 무늬 등이 융합된 건축물 건립(타지마할 등)
회화	무굴 회화: 페르시아의 세밀화와 인도 양식이 융합하여 발달

이슬람교의 영향으로 유일신을 믿고 신분 차별에 반대하였으며, 힌두교의 영향으로 윤회 사상을 믿었다.

1단계 개념 짚어 보기

정답과 해설 15쪽

01 다음 설명이 맞으면 ○표, 틀리면 ×표를 하시오.

(1) 크샤트리아와 바이샤는 불교의 인간 평등 사상을 반대하였다. ( )

(2) 자이나교에서는 엄격한 계율과 고행을 통한 해탈을 추구하였다. ( )

02 마우리아 왕조의 전성기를 이루었으며, 불경을 정리하고 돌기둥과 스투파 등을 축조한 왕은?

03 카니슈카왕은 북인도에서 중앙아시아에 이르는 영토를 확보하고 ( )의 전성기를 이루었다.

04 굽타 왕조 시기에 브라만교를 바탕으로 민간 신앙, 불교 등이 융합되어 성립한 종교는?

05 13세기 초 델리를 수도로 성립된 ( ) 시기에는 이슬람교로 개종하면 세금을 감면해 주어 이슬람교로 개종한 인도인이 크게 늘었다.

06 무굴 제국에서 이슬람 제일주의를 내세워 지즈야를 부활시킨 한편, 최대 영토를 확보한 황제는?

07 무굴 제국 시기에는 힌두어, 페르시아어, 아랍어 등이 합쳐진 ( )가 일상어로 사용되었다.

08 다음에서 설명하는 문화 양식을 〈보기〉에서 골라 기호를 쓰시오.

보기

ㄱ. 굽타 양식 ㄴ. 간다라 양식 ㄷ. 인도·이슬람 양식

(1) 인도 문화와 헬레니즘 문화가 융합되어 발달하였다. ( )

(2) 인도 고유의 특색이 강조되었으며, 아잔타 석굴 사원의 불상과 벽화가 대표적이다. ( )

(3) 무굴 제국에서 발달하였으며 아라베스크와 돔, 연꽃무늬 등이 융합된 것이 특징이다. ( )

A 불교의 성립과 통일 왕조의 등장

01 밑줄 친 ‘그’가 창시한 종교에 대한 설명으로 옳은 것을 〈보기〉에서 고른 것은?

> 그는 기원전 6세기경 카필라 왕국의 왕자로 태어났다. 궁전 밖에서 고통받는 사람들을 보다가 세상을 떠돌며 깨달음을 얻기로 결심하였다. 6년의 수행 끝에 깨달음을 얻은 그는 45년간 인도 여러 곳을 돌아다니면서 가르침을 베풀어 석가모니라는 명칭을 얻었다.

보기

ㄱ. 크샤트리아와 바이샤의 환영을 받았다.
ㄴ. 브라만교의 지나친 권위주의와 신분 차별에 반대하였다.
ㄷ. 엄격한 계율과 고행을 통해 해탈을 해야 한다고 주장하였다.
ㄹ. 세상을 선의 신 아후라 마즈다와 악의 신 아리만이 대립하는 곳으로 보았다.

① ㄱ, ㄴ ② ㄱ, ㄷ ③ ㄴ, ㄷ
④ ㄴ, ㄹ ⑤ ㄷ, ㄹ

출제가능성 90%

02 지도의 영역을 확보하였던 왕조에 대한 설명으로 옳지 않은 것은?

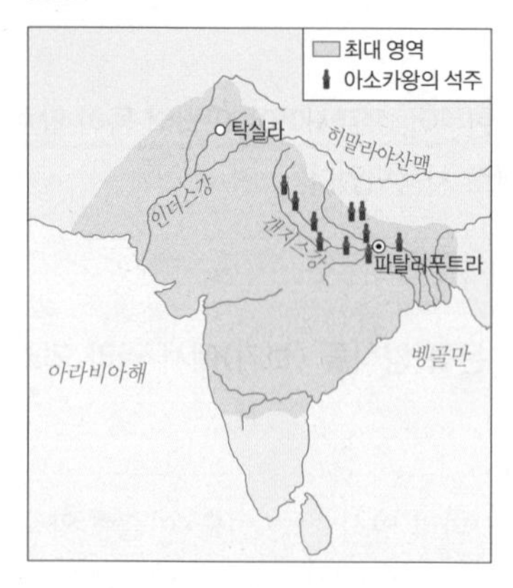

① 최초로 북인도를 통일하였다.
② 스투파(불탑)를 곳곳에 세웠다.
③ 찬드라굽타 마우리아가 건국하였다.
④ 개인의 해탈을 강조하는 상좌부 불교가 발전하였다.
⑤ 인도 문화와 헬레니즘 문화가 융합된 간다라 양식이 발달하였다.

03 다음 업적을 남긴 왕에 대한 설명으로 옳은 것은?

> • 약력: 마우리아 왕조 제3대 왕
> • 재위 기간: 기원전 268년 ~ 기원전 232년
> • 활동: 칼링가 전투 승리, 마우리아 왕조의 전성기 이룩, 각 지역에 도로를 건설하고 관리 파견

① 이슬람 제일주의 정책을 펼쳤다.
② 탈라스 전투에서 당군을 물리쳤다.
③ 비이슬람교도에게 부과하던 지즈야를 폐지하였다.
④ 불경을 정리하고 불교의 가르침을 새긴 스투파(불탑)를 세웠다.
⑤ 속주에 ‘왕의 눈’, ‘왕의 귀’라고 불린 감찰관을 파견하였다.

04 다음에서 설명하는 왕을 쓰시오.

> 2세기 중엽 간다라 지방을 중심으로 북인도에서 중앙아시아에 이르는 최대 영토를 확보하고 쿠샨 왕조의 전성기를 이룩하였다. 종교에서는 불교를 전파하고 사원과 탑의 축조에 힘쓰는 등 불교를 적극적으로 지원하였다.

05 (가) 미술 양식에 대한 설명으로 옳은 것은?

> 이 불상은 알렉산드로스의 인도 원정 이후 인도에서 (가) (으)로 제작된 불상이다. 부처가 인간의 모습으로 표현되었으며, 곱슬곱슬한 머리카락, 오뚝한 콧날, 움푹 들어간 눈, 자연스럽고 깊게 새겨져 있는 옷 주름 등이 특징이다.

① 헬레니즘 문화의 영향을 받았다.
② 타지마할과 아그라성 등에 활용되었다.
③ 찬드라굽타 2세의 정책에 힘입어 성립되었다.
④ 상좌부 불교와 함께 동남아시아에 전파되었다.
⑤ 굽타 왕조에서 인도 고유의 특색이 강조되면서 발달하였다.

출제가능성 90%

06 지도와 같은 경로로 전파된 불교의 종파에 대한 설명으로 옳은 것은?

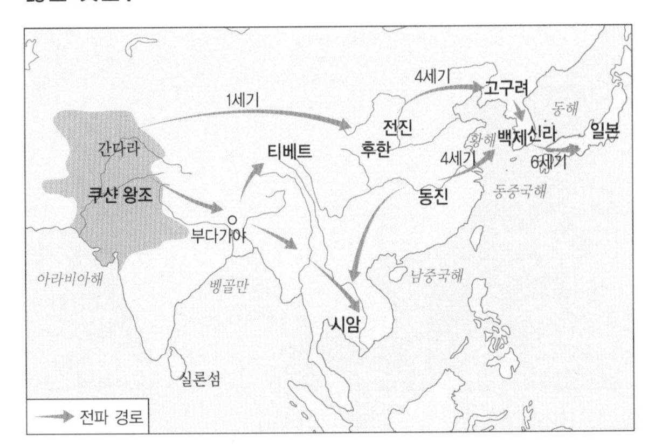

① 아소카왕이 적극 지원하였다.
② 중생의 구제를 목표로 하였다.
③ 『마누 법전』의 가르침을 중시하였다.
④ 브라흐마, 비슈누 등 여러 신을 섬겼다.
⑤ 부처의 모습을 조각하는 것을 금지하였다.

08 다음은 어느 종교에 대한 필기 내용이다. 이 종교에 대한 설명으로 옳은 것은?

- 성립: 브라만교를 바탕으로 민간 신앙, 불교 등이 융합되어 성립
- 특징: 토착적인 성격이 강함
- 주요 신

시바

비슈누

- 발전: 백성에게 쉽게 수용됨, 굽타 왕실의 적극적인 보호를 받으며 성장

① 나나크가 창시하였다.
② 카스트에 따른 의무 수행을 중시하였다.
③ 선한 신의 상징인 불을 신성하게 여겼다.
④ 『쿠란』의 가르침에 따른 생활이 강조되었다.
⑤ 중앙아시아를 거쳐 동아시아 지역에 전파되었다.

B 굽타 왕조와 인도 고전 문화의 발전

07 (가) 왕조에 대한 탐구 활동으로 적절한 것을 〈보기〉에서 고른 것은?

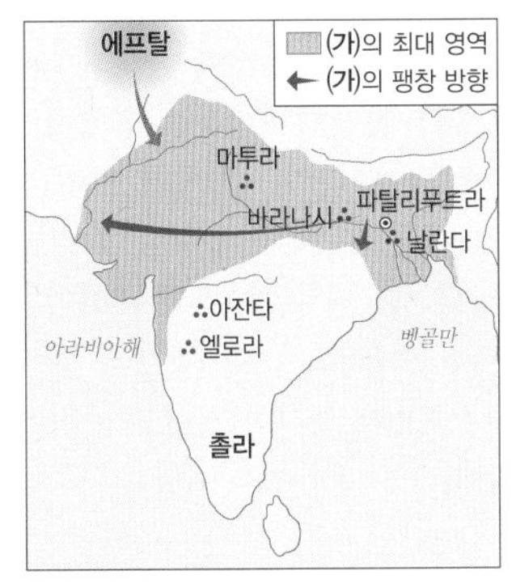

보기

ㄱ. 간다라 양식이 성립한 배경을 알아본다.
ㄴ. 왕실에서 힌두교를 적극적으로 보호한 이유를 찾아본다.
ㄷ. 찬드라굽타 2세 때 최대 영토를 확보할 수 있었던 배경을 조사한다.
ㄹ. 아크바르 황제의 관용 정책이 왕조가 번영하는 데 기여한 바를 살펴본다.

① ㄱ, ㄴ ② ㄱ, ㄷ ③ ㄴ, ㄷ
④ ㄴ, ㄹ ⑤ ㄷ, ㄹ

09 다음 유적과 유물을 남긴 왕조의 문화에 대해 학생들이 나눈 대화 내용으로 적절한 것은?

① 갑: 인도·이슬람 양식이 발달하였어.
② 을: 화약 무기와 나침반이 발명되었지.
③ 병: 영(0)의 개념이 최초로 사용되었어.
④ 정: 시크교가 펀자브 지방을 중심으로 발전하였어.
⑤ 무: 헬레니즘 문화가 전파되어 간다라 양식이 발달하였어.

C 인도의 이슬람화와 무굴 제국

10 다음에서 설명하는 왕조에서 볼 수 있었던 모습으로 가장 적절한 것은?

> 13세기 초 구르 왕조의 복속민 출신인 아이바크가 델리를 수도로 이슬람 왕조를 세웠다. 이후 약 300년 동안 북인도 지역에서 이슬람 계통의 다섯 왕조가 이어졌다.

① '왕의 길' 건설을 명령하는 왕
② 앙카라 전투에서 싸우는 군인
③ 반란을 일으키는 마라타 동맹 세력
④ 이스탄불을 수도로 삼을 것을 명령하는 술탄
⑤ 이슬람교로 개종하고 세금을 감면받는 인도인

11 무굴 제국의 아크바르 황제가 다음과 같은 생각에 따라 펼친 정책으로 옳은 것은?

> 과거에 우리는 부끄럽게도 많은 힌두교도에게 우리 조상들의 믿음을 강요하였다. 이제는 모순으로 가득 찬 이 소란스러운 세상에서 어느 한 종교의 진실만을 주장하는 것이 현명하지 못하다는 사실을 분명히 알겠다.

① 밀레트 허용
② 지즈야 폐지
③ 대승 불교 지원
④ 힌두교 사원 파괴
⑤ 데브시르메 제도 추진

12 다음은 인도에 성립된 어느 나라에 대한 발표 주제이다. (가)에 들어갈 내용으로 적절한 것은?

> • 1모둠: 바부르의 공격로와 제국의 수립
> • 2모둠: 타지마할의 문화사적 의의
> • 3모둠: (가)

① 상좌부 불교의 발전 배경
② 면직물과 견직물의 수출 규모
③ 에프탈의 침입과 제국의 쇠퇴
④ 페르세폴리스로 본 문화적 특징
⑤ 간다라 양식과 굽타 양식의 비교

출제가능성 90%

13 지도의 빗금 친 지역을 차지한 무굴 제국의 황제에 대한 설명으로 옳은 것은?

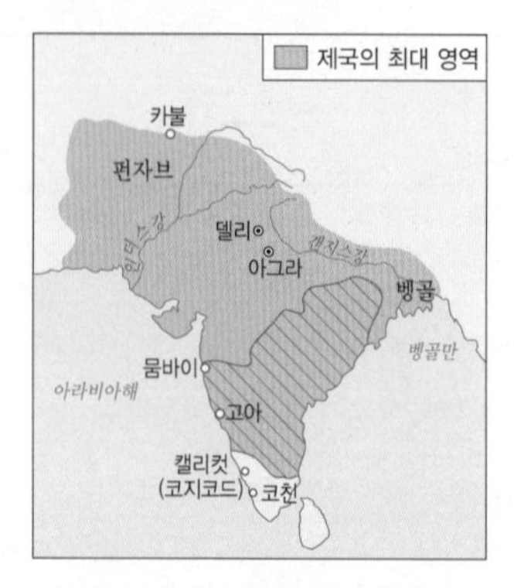

① 델리 술탄 왕조를 멸망시켰다.
② 조로아스터교를 국교로 삼았다.
③ 힌두교도에게 관직을 개방하였다.
④ 비이슬람교도에 대한 지즈야를 부활시켰다.
⑤ 불교의 가르침을 적은 돌기둥을 곳곳에 세웠다.

14 밑줄 친 '이 제국'의 문화에 대한 설명으로 옳지 않은 것은?

> 이 그림에는 나나크와 그의 제자들이 그려져 있다. 16세기 초 바부르가 세운 <u>이 제국</u>에서는 여러 분야에서 새로운 문화가 발달하였는데, 종교에서는 하급 카스트 출신인 나나크가 창시한 시크교가 발전하였다.

① 인도의 힌두 문화와 이슬람 문화가 융합되어 발달하였다.
② 간다라 양식과 인도 고유의 양식이 융합된 굽타 양식이 등장하였다.
③ 힌두어, 페르시아어, 아랍어 등이 합쳐진 우르두어가 널리 사용되었다.
④ 페르시아의 세밀화와 인도 양식이 조화를 이룬 무굴 회화가 발달하였다.
⑤ 아라베스크에 인도의 연꽃무늬나 만자 무늬 등이 융합된 건축 양식이 발달하였다.

정답과 해설 16쪽

최고난도

01 다음 가상 인터뷰에서 이어질 답변으로 적절한 것을 〈보기〉에서 고른 것은?

왕께서 불교를 믿게 된 계기와 앞으로의 활동 계획을 말씀해 주시겠습니까?

칼링가 전투에서 전쟁의 참혹함을 깨닫고 불교에 귀의하였소. 그리고 백성을 자비로 다스리겠다는 다짐을 적은 돌기둥을 세웠다오.

보기

ㄱ. 산치 대탑과 같은 스투파를 세웠소.
ㄴ. 지즈야를 폐지하여 신앙의 자유를 주었소.
ㄷ. 동남아시아 각국으로 포교단을 파견하였소.
ㄹ. 부처를 불상으로 만들어 예배하도록 장려하였소.

① ㄱ, ㄴ ② ㄱ, ㄷ ③ ㄴ, ㄷ
④ ㄴ, ㄹ ⑤ ㄷ, ㄹ

02 자료를 활용한 탐구 주제로 적절한 것은?

크리슈나가 대답하였다. "카르마(업) 이론에 의하면 인간의 행위는 그에 따른 결과를 가져온다. 그 결과는 다음 생에 자신이 갖게 될 모든 조건을 만든다. 네 지금의 삶은 바로 네가 과거에 저질렀던 행위의 결과이다. 따라서 너는 과거에 네가 만든 카르마(업)를 해결하기 위해 먼저 너에게 주어진 의무를 다해야만 한다. 너는 무사 계급으로 태어났으니, 전쟁에서 싸우는 것은 당연한 의무이다."
－『마하바라타』

① 시크교의 교리적 특징
② 예니체리 군단의 군사력
③ 수니파와 시아파의 대립 양상
④ 카스트제가 인도 사회에 정착되어 간 배경
⑤ 대승 불교가 동아시아의 문화에 미친 영향

2018 평가원 응용

03 (가) 제국 시기에 있었던 사실로 옳은 것은?

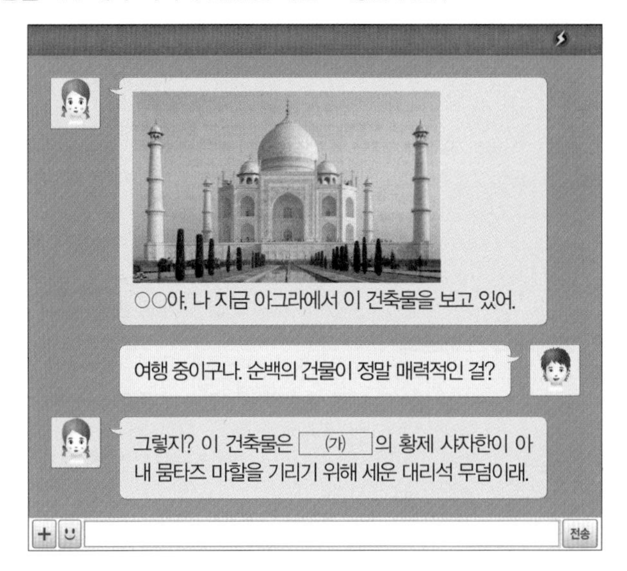

○○야, 나 지금 아그라에서 이 건축물을 보고 있어.
여행 중이구나. 순백의 건물이 정말 매력적인 걸?
그렇지? 이 건축물은 (가) 의 황제 샤자한이 아내 뭄타즈 마할을 기리기 위해 세운 대리석 무덤이래.
전송

① 간다라 양식이 등장하였다.
② 마라타 동맹이 반란을 일으켰다.
③ 카스트(바르나)제가 출현하였다.
④ 아소카왕이 산치 대탑을 건립하였다.
⑤ 칼리다사가 희곡『샤쿤탈라』를 지었다.

서술형 문제

04 다음을 읽고 물음에 답하시오.

나는 나의 신앙에 일치시키려고 다른 사람들을 박해하였으며, 그것이 신에 대한 귀의라고 생각하였다. 그러나 …… 강제로 개종시킨 사람에게서 어떤 성실성을 기대할 수 있을까? …… 모든 사람은 자신의 처지에 따라 각각 자기가 최고로 여기는 존재에 각기 다른 이름을 붙여 놓는다. 그러나 인간의 힘으로 이해할 수 없는 존재에 이름을 붙이는 것은 부질없는 짓이다.

(1) 위와 같은 주장을 한 무굴 제국의 황제를 쓰시오.

(2) (1)의 왕이 위와 같은 주장에 따라 추진한 정책을 두 가지 서술하시오.

고대 지중해 세계

★ 표시는 시험 전에 확인해 주세요.

A 그리스 세계의 발전

1. 폴리스의 성립

그리스는 산지가 많은 지형적 조건 때문에 통일 국가를 이루지 못하고 폴리스를 형성하였다.

성립	기원전 10세기경부터 폴리스(도시 국가) 형성
구조	아크로폴리스(종교와 군사의 거점), 아고라(광장)
특징	강한 동족 의식 형성: 공통된 언어와 종교 공유, 스스로를 헬레네스라고 부름, 4년마다 올림피아 제전 개최

아고라: 집회, 상거래, 공공 생활의 중심지였다.

★ 2. 아테네와 스파르타

아테네	• 민주 정치의 발전: 솔론의 금권정 → 참주정 → 클레이스테네스의 개혁(부족제 개편, 500인 평의회 구성, 도편 추방제 실시) → 페리클레스의 개혁(민회가 입법권 행사, 수당제·추첨제 시행) • 한계: 여자, 거류 외국인, 노예에게 참정권이 부여되지 않음
스파르타	소수의 도리스인이 펠로폰네소스반도의 원주민을 정복 → 강력한 군국주의 체제 발전, 엄격한 군사 훈련 실시

3. 그리스 세계의 번영과 쇠퇴

전쟁 이후 아테네가 델로스 동맹의 맹주가 되어 강력한 해상 제국으로 발전하였다.

(1) 그리스·페르시아 전쟁: 세 차례의 전쟁에서 그리스 승리

(2) 펠로폰네소스 전쟁: 델로스 동맹과 펠로폰네소스 동맹의 대립 → 전쟁 발발 → 펠로폰네소스 동맹의 승리로 스파르타가 패권 장악

델로스 동맹과 펠로폰네소스 동맹의 대립: 아테네의 세력이 커지자 아테네 중심의 델로스 동맹과 스파르타 중심의 펠로폰네소스 동맹이 대립하였다.

(3) 쇠퇴: 그리스의 내분, 마케도니아에 정복됨(기원전 338)

4. 그리스 문화: 합리적이고 인간 중심적인 문화

미술	조화와 균형의 미 중시(파르테논 신전, 「아테네 여신상」이 대표적)
역사	헤로도토스의 『역사』, 투키디데스의 『역사』 저술
문학	호메로스의 『일리아드』, 『오디세이아』 저술
철학	소피스트, 소크라테스, 플라톤, 아리스토텔레스 등 활약

B 알렉산드로스 제국과 헬레니즘 문화

1. 알렉산드로스 제국

성립	마케도니아의 알렉산드로스가 동방 원정 시작(기원전 334) → 유럽, 아시아, 아프리카에 걸친 대제국 건설
통치	동방의 전제 군주정 도입, 피정복민의 종교와 관습 존중, 알렉산드리아 건설, 그리스인과 페르시아인의 결혼 장려

★ 2. 헬레니즘 문화: 개방적, 개인주의적, 세계 시민주의적 성격

헬레니즘 문화: 그리스 문화를 바탕으로 오리엔트 문화가 융합되었다.

철학	스토아학파(금욕주의), 에피쿠로스학파(안정과 만족 추구)
자연 과학	물리학(부력의 원리 발견), 수학(기하학 발전), 천문학(지구의 자오선 측정, 태양 중심설 제기), 의학(인체 해부 시작) 등 발전
예술	현실적인 아름다움 중시, 인간의 육체와 감정을 사실적으로 표현

C 로마의 발전과 문화

★ 1. 로마 공화정의 발전과 쇠퇴

(1) 성립: 기원전 6세기 말 공화정 수립(귀족이 원로원 독점)

(2) 평민권 신장

배경	평민들이 중장 보병으로 군대의 주력 담당 → 정치적 권리 요구
과정	호민관 설치, 평민회 조직 → 12표법 제정 → 리키니우스·섹스티우스법 제정 → 호르텐시우스법 제정

12표법: 로마 최초의 성문법으로, 평민의 권리를 보장하였다.

(3) 포에니 전쟁(로마·카르타고 전쟁): 기원전 3세기 로마가 이탈리아반도 통일 → 포에니 전쟁에서 승리하여 서지중해 패권 장악 → 전쟁 이후 대농장(라티푼디움) 경영, 자영농 몰락

(4) 그라쿠스 형제의 개혁: 농지법과 곡물법 제정 → 실패

> **그라쿠스의 연설**
> 그라쿠스 형제는 귀족의 대토지 소유를 제한하고 가난한 농민에게 토지를 주어 자영농을 육성하려고 하였다.
>
> 이탈리아를 위해 싸우고 죽은 사람들은 공기와 햇빛을 향유할 뿐, 아무 것도 가진 것이 없습니다. …… 그들은 다른 사람들의 부와 사치를 위해서 싸우다 죽지만 자기 소유라 할 단 한 조각의 땅도 없습니다.
>
> – 플루타르코스, 『영웅전』

(5) 3두 정치: 사회 혼란 속에서 군인 정치가들이 정권 장악

제1차	카이사르가 개혁을 주도하였으나 반대파에 의해 암살
제2차	옥타비아누스가 악티움 해전 승리 후 권력 장악

2. 로마 제정의 성립과 몰락

(1) 제정 성립: 옥타비아누스가 사실상 황제로 군림

옥타비아누스: 원로원으로부터 '아우구스투스'의 칭호를 받았고, 프린켑스(제1 시민)를 자처하였다.

(2) 5현제 시대: 최대 영토 확보 → 로마의 평화 시대

(3) 군인 황제 시대: 국정 문란, 속주의 반란, 콜로나투스 운영

(4) 중흥 노력: 디오클레티아누스 황제(4분할 통치), 콘스탄티누스 대제(크리스트교 공인, 콘스탄티노폴리스로 천도)

(5) 멸망: 동서 로마로 분리(395) → 서로마 제국은 게르만족의 침입으로 멸망(476), 동로마 제국은 약 1000년간 지속

3. 로마의 문화: 실용적 분야 발달

법률	12표법 → 시민법 → 만민법 → 『유스티니아누스 법전』
건축	개선문, 원형 경기장(콜로세움), 수도교, 도로(아피아 가도) 등

4. 크리스트교의 등장과 확산

크리스트교: 그리스 문화, 헬레니즘 문화, 로마 문화와 함께 유럽 문화의 바탕이 되었다.

성립	예수가 유대교의 선민사상과 형식적인 율법주의 배격, 사랑과 평등·인간애 강조
탄압	황제 숭배와 군대 복무 거부로 박해당함 → 카타콤에서 예배
발전	콘스탄티누스 대제의 밀라노 칙령으로 공인(313), 니케아 공의회에서 아타나시우스파의 삼위일체설을 정통 교리로 인정 → 테오도시우스 황제가 국교로 선포(392)

1단계 개념 짚어 보기

01 다음 설명이 맞으면 ○표, 틀리면 ×표를 하시오.

(1) 폴리스의 중심에는 종교와 군사의 거점인 아고라가 있었다. ( )

(2) 스파르타는 소수의 지배층이 다수의 피지배층을 다스리기 위해 강력한 군국주의를 실시하였다. ( )

(3) 그리스·페르시아 전쟁에서 승리한 아테네는 펠로폰네소스 동맹의 맹주가 되어 강력한 해상 제국으로 발전하였다. ( )

02 다음에서 설명하는 인물을 〈보기〉에서 골라 기호를 쓰시오.

보기
ㄱ. 솔론　　ㄴ. 페리클레스　　ㄷ. 클레이스테네스

(1) 부족제를 개편하고 500인 평의회를 구성하였다. ( )

(2) 재산에 따라 참정권을 차등 분배하는 금권정을 실시하였다. ( )

(3) 공무 수당을 지급하고 대부분의 관직을 추첨으로 선출하였다. ( )

03 마케도니아의 ( )는 기원전 334년에 동방 원정에 나서 유럽, 아시아, 아프리카의 세 대륙에 걸친 대제국을 건설하였다.

04 헬레니즘 시대에 (㉠)는 금욕주의를 주장하였고, (㉡)는 마음의 안정과 만족을 통해 개인의 행복을 찾을 수 있다고 주장하였다.

05 포에니 전쟁 이후 로마의 유력자들은 노예 노동을 이용해 넓은 토지를 경작하는 ( )을 경영하였다.

06 로마에서 원로원으로부터 '아우구스투스(존엄한 자)'라는 칭호를 얻고 실질적인 제정을 성립한 인물은?

07 313년 로마의 콘스탄티누스 대제가 ( )으로 크리스트교를 공인하였다.

2단계 내신 다지기

정답과 해설 17쪽

A 그리스 세계의 발전

01 (가)에 대한 설명으로 옳은 것은?

> 그리스인은 해안가의 평야 지대를 중심으로 여러 촌락으로 나뉘어 생활하였다. 기원전 10세기경부터 촌락들은 방어를 위해 높은 언덕에 성과 요새를 쌓았는데, 이것이 (가) (으)로 발전하였다.

① 4년마다 올림피아 제전을 열어 결속력을 키웠다.
② 산지보다 평야가 많은 지형적 조건으로 인해 형성되었다.
③ 같은 언어와 종교를 바탕으로 정치적인 통일을 이루었다.
④ 아고라는 종교 생활의 중심지이자 최후의 방어 거점이었다.
⑤ 사람들은 아크로폴리스에 모여 상거래를 하고 집회를 열었다.

출제가능성 90%

02 다음은 그리스 아테네의 정치 변천 과정을 정리한 것이다. (가) 시기에 있었던 사실로 옳은 것을 〈보기〉에서 고른 것은?

페이시스트라토스가 참주정을 실시하였다.
↓
(가)
↓
가난한 시민도 정치에 참여할 수 있도록 공무 수당이 지급되었다.

보기
ㄱ. 솔론이 재산에 따라 참정권을 차등 분배하였다.
ㄴ. 여자, 거류 외국인, 노예에게 참정권을 부여하였다.
ㄷ. 혈연 중심에서 거주지 중심으로 부족제를 개편하였다.
ㄹ. 독재자의 출현을 막기 위해 도편 추방제를 실시하였다.

① ㄱ, ㄴ　② ㄱ, ㄷ　③ ㄴ, ㄷ
④ ㄴ, ㄹ　⑤ ㄷ, ㄹ

03 밑줄 친 '그'에 대한 설명으로 옳은 것은?

> 그는 아테네 사람들을 혈연 중심의 4개 부족 대신에 거주지 중심의 10개 부족으로 분산시켰다. 이는 더 많은 사람들이 국가 체제 안에서 자기 몫을 가질 수 있게 하려는 의도였다.

① 500인 평의회를 구성하였다.
② 아테네 민주 정치의 전성기를 이끌었다.
③ 세 차례에 걸친 페르시아의 공격을 물리쳤다.
④ 평민과 귀족이 법률상 동등한 권리를 누리게 하였다.
⑤ 공무 수당을 지급하여 가난한 시민도 정치에 참여할 수 있게 하였다.

출제가능성 90%

04 다음과 같이 주장한 인물이 추진한 개혁의 내용으로 옳은 것은?

> 우리 아테네의 정치 체제는 권력이 소수가 아닌 다수로부터 나오기 때문에 민주 정치라고 부릅니다. …… 우리는 중요한 공직을 부여할 때 출신이 아니라 능력의 탁월함만을 고려합니다. …… 국가에 봉사할 능력만 있다면 가난하다고 정치적으로 배제되지는 않습니다.
>
> – 투키디데스, 『역사』

① 공무 수당제와 공직 추첨제를 도입하였다.
② 부족제를 개편하고 도편 추방제를 실시하였다.
③ 비합법적으로 정권을 장악하여 참주가 되었다.
④ 재산 정도에 따라 참정권을 차등 분배하고자 하였다.
⑤ 유력자의 대토지 소유를 제한하고 자영농을 육성하기 위한 개혁을 실시하였다.

05 (가) 도시 국가에 대한 설명으로 옳지 않은 것은?

> (가) 에서는 아고게(agoge)라는 공교육 제도가 있었다. 교육 기간은 7세부터 20세까지 총 14년이며, 교육의 목적은 덕을 겸비한 용감한 전사 양성이었다.

① 델로스 동맹의 맹주가 되었다.
② 강력한 군국주의 체제를 발전시켰다.
③ 시민들은 어릴 때부터 엄격한 군사 훈련을 받았다.
④ 소수의 도리스인이 다수의 원주민을 정복하여 다스렸다.
⑤ 헤일로타이는 농사에, 페리오이코이는 주로 상공업에 종사하였다.

06 지도와 같이 전개된 전쟁에 대한 설명으로 옳은 것은?

① 헬레니즘 문화가 형성되는 기반이 되었다.
② 세 차례에 걸친 전쟁에서 페르시아가 승리하였다.
③ 그리스는 아테네와 스파르타를 중심으로 단결하였다.
④ 스파르타가 그리스 세계의 패권을 잡는 계기가 되었다.
⑤ 유력자들이 라티푼디움을 경영하는 데 영향을 주었다.

07 다음 건축물을 남긴 나라의 문화에 대한 설명으로 옳지 않은 것은?

① 합리적이고 인간 중심적인 문화가 발전하였다.
② 건축과 조각에서 조화와 균형의 미가 중시되었다.
③ 제국 통치에 필요한 실용적인 문화가 발달하였다.
④ 헤로도토스는 그리스·페르시아 전쟁을 주제로 『역사』를 저술하였다.
⑤ 호메로스는 『일리아드』와 『오디세이아』에서 전쟁 영웅과 신의 세계를 다루었다.

B 알렉산드로스 제국과 헬레니즘 문화

출제가능성 90%

08 밑줄 친 '이 인물'의 업적으로 옳지 않은 것은?

> 마케도니아의 왕이었던 이 인물은 아케메네스 왕조 페르시아의 왕 다리우스 3세와의 이소스 전투에서 대승을 거두었다. 이 전투로 아케메네스 왕조 페르시아는 큰 타격을 입고 결국 멸망하였다.

① 그리스인과 페르시아인의 결혼을 장려하였다.
② 동방의 전제 군주정을 받아들여 강력한 왕권을 행사하였다.
③ 유럽, 아시아, 아프리카의 세 대륙에 걸친 대제국을 건설하였다.
④ 정복지 곳곳에 알렉산드리아라는 도시를 건설하고 그리스인을 이주시켰다.
⑤ 통치의 효율성을 높이고 제국 내의 원활한 교류를 위해 '왕의 길'이라는 도로망을 건설하였다.

09 다음 전시회에서 볼 수 있는 유물로 가장 적절한 것은?

> **□□□□ 문화로의 초대**
>
> 우리 박물관에서는 그리스 문화를 바탕으로 오리엔트 문화가 융합되어 나타난 □□□□ 문화를 주제로 전시회를 개최합니다. 인간의 육체와 감정을 사실적으로 표현한 작품들을 만날 수 있는 기회이니, 많은 관람 바랍니다.
> • 기간: ○○○○년 ○월 ○일~○월 ○일
> • 장소: ◇◇ 박물관

① 

③ 

⑤ 

C 로마의 발전과 문화

10 (가)~(라)에 대한 설명으로 옳은 것은?

> (가) 12표법 제정
> (나) 호르텐시우스법 제정
> (다) 호민관직 설치, 평민회 조직
> (라) 리키니우스·섹스티우스법 제정

① (가) – 집정관 2명 중 1명을 평민에서 선출하도록 하였다.
② (나) – 로마 최초의 성문법으로, 평민의 권한을 법률로 보장하였다.
③ (다) – 원로원의 승인 없이 평민회의 의결이 효력을 가지게 되었다.
④ (라) – 귀족들이 평민의 대표자와 평민의 의회를 인정하게 되었다.
⑤ '(다) – (가) – (라) – (나)'의 순서로 일어났다.

11 다음에서 설명하는 전쟁의 영향으로 적절한 것은?

> 지중해 해상권을 둘러싸고 로마와 카르타고가 세 차례 전쟁을 벌였다. 1차 시칠리아섬 쟁탈전, 2차 한니발 전쟁에 이어 3차 전쟁을 통해 로마는 카르타고를 멸망시키고 서지중해의 패권을 장악하였다.

① 콜로나투스가 등장하였다.
② 간다라 양식이 성립되었다.
③ 호르텐시우스법이 제정되었다.
④ 라티푼디움이 성행하면서 자영농이 몰락하였다.
⑤ 옥타비아누스가 군 지휘권과 주요 관직을 독점하였다.

주관식

12 다음 상황을 해결하기 위해 그라쿠스 형제가 추진한 개혁을 두 가지 쓰시오.

> 이탈리아를 위해 싸우고 죽은 사람들은 공기와 햇빛을 향유할 뿐, 아무 것도 가진 것이 없습니다. …… 그들은 다른 사람들의 부와 사치를 위해서 싸우다 죽지만 자기 소유라 할 단 한 조각의 땅도 없습니다.
>
> – 플루타르코스, 『영웅전』

출제가능성 90%

13 로마의 영역이 (가)에서 (나)로 변화하는 과정에서 있었던 사실로 옳은 것을 〈보기〉에서 고른 것은?

보기
ㄱ. 서로마 제국이 멸망하였다.
ㄴ. 로마 최초의 성문법이 제정되었다.
ㄷ. 유력자들이 라티푼디움을 경영하였다.
ㄹ. 군인 정치가들에 의한 3두 정치가 전개되었다.

① ㄱ, ㄴ ② ㄱ, ㄷ ③ ㄴ, ㄷ
④ ㄴ, ㄹ ⑤ ㄷ, ㄹ

14 다음 인물에 대한 설명으로 옳은 것은?

나는 제2차 3두 정치를 주도하였고 이집트의 클레오파트라와 연합한 안토니우스를 격파하여 로마의 지배권을 장악하였소.

① 로마 공화정을 수립하였다.
② 콘스탄티노폴리스로 천도하였다.
③ 크리스트교를 국교로 선포하였다.
④ 알렉산드리아라는 도시를 건설하였다.
⑤ 원로원으로부터 '아우구스투스'의 칭호를 받았다.

15 (가)~(다) 황제의 업적에 대한 설명으로 옳은 것은?

(가) 테오도시우스 황제 (나) 콘스탄티누스 대제
(다) 디오클레티아누스 황제

① (가) – 밀라노 칙령을 공포하였다.
② (가) – 콘스탄티노폴리스로 수도를 옮겼다.
③ (나) – 전제 군주제를 확립하고 제국을 넷으로 나누어 통치하였다.
④ (나) – 니케아 공의회를 개최하여 아타나시우스파를 정통으로 인정하였다.
⑤ (다) – 동서 로마로 제국을 나누었다.

16 다음 건축물을 축조한 나라에 대한 홍보물을 만들 때 들어갈 내용으로 적절하지 않은 것은?

① 콜로세움, 검투사들의 흔적을 찾아서
② 아피아 가도, 모든 길은 로마로 통한다
③ 만민법, 제국 내 모든 민족에게 적용되다
④ 카타콤, 지하 무덤에서 예배를 보았던 사람들
⑤ 「밀로의 비너스상」, 인간의 관능적인 아름다움

17 다음 칙령으로 공인된 종교에 대한 설명으로 옳지 않은 것은?

신앙은 각자 자신의 양심에 비추어 결정해야 할 일이라고 생각해 왔다. …… 그 신이 무엇이든, 통치자인 황제와 그 신하인 백성에게 평화와 번영을 가져다준다면 인정해야 마땅하다. …… 오늘부터 어떤 종교든 관계없이 각자 원하는 종교를 믿고 거기에 따르는 제의에 참석할 자유를 완전히 인정받는다. – 콘스탄티누스 대제의 칙령

① 테오도시우스 황제 때 로마의 국교가 되었다.
② 민족과 신분을 초월한 사랑과 평등을 강조하였다.
③ 황제 숭배를 옹호하여 로마 황제의 지원을 받았다.
④ 그리스·로마 문화와 함께 유럽 문화의 바탕이 되었다.
⑤ 유대교의 선민사상과 형식적인 율법주의를 배격하였다.

2018 평가원 응용

01 다음과 같이 실시된 제도에 대한 설명으로 옳은 것은?

> 시민이 예비 투표를 통해 본 투표 실시를 결정하면, 널판으로 아고라를 두르고 열 군데에 입구를 만든다. 그 입구를 통해 사람들이 부족별로 들어와서 이름을 새긴 면을 아래로 한 채 자신의 도편을 내려놓는다. 개수를 계산하여 최다이면서 6,000표 이상을 받은 사람은 자신과 관련된 모든 소송을 10일 내에 정리하고 10년간 도시를 떠나야 한다.
> – 뮬러 외, 『그리스 역사가 단편』

① 페리클레스가 처음 실시하였다.
② 공무 수당제와 함께 도입되었다.
③ 참주의 출현을 막고자 실시하였다.
④ 그리스가 페르시아와의 전쟁에서 승리한 후부터 실시되었다.
⑤ 여자, 노예, 거류 외국인에게 참정권이 부여되는 계기가 되었다.

최고난도

02 (가), (나) 사이 시기에 로마에서 있었던 사실로 옳은 것은?

> (가) 가이우스 그라쿠스는 평민들의 지지를 얻기 위해 농지법을 다시 추진하고, 곡물법을 제정하였다. 곡물법은 국가가 곡물을 구입하여 로마 시민에게 매월 일정량을 시장 가격의 절반 이하로 공급하도록 규정한 것이다.
> (나) 옥타비아누스는 악티움에서 이집트의 클레오파트라와 결탁한 안토니우스의 군대를 물리쳤다. 그는 로마로 귀환한 후 스스로를 프린켑스라 칭하면서 실질적인 황제가 되었다.

① 수도를 콘스탄티노폴리스로 옮겼다.
② 카르타고와 지중해의 패권을 두고 전쟁을 벌였다.
③ 법률상 귀족과 평민이 동등한 권리를 획득하게 되었다.
④ 스파르타쿠스의 난이 일어나는 등 사회가 혼란하였다.
⑤ 농촌에서 소작인에게 토지를 경작하게 하는 콜로나투스가 등장하였다.

03 다음 글과 같은 상황이 전개된 시기에 있었던 사실로 옳은 것을 〈보기〉에서 고른 것은?

> 로마 제국은 2세기 말부터 정치가 혼란해지기 시작하였다. 군대가 정치에 개입하여 황제를 마음대로 폐위하고 옹립하는 과정이 수차례 나타났고, 속주와 변경에서는 반란이 빈번하게 일어났다.

보기

ㄱ. 콜로나투스가 운영되었다.
ㄴ. 그라쿠스 형제가 개혁을 시도하였다.
ㄷ. 게르만족과 사산 왕조 페르시아가 침입하였다.
ㄹ. 군인 정치가들이 정권을 장악하여 3두 정치를 실시하였다.

① ㄱ, ㄴ　② ㄱ, ㄷ　③ ㄴ, ㄷ
④ ㄴ, ㄹ　⑤ ㄷ, ㄹ

서술형 문제

04 지도를 보고 물음에 답하시오.

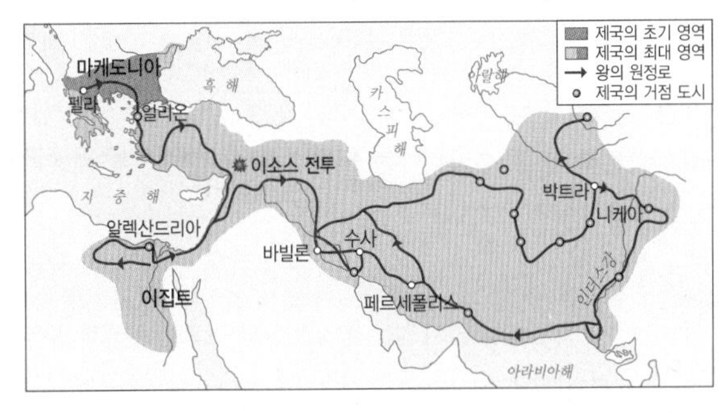

(1) 위 지도와 같은 영토를 확보하였던 인물을 쓰시오.

(2) (1) 인물의 정복 사업이 제국에 미친 영향을 문화적인 측면에서 서술하시오.

02 서유럽 봉건 사회의 형성과 비잔티움 제국

A 게르만족의 이동과 프랑크 왕국의 발전

1. 게르만족의 이동

배경	인구 증가, 로마 제국의 약화, 4세기 후반 훈족의 압박
과정	게르만족의 대규모 이동 → 서로마 제국 곳곳에 정착
영향	서고트 왕국, 반달 왕국, 프랑크 왕국 등 게르만족 왕국 등장 → 게르만족 용병 대장 오도아케르에게 서로마 제국 멸망(476)

★ 2. 프랑크 왕국의 성립과 발전

로마인과 융합하고 로마 교회의 지지를 얻어 왕국의 토대를 마련하기 위해서였다.

클로비스	5세기 말 메로베우스 왕조 개창, 로마 가톨릭교로 개종
카롤루스 마르텔	투르·푸아티에 전투에서 이슬람군 격퇴(732) → 크리스트교 세계 보호
피핀	카롤루스 왕조 개창, 왕조 개창에 도움을 준 교황에게 이탈리아 중부 지역 기증(교황령의 시초)
카롤루스 대제	옛 서로마 영토의 상당 부분 차지, 서로마 황제로 대관(800), 카롤루스 르네상스 창출(→ 중세 서유럽 문화의 기틀 마련)

로마 문화, 크리스트교, 게르만 문화가 융합되었다.

3. 프랑크 왕국의 분열과 노르만족의 이동

(1) 프랑크 왕국의 분열: 카롤루스 대제 사후 베르됭 조약과 메르센 조약으로 서프랑크, 중프랑크, 동프랑크로 분열

(2) 노르만족의 이동: 9세기 무렵부터 뛰어난 항해술을 이용하여 유럽 각지에 진출 → 노르망디 공국, 노르만 왕조, 노브고로드 공국, 키예프 공국, 시칠리아 왕국 등 건설

오늘날 각각 프랑스, 이탈리아, 독일의 기원이 되었다.

B 서유럽 봉건 사회의 성립

★ 1. 봉건제의 형성

노르만족, 마자르족, 이슬람 세력 등이 침입하여 봉건 사회의 형성을 촉진하였다.

(1) 배경: 프랑크 왕국의 분열, 이민족의 침입으로 극심한 혼란 → 기사 계급 성장

주군은 봉신에게 봉토를 수여하고 봉신은 주군에게 군사적 봉사와 충성을 맹세하였다.

(2) 구조: 정치적으로 주종제, 경제적으로 장원제에 기초

주종제	봉토를 매개로 한 쌍무적 계약 관계, 봉신이 재판과 징세에서 주군의 간섭을 받지 않는 불입권 행사 → 지방 분권화 촉진
장원제	• 토지 이용: 경작지(영주 직영지, 농민 보유지)·목초지·삼림·황무지 등으로 구분, 삼포제 실시 • 농노의 생활: 영주의 직영지 경작, 부역과 공납의 의무 부담, 시설 이용료와 세금 납부, 거주 이전의 자유 없음, 결혼과 재산 소유 가능

지력 유지를 위해 토지를 춘경지, 추경지, 휴경지로 나누어 해마다 돌려 가면서 농사를 지었다.

2. 봉건 국가의 발전

프랑스	카페 왕조 개창 → 왕권 미약
독일	오토 1세가 로마 황제로 대관(신성 로마 제국의 기원이 됨, 962)
영국	노르망디 공국의 윌리엄이 잉글랜드 정복, 노르만 왕조 개창 → 강력한 왕권에 입각한 봉건제 실시, 『둠즈데이 북』 작성

C 크리스트교의 발전과 중세 서유럽의 문화

★ 1. 크리스트교의 발전

(1) 동서 교회의 분열: 비잔티움 제국의 황제 레오 3세가 성상 파괴령 반포(726) → 로마 교회의 거부, 동서 교회의 대립 격화 → 비잔티움 제국 황제를 교회의 수장으로 하는 그리스 정교와 로마 교황을 중심으로 하는 로마 가톨릭교회로 분열(1054)

게르만족에게 포교하기 위해 성상이 필요했기 때문이다.

(2) 로마 가톨릭교회의 성장

① 교회의 성장: 유럽인의 정신세계와 일상생활 지배, 막대한 재산 소유, 교황을 정점으로 계서제 확립

② 교회의 세속화: 성직자의 혼인·성직 매매 등 부패와 타락

③ 교회 개혁 운동: 10세기 초 클뤼니 수도원을 중심으로 교회 개혁 운동 전개

청빈, 정결, 순명, 학문 연구, 노동을 권장한 베네딕트 규율을 강조하였다.

(3) 교황과 황제의 대립

배경	교황 그레고리우스 7세가 성직 매매 금지 및 성직자 결혼 금지 등 부패 척결 시도, 세속 군주의 성직자 서임 금지
전개	교황 그레고리우스 7세와 신성 로마 제국 황제 하인리히 4세가 성직자 서임권을 둘러싸고 대립 → 황제가 교황에게 굴복(카노사의 굴욕, 1077)
결과	보름스 협약(1122)으로 교황이 성직자 서임권 차지 → 13세기 교황권이 절정에 이름(교황은 해, 황제는 달에 비유)

카노사의 굴욕 — 교황 그레고리우스 7세에게 파문당한 황제 하인리히 4세는 교황이 머무는 카노사성에 찾아가 용서를 빌었다.

마침내 하인리히 4세가 두어 명의 수행원만 거느리고 내가 머물고 있던 카노사에 찾아왔소. 황제는 적대적이거나 오만한 기색이 전혀 없이 성문 앞에서 사흘 동안 빌었다오. - 그레고리우스 7세, 『서한집』

학문의 중심은 신학으로, 철학은 크리스트교의 합리적 이해에 도움을 주는 보조 학문으로 발달하였다.

2. 중세 서유럽의 문화: 크리스트교 중심의 문화 발전

철학	• 중세 초기: 아우구스티누스의 교부 철학 발달 • 십자군 전쟁 이후: 아리스토텔레스의 철학을 바탕으로 한 스콜라 철학 유행, 토마스 아퀴나스가 스콜라 철학을 집대성한 『신학대전』 저술(신앙과 이성의 조화 강조) • 13세기 이후: 윌리엄 오컴이 신앙과 이성의 분리 주장
교육	• 중세 초기: 교회와 수도원 중심으로 발달(신학, 법학, 수사학, 논리학 등 연구) • 12세기 이후: 유럽 각지에 대학 설립(교회나 세속 권력으로부터 자치권을 얻어 운영, 파리 대학·볼로냐 대학·옥스퍼드 대학 등 유명) → 중세의 학문 발전에 기여
문학	기사의 모험과 사랑을 다룬 기사도 문학 유행 → 『아서왕 이야기』, 『롤랑의 노래』, 『니벨룽겐의 노래』 등 유명
건축	• 로마네스크 양식(11세기): 돔과 반원의 아치가 특징적(피사 대성당, 피렌체 대성당 등) • 고딕 양식(12세기 이후): 첨탑과 큰 창문, 스테인드글라스가 특징적(샤르트르 대성당, 쾰른 대성당 등)

무거운 천장을 지탱하기 위해 벽을 두껍게 만들었다.

정답과 해설 19쪽

★ 표시는 시험 전에 확인해 주세요.

D 비잔티움 제국의 발전

1. 비잔티움 제국의 특징

정치	황제 교황주의 발달(정치적·군사적으로 강력한 권력을 가진 황제가 교회의 수장을 겸함)
경제	수도 콘스탄티노폴리스의 번영(동서 교통의 중심지, 상공업과 무역의 중심지로 발전)
군사	군관구제, 둔전병제 실시 → 군사력 강화와 자영농 육성

- 둔전병제: 농민에게 군역을 부과하는 대가로 토지를 주고 군역을 계속한다는 조건으로 토지를 상속할 수 있도록 한 제도이다.
- 군관구제: 제국을 31개의 군관구로 나누고 황제가 임명한 사령관에게 군사권, 행정권, 사법권을 부여하였다.

★ 2. 비잔티움 제국의 변천

(1) 발전: 6세기 유스티니아누스 황제 때 전성기 이룩

① 영토 확장: 에스파냐 남부 지역을 공격하여 일부 점령, 북아프리카·이탈리아 본토·시칠리아 등 옛 로마 제국 영토의 상당 부분 회복

② 문화 발달: 로마법을 정리한 『유스티니아누스 법전』 편찬, 성 소피아 대성당 건립

- 성 소피아 대성당: 그리스 정교 성당으로 완공되었으나, 이후 오스만 제국의 지배를 받으면서 모스크로 바뀌었다.

(2) 쇠퇴: 이슬람 세력의 침입으로 영토 축소 → 9세기 이슬람 세력의 분열로 영토 일부 회복, 이후 지방 유력자의 대토지 사유화로 둔전병제 붕괴, 황제권 약화 → 11세기 셀주크 튀르크의 침입 → 13세기 제4차 십자군에게 콘스탄티노폴리스를 점령당함

(3) 멸망: 오스만 제국의 공격으로 수도 콘스탄티노폴리스 함락, 멸망(1453)

3. 비잔티움 제국의 문화

(1) 특징: 그리스 정교를 바탕으로 그리스·로마 문화, 헬레니즘 문화 융합 → 독자적인 문화 발전

(2) 발전

학문	그리스어를 공용어로 사용, 그리스의 고전을 수집 및 연구·보존 → 서유럽의 르네상스에 영향을 줌
법률	로마법을 집대성하여 『유스티니아누스 법전』 편찬
건축	웅장한 돔과 내부의 모자이크 벽화가 특징인 비잔티움 양식 발달(성 소피아 대성당이 대표적)

(3) 영향: 비잔티움 문화가 슬라브족에게 전파 → 러시아와 동유럽 문화 발전에 영향을 줌

4. 슬라브 문화권의 형성

(1) 형성: 슬라브족이 비잔티움 제국 내로 들어와 살면서 비잔티움 제국의 문화에 동화

(2) 키예프 공국: 그리스 정교 수용, 그리스어를 바탕으로 만든 키릴 문자 사용, 비잔티움 양식의 영향을 받은 성 소피아 성당 건립

- 키릴 문자: 비잔티움 제국 출신의 키릴로스 형제가 만든 슬라브의 알파벳이다.

01 4세기 후반 훈족의 압박을 받은 (　　　　)이 로마 영토 안으로 이동하여 서로마 제국 곳곳에 나라를 세웠다.

02 다음 사실과 관련된 인물을 〈보기〉에서 골라 기호를 쓰시오.

> 보기
> ㄱ. 피핀　　ㄴ. 클로비스　　ㄷ. 카롤루스 마르텔

(1) 메로베우스 왕조를 세우고 로마 가톨릭교로 개종하였다. (　　)

(2) 투르·푸아티에 전투에서 이슬람군의 침입을 격퇴하였다. (　　)

(3) 카롤루스 왕조를 개창하고 이탈리아 중부 지역을 교황에게 기증하였다. (　　)

03 프랑크 왕국의 전성기를 이끈 (　　　　)는 800년에 교황으로부터 서로마 황제의 관을 받았다.

04 중세 서유럽의 (　　　　)는 영주에 예속되어 거주 이전의 자유가 없었으나, 고대 노예와 달리 재산을 소유하고 결혼을 할 수 있었다.

05 성직자 서임권을 둘러싸고 교황과 대립하던 황제 하인리히 4세가 교황 그레고리우스 7세에게 굴복한 사건은?

06 다음 설명이 맞으면 ○표, 틀리면 ×표를 하시오.

(1) 첨탑과 스테인드글라스를 특징으로 하는 고딕 양식은 중세 서유럽의 대표적인 건축 양식이다. (　　)

(2) 그리스 정교를 바탕으로 그리스·로마 문화, 헬레니즘 문화가 융합된 중세 서유럽 문화는 슬라브 문화권 형성에 영향을 주었다. (　　)

07 로마법을 정리하여 법전을 편찬하고 성 소피아 대성당을 건립한 비잔티움 제국의 황제는?

08 러시아 지역의 (　　　　)은 비잔티움 제국과 교역하며 그리스 정교를 수용하고, 키릴 문자를 만들어 사용하였다.

A 게르만족의 이동과 프랑크 왕국의 발전

01 지도와 같이 이동한 민족에 대한 설명으로 옳지 않은 것은?

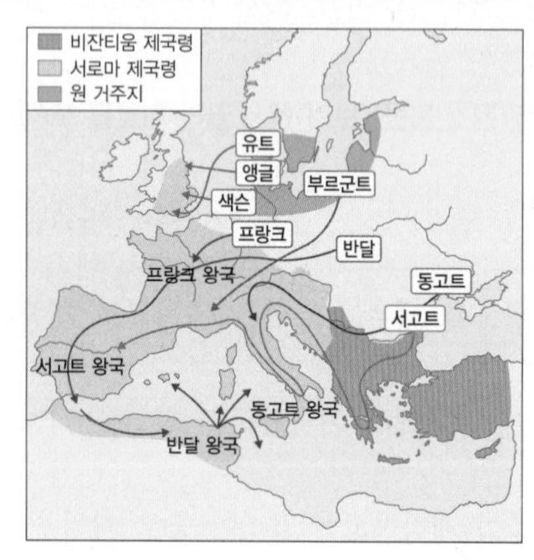

① 훈족의 압박으로 인해 이동하였다.
② 바이킹이라 불렸으며 주로 해안 지역을 약탈하였다.
③ 발트해 연안 지역에서 농경, 목축, 수렵 생활을 하였다.
④ 로마에 들어와 용병이나 소작인이 되어 변경 지대에 정착하였다.
⑤ 서로마 제국을 멸망시키고 중세 유럽 사회의 성립에 영향을 주었다.

02 (가) 왕국에 대한 설명으로 옳은 것은?

> (가) 의 궁재 카롤루스 마르텔에게
> 우리는 더는 롬바르드족들의 탄압을 견딜 수가 없습니다. 우리가 당신에게 도움을 요청한다는 이유로 롬바르드족들은 우리를 증오하고 탄압합니다. 당신께서 베드로의 교회와 우리에게 즉각적인 도움을 주신다면 만인이 당신의 신앙과 사랑 그리고 의지를 칭송할 것입니다.
> 교황 그레고리우스 2세로부터

① 황제 교황주의가 발전하였다.
② 오스만 제국에게 멸망하였다.
③ 유스티니아누스 황제 때 전성기를 맞이하였다.
④ 자영농 육성과 국방력 강화를 위해 군관구제와 둔전병제를 실시하였다.
⑤ 왕이 로마 가톨릭교로 개종하여 로마 원주민과의 문화적 마찰을 줄였다.

03 (가)~(다)에 대한 설명으로 옳은 것을 〈보기〉에서 고른 것은?

(가) 클로비스 ➡ (나) 카롤루스 마르텔 ➡ (다) 피핀

> 보기
> ㄱ. (가) – 교황에게 서로마 황제의 관을 받았다.
> ㄴ. (나) – 투르·푸아티에 전투에서 이슬람군을 격퇴하여 크리스트교 세계를 보호하였다.
> ㄷ. (다) – 카롤루스 왕조를 개창하고 이탈리아 중부 지역을 교황에게 기증하였다.
> ㄹ. (가)~(다) – 황제 교황주의에 입각하여 왕국을 통치하였다.

① ㄱ, ㄴ ② ㄱ, ㄷ ③ ㄴ, ㄷ
④ ㄴ, ㄹ ⑤ ㄷ, ㄹ

출제가능성 90%

04 (가) 인물에 대한 설명으로 옳은 것은?

> 로마 주민들이 교황 레오를 폭행하자, 교황은 (가) 에게로 도망가서 도움을 청하였다. (가) 은/는 추락한 교회의 위상을 바로 세우기 위해 로마에 왔다가, 결국 그곳에서 겨울을 났다. 이때 (가) 은/는 교황으로부터 서로마 황제와 아우구스투스 칭호를 받았다.

① 로마법을 집대성하였다.
② 성상 파괴령을 발표하였다.
③ 유럽, 아시아, 아프리카에 걸친 대제국을 건설하였다.
④ 아타나시우스파로 개종하여 로마인과 융합을 꾀하였다.
⑤ 카롤루스 르네상스를 일으켜 중세 서유럽 문화의 기틀을 마련하였다.

05 다음에서 설명하는 민족을 쓰시오.

> 스칸디나비아반도에 거주하며 바이킹이라 불렸다. 9세기부터 비옥한 땅을 찾아 남쪽으로 내려와 유럽 각지에 진출하여 노르망디 공국, 시칠리아 왕국, 노브고로드 공국 등을 세웠다.

B 서유럽 봉건 사회의 성립

출제가능성 90%

06 다음 글을 통해 알 수 있는 중세 서유럽 주종제의 특징을 〈보기〉에서 고른 것은?

> 타인의 권력에 몸을 의탁한 자로서, …… 내가 이렇게 처신하였으니, 나의 봉사와 나의 공로에 따라 당신은 내게 음식과 의복을 내려 나를 돕고 부양해야 한다. …… 만일 우리 둘 가운데 한 사람이 계약을 파기하고자 한다면 그는 상대방에게 얼마간의 돈을 지불해야 할 것이며, 그로써 계약은 모든 효력을 잃을 것이다.
>
> – 메로베우스 왕조와 카롤루스 왕조 시대의 계약서

보기
ㄱ. 주군과 봉신은 쌍무적 계약 관계를 맺었다.
ㄴ. 봉신은 주군에게 봉토를 수여하고 보호의 의무를 졌다.
ㄷ. 어느 한쪽이 의무를 이행하지 않으면 원칙적으로 계약이 파기되었다.
ㄹ. 봉신은 자신의 영토 안에서 재판과 세금 징수를 할 때 주군의 간섭을 받았다.

① ㄱ, ㄴ ② ㄱ, ㄷ ③ ㄴ, ㄷ
④ ㄴ, ㄹ ⑤ ㄷ, ㄹ

07 밑줄 친 '보도'가 속한 신분에 대한 설명으로 옳지 않은 것은?

> 보도는 아내와 세 자녀를 데리고 작은 오두막집에서 살았는데, 집터와 목초지, 두어 그루의 포도나무가 있는 땅을 빌려 쓰고 있었다. 1주일에 3일은 자기 땅을 경작하고 일요일에는 반드시 쉬며, 나머지 3일은 수도원의 직영지에 가서 일해야 한다. – 아일린 파워, 『중세의 사람들』

① 거주 이전의 자유가 있었다.
② 농민과 노예의 특징을 모두 가지고 있었다.
③ 인두세, 혼인세 등 각종 세금을 영주에게 바쳤다.
④ 토지와 가옥 등 약간의 재산을 소유할 수 있었다.
⑤ 장원 내의 방앗간, 제빵소 등의 시설 사용료를 영주에게 지불하였다.

C 크리스트교의 발전과 중세 서유럽의 문화

08 다음 상황이 일어난 직접적인 배경으로 옳은 것은?

> 10세기 초에 클뤼니 수도원을 중심으로 교회를 정화하려는 개혁 운동이 일어나 여러 지역으로 퍼졌다.

① 성직자의 과세권을 두고 황제와 교황이 대립하였다.
② 비잔티움 제국의 황제가 성상 파괴령을 발표하였다.
③ 로마 가톨릭교회와 그리스 정교로 동서 교회가 분열하였다.
④ 교황은 해, 황제는 달에 비유될 정도로 교황의 권위가 절정을 이루었다.
⑤ 성직자가 혼인을 하거나 성직을 매매하는 등 교회의 부패와 타락이 나타났다.

[09~10] 다음을 읽고 물음에 답하시오.

> 마침내 하인리히 4세가 두어 명의 수행원만 거느리고 내가 머물고 있던 카노사에 찾아왔소. 황제는 적대적이거나 오만한 기색이 전혀 없이 성문 앞에서 사흘 동안 빌었다오. – 그레고리우스 7세, 『서한집』

09 윗글과 관련된 사건이 일어난 배경으로 옳은 것은?

① 성상 파괴령이 내려졌다.
② 밀라노 칙령이 발표되었다.
③ 크리스트교가 국교화되었다.
④ 성직자 서임권을 둘러싸고 교황과 황제가 대립하였다.
⑤ 크리스트교가 로마 가톨릭교회와 그리스 정교로 분열되었다.

10 위 사건이 일어난 시기를 연표에서 고른 것은?

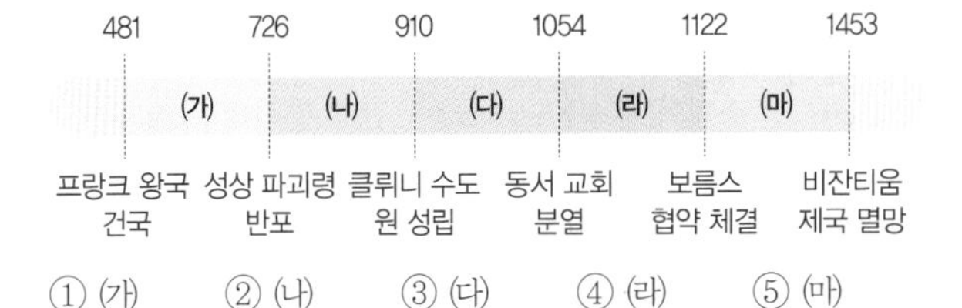

① (가) ② (나) ③ (다) ④ (라) ⑤ (마)

11 (가), (나) 건축물에 나타난 건축 양식에 대한 설명으로 옳은 것은?

(가)

(나)

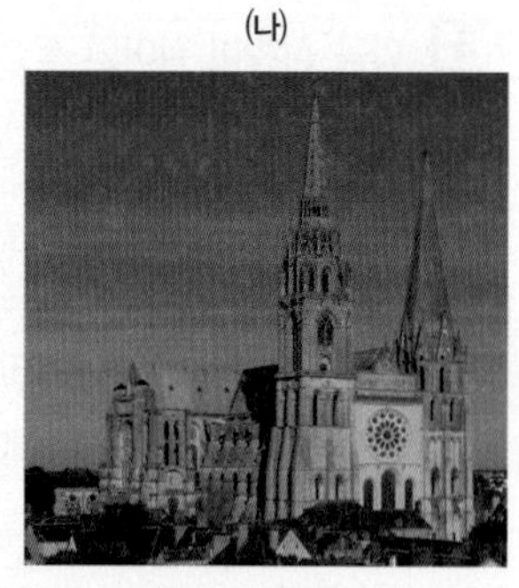

① (가) – 끝이 뾰족하고 높은 첨탑이 특징이다.
② (가) – 무거운 천장을 지탱하기 위해 벽을 두껍게 만들었다.
③ (가) – 건물 내부를 채색 유리인 스테인드글라스로 장식하였다.
④ (나) – 내부를 모자이크 벽화로 장식하였다.
⑤ (나) – 창문을 작게 만들어 실내가 어두운 편이었다.

12 (가)에 들어갈 내용으로 적절한 것을 〈보기〉에서 고른 것은?

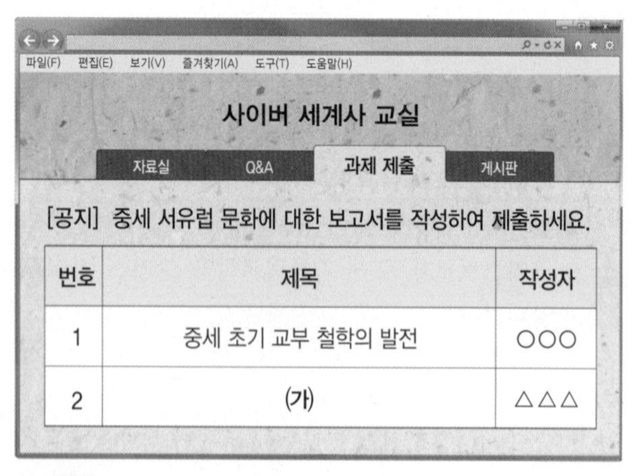

파일(F) 편집(E) 보기(V) 즐겨찾기(A) 도구(T) 도움말(H)

사이버 세계사 교실

자료실 | Q&A | 과제 제출 | 게시판

[공지] 중세 서유럽 문화에 대한 보고서를 작성하여 제출하세요.

번호	제목	작성자
1	중세 초기 교부 철학의 발전	○○○
2	(가)	△△△

보기
ㄱ. 기사도 문학의 유행
ㄴ. 『유스티니아누스 법전』의 편찬 목적
ㄷ. 신을 향한 염원을 담은 고딕 양식의 발달
ㄹ. 성 소피아 대성당에 나타난 건축 양식의 특징

① ㄱ, ㄴ ② ㄱ, ㄷ ③ ㄴ, ㄷ
④ ㄴ, ㄹ ⑤ ㄷ, ㄹ

D 비잔티움 제국의 발전

출제가능성 90%

13 지도에 표시된 영역을 차지하였던 나라에 대한 설명으로 옳은 것을 〈보기〉에서 고른 것은?

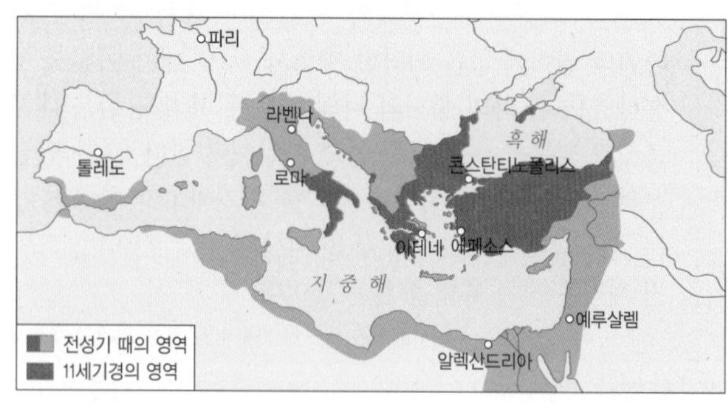

보기
ㄱ. 『둠즈데이 북』을 작성하였다.
ㄴ. 황제 교황주의가 발전하였다.
ㄷ. 군관구제와 둔전병제를 실시하였다.
ㄹ. 게르만족의 이동으로 인해 멸망하였다.

① ㄱ, ㄴ ② ㄱ, ㄷ ③ ㄴ, ㄷ
④ ㄴ, ㄹ ⑤ ㄷ, ㄹ

14 다음 건축물을 남긴 나라의 문화에 대한 설명으로 옳은 것은?

① 스콜라 철학이 발달하였다.
② 건축물을 아라베스크로 장식하였다.
③ 페르시아와 인도의 영향으로 자연 과학이 크게 발달하였다.
④ 기사의 모험과 사랑을 소재로 한 기사도 문학이 유행하였다.
⑤ 그리스 고전을 수집 및 연구, 보존하여 서유럽 세계의 르네상스에 영향을 주었다.

3단계 등급 올리기

01 (가)와 관련된 설명으로 옳지 않은 것은?

> 봉신은 주군으로부터 받은 봉토를 다스렸으며, 봉토는 촌락의 형태로 (가) 을/를 이루었다. (가) 의 가장 높은 곳에는 대개 영주의 성이나 영주관이 있었고, 그 아래에는 교회를 중심으로 농민의 일상생활에 필요한 시설들이 있었다.

① 영주 직영지는 농민들의 부역으로 경작되었다.
② 공동 경작을 위해 경작지에 울타리를 치지 않았다.
③ 영주 소유의 시설물은 누구나 무료로 사용할 수 있었다.
④ 토지는 경작지, 목초지, 삼림, 황무지 등으로 구분되었다.
⑤ 농경지는 춘경지, 추경지, 휴경지로 나누어 돌아가면서 경작하였다.

최고난도

02 (가), (나) 사이 시기에 있었던 사실로 옳은 것은?

> (가) 우리는 황제와 왕을 포함한 모든 평신도가 성직자에게 감독의 직책, 대수도원 또는 교회에 대한 서임을 줄 수 없음을 법령으로 선포하였다. 그러므로 누군가가 평신도로부터 서임을 받더라도 그 서임은 효력이 없는 것이며, 스스로 서임을 취소하기 전까지는 파문 상태에 처할 것이다. – 그레고리우스 7세, 「교황 훈령」
>
> (나) 독일 왕국에서 주교와 수도원장의 서임은 그대(신성 로마 제국 황제)의 입회하에 이루어질 것이다. …… 신성 로마 제국 황제인 나, 하인리히는 모든 서임권을 성스러운 로마 가톨릭교회에 바친다. 그리고 짐의 왕국과 제국 내 모든 교회에서 교회법에 따른 주교와 수도원장의 선출과 성직 수임의 자유를 보장하는 것에 동의한다. – 보름스 협약

① 비잔티움 제국의 레오 3세가 성상 파괴령을 반포하였다.
② 훈족의 압박으로 인해 게르만족의 대이동이 시작되었다.
③ 니케아 공의회에서 아타나시우스파가 정통으로 인정되었다.
④ 교황은 해, 황제는 달에 비유될 정도로 교황권이 절정에 이르렀다.
⑤ 하인리히 4세가 카노사성에서 그레고리우스 7세에게 용서를 빌며 굴복하였다.

2018 평가원 응용

03 빈칸에 들어갈 내용으로 옳지 않은 것은?

> **세계사 탐구 보고서**
>
> 1. 탐구 주제: ○○○○ ○○의 발전
> 2. 주제 선정 이유: ○○○○ ○○은 서로마 제국이 멸망한 이후에도 약 1,000년간 존속하면서 이슬람 세력에 맞서 크리스트교 세계를 지키는 방파제 역할을 하였다.
> 3. 탐구 활동: ______________________

① 유스티니아누스 황제의 업적을 조사한다.
② 성 소피아 대성당의 건축 양식을 알아본다.
③ 군관구제와 둔전병제를 실시한 배경을 살펴본다.
④ 토마스 아퀴나스가 『신학대전』에서 주장한 내용을 파악한다.
⑤ 수도인 콘스탄티노폴리스에서 상업과 무역이 발전한 이유를 찾아본다.

서술형 문제

04 다음을 보고 중세 서유럽 봉건 사회의 정치적, 경제적 특징을 서술하시오.

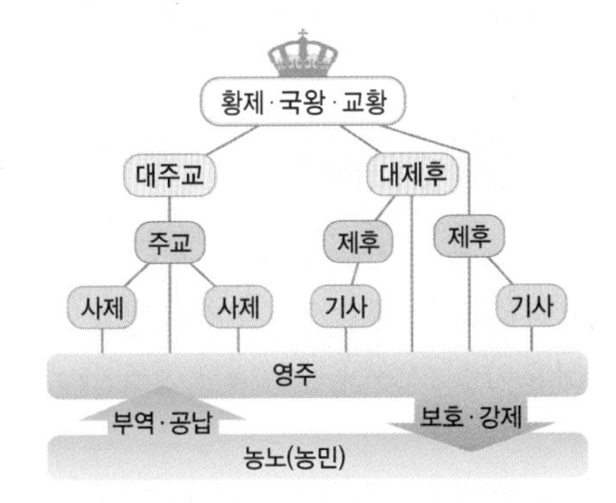

03 중세 유럽 세계의 성장과 변화

★ 표시는 시험 전에 확인해 주세요.

A 봉건 사회의 동요

★ 1. 십자군 전쟁(1096~1270)

배경	11세기 후반 셀주크 튀르크의 예루살렘 점령과 비잔티움 제국 위협 → 비잔티움 제국 황제가 교황에 도움 요청 → 교황 우르바누스 2세가 클레르몽 공의회에서 성지 회복을 위한 전쟁 호소
전개	제1차 십자군의 예루살렘 탈환 성공, 예루살렘 왕국 건설 → 세속적 목적이 강화되면서 성지 탈환 실패
영향	교황권 약화, 제후와 기사 계층 몰락, 왕권 강화, 동방 무역 활성화, 비잔티움 문화와 이슬람 문화가 서유럽에 유입

상공업이 발달하고 이탈리아 도시들이 성장하였다.

2. 교역의 발달과 도시의 성장

(1) 교역의 발달 — 십자군 전쟁 이후에 원거리 무역이 활발해지고 거래 규모도 커졌다.

배경	교통의 요지에 시장 발달, 상인과 수공업자의 유입으로 도시 성장
내용	• 지중해 교역권: 베네치아(동방 무역), 밀라노(직물업) 등 번영 • 북유럽 교역권: 북독일 도시들이 한자 동맹을 맺고 발트해와 북해 연안의 무역 독점

'한자'는 독일어로 '조합', '동료'라는 뜻이다.

(2) 도시의 성장

자치권 획득	도시민들이 국왕과 제휴하여 영주에 대항, 영주에게 일정한 금액을 지불하여 특허장을 확보하거나 무력으로 자치권 획득
길드 조직	상인과 수공업자들이 공동의 이익과 안전을 도모하기 위해 동업 조합 조직, 도시 행정 주도

3. 봉건 사회의 동요

(1) 장원의 해체 — 화폐의 수요가 증가하자 영주들이 농민들에게 부역 대신 현물이나 화폐 지대를 요구하게 되었다.

배경	상공업 발달과 도시 성장(→ 화폐 경제 발달 → 지대의 금납화 → 농민들이 부역에서 벗어남), 14세기 중엽 흑사병으로 인구 감소(→ 노동력 부족, 임금 상승 → 농민의 처우 개선)
결과	자영농 증가, 장원이 점차 해체됨
농민 봉기	일부 영주들이 농민에 대한 속박 강화 → 자크리의 난(프랑스, 1358), 와트 타일러의 난(영국, 1381) 발발

곤궁해진 영주들이 직영지를 확대하고 화폐 지대를 부역으로 되돌려 농민들을 억압하였다.

(2) 교황권의 쇠퇴

① 아비뇽 유수: 성직자 과세 문제로 교황과 왕의 대립 → 프랑스 왕이 교황청을 아비뇽으로 옮기고 교황 통제

② 교회의 대분열: 로마와 아비뇽에서 각각 교황 선출

③ 교회의 개혁 운동: 위클리프, 후스가 교회의 세속화 비판 → 콘스탄츠 공의회에서 로마 교황의 정통성 인정

4. 중앙 집권 국가의 등장

국왕의 권리는 제한하고, 귀족의 권리는 강화하는 내용이 담겨 있다. (「대헌장」)

영국	13세기 존왕의 「대헌장」 승인 → 모범 의회 소집 → 양원제 의회 확립 → 백년 전쟁 → 장미 전쟁 → 헨리 7세가 튜더 왕조 개창, 중앙 집권 국가의 토대 마련
프랑스	12세기 말 필리프 2세의 왕권 강화 → 백년 전쟁(잔 다르크의 활약으로 승리) → 중앙 집권 국가로 발전

B 르네상스와 종교 개혁

★ 1. 르네상스

'재생', '부활'을 의미하는 프랑스어로, 14~16세기에 전개된 고대 그리스·로마의 고전 문화 부흥 운동이다.

(1) 이탈리아 르네상스

① 배경: 옛 로마 제국의 중심지, 비잔티움 제국의 학자들이 그리스·로마 문화 전파, 지중해 무역 중심지로 경제 번영

② 특징: 인문주의를 바탕으로 인간의 개성과 감정 중시

③ 발전

인문주의: 그리스·로마의 고전을 연구하고 가르치는 학풍이다. 점차 인간의 개성과 능력, 존엄성을 강조하는 사상으로 발전하였다.

문학	페트라르카의 서정시, 보카치오의 『데카메론』, 마키아벨리의 『군주론』 등 저술
미술	레오나르도 다빈치, 미켈란젤로, 라파엘로 등 활동

(2) 알프스 이북의 르네상스: 현실 사회와 교회 비판

인문 주의자	• 에라스뮈스: 『우신예찬』에서 교회와 성직자의 타락 지적 • 토머스 모어: 『유토피아』에서 부조리한 영국의 현실 비판
문학	세르반테스의 『돈키호테』, 셰익스피어의 『햄릿』 등 저술

알프스 이북에는 교회의 권위와 봉건 사회의 관습이 강하게 남아 있었기 때문이다.

2. 종교 개혁

(1) 루터의 종교 개혁 — 인간의 구원은 오직 신앙과 신의 은총에 달려 있고 신앙의 근거는 『성서』라고 주장하였다.

발단	교황 레오 10세의 면벌부 판매
전개	루터의 「95개조 반박문」 발표(1517) → 루터파 제후들이 황제·교황에 대항
결과	아우크스부르크 화의(1555)에서 루터파 교회가 정식 종교로 인정됨

(2) 칼뱅의 종교 개혁: 예정설 주장, 근면한 직업 생활 강조 → 신흥 상공업자의 호응, 영국·프랑스·네덜란드로 전파

(3) 영국의 종교 개혁: 헨리 8세가 국왕이 영국 교회의 수장임을 선포 → 엘리자베스 1세 때 영국 국교회 확립

(4) 로마 가톨릭교회의 대응: 트리엔트 공의회 개최, 예수회 설립

(5) 종교 전쟁: 신교와 구교의 대립

네덜란드	신교도(고이센)가 에스파냐의 가톨릭 강화 정책에 반발하여 전쟁 발발 → 독립 달성
프랑스	신교도(위그노)와 가톨릭교도 간의 대립 → 위그노 전쟁 발발 → 낭트 칙령 발표(1598)
독일	구교와 신교의 대립 → 30년 전쟁 발발 → 국제 전쟁으로 확대 → 베스트팔렌 조약 체결(1648)

낭트 칙령: 신교도에게 특정 지역에서 예배의 자유를 허용하였다.

베스트팔렌 조약

1. 칼뱅파는 루터파와 동등한 특권을 가진다.
3. 신성 로마 제국의 황제 재판소에서 루터파와 칼뱅파는 같은 수의 재판관을 두고 재판을 주관한다.
4. 각 제후는 자기 영내에서 실질적으로 독립된 주권을 행사한다.
5. 프랑스는 스트라스부르를 제외한 알자스·로렌을 차지한다.

30년 전쟁의 결과 베스트팔렌 조약이 체결되어 제후가 가톨릭, 루터파, 칼뱅파 등을 선택하는 것이 허용되었다.

01 다음 설명이 맞으면 ○표, 틀리면 ×표를 하시오.

(1) 십자군 전쟁의 결과 교황의 권위가 크게 높아졌다. ( )

(2) 화폐 경제의 발달과 흑사병의 유행으로 장원제가 약화되었다. ( )

(3) 베네치아, 밀라노 등 지중해 연안의 도시들은 한자 동맹을 맺어 무역을 독점하였다. ( )

02 중세 도시의 상공업자들은 공동의 이익과 안전을 위해 동업 조합인 (　　　　)를 조직하고 도시 행정을 주도하였다.

03 13세기경 영국의 존왕이 악화된 재정을 개선하려고 무거운 세금을 부과하다가 귀족들이 반발하자 (　　　　)을 승인하였다.

04 영국과 프랑스가 프랑스 왕위 계승 문제를 계기로 14세기에 벌인 전쟁은?

05 14~16세기 서유럽에서 고대 그리스와 로마 문화의 부활을 통해 인간 중심의 새로운 문화를 창출하려 한 문화 운동은?

06 네덜란드의 인문주의자 (　　　　)는 『우신예찬』에서 교회와 성직자의 타락을 지적하였다.

07 다음에서 설명하는 인물을 〈보기〉에서 골라 기호를 쓰시오.

보기
ㄱ. 루터　　　ㄴ. 칼뱅　　　ㄷ. 위클리프

(1) 인간의 구원은 신에 의해 미리 정해져 있다는 예정설을 주장하였다. ( )

(2) 교황이 면벌부를 판매하자 「95개조 반박문」을 발표하여 교황을 비판하였다. ( )

(3) 교회의 세속화와 성직자의 타락을 비판하며 『성서』에 기반을 둔 신앙을 강조하였으나 콘스탄츠 공의회에서 이단으로 규정되었다. ( )

08 독일에서 일어난 (　　　　)의 결과 베스트팔렌 조약이 체결되어 제후에게 칼뱅파를 선택할 권리가 주어졌다.

정답과 해설 22쪽

A 봉건 사회의 동요

출제가능성 90%

01 밑줄 친 '전쟁'에 대한 설명으로 옳은 것을 〈보기〉에서 고른 것은?

> 11세기 후반 셀주크 튀르크가 예루살렘을 정복하고 비잔티움 제국을 위협하자 비잔티움 제국 황제는 교황 우르바누스 2세에게 도움을 요청하였다. 이에 교황은 성지를 회복하기 위해 원정군을 보낼 것을 호소하였고 제후와 기사, 상인, 농민이 호응하면서 전쟁이 일어났다. 이 전쟁은 약 170년 동안 여러 차례에 걸쳐 진행되었지만 성지 회복에는 실패하였다.

보기
ㄱ. 잔 다르크가 전쟁에서 활약하였다.
ㄴ. 베스트팔렌 조약으로 전쟁이 마무리되었다.
ㄷ. 클레르몽 공의회의 결의에 따라 전쟁이 시작되었다.
ㄹ. 교황의 권위가 떨어지고 왕권이 강화되는 결과를 가져왔다.

① ㄱ, ㄴ　② ㄱ, ㄷ　③ ㄴ, ㄷ
④ ㄴ, ㄹ　⑤ ㄷ, ㄹ

02 중세 유럽 시기 (가) 교역권에 대한 설명으로 옳은 것은?

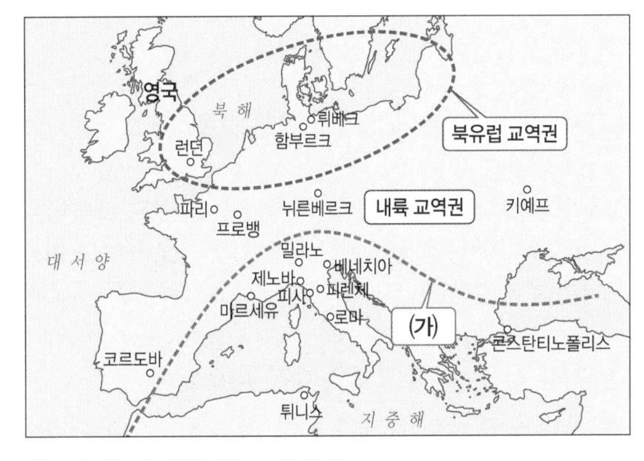

① 동방 무역을 주도하였다.
② 십자군 전쟁을 계기로 교역이 침체되었다.
③ 발트해와 북해 연안의 무역을 독점하였다.
④ 대규모의 정기시가 샹파뉴 지방에서 열렸다.
⑤ 여러 도시가 참여하여 한자 동맹을 결성하였다.

03 (가)가 당시 유럽 사회에 끼친 영향으로 적절한 것은?

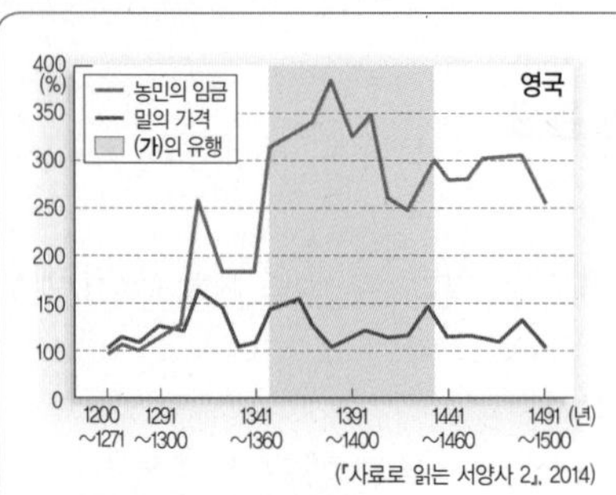

(『사료로 읽는 서양사 2』, 2014)

곡물 가격과 임금 변화

(가) 은/는 페스트균이 폐에 침입하여 발생하는 전염병의 한 종류로, 병에 걸리면 부스럼이 생기고 피를 토하다가 며칠 안에 죽었다. 14세기 중엽 유럽을 강타한 (가) 은/는 유럽 인구의 3분의 1을 희생시켰다.

① 장원제가 강화되었다.
② 교황권의 강화를 가져왔다.
③ 라티푼디움 경영이 확대되었다.
④ 봉토를 매개로 한 주종제가 형성되었다.
⑤ 노동력이 부족해져 농민의 처우가 개선되었다.

04 다음 상황이 전개된 배경으로 옳은 것은?

영국의 위클리프와 보헤미아의 후스는 교회의 세속화와 성직자의 타락을 비판하였고, 『성서』에 기초하여 교회를 개혁하려 하였다.

① 아비뇽 유수 이후 교회의 대분열이 일어났다.
② 비잔티움 제국의 황제가 성상 파괴령을 반포하였다.
③ 성직자 서임권을 둘러싸고 황제와 교황이 대립하였다.
④ 파면을 당한 황제가 카노사성으로 교황을 찾아가 사죄하였다.
⑤ 클레르몽 공의회에서 교황이 성지 회복을 위한 전쟁을 호소하였다.

B 르네상스와 종교 개혁

출제가능성 90%

05 다음에서 설명하는 문화 운동의 특징으로 옳지 않은 것은?

14~16세기 서유럽에서는 교회의 권위가 쇠퇴하고 사람들의 관심이 신에게서 인간과 자연으로 옮겨가면서 인간의 개성과 감정을 표현하고자 하는 문화 운동이 일어났다. 이러한 경향은 특히 미술 분야에서 잘 드러난다.

① 이탈리아에서 시작되어 알프스 이북으로 확산되었다.
② 자유로운 탐구와 비판 정신을 바탕으로 자연을 관찰하였다.
③ 첨탑과 스테인드글라스를 특징으로 하는 건축 양식이 발달하였다.
④ 지중해 무역으로 부유해진 상인들과 군주의 후원을 받아 이루어졌다.
⑤ 그리스·로마의 고전을 수집하고 연구하여 인간 중심의 새로운 문화를 창출하였다.

06 밑줄 친 '그'에 대한 설명으로 옳은 것은?

- 갑: 그는 인간의 구원이 이미 정해져 있으므로 구원을 믿고 성서에 따라 생활해야 한다고 주장하였어.
- 을: 그의 가르침을 따르는 신도들을 프랑스에서는 위그노라고 불렀지.

① 「95개조 반박문」을 발표하였다.
② 근면하고 검소한 직업 생활을 강조하였다.
③ 교회의 세속화를 비판하여 이단으로 규정되었다.
④ 수장법을 공포하여 영국 교회를 교황의 지배에서 독립시켰다.
⑤ 봉건 영주들이 농민에 대한 속박을 강화하자 영국에서 농민 봉기를 이끌었다.

07 다음에서 설명하는 조약을 쓰시오.

신성 로마 제국, 프랑스, 스웨덴, 교황령 등이 30년 전쟁의 종결에 합의하며 체결한 조약이다. 이 조약을 통해 장기간 지속된 종교 전쟁은 일단락되었고, 제후가 종교를 선택하는 것이 허용되었다.

01 지도와 같이 전개된 전쟁이 유럽에 준 영향으로 적절한 것은?

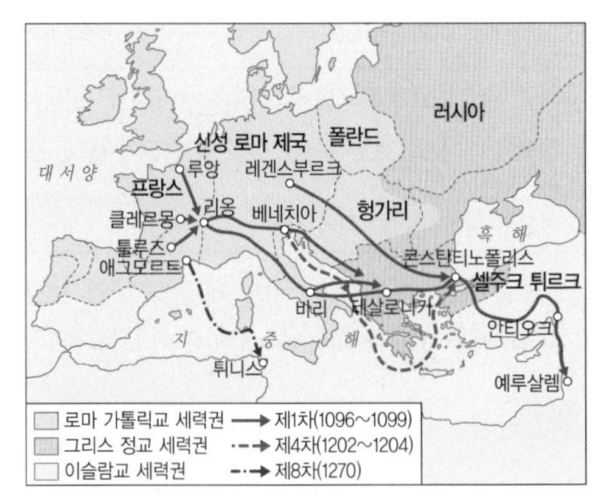

① 프랑크 왕국이 분열되었다.
② 교황의 권위가 강화되었다.
③ 지중해를 통한 동방 무역이 쇠퇴하였다.
④ 성지 회복 실패로 국왕의 권한이 약화되었다.
⑤ 비잔티움 문화와 이슬람 문화가 서유럽에 유입되었다.

최고난도

02 (가)에 들어갈 내용으로 적절한 것은?

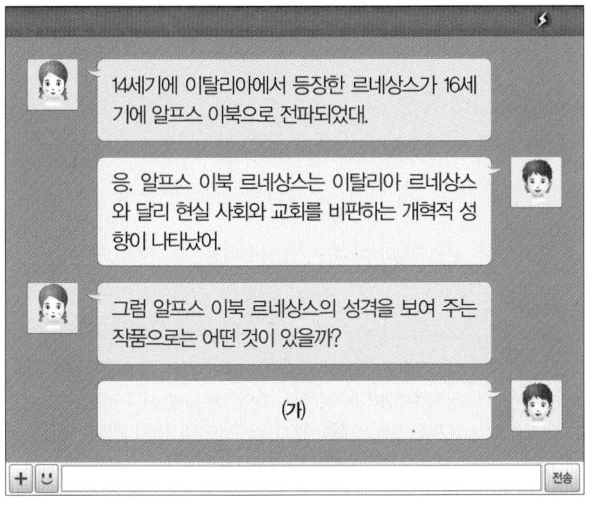

14세기에 이탈리아에서 등장한 르네상스가 16세기에 알프스 이북으로 전파되었대.
응. 알프스 이북 르네상스는 이탈리아 르네상스와 달리 현실 사회와 교회를 비판하는 개혁적 성향이 나타났어.
그럼 알프스 이북 르네상스의 성격을 보여 주는 작품으로는 어떤 것이 있을까?
(가)
전송

① 에라스뮈스가 『우신예찬』에서 부패한 교회를 풍자하였어.
② 마키아벨리가 『군주론』에서 강력한 군주의 필요성을 주장하였어.
③ 미켈란젤로가 「다비드상」을 조각하여 인체를 사실적으로 표현하였어.
④ 토마스 아퀴나스가 『신학대전』에서 신앙과 이성의 조화를 강조하였어.
⑤ 보카치오가 『데카메론』에서 사회의 타락상을 풍자하고 인간의 욕망을 묘사하였어.

2018 수능 응용

03 다음 조약에 대한 설명으로 옳은 것을 〈보기〉에서 고른 것은?

> 1. 칼뱅파는 루터파와 동등한 특권을 가진다.
> 3. 신성 로마 제국의 황제 재판소에서 루터파와 칼뱅파는 같은 수의 재판관을 두고 재판을 주관한다.
> 4. 각 제후는 자기 영내에서 실질적으로 독립된 주권을 행사한다.
> 5. 프랑스는 스트라스부르를 제외한 알자스·로렌을 차지한다.

보기

ㄱ. 30년 전쟁의 결과 체결되었다.
ㄴ. 아우크스부르크에서 체결되었다.
ㄷ. 네덜란드와 스위스의 독립을 인정하였다.
ㄹ. 프랑스에서 낭트 칙령이 발표되는 결과를 가져왔다.

① ㄱ, ㄴ ② ㄱ, ㄷ ③ ㄴ, ㄷ
④ ㄴ, ㄹ ⑤ ㄷ, ㄹ

서술형 문제

04 다음을 읽고 물음에 답하시오.

> (가) 영국과 프랑스가 플랑드르 지방의 지배권을 놓고 대립하는 상황에서 영국 왕이 프랑스 왕위 계승권을 주장하면서 일어난 전쟁이다. 전쟁 초기에는 영국이 우세하였으나 잔 다르크의 활약으로 프랑스가 승리하였다.
> (나) 왕위 계승 문제를 둘러싸고 영국의 랭커스터가와 요크가 사이에 일어난 내전이다.

(1) (가), (나)에서 설명하는 전쟁을 각각 쓰시오.

(2) (가), (나) 전쟁이 프랑스와 영국에 미친 영향을 서술하시오.

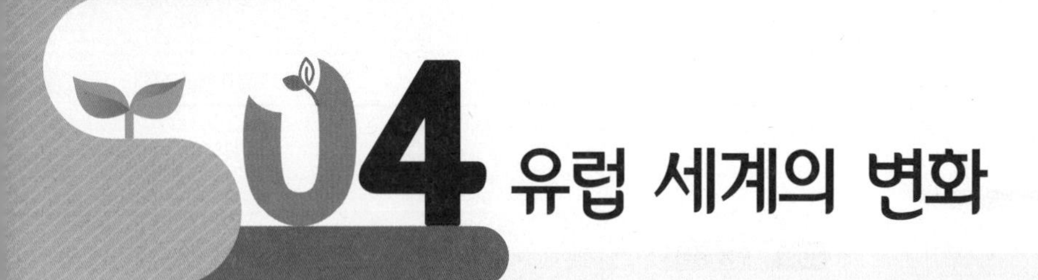

04 유럽 세계의 변화

★ 표시는 시험 전에 확인해 주세요.

A 신항로 개척과 유럽 교역망의 확장

★ 1. 신항로 개척

(1) 배경: 유럽인들의 동방에 대한 호기심 증대, 동양 산물에 대한 수요 증가, 지리학·천문학·조선술 발달, 나침반 사용 등

(2) 전개: 포르투갈, 에스파냐의 후원으로 전개

포르투갈	• 바르톨로메우 디아스: 아프리카의 희망봉에 도착(1488) • 바스쿠 다 가마: 희망봉을 돌아 인도의 캘리컷에 도착(1498)
에스파냐	• 콜럼버스: 아메리카의 서인도 제도에 도착(1492) • 마젤란 일행: 최초의 세계 일주에 성공(1519～1522)

포르투갈과 에스파냐는 대서양 연안에 위치하여 지중해 무역에 불리하였기 때문에 신항로 개척에 앞장섰다.

2. 아메리카 문명의 파괴

(1) 유럽인 침입 이전: 독자적인 문명 발전

마야 문명	멕시코만 연안에서 발전, 피라미드형 신전 건설, 천문학 발전, 0과 20진법 사용 → 10세기 이후 쇠퇴
아스테카 문명	멕시코고원에서 발전, 수도 테노치티틀란(계획도시) 번성, 피라미드형 신전 건설, 그림 문자와 달력 사용
잉카 문명	안데스고원에서 성장, 15세기 중엽 주변 영토를 정복하며 제국 건설, 수도 쿠스코에 태양 신전 건설, 농업·역법·건축술 등 발전, 새끼줄 매듭(키푸)으로 숫자와 의사 표시

(2) 유럽인 침입 이후: 에스파냐에 의해 문명 파괴, 원주민들이 금·은 채굴과 사탕수수·담배 농작물 재배 및 단일 경작에 동원됨 → 전염병·노동력 착취 등으로 원주민 수 급감

3. 유럽 교역망의 확장

(1) 대서양 무역의 전개: 아프리카인을 노예로 삼아 아메리카에 투입 → 유럽, 아메리카, 아프리카를 잇는 대서양 삼각 무역 체제 성립

신항로 개척으로 무역의 중심지가 지중해에서 대서양으로 이동하였다.

(2) 가격 혁명과 상업 혁명 발생

가격 혁명	아메리카산 금·은이 유럽으로 대량 유입 → 유럽의 물가 상승 → 봉건 영주 타격, 신흥 시민 계층의 이익 증대
상업 혁명	유럽 각국의 해외 진출 노력(동인도 회사 설립) → 세계적으로 교역 활성화 → 근대 자본주의의 발전에 기여

주식회사가 등장하였고, 금융 제도와 보험 제도가 발전하였다.

B 절대 왕정

1. 절대 왕정의 성립

(1) 성립: 16～18세기 유럽에서 중앙 집권적 통일 국가 등장 → 국왕이 절대적인 권력 행사

(2) 기반

국왕의 권력은 신으로부터 주어진 것이라는 이론이다.

① 사상: 왕권신수설 주장 → 절대 왕권을 이론적으로 정당화

② 정치: 관료제와 상비군 정비 → 왕권 뒷받침

③ 경제: 중상주의 경제 정책 실시

목적	관료제와 상비군 운영에 필요한 재원 마련, 국가의 부 증대
내용	• 수출 장려(국내 산업 보호·육성), 수입 억제(무역 통제, 관세 부과 등) 추진 • 해외 팽창과 식민지 건설 적극 지원

④ 지지 세력: 상공업에 종사하는 시민 계층(국왕의 보호를 받는 대신 국왕에게 정치적 지지와 재정적 지원을 함)

★ 2. 서유럽의 절대 왕정

에스파냐	펠리페 2세: 대서양 무역의 주도권 획득 → 레판토 해전에서 오스만 제국 격파(지중해 해상권 장악), 포르투갈 병합 → 네덜란드 북부 7주 독립, 무적함대가 영국에 패배, 국내 산업 육성 미비 등으로 국력 약화
영국	• 헨리 8세: 종교 개혁 단행, 해군 육성 → 절대 왕정의 기틀 마련 • 엘리자베스 1세: 영국 국교회 확립, 화폐 통일, 모직물 공업 육성, 빈민 구제법 제정, 에스파냐의 무적함대 격파, 동인도 회사 설립(아시아 진출 추진)
프랑스	• 앙리 4세: 부르봉 왕조 개창, 낭트 칙령 발표(종교 전쟁 수습) → 절대 왕정의 기틀 마련 • 루이 14세: 왕권신수설 신봉, 태양왕 자처, 중상주의 정책 실시(콜베르 등용), 상비군 육성, 궁정 문화 발달(베르사유 궁전 건립) → 낭트 칙령 폐기(1685)로 국내 산업 침체, 무리한 전쟁으로 재정난 초래

3. 동유럽의 절대 왕정

(1) 특징: 서유럽에 비해 도시와 상공업의 발달이 늦어 시민 계급 성장 미약, 봉건 귀족 계급의 농노제 유지

(2) 발전

섬유 공업이 발달하고 석탄과 철이 풍부한 지역이었다.

프로이센	프리드리히 2세: 오스트리아와의 전쟁으로 슐레지엔 지방 차지, 계몽사상 수용, 산업 장려, 종교적 관용 정책 실시
오스트리아	• 마리아 테레지아: 오스트리아의 왕위 계승 전쟁으로 슐레지엔 지방 상실, 정치 안정, 문화 번성 • 요제프 2세: 계몽 전제 군주 자처, 내정 개혁 시도 → 보수적인 귀족들의 반발로 성과 미약
러시아	• 표트르 대제: 서유럽의 선진 문물 수용(내정 개혁과 군비 확장), 스웨덴과 북방 전쟁을 벌여 발트해로 진출, 상트페테르부르크를 수도로 삼음, 청과 네르친스크 조약 체결(국경선 확정) • 예카테리나 2세: 계몽 전제 군주 자처, 내정 개혁 단행, 프로이센 및 오스트리아와 함께 폴란드 분할 점령

표트르 대제는 대규모의 시찰단을 서유럽에 파견하고, 스스로도 시찰단의 일원으로 참여하였다.

프리드리히 2세의 군주관

군주가 지배하는 인민에게 무엇보다 중요한 것이 정의이므로, 군주는 자신의 그 어떤 이익보다 정의에 최우선을 두어야 한다. …… 군주는 결코 자기가 지배하고 있는 인민의 절대적인 주인이 아니라, 국가 제일의 공복에 지나지 않는다. -『반(反)마키아벨리론』

프로이센의 프리드리히 2세는 계몽사상의 영향을 받아 '국가 제일의 심부름꾼(공복)'을 자처하며 개혁을 추진하였다.

1단계 개념 짚어 보기

01 다음 설명이 맞으면 ○표, 틀리면 ×표를 하시오.

(1) 에스파냐 여왕의 후원을 받은 이탈리아 탐험가 마젤란이 1492년에 서인도 제도에 도착하였다. ( )

(2) 유럽인들은 프레스터 존의 전설, 마르코 폴로의 『동방견문록』 등을 통해 동방에 대한 호기심을 키웠다. ( )

(3) 아메리카에서 대량의 금·은이 유럽에 들어와 유럽의 물가가 오르자 봉건 영주들이 경제적으로 큰 이익을 얻었다. ( )

02 멕시코고원에서 발전한 ( )은 제국의 수도인 테노치티틀란에 30여만 명의 주민이 거주할 정도로 번영하였다.

03 신항로 개척 이후 무역의 중심지가 지중해에서 ( )으로 이동하였다.

04 16~18세기 유럽에서 중앙 집권적 통일 국가가 등장하면서 국왕이 절대적인 권력을 행사하였던 정치 체제를 일컫는 말은?

05 절대 왕정의 경제 정책으로, 수출을 장려하고 관세를 높여 수입을 억제하는 정책은?

06 영국의 엘리자베스 1세는 에스파냐의 무적함대를 격파하였으며 ( )를 설립하여 아시아로 진출하였다.

07 다음 활동을 한 절대 군주를 <보기>에서 골라 기호를 쓰시오.

보기

ㄱ. 루이 14세　　ㄴ. 표트르 대제
ㄷ. 펠리페 2세　　ㄹ. 프리드리히 2세

(1) 레판토 해전에서 오스만 제국을 격파하였다. ( )

(2) 태양왕을 자처하였고 베르사유 궁전을 지었다. ( )

(3) 오스트리아와 전쟁을 벌여 슐레지엔 지방을 차지하였다. ( )

(4) 서유럽의 문화와 제도를 적극 도입하고 상트페테르부르크를 수도로 삼았다. ( )

정답과 해설 24쪽

A 신항로 개척과 유럽 교역망의 확장

출제가능성 90%

01 다음 내용을 활용한 탐구 주제로 가장 적절한 것은?

- 지리학, 천문학, 조선술이 발달하고 먼 거리 항해에 나침반이 사용되었다.
- 유럽인들은 동방에 프레스터(성직자) 존이 세운 크리스트교 왕국이 있다는 전설을 믿었다.
- 유럽에서는 십자군 전쟁 이후 향신료, 비단 등 동양 산물의 수요가 증대되었으나 이슬람과 이탈리아 상인들이 향신료와 비단 무역을 독점하였다.

① 르네상스의 발생
② 로마의 동서 분열
③ 프랑크 왕국의 발전
④ 신항로 개척의 배경
⑤ 게르만족의 이동 결과

02 (가)에 해당하는 인물로 옳은 것은?

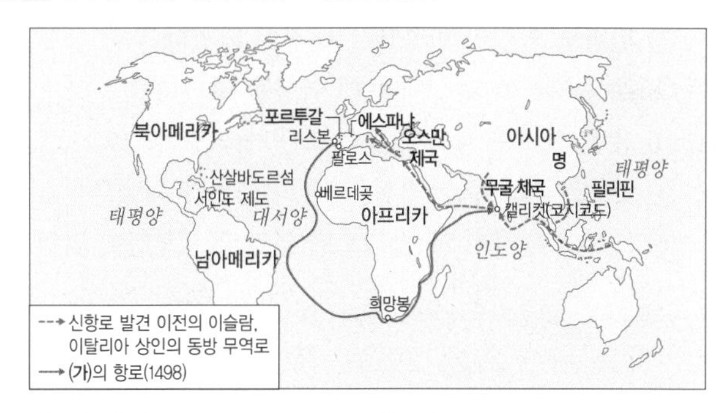

① 마젤란　　② 콜럼버스
③ 오도아케르　　④ 바스쿠 다 가마
⑤ 바르톨로메우 디아스

03 밑줄 친 '이 사건'을 쓰시오.

<u>이 사건</u>은 16~17세기 전반에 아메리카에서 유럽으로 막대한 양의 금과 은이 들어와 화폐 가치가 하락하고 유럽의 물가가 크게 오른 경제적 사건을 가리킨다.

04 그림과 같은 상황이 전개된 배경으로 옳은 것은?

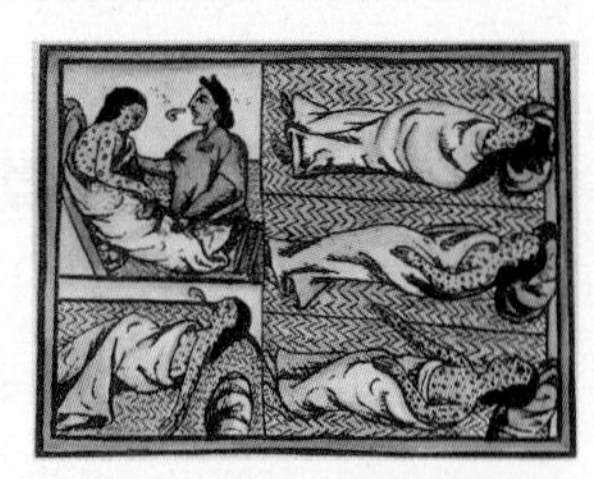
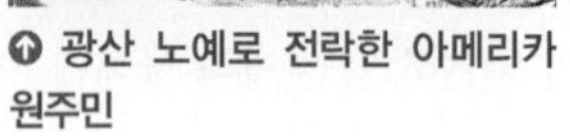

광산 노예로 전락한 아메리카 원주민 / 천연두에 감염된 아메리카 원주민

① 아스테카 문명이 번성하였다.
② 에스파냐가 아메리카를 정복하였다.
③ 셀주크 튀르크가 세력을 확대하였다.
④ 노르만족이 정복 활동을 전개하였다.
⑤ 십자군이 예루살렘 왕국을 건설하였다.

B 절대 왕정

05 다음 사상에 대한 설명으로 옳은 것은?

> 왕의 권력은 신으로부터 부여받은 것이어서 어떤 것도 왕권을 제한할 수 없다.

① 밀라노 칙령이 반포되는 배경이 되었다.
② 주종 제도가 형성되는 데 영향을 주었다.
③ 유럽 절대 왕정의 이념적 토대가 되었다.
④ 『유스티니아누스 법전』 편찬의 근거가 되었다.
⑤ 프랑크 왕국이 세 왕국으로 분열되는 원인이 되었다.

06 밑줄 친 '이 국가'와 관련된 설명으로 옳은 것은?

> 이 국가의 펠리페 2세는 레판토 해전에서 오스만 제국을 격파하여 지중해 해상권을 장악하였다. 그러나 가톨릭 강요 정책에 반발한 네덜란드 북부 7주가 독립하고, 무적함대가 영국에 패배하면서 국력이 급속히 쇠퇴하였다.

① 낭트 칙령을 발표하였다.
② 아스테카 문명을 파괴하였다.
③ 1차 인클로저 운동이 일어났다.
④ 콜베르가 재무 장관으로 활동하였다.
⑤ 오스트리아와 전쟁을 벌여 슐레지엔을 차지하였다.

출제가능성 90%

07 다음 주장에 대해 학생들이 나눈 대화 내용으로 적절한 것은?

> 군주의 가장 중요한 책임은 정의를 실현하는 것이다. 군주가 지배하는 인민에게 무엇보다 중요한 것이 정의이므로, 군주는 자신의 그 어떤 이익보다 정의에 최우선을 두어야 한다. …… 군주는 결코 자기가 지배하고 있는 인민의 절대적인 주인이 아니라, 국가 제일의 공복에 지나지 않는다.

① 갑: 재정복 운동이 전개되는 배경이 되었어.
② 을: 르네상스가 일어나는 근거를 제공하였어.
③ 병: 황제 교황주의가 성립되는 데 영향을 끼쳤어.
④ 정: 아우크스부르크 화의의 결정을 뒷받침하였어.
⑤ 무: 동유럽 계몽 전제 군주의 특징을 보여 주고 있어.

08 다음 국왕에 대한 설명으로 옳은 것을 〈보기〉에서 고른 것은?

나는 서유럽 각국을 시찰하면서 각종 정보를 수집하였고, 정체를 숨긴 채 조선소에 들어가 조선술을 직접 배우기도 하였소.

보기
ㄱ. 왕권신수설을 신봉하고 태양왕을 자처하였다.
ㄴ. 상트페테르부르크를 건설하고 수도로 삼았다.
ㄷ. 청과 네르친스크 조약을 체결하고 국경선을 확정하였다.
ㄹ. 에스파냐의 무적함대를 격파하고 동인도 회사를 설립하였다.

① ㄱ, ㄴ ② ㄱ, ㄷ ③ ㄴ, ㄷ
④ ㄴ, ㄹ ⑤ ㄷ, ㄹ

정답과 해설 24쪽

2017 평가원 응용

01 (가) 국가에 대한 설명으로 옳은 것은?

> **세계사 신문**
>
> **바스쿠 다 가마, 인도 항로를 개척하다**
>
> (가) 의 마누엘 1세로부터 지원을 받은 바스쿠 다 가마가 아프리카 희망봉을 돌아 인도의 캘리컷에 도착하였다. 이는 새로운 인도 항로를 개척한 것으로, (가) 이/가 신항로 개척에 앞장서고 있음을 보여 준다. 앞서 바르톨로메우 디아스도 (가) 의 엔히크 왕자의 지원을 받아 '희망봉'이라 부른 아프리카 남단에 도착한 바 있다.

① 영국과 백년 전쟁을 벌였다.
② 일본의 난학 성립에 영향을 주었다.
③ 12세기에 카스티야로부터 독립하였다.
④ 왕위 계승을 둘러싸고 장미 전쟁을 치렀다.
⑤ 십자군에게 콘스탄티노폴리스를 약탈당하였다.

02 다음은 신항로 개척 이후 은의 유통을 나타낸 지도이다. 이 시기에 있었던 사실로 옳은 것을 〈보기〉에서 고른 것은?

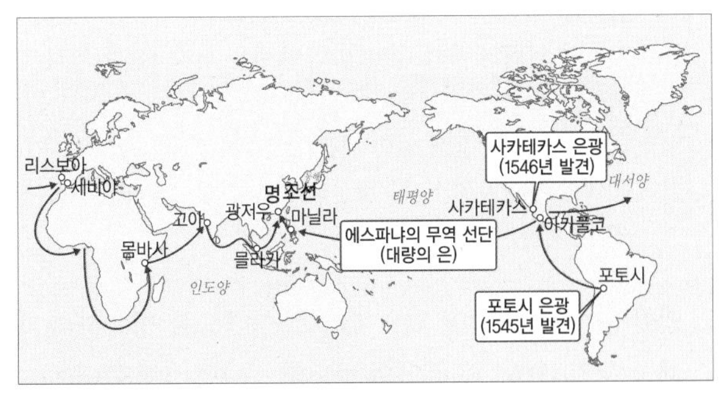

보기
ㄱ. 유럽의 물가가 폭락하였다.
ㄴ. 지중해를 중심으로 한 무역이 번영하였다.
ㄷ. 노예 무역을 매개로 한 삼각 무역이 형성되었다.
ㄹ. 국제 무역에서 아메리카의 은이 교역 수단으로 활용되었다.

① ㄱ, ㄴ ② ㄱ, ㄷ ③ ㄴ, ㄷ
④ ㄴ, ㄹ ⑤ ㄷ, ㄹ

최고난도

03 (가), (나) 인물에 대한 설명으로 옳은 것은?

> (가) 16세기 말에 즉위하여 부르봉 왕조를 개창하였으며 30여 년간의 종교 전쟁을 수습하였다. 이를 통해 프랑스 절대 왕정의 기틀을 마련하였다.
> (나) 영국 의회의 협조에 힘입어 적극적으로 국정을 운영하였다. 에스파냐의 무적함대를 격파하였으며, 통일법을 반포하고 빈민 구제법을 제정하였다.

① (가) – 낭트 칙령을 발표하였다.
② (가) – 베르사유 궁전을 건립하였다.
③ (나) – 「대헌장」을 승인하였다.
④ (나) – 스웨덴과의 전쟁을 통해 발트해로 진출하였다.
⑤ (나) – 콜베르를 등용하여 강력한 중상주의 정책을 실시하였다.

서술형 문제

04 다음을 읽고 물음에 답하시오.

> 상수시 궁전은 프로이센의 이 왕이 베르사유 궁전을 모방하여 세운 궁전이다. 상수시는 프랑스어로 '근심이 없다.'라는 뜻으로, 18세기 로코코 양식을 대표하는 건축물로 평가받고 있다. 이 왕은 상수시 궁전에서 볼테르를 비롯한 계몽사상가와 대화하며 계몽사상의 영향을 받았다.

(1) 밑줄 친 '이 왕'을 쓰시오.

(2) (1)의 왕이 주장한 군주관과 그가 펼친 활동을 서술하시오.

05 시민 혁명과 국민 국가의 형성

A 근대 의식의 발전

1. 과학 혁명

의미	16·17세기에 들어 일어난 과학의 발전과 세계관의 변화
특징	르네상스 이후 유럽인의 이슬람 과학 수용 → 자연 과학 발전, 실험과 관찰 강조, 과학 기구 발명(망원경, 현미경, 기압계 등)
주요 내용	• 코페르니쿠스: 『천체의 회전에 관하여』에서 지동설 주장 • 케플러: 행성이 태양을 중심으로 타원 궤도를 그리면서 돈다고 주장(지동설 수정·입증) • 갈릴레이: 망원경 제작(천체 관측, 지동설 입증), 낙하 실험으로 새로운 물리 법칙 발견 • 뉴턴: 만유인력의 법칙 발견, 천체의 운동을 수학적으로 설명 → 기계론적 우주관 확립 • 기타: 베살리우스의 인체 해부학 연구, 하비의 혈액 순환의 원리 발표, 제너의 종두법 발견 등

모든 물체들은 서로 끌어당기는 힘이 있다는 법칙이다.

★ 2. 근대 철학과 사상

(1) 근대 철학: 경험론(베이컨의 귀납법 제시 → 로크가 계승하여 경험론 주장), 합리론(데카르트가 연역법을 주장하여 합리론의 토대 마련) 발전

(2) 사회 계약설: 자연법사상에 바탕을 둠

의미	자연 상태에 살던 개인들이 자신들의 평화와 안전을 위해 사회 계약을 맺어 국가가 등장하였다는 학설
사상가	• 홉스: 인간이 혼란한 상태를 벗어나려고 상호 간 계약을 맺었다고 봄, 강력한 정부 수립 주장(절대 군주제 옹호) • 로크: 개인이 생명·자유·재산을 보호받고자 정부에 권리를 위탁하였다고 주장, 국민의 저항권(혁명권) 인정 • 루소: 일반 의지의 형성과 인민 주권의 원리 제시

로크와 루소의 사상은 시민 혁명의 사상적 기반이 되었다.

(3) 계몽사상(18세기)

의미	인간의 이성으로 낡은 관습·미신을 타파함으로써 사회가 진보할 수 있다고 믿는 사상 → 자유·평등 옹호, 절대 왕정 비판(→ 시민 혁명의 사상적 기반 마련)
사상가	• 볼테르: 계몽 군주제에 입각한 개혁 지지, 관용의 원리 주장, 신앙과 언론의 자유 강조 • 몽테스키외: 입법·사법·행정의 삼권 분립 주장 • 루소: 자유·평등·국민 주권의 이념 제시 → 프랑스 혁명의 이론적 기반 제공 • 디드로, 달랑베르: 『백과전서』 출판 주도

(4) 경제사상(18세기): 애덤 스미스 등이 자유방임주의 주장(고전 경제학의 기틀 마련)

『국부론』에서 '보이지 않는 손'에 의해 조정되는 개인의 자유로운 경제 활동을 주장하였다.

3. 17·18세기 유럽의 문화

(1) 미술: 17세기 호화롭고 웅장한 바로크 양식 유행, 18세기 경쾌하고 섬세한 로코코 양식 유행

(2) 음악·문학: 바로크 음악(바흐, 헨델)·고전 음악(모차르트, 베토벤) 발전, 고전주의 문학 유행

B 영국 혁명

1. 청교도 혁명과 크롬웰의 독재

(1) 청교도 혁명(1642～1649)

배경	• 젠트리·시민의 성장: 17세기 전후 지주층인 젠트리와 도시의 시민 계급 성장 → 대부분 청교도, 의회에 진출하여 의회 정치 주도(의회 중심의 입헌주의 전통 수호) • 제임스 1세의 전제 정치: 왕권신수설과 영국 국교회 고수, 의회 무시, 청교도 탄압 • 찰스 1세의 전제 정치: 청교도 박해, 의회의 동의 없이 과세 → 의회의 권리 청원 제출(1628) → 국왕의 승인 → 국왕의 의회 해산 '의회의 동의 없이 과세할 수 없다.'는 내용이 담겨 있다.
전개	스코틀랜드의 반란 → 찰스 1세의 의회 소집(1640) → 의회가 과세 요구 거부 → 왕당파와 의회파의 내전 발발(1642)
결과	크롬웰이 이끄는 의회파의 승리 → 찰스 1세 처형, 공화정 수립(1649)

(2) 크롬웰의 독재 정치: 호국경에 취임, 의회 해산, 청교도주의에 입각한 독재 정치 실시, 아일랜드 정복, 항해법 제정

영국과 영국 식민지로 들어오는 수입품은 영국과 그 식민지 및 수출국의 선박을 이용하여 수송하도록 한 규정이다.

★ 2. 명예혁명과 의회 정치의 발전

(1) 명예혁명(1688)

배경	• 왕정복고: 찰스 2세가 친가톨릭적 전제 정치 실시 → 의회가 심사법과 인신 보호법을 제정해 대응 • 제임스 2세의 전제 정치: 심사법과 인신 보호법 폐지 등
전개	의회가 제임스 2세 추방 → 제임스 2세의 딸인 메리와 그의 남편인 윌리엄을 공동 왕으로 추대(1688)
결과	의회가 제출한 권리 장전을 국왕이 승인(1689) → 의회를 중심으로 한 입헌 군주제의 토대 마련

권리 장전 — 의회의 입법권과 과세 승인권 등을 인정하였다.

제1조 국왕이 의회의 동의 없이 법의 효력을 정지하거나 법의 집행을 정지하는 것은 위법이다.

제4조 국왕이 의회의 동의 없이 세금을 징수하는 것은 위법이다.

제6조 의회의 동의가 없는 한 평상시에 왕국 내에서 상비군을 징집, 유지하는 것은 위법이다.

(2) 의회 정치의 발전: 앤 여왕 때 스코틀랜드를 병합하여 대영 제국 수립(1707) → 독일의 하노버 공 조지 1세 즉위(하노버 왕조 개창, 1714) → 내각 책임제 시작

'왕은 군림하나 통치하지 않는다.'는 영국 특유의 전통이 세워졌다.

C 미국 혁명

1. 혁명 전의 아메리카: 17세기부터 영국인들이 종교적 자유와 경제적 이익을 위해 북아메리카에 이주 → 18세기 전반 대서양 연안에 13개의 식민지 건설, 독자적인 의회 구성

식민지인들은 광범위한 자치를 누렸다.

★ 표시는 시험 전에 확인해 주세요.

★ 2. 미국 독립 전쟁

배경	7년 전쟁으로 영국의 재정 악화 → 영국의 중상주의 정책 강화(식민지에 인지세·차세 등 부과) → 식민지인들의 납세 거부
전개	보스턴 차 사건(1773) → 영국의 보스턴 항구 폐쇄 → 제1차 대륙 회의 개최(영국의 탄압 조치 철회 요구, 1774) → 렉싱턴 전투(영국군과 식민지 민병대의 충돌)로 독립 전쟁 시작 → 제2차 대륙 회의 개최(총사령관에 워싱턴 임명·독립 선언문 발표, 1776)
결과	• 식민지군의 승리: 식민지군의 요크타운 전투 승리 → 파리 조약 체결(13개 주 식민지의 독립 인정, 1783) • 아메리카 합중국(미합중국) 탄생: 북아메리카 13개 주의 헌법 제정, 연방 정부 수립, 초대 대통령에 워싱턴 선출 → 연방주의와 삼권 분립에 기초한 민주 공화국 수립(1789)

• 보스턴 차 사건: 식민지인들이 보스턴 항구에서 영국 동인도 회사의 배에 실려 있던 차 상자를 바다에 던져 버린 사건이다.

• 독립 선언문: 천부 인권, 국민 주권, 저항권 등 민주주의의 원리가 담겨 있다.

D 프랑스 혁명과 나폴레옹 시대

★ 1. 프랑스 혁명

• 제1·2 신분은 정치적·경제적 특권을 누렸다. 반면 제3 신분은 과중한 세금을 부담하면서 정치 참여에는 제한을 받았다.

배경		구제도의 모순, 시민 계급 성장, 국가 재정 악화
발발		루이 16세의 삼부회 소집(1789) → 표결 방식을 놓고 대립 → 제3 신분의 국민 의회 결성, 테니스코트의 서약 → 국왕의 탄압 → 파리 시민들의 바스티유 감옥 습격 → 혁명의 전국적 확산
전개	국민 의회	봉건제 폐지 선언, '인간과 시민의 권리선언(인권 선언)' 발표(1789) → 헌법 제정(입헌 군주제, 재산에 따른 제한 선거제 규정) → 입법 의회 소집(1791)
	입법 의회	오스트리아·프로이센과 혁명전쟁 시작 → 물가 상승과 식량 부족에 시달린 파리 민중(상퀼로트)의 왕궁 습격 → 왕권 정지, 국민 공회 수립(1792)
	국민 공회	• 공화정 선포, 자코뱅파(급진파)의 주도로 루이 16세 처형 • 로베스피에르의 공포 정치: 공안 위원회와 혁명 재판소 설치, 개혁 추진(헌법 제정, 봉건적 공납 폐지, 징병제·의무 교육·최고 가격제 시행 등) → 테르미도르 반동(로베스피에르 처형)
	총재 정부	5명의 총재가 주도, 국내외 혼란 지속 → 나폴레옹의 쿠데타로 붕괴(1799)

• 자코뱅파: 중소 시민의 이익을 대변하고, 통제 경제와 중앙 집권을 주장하였다.

인간과 시민의 권리선언

제1조 인간은 자유롭게 그리고 평등한 권리를 가지고 태어났다.

제2조 모든 정치적 결사의 목적은 자유, 재산, 안전 그리고 압제에 대한 저항이라는, 그 무엇도 침해할 수 없는 인간의 자연권을 보전하는 데 있다.

제3조 모든 주권의 원천은 본래 국민에게 있다. 어떤 단체나 개인도 국민으로부터 유래하지 않은 권리를 행사할 수 없다.

• 자유와 평등, 국민 주권, 재산권 보호 등 프랑스 혁명의 기본 이념이 담겨 있다.

2. 나폴레옹 시대

(1) 통령 정부: 나폴레옹이 제1 통령에 오름(1799) → 대프랑스 동맹 격파, 내정 개혁, 『나폴레옹 법전』 편찬

(2) 나폴레옹의 제1 제정 수립과 몰락

제정 수립	나폴레옹의 황제 즉위(1804) → 유럽 대륙 대부분 제패, 트라팔가르 해전에서 영국에 패배(1805) → 대륙 봉쇄령 발표(1806)
몰락	대륙 봉쇄령을 어긴 러시아 원정·실패 → 나폴레옹의 엘바섬 유배 및 탈출 → 워털루 전투 패배(1815)로 몰락

• 대륙 봉쇄령: 영국을 굴복시키기 위해 영국과 유럽 대륙의 교역을 금지하였다.

E 국민 국가의 형성

1. 빈 체제

(1) 성립: 오스트리아 재상 메테르니히의 주도로 빈 회의 개최 → 복고주의·정통주의 표방(자유주의·민족주의 운동 탄압)

• 정통주의: 유럽 각국의 지배권과 영토를 프랑스 혁명 이전으로 되돌리기로 결정하였다.

(2) 동요: 독일의 부르셴샤프트 운동, 이탈리아 카르보나리당의 개혁 추진, 영국의 지원·미국의 먼로 선언으로 라틴 아메리카의 독립운동 가속화, 그리스 독립(1829)

• 먼로 선언: 유럽의 아메리카에 대한 불간섭 원칙을 포함하였다.

★ 2. 자유주의의 확산

• 7월 혁명은 벨기에 독립과 유럽의 자유주의 운동 확산에 영향을 주었고, 2월 혁명은 빈 체제 붕괴에 영향을 주었다.

프랑스	7월 혁명(1830)	부르봉 왕실 부활, 샤를 10세의 전제 정치 → 자유주의자·파리 시민들의 봉기 → 루이 필리프 즉위, 입헌 군주제 수립(7월 왕정)
	2월 혁명(1848)	소수 부유층의 권력 독점, 선거권 제한 → 중하층 시민 계급과 노동자들이 봉기해 선거권 확대 요구 → 루이 필리프 퇴위, 제2 공화정 수립
	이후 상황	루이 나폴레옹의 황제 즉위(제2 제정) → 프로이센과의 전쟁 패배 → 파리 코뮌 결성(1871)
영국		의회 주도로 개혁 추진 → 심사법 폐지, 가톨릭 해방법 제정, 제1차 선거법 개정(부패 선거구 폐지, 1832), 차티스트 운동 전개(인민헌장 발표), 곡물법·항해법 폐지

3. 이탈리아와 독일의 통일

이탈리아	카보우르가 오스트리아 격파(중북부 이탈리아 병합) → 가리발디가 시칠리아·나폴리 점령 후 사르데냐의 국왕에게 바침 → 이탈리아 왕국 탄생(1861) → 베네치아·교황령 병합
독일	관세 동맹 체결(1834) → 프랑크푸르트 의회에서 정치적 통일 방안 논의·실패 → 비스마르크의 철혈 정책 추진 → 덴마크·오스트리아와의 전쟁에서 승리(북독일 연방 창설) → 프랑스와의 전쟁에서 승리 → 독일 제국 성립(빌헬름 1세의 황제 즉위, 1871)

4. 미국과 러시아의 발전

• 노예 노동을 이용한 대농장이 발달한 남부는 노예제에 찬성하였고, 임금 노동자를 이용한 상공업이 발달한 북부는 노예제에 반대하여 대립하였다.

미국	• 남북 전쟁: 남부·북부의 대립 → 링컨의 대통령 당선 → 남부가 연방을 탈퇴하면서 남북 전쟁 발발(1861) → 링컨의 노예 해방 선언 → 게티즈버그 전투를 계기로 북부 승리(1865) • 전쟁 이후: 대륙 횡단 철도 부설, 경제 급성장
러시아	19세기경 농노제 유지, 차르의 전제 정치 실시 → 데카브리스트의 봉기, 크림 전쟁 패배 → 알렉산드르 2세의 개혁 → 브나로드 운동 전개 → 알렉산드르 2세가 암살됨

• 알렉산드르 2세의 개혁: 농노 해방, 지방 의회 설립, 국민 개병제 시행 등 내정 개혁을 추진하였으나 별다른 성과가 없었다.

1단계 개념 짚어 보기

01 다음 설명이 맞으면 ○표, 틀리면 ×표를 하시오.

(1) 코페르니쿠스는 지동설을 주장하였다. ( )

(2) 홉스는 정부에 저항할 수 있는 권리가 국민에게 있다고 주장하였다. ( )

(3) 17세기경 유럽에서는 호화롭고 웅장한 바로크 양식이 유행하였다. ( )

02 영국에서는 메리와 그의 남편 윌리엄이 의회가 제정한 ( )을 승인함으로써 의회를 중심으로 한 입헌 군주제의 토대가 마련되었다.

03 미국 독립 전쟁 중 발표한 것으로 천부 인권, 국민 주권, 저항권 등의 내용이 담겨 있는 문서는?

04 프랑스 혁명 중 ( )는 '인간과 시민의 권리선언(인권 선언)'을 발표하였다.

05 총재 정부를 무너뜨리고 통령 정부를 구성한 후 국민 투표를 거쳐 프랑스의 황제로 즉위한 인물은?

06 나폴레옹 몰락 후 유럽 각국 대표들은 오스트리아의 재상 메테르니히의 주도로 개최된 ( )에서 복고주의와 정통주의를 표방하였다.

07 다음에서 설명하는 사건이 일어난 국가를 〈보기〉에서 골라 기호를 쓰시오.

보기

ㄱ. 독일 ㄴ. 영국 ㄷ. 프랑스

(1) 노동자들이 차티스트 운동을 전개하였다. ( )

(2) 루이 필리프가 왕으로 추대되면서 입헌 군주제가 수립되었다. ( )

(3) 빌헬름 1세가 황제로 즉위하여 통일된 제국의 수립을 선포하였다. ( )

08 노예제를 둘러싼 미국 내 남부와 북부의 대립으로 발발한 전쟁은?

2단계 내신 다지기

A 근대 의식의 발전

01 다음에서 설명하는 인물로 옳은 것은?

> 모든 물체들은 서로 끌어당기는 힘이 있다는 만유인력의 법칙을 발견하고 우주가 움직이는 법칙을 수학적으로 설명하였다. 이를 통해 우주가 통일적인 법칙에 따라 움직이고 있다는 기계론적 우주관을 확립하였다.

① 뉴턴 ② 하비 ③ 케플러
④ 갈릴레이 ⑤ 코페르니쿠스

출제가능성 90%

02 다음 주장에 대해 학생들이 나눈 대화 내용으로 옳은 것은?

> 자연 상태는 살기에 불편하므로 사람들은 공동 관심사인 사회와 정부를 세우기 위해 계약을 맺는다. 그런데 인간은 자연권인 생명, 자유, 재산의 권리를 가지고 있다. 인간은 이러한 모든 권리가 잘 보장되도록 정부를 세우는 데 합의(계약)하는 것이다. …… 만일 정부가 기본권인 생명, 자유, 재산의 권리를 보장하지 않고 방자해진다면 물러나야 하며, 극단의 경우 혁명에 의해 타도될 수 있다.

① 갑: 천동설을 대체하는 주장이야.
② 을: 시민 혁명의 사상적 기반이 되었어.
③ 병: 장미 전쟁이 일어나는 원인을 제공하였어.
④ 정: 입법, 사법, 행정의 삼권 분립을 강조하였어.
⑤ 무: 클뤼니 수도원에서 개혁 운동이 일어나는 배경이 되었어.

03 밑줄 친 '이 사상'을 쓰시오.

> 애덤 스미스는 『국부론』에서 국가의 간섭을 줄이고, '보이지 않는 손'에 의해 조정되는 개인의 자유로운 경제 활동을 강조하는 <u>이 사상</u>을 주장하였다. 그의 이론은 고전 경제학의 기틀 마련에 기여하였다.

B 영국 혁명

출제가능성 90%

04 다음은 영국의 시민 혁명을 정리한 것이다. (가) 문서에 대한 설명으로 옳은 것은?

> • 배경: 찰스 1세의 전제 정치 → 의회가 (가) 을/를 국왕에게 제출 → 국왕의 승인 → 국왕의 의회 해산
> • 전개: 찰스 1세의 의회 소집 → 의회가 과세 요구 거부 → 왕당파와 의회파의 내전 발발
> • 결과: 의회파의 승리 → 찰스 1세 처형

① 국민 의회가 작성하였다.
② 자유와 평등, 국민 주권의 이념을 반영하였다.
③ 클레르몽 공의회에서 결정된 사항이 기록되었다.
④ 영국에서 내각 책임제가 시작되는 계기가 되었다.
⑤ 의회의 동의 없이 과세할 수 없다는 내용을 담았다.

05 다음에서 설명하는 인물이 펼친 정책으로 옳은 것은?

> 그가 이끄는 의회파는 찰스 1세를 처형한 뒤 공화정을 수립하였다. 청교도인 그는 호국경에 올라 청교도주의에 입각한 독재 정치를 실시하였다.

① 항해법을 제정하였다.
② 농노 해방령을 선포하였다.
③ 대륙 봉쇄령을 발표하였다.
④ 빈 회의의 개최를 주도하였다.
⑤ 공안 위원회와 혁명 재판소를 설치하였다.

06 자료를 활용한 탐구 주제로 가장 적절한 것은?

> 제1조 국왕이 의회의 동의 없이 법의 효력을 정지하거나 법의 집행을 정지하는 것은 위법이다.
> 제4조 국왕이 의회의 동의 없이 세금을 징수하는 것은 위법이다.
> 제6조 의회의 동의가 없는 한 평상시에 왕국 내에서 상비군을 징집, 유지하는 것은 위법이다.

① 빈 체제의 형성　② 명예혁명의 결과
③ 먼로 선언의 영향　④ 이탈리아 왕국의 성립
⑤ 중상주의 정책의 등장

C 미국 혁명

07 다음 사건의 배경으로 옳은 것은?

> 영국 군대와 북아메리카 식민지 민병대가 렉싱턴 근교에서 무력 충돌하였다.

① 링컨이 노예 해방을 선언하였다.
② 제3 신분이 정치 참여에 제한을 받았다.
③ 제임스 2세가 심사법과 인신 보호법을 폐지하였다.
④ 보수적인 질서를 유지하려는 빈 체제가 성립되었다.
⑤ 영국이 북아메리카 식민지에 인지세, 차세 등을 부과하였다.

출제가능성 90%

08 (가), (나) 사이 시기에 북아메리카 지역에서 일어난 일로 옳은 것은?

> (가) 식민지인들이 보스턴 차 사건을 일으켰다.
> (나) 북아메리카 13개 주가 연방 정부를 수립하였다.

① 대륙 횡단 철도가 개통되었다.
② 크롬웰이 항해법을 제정하였다.
③ 앤 여왕이 스코틀랜드를 병합하였다.
④ 식민지 대표들이 독립 선언문을 발표하였다.
⑤ 남부의 여러 주가 연방을 탈퇴하면서 남북 전쟁이 일어났다.

09 다음 헌법에 대한 설명으로 옳은 것은?

> 제1조 1절 이 헌법에 따라 부여된 모든 입법권은 미국 연방 의회에 속하며, 연방 의회는 상원과 하원으로 구성한다.
> 제2조 1절 행정권은 미국 대통령에게 속한다.
> 제3조 1절 미국 사법권은 연방 대법원 한 곳과 연방 의회가 수시로 설치하는 하급 법원에 속한다.

① 남북 전쟁의 결과 제정되었다.
② 하노버 왕조를 개창하는 근거가 되었다.
③ 연방주의와 삼권 분립에 기초하여 작성되었다.
④ 『유스티니아누스 법전』의 편찬을 뒷받침하였다.
⑤ 형식적으로 평민과 귀족의 동등한 권리를 규정하였다.

D 프랑스 혁명과 나폴레옹 시대

10 밑줄 친 '이 회의'로 옳은 것은?

> 프랑스의 루이 16세는 국가 재정이 악화되자 이를 해결하기 위해 <u>이 회의</u>를 소집하였다. 회의에서 제1 신분과 제2 신분은 관례대로 신분별 투표를 고집하고, 제3 신분은 머릿수 투표를 주장하며 서로 대립하였다.

① 민회 ② 삼부회 ③ 빈 회의
④ 대륙 회의 ⑤ 콘스탄츠 공의회

11 다음 선언이 발표된 이후의 일로 옳은 것은?

> 제1조 인간은 자유롭게 그리고 평등한 권리를 가지고 태어났다.
> 제2조 모든 정치적 결사의 목적은 자유, 재산, 안전 그리고 압제에 대한 저항이라는, 그 무엇도 침해할 수 없는 인간의 자연권을 보전하는 데 있다.
> 제3조 모든 주권의 원천은 본래 국민에게 있다. 어떤 단체나 개인도 국민으로부터 유래하지 않은 권리를 행사할 수 없다.

① 테니스코트의 서약이 이루어졌다.
② 제3 신분이 국민 의회를 결성하였다.
③ 베르사유 궁전의 건설이 시작되었다.
④ 바스티유 감옥 습격 사건이 일어났다.
⑤ 오스트리아·프로이센과의 혁명전쟁이 발발하였다.

12 다음에서 설명하는 세력의 활동으로 옳은 것은?

> • 프랑스 파리의 수도원을 본거지로 활동한 급진 공화파 세력이다.
> • 프랑스 혁명 당시 중소 시민의 이익을 대변하였고, 현실 위기를 해결하기 위해 통제 경제와 강력한 중앙 집권을 주장하였다.

① 위그노 전쟁을 일으켰다.
② 루이 16세를 처형하였다.
③ 자크리의 난에 가담하였다.
④ 인민헌장을 발표하고 서명 운동을 펼쳤다.
⑤ 농민 계몽을 위해 브나로드 운동을 전개하였다.

출제가능성 90%

13 지도의 원정 활동을 주도한 인물에 대한 설명으로 옳은 것은?

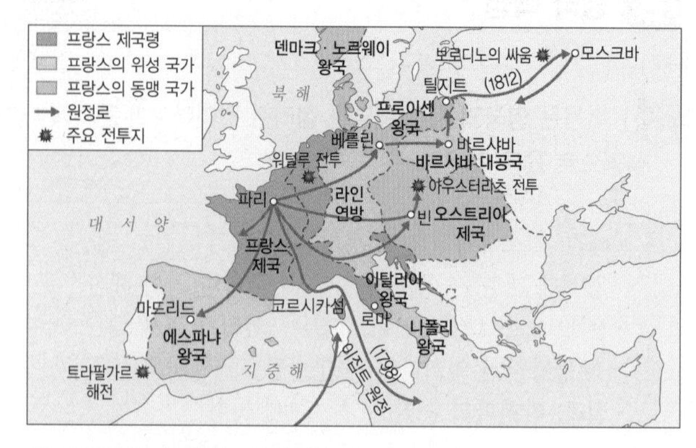

① 대륙 봉쇄령을 내렸다.
② 입법 의회를 조직하였다.
③ 테르미도르 반동으로 실각하였다.
④ 의회를 해산하고 호국경에 올랐다.
⑤ 예수회를 설립하여 가톨릭 교리를 보호하였다.

E 국민 국가의 형성

14 다음 풍자화가 묘사하는 회의의 영향으로 적절한 것은?

> 위 그림은 유럽 각국 대표들이 회의를 열어 각국의 지배권과 영토를 프랑스 혁명 이전으로 되돌리기 위해 지도를 다시 그리는 모습을 풍자하고 있다.

① 카노사의 굴욕이 일어났다.
② 비잔티움 제국이 멸망하였다.
③ 보스턴 차 사건이 발발하였다.
④ 루터가 「95개조 반박문」을 발표하였다.
⑤ 자유주의와 민족주의 운동이 탄압받았다.

15 자료를 활용한 탐구 활동으로 가장 적절한 것은?

> 정기 간행물의 발행 자유를 정지한다. …… 하원은 해산한다. …… 향후 의회에서 하원 의원의 수를 줄인다. …… 선거권과 피선거권은 오로지 정해진 납세액에 따라 결정된다.
>
> – 샤를 10세

① 인권 선언의 내용을 알아본다.
② 파리 코뮌의 구성을 살펴본다.
③ 루이 필리프 왕정의 성립 과정을 찾아본다.
④ 나폴레옹이 쿠데타를 일으킨 목적을 조사한다.
⑤ 메리와 윌리엄이 공동 왕으로 추대된 배경을 파악한다.

16 빈칸에 들어갈 내용으로 옳은 것은?

> 1848년 프랑스 파리에서 중하층 시민 계급과 노동자들이 선거권 확대를 요구하면서 2월 혁명을 일으켰다. 2월 혁명의 영향으로 ______________

① 벨기에가 독립하였다.
② 부르봉 왕실이 부활하였다.
③ 빈 체제가 사실상 끝나게 되었다.
④ 비스마르크가 철혈 정책을 시행하였다.
⑤ 열강의 지원으로 그리스가 독립을 달성하였다.

17 다음의 통일 운동을 통해 탄생한 국가를 지도에서 고른 것은?

> 카보우르가 오스트리아를 격파하여 중북부 지역을 통일하였고, 가리발디가 남부 지역을 점령하여 사르데냐 국왕에게 바쳤다.

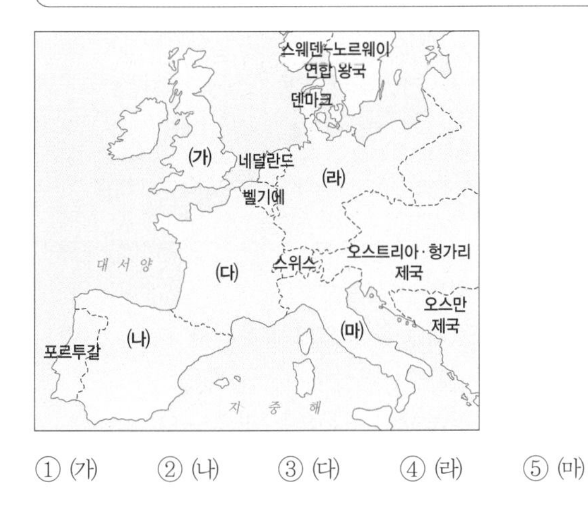

① (가) ② (나) ③ (다) ④ (라) ⑤ (마)

출제가능성 90%

18 밑줄 친 '제국'에 대한 설명으로 옳은 것은?

> 이 그림은 빌헬름 1세가 프랑스와의 전쟁에서 승리한 직후 베르사유 궁전에서 황제로 즉위하며 통일된 제국의 수립을 선포하는 장면을 그린 것이다.

① 프로이센의 주도로 수립되었다.
② 가리발디의 의용군에게 점령되었다.
③ 네덜란드 북부 7주의 독립으로 쇠퇴하였다.
④ 상퀼로트의 봉기로 왕권이 정지되기도 하였다.
⑤ 스웨덴과 북방 전쟁을 벌여 발트해로 진출하였다.

19 다음 선언에 대한 설명으로 옳은 것은?

> 현재 미국에 대하여 반란 상태에 있는 주의 노예들은 1863년 1월 1일 이후부터 영원히 자유의 몸이 될 것이다. …… 자유가 선언된 노예들에게 …… 적합한 임금을 벌기 위하여 성실히 노동할 것을 권유한다.

① 남북 전쟁 중에 발표되었다.
② 카르보나리당이 등장하는 계기가 되었다.
③ 브나로드 운동이 전개되는 데 영향을 주었다.
④ 북아메리카 13개 주 식민지의 독립을 인정하였다.
⑤ 유럽의 아메리카에 대한 불간섭 원칙을 포함하였다.

20 러시아에서 다음의 조치가 발표된 시기를 연표에서 고른 것은?

> 귀족은 농노의 인신에 대한 권리를 자발적으로 포기하였다. …… 농민은 일정 기간 법에 따라 자유 경작인의 모든 권리를 부여받을 것이다. …… 지주에 대한 의무에서 해방되어 자유 농민(토지 소유자)으로 편입된다.

네르친스크 조약 체결	(가)	예카테리나 2세 즉위	(나)	데카브리스트의 봉기	(다)	크림 전쟁 발발	(라)	브나로드 운동 시작	(마)	알렉산드르 2세 암살

① (가) ② (나) ③ (다) ④ (라) ⑤ (마)

2018 수능 응용

01 다음 글에 대한 설명으로 옳은 것은?

> 나는 『천체의 회전에 관하여』를 발표한 천문학자의 이론이 옳다고 생각한다. 여기에 케플러 선생의 견해까지 더해진다면 더욱 탄탄한 이론이 된다. 그의 주장을 반박하는 자들이 많은 글을 썼지만 제대로 된 논리를 펴지 못하고 있다. 내가 제작한 망원경으로 천체를 관측한 결과도 이 이론이 옳음을 입증하고 있다.

① 절대 왕정을 이론적으로 정당화하였다.
② 스콜라 철학이 등장하는 배경이 되었다.
③ 기계론적 우주관의 확립과 맥락을 같이 하였다.
④ 토머스 모어의 『유토피아』가 편찬되는 계기가 되었다.
⑤ 르네상스가 알프스 이북 지역으로 확산되는 데 기여하였다.

02 다음 주장에 대한 설명으로 옳은 것을 〈보기〉에서 고른 것은?

> 정치권력이 존재하지 않는 자연 상태에서 인간은 …… 서로 싸우는 전쟁 상태에 있다. …… (이를) 벗어나기 위해 강력한 정부가 요구되므로, 인간은 개인행동의 자유를 지배자의 손에 맡기기 위한 일종의 합의나 계약을 하게 된다. 그러나 이 경우 지배자에게 무제한의 절대적 권력을 줘야 한다. 그렇지 않으면 …… 사회는 또다시 '만인의 만인에 대한 투쟁'인 자연 상태로 돌아가기 때문이다.
> – 『리바이어던』

보기
ㄱ. 자연법사상에 바탕을 둔 이론이다.
ㄴ. 스토아학파가 등장하는 근거가 되었다.
ㄷ. 정부의 존립 필요성을 사회 계약으로 설명하였다.
ㄹ. 베이컨과 데카르트의 연구 방법론에 영향을 끼쳤다.

① ㄱ, ㄴ ② ㄱ, ㄷ ③ ㄴ, ㄷ
④ ㄴ, ㄹ ⑤ ㄷ, ㄹ

03 지도와 같이 전개된 혁명에 대한 설명으로 옳은 것은?

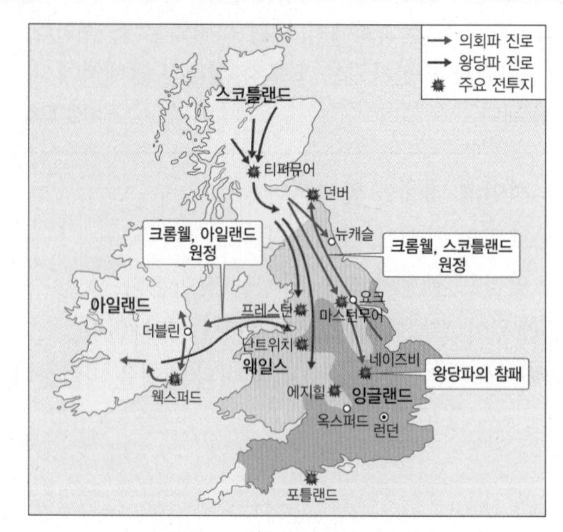

① 권리 장전의 승인을 계기로 일어났다.
② 영국 국교회가 확립되는 데 영향을 주었다.
③ 제임스 2세의 전제 정치를 원인으로 시작되었다.
④ 영국에서 젠트리 계층이 등장하는 배경이 되었다.
⑤ 찰스 1세가 처형되고 공화정이 수립되는 결과를 가져왔다.

04 (가)에 들어갈 수 있는 장면으로 가장 적절한 것은?

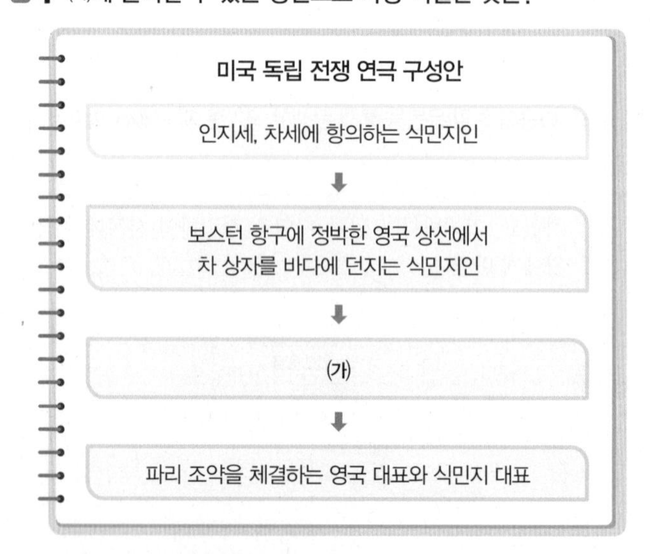

① 왕궁을 습격하는 상퀼로트
② 테르미도르 반동을 일으키는 온건파
③ 대륙 횡단 철도를 건설하는 노동자들
④ 요크타운 전투에서 항복하는 영국 군인
⑤ 링컨의 대통령 당선에 반대하는 남부의 주민

05 밑줄 친 '이 사건'의 전개 과정에서 있었던 일로 옳은 것은?

토마스 페인이 저술한 『인간의 권리』라는 책을 읽어본 적 있니? 그 책을 보면 이 사건에 대해 언급한 부분이 있어.

응, 바스티유 감옥이 함락되고 40여 일이 지난 후 자유와 평등, 국민 주권, 재산권 보호 등의 혁명 이념을 담은 선언이 발표된 사실이 쓰여 있어.

① 메르센 조약이 체결되었다.
② 국민 공회가 공화정을 선포하였다.
③ 베르사유 궁전의 건설이 시작되었다.
④ 콜베르가 재무 장관으로 등용되었다.
⑤ 디드로와 달랑베르가 『백과전서』를 출판하였다.

06 다음은 시간의 흐름에 따라 세계사를 기술한 책이다. 찢어진 부분에 들어갈 내용으로 가장 적절한 것은?

유럽 각국 대표들은 오스트리아의 재상 메테르니히의 주도로 빈 회의를 열었다. 이 회의에서는 유럽 각국의 지배권과 영토를 프랑스 혁명 이전으로 되돌리자고 결정하였다.

프랑스 2월 혁명의 영향으로 오스트리아에서 메테르니히가 권력을 상실하고 유럽 각국에서 자유주의와 민족주의 운동이 일어나면서 빈 체제가 사실상 끝나게 되었다.

① 미국에서 남북 전쟁이 발발하였다.
② 남북이 통일된 이탈리아 왕국이 탄생하였다.
③ 프랑스에서 루이 필리프가 왕으로 추대되었다.
④ 나폴레옹이 쿠데타를 일으켜 제1 통령에 올랐다.
⑤ 프로이센의 빌헬름 1세가 독일 제국의 수립을 선포하였다.

최고난도

07 다음은 영국의 선거법 개정 과정을 정리한 표이다. 이러한 변화의 과정에서 있었던 일로 옳은 것은?

구분	연도	확대된 유권자	유권자 비율
제1차	1832	산업 자본가	5%
제2차	1867	소시민, 도시 노동자	9%
제3차	1884	농민, 광산 노동자	19%
제4차	1918	만 21세 이상 남자, 만 30세 이상 여자	46%
제5차	1928	만 21세 이상 남녀	62%
제6차	1969	만 18세 이상 남녀	71%

① 수장법이 반포되었다.
② 심사법이 제정되었다.
③ 인민헌장이 발표되었다.
④ 베스트팔렌 조약이 체결되었다.
⑤ 권리 청원이 국왕에게 제출되었다.

서술형 문제

08 다음을 읽고 물음에 답하시오.

모든 인간은 평등하게 태어났고, 창조주는 양도할 수 없는 일정한 권리를 인간에게 부여하였으며, 거기에는 생명권과 자유권 및 행복 추구권이 포함되어 있다. 그리고 이러한 권리를 보장하기 위해 인간은 정부를 만들었으며, 정부의 정당한 권력은 통치를 받는 사람들의 동의로부터 나온다. 어떤 형태의 정부라도 이러한 목적을 훼손하는 경우에는 언제나 정부를 변경하거나 폐기하여 …… 새로운 정부를 수립할 수 있는 권리가 국민에게 있다.

(1) 밑줄 친 부분의 바탕에 깔린 정치 이론을 쓰시오.

(2) 위 선언문에 담긴 민주주의의 원리를 서술하시오.

06 산업 혁명과 산업 사회의 형성

★ 표시는 시험 전에 확인해 주세요.

A 산업 혁명의 전개

1. 산업 혁명의 의미와 배경

(1) 의미: 18세기 후반 기계의 발명과 기술 혁신으로 일어난 산업상의 대변혁

(2) 배경: 신항로 개척 이후 유럽에서 상업 혁명으로 경제 발전 → 선대제와 매뉴팩처(공장제 수공업) 발달 → 생산 증가, 자본주의 발달

- 선대제: 상인 자본가가 수공업자에게 원료, 생산 도구, 임금을 주고 상품을 생산하게 한 방식이다.

★ 2. 산업 혁명의 전개와 확산

(1) 영국에서 시작된 산업 혁명

배경	모직물 공업 발달로 자본 축적, 인구 증가와 식민지 확보로 국내외 시장 확대, 석탄·철 등 지하자원 풍부, 2차 인클로저 운동으로 풍부한 노동력 확보, 시민 혁명 이후 정치적 안정
전개	면직물 공업 발달, 면직물 수요 증대 → 방적기와 방직기 발명 → 1780년대 제임스 와트가 개량한 증기 기관을 동력으로 사용 → 면직물 생산 증가 → 공장제 기계 공업 확산

- 2차 인클로저 운동: 18세기 곡물 수요가 증가하자 대지주들이 토지를 매입, 합병하여 사유지로 만들었다.

(2) 교통과 통신의 발달: 시장 확대, 세계 교역량 증가

교통	영국 스티븐슨의 증기 기관차 제작, 미국 풀턴의 증기선 실용화, 운하와 철도 건설
통신	모스의 유선 전신 발명, 마르코니의 무선 전신 발명, 전화 등장

(3) 산업 혁명의 확산: 19세기부터 '벨기에·프랑스 → 독일·미국 → 러시아·일본'으로 확산

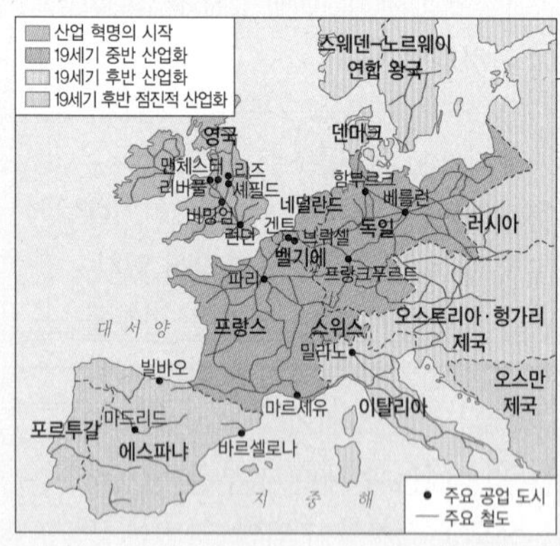

⊖ 유럽의 산업화

- 벨기에는 광업, 프랑스는 섬유 공업을 중심으로 산업화를 추진하였다. 독일은 정부 주도로 중화학 공업에서 산업화를 이루었고, 러시아는 시베리아 횡단 철도를 부설하여 산업화를 꾀하였다.

B 산업 혁명의 영향

1. 사회 구조의 변화

(1) 산업 사회 형성: 공장제 기계 공업 및 교통 발달 → 산업 사회 형성, 자본주의 경제 체제 확립

(2) 도시화 진전: 대규모 공장이 들어선 지역을 중심으로 도시 성장, 도시 인구 증가

(3) 새로운 계급 출현: 산업 자본가와 노동자 형성 → 산업 자본가가 경제력에 기반하여 지배 계급으로 성장

2. 사회 문제의 발생

(1) 노동 문제: 열악한 작업 환경, 저임금·장시간 노동 문제, 여성과 아동의 노동 문제 등 대두

(2) 도시 문제: 환경 오염, 주택 부족, 교통 혼잡, 상하수도 미비, 불결한 위생(→ 전염병 유행), 각종 범죄 발생 등

★ 3. 노동 운동과 사회주의의 등장

(1) 노동 운동

노동 운동	노동자들이 기계 파괴 운동(러다이트 운동) 전개, 노동조합 결성(→ 임금 인상, 노동 조건 개선 요구), 참정권 요구 운동 전개(프랑스의 2월 혁명, 영국의 차티스트 운동 등)
정부의 대응	• 영국: 공장법 제정(장시간 노동 제한, 여성·아동 노동자 보호) • 유럽과 미국: 노동조합 합법화, 노동자들에게 경제적 혜택 부여

(2) 사회주의의 등장

배경	산업 혁명 이후 빈부 격차 심화, 노동 문제 발생 → 자본주의 체제에 대한 비판 제기
내용	• 초기 사회주의: 푸리에·생시몽·오언 등이 산업 사회의 경쟁 체제와 빈부 격차 비판, 협동을 통한 이상적인 공동체 구상 • '과학적 사회주의': 마르크스와 엥겔스가 자본주의 체제의 운동 법칙을 과학적으로 해명 시도 → 노동자들의 단결과 자본가와 노동자 간의 계급 투쟁 강조, 평등한 공산주의 사회 도래 주장
영향	노동자 정당과 사회주의 정당 출현 → 노동자의 권리 확보를 위해 노력

C 19세기의 문화

1. 사상과 예술의 발달

- 공리주의: 어떤 행위의 옳고 그름은 인간의 이익과 행복에 얼마나 기여하였는가에 따라 결정된다고 보는 사상이다.

사상	• 공리주의: 벤담('최대 다수의 최대 행복' 주장)과 밀 등이 제시 → 영국의 자유주의 개혁에 영향을 줌 • 고전 경제학: 애덤 스미스의 자유방임 사상이 리카도·맬서스를 거쳐 고전 경제학으로 발전 • 관념론 철학: 칸트와 피히테를 거쳐 헤겔이 완성 • 실증주의: 콩트가 제창 → 사회학 창시
예술	• 19세기 전반: 인간의 감정을 중시하는 낭만주의 유행 • 19세기 후반: 현실을 있는 그대로 묘사한 사실주의와 자연주의 유행, 인상파 등장, 국민 음악 발달(민족주의의 영향을 받음)

- 자유방임 사상: 시장에서 생산자가 자유롭게 질서를 잡고 이윤을 추구해야 한다고 주장한 사상이다.

2. 자연 과학의 발달

(1) 생물학: 다윈이 『종의 기원』에서 진화론 주장

(2) 물리학과 화학: 뢴트겐의 X선 발견, 퀴리 부부의 라듐 발견 등

(3) 실용적 발명: 에디슨의 전구와 축음기 발명, 패러데이의 발전기 발명 등

1단계 개념 짚어 보기

01 18세기 후반 기계의 발명과 기술 혁신으로 일어난 산업상의 대변혁을 일컫는 말은?

02 상인 자본가가 수공업자에게 원료와 생산 도구, 임금을 주고 상품을 생산하게 하는 방식은?

03 18세기 후반 (　　　　)에서는 모직물 공업의 발달에 따른 자본 축적과 풍부한 노동력 및 지하자원을 바탕으로 산업 혁명이 시작되었다.

04 다음은 산업 혁명 시기 교통·통신의 발달을 정리한 표이다. ㉠, ㉡에 들어갈 인물을 각각 쓰시오.

구분	내용
교통	영국 스티븐슨의 증기 기관차 제작, 미국 (㉠　　　　)의 증기선 실용화, 운하와 철도 건설
통신	(㉡　　　　)의 유선 전신 발명, 마르코니의 무선 전신 발명, 전화 등장

05 다음 설명이 맞으면 ○표, 틀리면 ×표를 하시오.

(1) 영국에서는 1780년대 오언이 개량한 증기 기관을 새로운 동력으로 사용하였다. (　　)

(2) 산업 혁명의 영향으로 산업 사회가 형성되면서 산업 자본가와 노동자 계급이 형성되었다. (　　)

06 자본주의 체제를 비판하며 자본가와 노동자 간의 계급 투쟁을 통해 평등한 공산주의 사회를 만들 것을 주장한 사상은?

07 19세기 영국의 벤담은 '최대 다수의 최대 행복'을 강조하며 (　　　　)를 주장하였다.

08 19세기 전반 예술에서는 계몽사상을 비판하면서 인간의 감정을 중시하는 (　　　　)가 유행하였다.

2단계 내신 다지기

정답과 해설 28쪽

A 산업 혁명의 전개

출제가능성 90%

01 빈칸에 들어갈 내용으로 옳은 것은?

> 영국에서는 1780년대 제임스 와트가 개량한 증기 기관이 새로운 동력으로 사용되면서 값싼 면직물 생산이 증가하였다. 이에 따라 ______________________

① 중상주의가 출현하였다.
② 신항로 개척이 시작되었다.
③ 2차 인클로저 운동이 일어났다.
④ 공장제 기계 공업이 확산되었다.
⑤ 대서양 삼각 무역이 전개되었다.

02 밑줄 친 부분에 해당하는 사례로 적절하지 않은 것은?

> 19세기에 이루어진 교통·통신 혁명으로 산업화가 전 세계로 급속히 퍼져 나갔다.

① 풀턴이 증기선을 실용화하였다.
② 모스가 유선 전신을 발명하였다.
③ 원거리 항해에 나침반이 사용되었다.
④ 마르코니가 무선 전신을 발명하였다.
⑤ 스티븐슨이 증기 기관차를 제작하였다.

03 (가)~(마) 국가의 산업화에 대한 설명으로 옳지 않은 것은?

① (가) – 면직물을 대량 생산하였다.
② (나) – 섬유 공업이 발달하였다.
③ (다) – 광업을 중심으로 산업화를 이루었다.
④ (라) – 국가 주도로 중화학 공업을 육성하였다.
⑤ (마) – 시베리아 횡단 철도를 부설하였다.

B 산업 혁명의 영향

04 자료를 활용한 탐구 주제로 가장 적절한 것은?

> • 공장주들은 보통 8~9세의 어린이들을 고용하고 있다. 노동 시간은 식사 시간과 휴식 시간을 제외하고 14~16시간에 이른다. -「공장 조사 위원회 보고서」
> • 온갖 쓰레기와 오물이 길 위에 버려져 썩고 있으며, …… 주거 환경은 열악하고 지저분할 수밖에 없으며, 질병이 발생하게 되면 전체 주민의 건강이 위협받게 된다. -「하더스필드 공장 지대 조사 보고서」

① 차티스트 운동의 원인
② 브나로드 운동 세력의 활동
③ 2차 인클로저 운동의 전개 배경
④ 러시아 농노 해방령의 반포 결과
⑤ 산업 혁명 시기의 여러 사회 문제

05 다음에서 설명하는 노동 운동을 쓰시오.

> 산업 혁명 시기 일부 노동자들은 실업 증가, 저임금, 물가 상승 등의 사회 문제가 기계 탓이라고 여겨 공장의 기계를 부수었다.

06 영국에서 제정된 (가) 법률로 옳은 것은?

> • 갑: 유럽에서는 19세기에 산업화에 따른 폐해를 극복하기 위해 노동자들이 노동조합을 결성하고, 이를 합법화하기 위한 운동을 벌였어.
> • 을: 각국 정부는 노동자들의 요구를 받아들여 다양한 해결책을 모색하였어. 영국의 경우 (가) 이/가 제정되어 장시간 노동을 제한하고 여성과 아동을 보호하기도 하였지.

① 곡물법　② 공장법　③ 심사법
④ 항해법　⑤ 인신 보호법

출제가능성 90%

07 밑줄 친 '이 사상'에 대한 설명으로 옳지 않은 것은?

> 이 사상은 자본주의적 변화, 즉 시장 원리에 따라 가진 자들이 이익을 얻는 자유방임 경제 체제에 반대하는 사상을 뜻한다. 이 사상을 주장한 사람들은 사유 재산제를 비판하였고, 공장을 비롯한 생산 수단을 사회 공동의 소유로 만들 것을 강조하였다. 대표적인 사상가로 생시몽, 푸리에, 마르크스, 엥겔스 등이 있다.

① '최대 다수의 최대 행복'을 주장하였다.
② 노동자들의 권리 확보를 위한 활동에 영향을 주었다.
③ 초기 사상가들은 협동을 통한 이상적인 공동체를 구상하였다.
④ 마르크스와 엥겔스는 자본가와 노동자 사이의 계급 투쟁을 강조하였다.
⑤ 산업 혁명 이후 빈부 격차가 심화되고 노동 문제가 발생하자 대두하였다.

C 19세기의 문화

08 다음 작품이 나온 시기의 유럽 문화에 대한 설명으로 옳은 것을 〈보기〉에서 고른 것은?

돌 깨는 사람들(쿠르베) 사실주의를 대표하는 작품으로 힘든 노동 현실을 묘사하였다.

해돋이(모네) 인상주의의 대표적인 작품으로 해가 뜨는 순간의 항구를 그렸다.

> 보기
> ㄱ. 에라스뮈스가 『우신예찬』을 저술하였다.
> ㄴ. 독일에서 헤겔이 관념론 철학을 완성하였다.
> ㄷ. 호화롭고 웅장한 바로크 양식이 유행하였다.
> ㄹ. 다윈이 『종의 기원』에서 진화론을 주장하였다.

① ㄱ, ㄴ　② ㄱ, ㄷ　③ ㄴ, ㄷ
④ ㄴ, ㄹ　⑤ ㄷ, ㄹ

3단계 등급 올리기

정답과 해설 29쪽

2018 수능 응용

01 빈칸에 들어갈 내용으로 옳지 않은 것은?

- 갑: 선생님께서 세계사 과제로 영국의 산업 혁명에 대해 조사하라고 하셨는데, 어떤 내용을 조사했니?
- 을: 영국의 석탄 생산지와 철 생산지의 분포 현황을 검색하였어.
- 병: 애덤 스미스의 사상이 산업 혁명기 고전 경제학의 발달에 미친 영향을 찾아보았어.
- 정: ______________________

① 2차 인클로저 운동의 결과를 분석하였어.
② 방직기, 방적기의 발명과 개량 과정을 조사하였어.
③ 스티븐슨이 만든 증기 기관차의 작동 원리를 살펴보았어.
④ 시베리아 횡단 철도의 부설이 산업화에 기여한 점을 알아보았어.
⑤ 제임스 와트가 개량한 증기 기관의 사진을 찾아보고 그 영향을 검색하였어.

최고난도

02 다음 보고서가 제출된 시기 유럽에서 볼 수 있었던 모습으로 적절하지 않은 것은?

- 질문: 몇 살 때 공장 일을 시작하였나요?
- 답변: 6세 때입니다.
- 질문: 작업 시간은 몇 시부터 몇 시까지였습니까?
- 답변: 일이 밀릴 때는 새벽 다섯 시부터 저녁 아홉 시까지 일하였습니다.
- 질문: 일을 잘못 하거나 늦을 때 어떤 일을 당했습니까?
- 답변: 혁대로 맞았습니다.

– 웨슬리 캠프, 「의회 보고서」

① 유선 전신을 이용하고 있는 여성
② 러다이트 운동을 벌이는 노동자들
③ 증기 기관차를 타고 여행을 떠나는 남성
④ 마르크스의 사회주의 사상에 동조하는 지식인
⑤ 찰스 1세에게 권리 청원을 제출하는 영국 의회의 의원들

03 검색창에 추가로 검색될 수 있는 내용으로 적절한 것은?

- 출생~사망: 1818~1883년
- 출생지: 독일
- 주요 주장: 노동자들이 단결하여 자본가 계급을 타도하고 정치권력을 획득해야 한다고 주장하였다.

① 관념론 철학을 완성하였다.
② 협동과 공동체를 강조하였다.
③ '과학적 사회주의'를 제시하였다.
④ 자본주의의 사유 재산제를 옹호하였다.
⑤ 노동자들의 정치적 권리를 확대하려는 차티스트 운동을 벌였다.

서술형 문제

04 다음을 읽고 물음에 답하시오.

그곳은 기계와 높은 굴뚝의 도시(영국 북부 공업 도시 코크타운)였다. 그 굴뚝으로부터는 끝없이 뱀 같은 연기가 영원히 계속해서 결코 그 똬리를 풀지 않은 채 뿜어져 나왔다. 그 도시는 그 안에 검정색 운하와 더러운 냄새가 나는 염료로 자줏빛으로 흐르는 강과 온종일 덜커덩거리고 떨려대는 창문으로 가득 찬 많은 건물 더미가 있었다.

– 디킨스, 『어려운 시절』

(1) 위에 묘사된 것과 같이 인류 생활에 큰 변화를 초래한 역사적 사건을 쓰시오.

(2) (1)이 미친 긍정적인 영향과 부정적인 영향을 각각 서술하시오.

제국주의 열강의 침략과 동아시아의 민족 운동

A 제국주의의 등장과 제국주의 열강의 세계 분할

1. 제국주의

(1) 의미: 19세기 후반 서양 열강이 우월한 경제력과 군사력을 앞세워 약소국을 식민지로 삼은 대외 팽창 정책

(2) 등장 배경

독점 자본주의 발달	19세기 후반 소수의 거대 기업이 시장 독점 → 값싼 원료의 공급지, 상품 판매 시장, 잉여 자본의 투자처 필요
침략적 민족주의 대두	국가의 대외 팽창을 국내 문제를 해결하고 국가의 위신을 높이는 수단으로 인식
사회 진화론 등장	다윈의 진화론을 사회에 적용, 우월한 국가가 열등한 국가를 지배하는 것이 당연하다는 이론 등장
인종주의 확산	백인종이 다른 인종보다 우월하다는 주장 확산

2. 제국주의 열강의 아시아·태평양 분할

영국	• 인도: 17세기 초 동인도 회사를 앞세워 인도에 진출 → 플라시 전투(1757)에서 프랑스에 승리 → 19세기 중엽 인도의 대부분 지역 지배, 목화 재배 강요 • 동남아시아: 미얀마 점령 후 인도에 병합, 싱가포르·말레이 반도·보르네오 북부 등을 차지하여 말레이 연방 수립(1895), 네팔과 아프가니스탄까지 세력 확대 • 태평양: 오스트레일리아와 뉴질랜드를 자치령으로 삼음
프랑스	청을 물리치고 베트남 지배권 장악 → 베트남, 캄보디아, 라오스 일대에 프랑스령 인도차이나 연방 조직(1887)
네덜란드	• 17세기: 동인도 회사를 앞세워 인도네시아에 진출 • 18세기 이후: 자와섬 차지, 수마트라섬과 보르네오섬 점령 후 네덜란드령 동인도 건설(1904)
미국	에스파냐와의 전쟁에서 승리 → 필리핀 식민지화(1898), 쿠바를 보호국으로 삼음, 괌과 하와이 차지
독일	비스마르크 제도와 마셜 제도 점령

네덜란드는 자와섬에서 고무, 사탕수수 등을 강제로 재배하는 플랜테이션을 통해 원주민을 착취하였다.

★ 3. 제국주의 열강의 아프리카 분할

(1) 배경: 19세기 리빙스턴, 스탠리 등 탐험가들의 활동으로 아프리카의 막대한 지하자원과 시장 잠재력 확인 → 베를린 회의로 아프리카 분할 본격화

(2) 전개

영국은 카이로·케이프타운·콜카타를 잇는 3C 정책을, 독일은 베를린·바그다드·이스탄불(비잔티움)을 잇는 3B 정책을 추진하였다.

영국	아프리카 종단 정책 추진(이집트 카이로~남쪽의 케이프타운 연결) → 파쇼다에서 프랑스와 충돌(파쇼다 사건, 1898)
프랑스	아프리카 횡단 정책 추진(서아프리카 지역~마다가스카르 연결) → 모로코에서 독일과 두 차례 대립(모로코 사건)
독일	카메룬·토고 차지, 동아프리카로 진출
벨기에	콩고를 사유지로 삼음 → 베를린 회의 개최에 영향을 줌

(3) 결과: 20세기 초 에티오피아와 라이베리아를 제외한 아프리카 전 지역이 제국주의 열강의 식민지가 됨

B 중국의 민족 운동

1. 중국의 개항과 태평천국 운동

(1) 아편 전쟁과 청의 개항

18세기 이후 청과의 공행 무역에서 차, 비단의 수입 증가로 영국의 무역 적자가 심해졌다.

제1차 아편 전쟁 (1840~1842)	영국이 무역 적자를 만회하기 위해 청에 인도산 아편 수출(삼각 무역 전개) → 청 정부의 아편 무역 단속 → 영국의 청 공격(1840) → 청 패배 → 난징 조약 체결(공행 폐지, 5개 항구 개항, 홍콩 할양 등)
제2차 아편 전쟁 (1856~1860)	영국의 무역 적자 지속 → 애로호 사건 발생 → 영프 연합군의 청 공격(1856) → 청 패배 → 톈진 조약(10개 항구 추가 개항, 크리스트교 포교 자유 및 외국 공사의 베이징 주재 허용)·베이징 조약(톈진 추가 개항, 영국에 주룽반도 일부 할양, 러시아에 연해주 할양) 체결

난징 조약

- 영국 국민은 광저우, 아모이, 푸저우, 닝보, 상하이에 거주할 수 있으며, 박해나 구속을 받지 않고 상업할 수 있다. → 5개 항구 개항
- 청은 영국에 홍콩을 양도하고, 영국은 적당하다고 인정하는 법률로써 통치한다. → 홍콩 할양
- 공행하고만 거래하는 것을 폐지한다. → 공행 폐지

(2) 태평천국 운동(1851~1864)

배경	아편 전쟁 이후 청의 권위 추락, 배상금 지불로 농민의 조세 부담 가중 → 반청 감정 고조
전개	홍수전이 크리스트교를 바탕으로 상제회 조직 → 멸만흥한을 내세우며 거병 → 태평천국 건설, 천조 전무 제도 발표
결과	한족 관료와 신사층이 조직한 향용의 반격, 서양 열강의 공격, 내부 분열로 실패

만주족을 몰아내고 한족의 국가를 세우자는 뜻이다.

태평천국군은 천조 전무 제도에 의한 토지 균분과 남녀평등, 변발·전족 금지, 신분제 폐지 등을 주장하였다.

★ 2. 중국의 근대화 운동

(1) 양무운동(1861~1895)

배경	태평천국 운동 진압 과정에서 서양 과학 기술의 우수성 체감
주도	증국번, 이홍장 등 한인 신사층
내용	중체서용을 바탕으로 부국강병 추구 → 군수 공장 건설, 서양식 육군·해군 창설, 근대식 회사 및 신식 학교 설립, 유학생 파견 등
결과	중앙 정부의 체계적인 계획 부족, 기업 활동에 대한 정부의 간섭 심화 → 청일 전쟁(1894~1895)의 패배로 한계를 드러냄

중국의 전통적인 체제를 유지하고, 서양의 기술만을 도입하여 부국강병을 이루자는 주장이다.

(2) 변법자강 운동(1898)

배경	청일 전쟁의 패배로 양무운동의 한계 인식, 열강의 이권 침탈 심화
주도	캉유웨이, 량치차오 등 개혁적 성향의 지식인
내용	일본의 메이지 유신을 모델로 한 제도 개혁 주장 → 입헌 군주제 도입, 과거제 개혁, 신교육 실시, 상공업 육성, 신식 군대 양성 등 근대적 개혁 추진(무술개혁)
결과	서태후, 위안스카이 등 보수파의 반발(무술정변)로 실패

★ 표시는 시험 전에 확인해 주세요.

(3) 의화단 운동(1899~1901)

배경	열강의 이권 침탈 심화, 크리스트교에 대한 중국인의 배외 감정 고조
전개	의화단이 산둥에서 봉기, 부청멸양 주장, 교회·철도 파괴, 베이징의 외국 공관 습격 → 8개국 연합군의 진압, 베이징 점령
결과	신축조약(베이징 의정서, 1901) 체결(외국 군대의 베이징 주둔 허용, 배상금 지불)

• 부청멸양: 청을 도와 서양 세력을 멸하자는 주장이다.

(4) 신해혁명(1911)

배경	의화단 운동 이후 청 정부의 근대화 정책 추진(광서신정) → 성과 미흡 → 청 왕조를 몰아내려는 혁명 사상 확산 → 쑨원이 도쿄에서 중국 동맹회 결성(1905), 삼민주의 주장
전개	청 정부의 철도 국유화 시도 → 철도 국유화 반대 운동 전개 → 우창에서 신군 봉기 → 각 성의 독립 선언
결과	쑨원을 임시 대총통으로 하는 중화민국 수립(1912) → 위안스카이가 혁명파와 타협, 청 멸망 → 위안스카이의 혁명파 탄압 및 황제 즉위 시도, 실패 → 각지에서 군벌 세력 난립

• 삼민주의: 쑨원이 1905년 『민보』에 발표한 것으로 민족주의, 민권주의, 민생주의를 의미한다.

C 일본·조선의 개항과 근대화 운동

★ 1. 일본의 근대화와 제국주의 침략

(1) 개항: 미국 페리 제독의 개항 강요 → 미일 화친 조약 체결(1854) → 미일 수호 통상 조약 체결(1858)

• 미일 화친 조약: 최혜국 대우를 인정하였다.
• 미일 수호 통상 조약: 영사 재판권(치외 법권)을 인정하였다.

(2) 메이지 유신(1868)

배경	개항 이후 막부의 권위 추락, 경제 악화 → 하급 무사들을 중심으로 존왕양이 운동 전개 → 사쓰마 번과 조슈 번이 중심이 되어 막부 타도 운동 전개 → 왕정복고 선언
개혁 정책	• 정치: 에도를 도쿄로 고쳐 수도로 삼음, 폐번치현 단행 • 경제: 근대적 토지·조세 제도 확립, 상공업 육성, 철도 부설 • 사회: 신분제 폐지, 서양식 교육 제도와 의무 교육 도입, 미국·유럽에 유학생과 사절단 파견(이와쿠라 사절단 등) • 군사: 징병제 실시(근대적 군대 육성)

• 폐번치현: 봉건제의 폐지를 가리킨다.

(3) 입헌 군주국 성립: 자유 민권 운동 전개 → 메이지 정부의 탄압 → 일본 제국 헌법 공포(1889), 의회 개설(1890)

(4) 제국주의 침략: 정한론 대두, 타이완 침공, 류큐 합병

청일 전쟁	일본이 조선의 지배권을 두고 청과 전쟁하여 승리 → 시모노세키 조약 체결(일본이 랴오둥반도, 타이완을 할양받음) → 삼국 간섭으로 랴오둥반도 반환
러일 전쟁	만주와 한반도에서 러시아의 영향력 확대 → 일본이 영일 동맹 체결 후 러시아 선제공격, 승리 → 포츠머스 조약 체결(일본이 한반도와 만주에서 이권을 인정받음)

• 일본 제국 헌법: 국민의 권리는 제한적으로 인정하고, 천황에게 절대적인 권한을 부여하였다.

2. 조선의 근대화와 시련: 일본과 강화도 조약 체결(1876) → 갑신정변 발발, 동학 농민 운동 전개, 갑오개혁 추진, 광무개혁 실시 → 을사늑약 체결(1905) → 국권 피탈(1910)

• 국권 피탈: 일본이 대한 제국을 강제로 병합하여 식민지로 삼았다.

1단계 개념 짚어 보기

정답과 해설 30쪽

01 다윈의 진화론을 인간 사회에 적용한 (   )은 제국주의를 옹호하는 사상적 기반이 되었다.

02 다음 설명이 맞으면 ○표, 틀리면 ×표를 하시오.

(1) 프랑스는 아프리카를 남북으로 연결하는 종단 정책을 추진하였다. (   )

(2) 네덜란드는 인도네시아에 진출한 뒤 네덜란드령 동인도를 건설하였다. (   )

(3) 독일은 태평양에 진출하여 비스마르크 제도와 마셜 제도를 점령하였다. (   )

03 제1차 아편 전쟁의 결과 청과 영국이 체결하였으며, 청의 5개 항구 개항과 공행 폐지 등을 명시한 조약은?

04 다음에서 설명하는 중국의 민족 운동을 <보기>에서 골라 기호를 쓰시오.

보기: ㄱ. 양무운동　ㄴ. 변법자강 운동　ㄷ. 태평천국 운동

(1) 멸만흥한의 구호를 내세웠다. (   )

(2) 중체서용의 논리를 바탕으로 추진되었다. (   )

(3) 메이지 유신을 모델로 근대적 개혁을 추구하였다. (   )

05 신해혁명의 결과 쑨원을 임시 대총통으로 하는 (   )이 수립되었다.

06 미국 페리 제독의 개항 요구에 굴복하여 일본이 1854년에 미국과 체결한 조약은?

07 1868년 메이지 정부는 (   )을 단행하여 봉건제를 폐지하고 천황 중심의 중앙 집권 제도를 수립하였다.

08 일본은 (   )에서 승리한 뒤 시모노세키 조약을 체결하여 랴오둥반도와 타이완을 할양받았다.

A 제국주의의 등장과 제국주의 열강의 세계 분할

01 다음은 서양 열강의 대외 정책을 정리한 것이다. (가)에 들어갈 내용으로 가장 적절한 것은?

> 1. 의미: 19세기 후반 서양 열강이 우월한 경제력과 군사력을 앞세워 식민지를 건설하기 위해 펼친 대외 팽창 정책
> 2. 등장 배경
>   - 정치: 침략적 민족주의의 확산
>   - 경제: 독점 자본주의의 발달
>   - 사상: [(가)]

① 인종주의의 확산
② 왕권신수설의 출현
③ 스콜라 철학의 발달
④ 조로아스터교의 유행
⑤ '과학적 사회주의'의 등장

출제가능성 90%

02 다음에서 설명하는 이론에 대해 학생들이 나눈 대화 내용으로 적절한 것은?

> 19세기 후반 다윈의 진화론을 사회 발전에 적용하여 설명한 것으로, 우월한 나라나 민족이 열등한 나라나 민족을 지배하는 것은 당연하다는 이론이다.

① 갑: 사회 계약설 형성에 영향을 주었어.
② 을: 절대 왕정을 옹호하는 데 이용되었어.
③ 병: 자본주의의 불합리한 면을 비판하였지.
④ 정: 기계론적 우주관이 확립되는 결과를 가져왔어.
⑤ 무: 제국주의 열강의 침략 행위를 정당화하는 사상적 기반이 되었지.

03 다음에서 설명하는 국가를 쓰시오.

> 동인도 회사를 앞세워 인도네시아에 진출하여 포르투갈을 몰아내고 향신료 무역을 독점하였다. 이후 수마트라섬과 보르네오섬을 점령하여 자국령 동인도를 건설하였다.

04 (가) 국가에 대한 설명으로 옳은 것은?

> [(가)]은/는 17세기경 인도에 진출한 뒤 동인도 회사를 앞세워 인도 무역을 주도하였다. 18세기 중엽 플라시 전투에서 프랑스를 물리친 후에는 인도에 대한 지배를 강화해 나갔다.

① 괌과 하와이를 차지하였다.
② 비스마르크 제도와 마셜 제도를 점령하였다.
③ 인도네시아에서 플랜테이션으로 이익을 얻었다.
④ 오스트레일리아와 뉴질랜드를 자치령으로 삼았다.
⑤ 카메룬과 토고를 차지하고 동아프리카까지 진출하였다.

05 다음 정책을 펼친 국가가 침략한 지역을 지도에서 고른 것은?

> 서아프리카를 기점으로 아프리카 동서를 연결하는 횡단 정책을 펼쳤다.

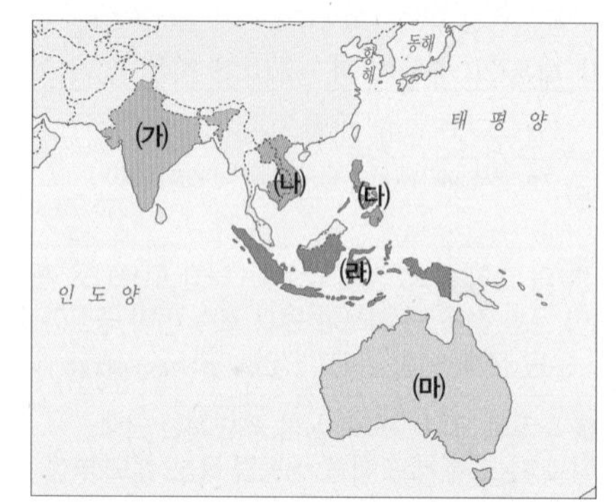

① (가)
② (나)
③ (다)
④ (라)
⑤ (마)

06 밑줄 친 '이 지역'에서 일어난 사실로 옳은 것은?

> 19세기에 리빙스턴, 스탠리 등 탐험가들의 활동으로 이 지역에 막대한 지하자원과 시장 잠재력이 있다는 것이 알려지자 제국주의 열강은 앞다투어 이 지역을 침략하였다.

① 플라시 전투가 발발하였다.
② 보스턴 차 사건이 일어났다.
③ 차티스트 운동이 전개되었다.
④ 영국이 종단 정책을 추진하였다.
⑤ 네덜란드령 동인도가 건설되었다.

B 중국의 민족 운동

07 다음 조약이 체결되는 결과를 가져온 전쟁에 대한 설명으로 옳지 않은 것은?

> • 영국 국민은 광저우 …… 상하이 등 5개 항구에 거주할 수 있으며, 박해나 구속을 받지 않고 상업할 수 있다.
> • 공행하고만 거래하는 것을 폐지한다.

① 영국의 공격으로 시작되었다.
② 플라시 전투에서 영국군이 승리하였다.
③ 임칙서의 아편 몰수를 계기로 발발하였다.
④ 홍콩이 영국에 할양되는 결과를 가져왔다.
⑤ 청 정부의 권위가 크게 떨어지는 배경이 되었다.

08 다음 개혁을 추진한 중국의 민족 운동에 대한 설명으로 옳지 않은 것은?

> 토지를 분배할 때는 사람 수를 기준으로 하되, 남녀 차별 없이 각 집의 가족 수에 따라 나눈다. …… 밭이 있으면 함께 경작하고, …… 장소에 따른 불균형이 있거나 배고프고 추운 생활을 하는 자가 없도록 한다.
> – 천조 전무 제도

① 신분제 폐지를 주장하였다.
② 멸만흥한을 구호로 내세웠다.
③ 향용의 공격으로 실패하였다.
④ 토지 균등 분배를 추진하였다.
⑤ 입헌 군주제를 도입하고자 하였다.

09 (가) 시기에 중국에서 있었던 일로 옳은 것은?

홍수전이 태평천국을 건설하였다. ➡ 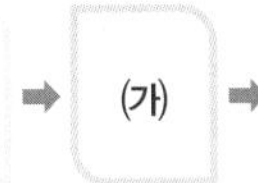

➡ 의화단이 부청멸양을 주장하며 거병하였다.

① 중화민국이 수립되었다.
② 홍콩이 영국에 할양되었다.
③ 신군이 우창에서 봉기하였다.
④ 청 정부가 민간 철도의 국유화를 시도하였다.
⑤ 캉유웨이, 량치차오 등이 변법자강 운동을 펼쳤다.

10 다음과 같이 주장한 인물의 활동으로 옳은 것은?

> 신의 군대가 상하이에 온 이래 소총, 대포 등 서양 무기를 사들이고 제조국을 설치하여 유산탄을 만들어 적군을 섬멸하는 데 쓰고 보니 과연 위력이 있었습니다. 외국인의 좋은 기술을 취해서 중국의 것으로 완성하여 근심이 없기를 바랍니다.

① 광서신정을 주도하였다.
② 양무운동을 전개하였다.
③ 의화단 운동을 이끌었다.
④ 중국 동맹회를 조직하였다.
⑤ 천조 전무 제도를 발표하였다.

출제가능성 90%

11 다음 주장에 따라 전개된 중국의 근대화 운동에 대한 설명으로 옳은 것을 〈보기〉에서 고른 것은?

> • 사람들은 단지 …… 기계의 신기함만을 보면서 그 때문에 그들이 (서양) 세계를 쟁패할 수 있다고 생각한다. 하지만 가장 근본은 그들이 정치를 운영하는 데 있다. …… 영국은 …… 서양의 일등국이 되었다. 어찌 다른 까닭이 있겠는가? 다만, 의회를 설립해서 백성의 뜻을 하나로 뭉쳐 민기(民氣)를 강하게 만들었을 뿐이다.
> – 정관잉, 『성세위언』
> • (일본의) 유신 초기에 바꿔야 할 것은 아주 많았지만, 오로지 핵심은 다음 세 가지였습니다. 첫째는 군신과 더불어 크게 서약함으로써 국가 정책의 기본 방침을 정한 것이었습니다. …… 셋째는 제도국을 열고 헌법을 정한 것이었습니다.
> – 캉유웨이의 상소문

보기

ㄱ. 부청멸양을 주장하였다.
ㄴ. 증국번, 이홍장 등이 주도하였다.
ㄷ. 메이지 유신을 개혁의 모델로 삼았다.
ㄹ. 입헌 군주제 도입, 상공업 육성, 신식 군대 양성 등을 추진하였다.

① ㄱ, ㄴ　② ㄱ, ㄷ　③ ㄴ, ㄷ
④ ㄴ, ㄹ　⑤ ㄷ, ㄹ

12 다음에서 설명하는 민족 운동의 결과로 옳은 것은?

> 열강의 이권 침탈로 경제적 어려움을 겪던 산둥성에서는 '청을 도와 서양 세력을 멸하자.'는 구호를 내세운 봉기가 일어났다.

① 무술정변이 일어났다.
② 신축조약이 체결되었다.
③ 중화민국이 수립되었다.
④ 태평천국이 건설되었다.
⑤ 청일 전쟁이 시작되었다.

13 다음은 어느 인물의 활동을 정리한 것이다. (가)에 들어갈 내용으로 적절한 것은?

> • 일본에 망명한 후 중국 동맹회 조직
> • 『민보』 발간사에서 민족, 민권, 민생의 삼민주의 제창
> • (가)

① 민간 철도의 국유화 추진
② 중화민국의 임시 대총통으로 활동
③ 메이지 유신을 모델로 근대적 개혁 시도
④ 만주족의 지배에 저항하여 태평천국 건설
⑤ 부청멸양을 구호로 반크리스트교·반제국주의 운동 전개

14 다음 사건의 배경으로 옳은 것은?

> • 시기: 1911년
> • 전개: 청 정부의 민간 철도 국유화 시도 → 철도 국유화 반대 운동 전개 → 우창에서 신군 봉기 → 각 성의 호응, 독립 선언
> • 결과: 중국 최초의 공화정 정부 수립

① 애로호 사건이 일어났다.
② 홍수전이 상제회를 조직하였다.
③ 위안스카이가 황제 즉위를 시도하였다.
④ 영국이 인도산 아편을 중국에 밀수출하였다.
⑤ 청 왕조를 몰아내려는 혁명 운동이 확산되었다.

C 일본·조선의 개항과 근대화 운동

출제가능성 90%

15 밑줄 친 '정부'가 추진한 정책으로 옳지 않은 것은?

> 일본에서는 개항 이후 외국 상품의 수입과 물가 상승으로 생활이 어려워진 하급 무사들이 존왕양이 운동을 주도하였다. 마침내 사쓰마 번과 조슈 번이 주도하여 막부를 타도하고 천황 중심의 새로운 정부를 수립하였다.

① 신분제를 폐지하였다.
② 징병제를 실시하였다.
③ 폐번치현을 단행하였다.
④ 미일 수호 통상 조약을 체결하였다.
⑤ 에도를 도쿄로 고쳐 수도로 삼았다.

16 자료를 활용한 탐구 활동 주제로 가장 적절한 것은?

> 제4조 천황은 국가의 원수이며, 통치권을 장악하고 이 법률의 조규에 의하여 이를 거행한다.
> 제5조 천황은 제국 의회의 협조를 받아 입법권을 행사한다.
> 제7조 천황은 제국 의회를 소집하고 그 개회, 폐회, 정회 및 중의원의 해산을 명할 수 있다.

① 정한론의 대두
② 청일 전쟁의 결과
③ 입헌 군주국의 성립
④ 개항과 불평등 조약의 체결
⑤ 막부의 수립과 다이묘의 통제

17 (가) 전쟁에 대한 설명으로 옳지 않은 것은?

> 조선에 대한 지배권을 둘러싸고 청과 대립하던 일본은 조선에서 동학 농민 운동이 일어나자 이를 계기로 1894년에 (가) 을/를 일으켰다.

① 영일 동맹을 계기로 일어났다.
② 일본이 청을 기습 공격하면서 시작되었다.
③ 타이완이 일본에 할양되는 계기가 되었다.
④ 러시아가 주도하는 삼국 간섭을 초래하였다.
⑤ 시모노세키 조약이 체결되는 결과를 가져왔다.

정답과 해설 32쪽

2018 수능 응용

01 다음은 제국주의 열강의 아프리카 침략을 나타낸 지도이다. (가) 국가에 대한 설명으로 옳은 것을 〈보기〉에서 고른 것은?

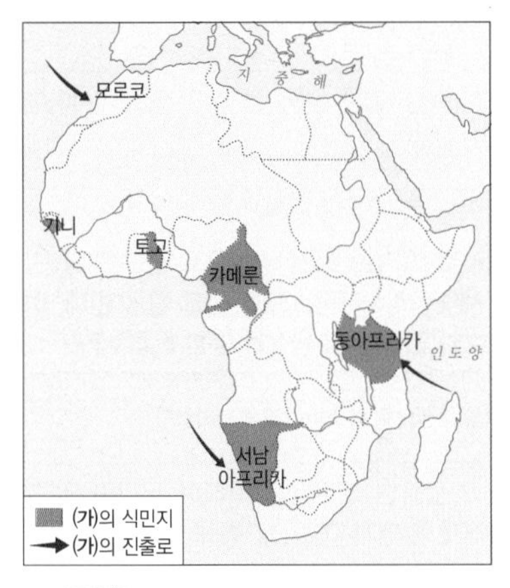

보기

ㄱ. 모로코를 둘러싸고 프랑스와 대립하였다.
ㄴ. 동인도 회사를 앞세워 인도에 진출하였다.
ㄷ. 비스마르크 제도와 마셜 제도를 점령하였다.
ㄹ. 자와섬, 수마트라섬, 보르네오섬을 합쳐 자국령 동인도를 건설하였다.

① ㄱ, ㄴ ② ㄱ, ㄷ ③ ㄴ, ㄷ
④ ㄴ, ㄹ ⑤ ㄷ, ㄹ

02 (가), (나) 전쟁에 대한 설명으로 옳은 것은?

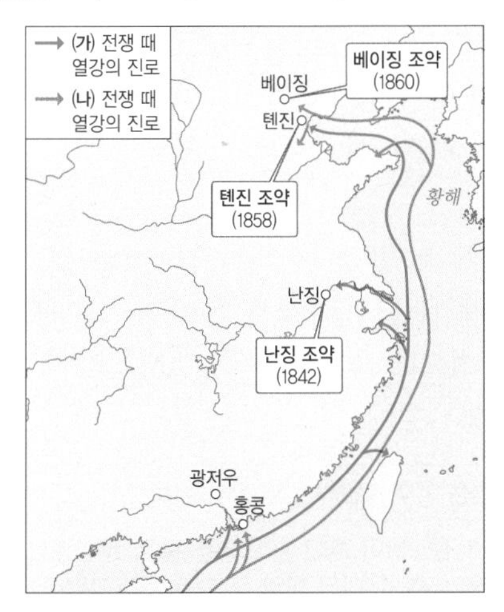

① (가) – 애로호 사건을 계기로 일어났다.
② (가) – 8개국 연합군의 승리로 종결되었다.
③ (나) – 영국군과 의화단 세력이 충돌하였다.
④ (나) – 공행 무역이 폐지되는 계기가 되었다.
⑤ (나) – 주룽반도의 일부가 영국에 할양되는 결과를 가져왔다.

최고난도

03 다음은 시간의 흐름에 따라 동아시아의 역사를 기술한 책이다. 찢어진 부분에 들어갈 내용으로 가장 적절한 것은?

> 러시아가 만주와 한반도에 대한 영향력을 확대하자 일본은 러시아 군함을 선제공격하여 전쟁을 일으켰다.
>
> 중국 우창에서 신군이 봉기하자 농민, 군인, 입헌파 등이 참여하면서 절반 이상의 성이 청 정부로부터 독립을 선언하였다.

① 대한 제국이 일본에 강제 병합되었다.
② 조선과 일본이 강화도 조약을 체결하였다.
③ 위안스카이가 황제 제도의 부활을 시도하였으나 실패하였다.
④ 청과 일본이 조선의 지배권을 둘러싸고 청일 전쟁을 벌였다.
⑤ 일본이 미국과 미일 화친 조약을 체결하고 문호를 개방하였다.

서술형 문제

04 다음을 읽고 물음에 답하시오.

> 열강의 이권 침탈이 심해지자 중국 민중들의 반외세 감정은 더욱 커졌다. 이러한 가운데 산둥성 농민들을 중심으로 백련교 계통의 비밀 결사인 의화단이 조직되었다. 의화단은 '부청멸양'을 구호로 내세우며 베이징에 있는 외국 공관을 습격하였다. 이에 영국, 일본 등 8개국이 연합군을 결성하여 의화단을 진압하고 청과 이 조약을 체결하였다.

(1) 밑줄 친 '이 조약'을 쓰시오.

(2) (1) 조약의 내용을 두 가지 서술하시오.

인도와 동남아시아, 서아시아와 아프리카의 민족 운동

A 인도와 동남아시아의 민족 운동

★ 1. 인도의 민족 운동

영국은 플라시 전투에서 프랑스를 물리친 후 인도의 대부분을 점령하였다.

(1) 영국의 인도 지배: 인도를 원료 공급지와 상품 시장으로 이용, 인도인에게 과도한 토지세 부과

(2) 인도의 반영 운동

① 세포이의 항쟁

대부분이 힌두교도와 이슬람교도였던 세포이들은 자신들이 사용하는 탄약 주머니에 소와 돼지의 기름이 칠해져 있다는 소문이 돌자 이를 종교적 탄압으로 받아들였다.

배경	영국의 식민 지배에 대한 인도인의 불만 고조
전개	영국 동인도 회사가 세포이(인도인 용병)의 종교적 전통 무시 → 세포이의 무장 투쟁(1857) → 대규모 민족 운동으로 발전, 한때 델리 점령 → 영국군에 진압됨
결과	인도 통치 개선법 제정(1858), 무굴 제국의 황제 폐위, 동인도 회사 해체 → 영국령 인도 제국 성립(1877)
의의	인도 최초의 반영 민족 운동, 인도인의 민족의식 고취

② 브라흐마 사마지 운동

초기에는 종교 운동을 전개하였으나, 점차 사회 개혁 운동에 앞장섰다.

배경	19세기 전반 지식인과 민족 자본가를 중심으로 사회 개혁과 식민 지배에 대한 저항 주장
전개	람 모한 로이 중심의 힌두교 지도자들이 종교·사회 개혁 추진
내용	힌두교의 순수한 교리로 돌아가자는 종교 운동 전개 → 우상 숭배 배격, 카스트제 반대, 교육 확대와 여성 권리 신장 주장

③ 인도 국민 회의

성립	영국의 지원을 받아 인도 지식인들을 중심으로 결성(1885)
활동	• 초기: 영국 식민 통치에 협조, 인도인의 권익 확보에 노력 • 영국의 벵골 분할령 발표(1905) 이후: 적극적 반영 운동 전개(4대 강령 채택, 전 인도 이슬람교도 연맹과 협력)
결과	영국의 벵골 분할령 취소(1911), 명목상 인도인의 자치 획득

콜카타 대회 의장의 연설

벵골 분할에 벵골인은 아주 큰 불만을 품고 있습니다. …… 나는 스와데시가 경제적 혼란 상태에 있는 인도에서 강력해질 필요가 있다고 생각합니다.

인도 국민 회의는 콜카타 대회에서 영국 상품 배척, 스와라지(자치), 스와데시(국산품 애용), 국민 교육 실시의 4대 강령을 채택하였다.

2. 동남아시아의 민족 운동

(1) 베트남

청년들을 일본으로 유학 보내 근대 문물을 수용하고자 하였다.

근왕 운동	유교 지식인을 중심으로 반프랑스 투쟁 전개 → 실패
판보이쩌우	베트남 유신회 조직, 동유 운동 전개, 베트남 광복회 조직(공화정 지향)
판쩌우찐	통킹 의숙 설립에 참여(문맹 퇴치, 근대 사상 보급)

(2) 태국: 짜끄리 왕조(라마 4세·라마 5세)의 근대화 정책 추진, 영국과 프랑스의 완충 지대라는 지리적 이점을 바탕으로 동남아시아 국가 중 유일하게 독립 유지

노예 해방, 부역 폐지, 서양 문물 수용 등을 추진하였다.

(3) 인도네시아: 수마트라 농민들의 네덜란드 식민 지배에 대한 저항을 계기로 민족 운동 시작

카르티니	민족 운동과 여성 교육 운동 전개 → 인도네시아에서 최초의 여학교 설립
부디 우토모	1908년에 조직, 독립 국가 건설을 위해 노력
이슬람 동맹	지식인·이슬람교도 상인들을 중심으로 결성(1912) → 외국 상인의 세력 확대·크리스트교 선교 활동 반대, 이슬람 사회 수호와 민족 산업 육성을 통한 독립 시도

(4) 필리핀

현지인과 화교를 중심으로 에스파냐에 저항하였다.

호세 리살	에스파냐인과의 동등한 대우를 요구하며 필리핀 연맹(동맹) 조직, 『나에게 손대지 마라』를 통해 식민지 필리핀의 현실 폭로
아기날도	미국·에스파냐가 필리핀 지배권을 두고 전쟁을 벌이자 독립을 약속한 미국 지원, 필리핀 공화국 선포(1899) → 전쟁에서 승리한 미국이 약속을 어기고 필리핀을 식민지로 삼음

B 서아시아와 아프리카의 민족 운동

★ 1. 오스만 제국의 근대화 운동

(1) 오스만 제국의 쇠퇴: 이민족에 대한 지배력 약화(그리스 독립, 세르비아와 이집트의 자치권 획득 등), 영국·러시아 등 강대국의 압박 심화

(2) 탄지마트(은혜 개혁, 1839~1876)

목표	근대 문물의 수용을 통한 부국강병 추구
내용	중앙 집권적 행정 체계 마련, 교육·사법·세금 제도를 서구식으로 개혁, 전국적 도로망·철도·운하 등 건설, 신식 군대 창설·징병제 실시 등 군제 개혁 추진
한계	지방 세력과 구식 군인의 저항, 전쟁으로 인한 국력 소모 → 성과 미비

(3) 미드하트 파샤의 개혁: 탄지마트의 성과 미흡 → 근대적 헌법 제정(입헌 군주제 실시·의회 개설, 1876) → 보수 세력의 반발, 외세의 간섭으로 실패

이후 헌법을 폐지하고 의회를 해산하였다.

(4) 청년 튀르크당의 혁명(1908)

배경	러시아·튀르크 전쟁 이후 술탄의 전제 정치 강화
전개	지식인·관료·청년 장교들이 청년 튀르크당 결성, 무장봉기로 정권 장악 → 헌법 부활, 근대적 산업 육성, 여성의 지위 향상, 언론의 자유 보장, 교육·조세 제도 개혁 추진
한계	극단적 튀르크 민족주의를 내세워 여러 민족의 독립운동 탄압 → 제국 내 다른 민족의 반발 초래

(5) 오스만 제국의 해체: 발칸 전쟁(1912~1913)의 패배로 유럽 영토의 대부분 상실, 제1차 세계 대전에서 패하여 연합국의 관리를 받게 됨

정답과 해설 32쪽

★ 표시는 시험 전에 확인해 주세요.

2. 아랍 민족주의의 발전과 이란의 민족 운동

(1) 아랍의 와하브 운동

배경	아랍 지역에서 오스만 제국의 영향력 쇠퇴, 서양 열강이 종교적·부족적 대립을 이용하여 영향력 확대
전개	압둘 와하브가 이슬람교 초기의 순수성을 되찾자는 신앙 운동 전개 → 오스만 제국에 반대하는 민족 운동으로 발전 → 와하브 왕국 건설
의의	아랍인의 민족의식 각성, 아랍 민족주의의 기반 형성, 사우디아라비아 왕국 건설의 계기가 됨

(2) 아랍 문화 부흥 운동(19세기 초): 아랍의 고전 연구

(3) 이란의 근대화 운동

담배 불매 운동	• 배경: 19세기 말 카자르 왕조가 영국에 담배 제조·판매 독점권 양도 → 이란인의 반영 감정 고조 • 전개: 개혁 세력, 상인, 이슬람 성직자를 중심으로 담배 불매 운동 전개 • 결과: 담배 이권 회수, 영국에 배상금 지불 → 이란의 재정 악화, 외국에서 차관 도입(→ 경제 종속화)
입헌 혁명	혁명 세력이 국민 의회 개설, 입헌 군주제 헌법 제정(1906) → 영국과 러시아의 간섭으로 좌절 → 영국과 러시아에 분할 통치됨

(담배 불매 운동: 점차 왕과 외세에 반대하는 운동으로 발전하였다.)

★ 3. 이집트의 근대화 운동

(1) 무함마드 알리의 개혁: 군대·교육·행정 기구를 유럽식으로 개편, 산업 육성

(무함마드 알리: 그리스 독립 전쟁 때 오스만 제국을 지원하여 오스만 제국으로부터 자치권을 얻었다.)

(2) 아라비 파샤의 민족 운동

① 배경: 이집트가 수에즈 운하 건설 과정에서 차관 도입 → 재정 악화로 영국에 수에즈 운하 경영권 양도 → 영국과 프랑스의 내정 간섭 초래

② 전개: 아라비 파샤 중심의 군부가 반영 운동 전개, 헌법 제정 등 개혁 노력 → 영국에 진압 → 이집트가 영국의 보호국으로 전락(1914)

(반영 운동: '이집트인을 위한 이집트 건설'을 구호로 내걸었다.)

4. 아프리카의 민족 운동

알제리	19세기 프랑스의 침략 → 30여 년 동안 프랑스에 저항하였으나 프랑스에 점령
수단	무함마드 아흐마드가 스스로 '마흐디(구세주)'라 칭하면서 마흐디 운동 전개 → 영국군에 패배
에티오피아	메넬리크 2세가 군대 양성, 철도 부설 등 근대적 개혁 추진 → 이탈리아의 침략 격퇴(아도와 전투에서 승리) → 독립 유지
나미비아	독일의 착취에 맞서 헤레로족이 저항 → 독일군의 무차별 진압으로 많은 희생자 발생
줄루 왕국	영국의 침략 → 이산들와나 전투에서 줄루 왕국의 승리, 이어진 전투에서 영국에 패배하면서 식민지로 전락
탄자니아	주술사들이 독일에 저항(마지마지 봉기)

(마흐디 운동: 외세를 배격하고 순수한 이슬람 신앙을 회복하자고 주장하였다.)

01 영국의 동인도 회사에 고용된 인도인 용병들이 종교적 전통을 무시당한 것에 반발하여 일으킨 항쟁은?

02 인도 국민 회의는 성립 초기 영국의 식민 통치에 협조적이었으나 영국이 (   )을 발표하자 반영 운동에 앞장섰다.

03 다음 설명이 맞으면 ○표, 틀리면 ×표를 하시오.

(1) 베트남의 판쩌우찐은 동유 운동을 전개하였다. (   )

(2) 카르티니는 인도네시아에서 민족 운동을 전개하였다. (   )

(3) 필리핀의 호세 리살은 에스파냐인과 필리핀인의 동등한 대우를 요구하며 필리핀 연맹을 조직하였다. (   )

04 오스만 제국이 서구 근대 문물을 수용하여 부국강병을 이루기 위해 1839년부터 단행한 개혁은?

05 러시아·튀르크 전쟁 이후 오스만 제국에서 술탄의 전제 정치가 강화되자, 청년 장교들은 (   )을 결성하고 무장 봉기하여 헌법을 부활하였다.

06 아라비아반도에서는 압둘 와하브가 이슬람교 초기의 순수성을 되찾자는 (   )을 전개하였다.

07 이집트에서 군부를 이끌면서 '이집트인을 위한 이집트 건설'을 구호로 반영 운동을 주도한 인물은?

08 다음 민족 운동을 전개한 아프리카 국가를 〈보기〉에서 골라 기호를 쓰시오.

보기
ㄱ. 수단　　ㄴ. 줄루 왕국　　ㄷ. 에티오피아

(1) 무함마드 아흐마드가 봉기를 일으켰다. (   )

(2) 아도와 전투에서 이탈리아를 물리쳤다. (   )

(3) 이산들와나 전투에서 영국에 승리하였다. (   )

A 인도와 동남아시아의 민족 운동

01 (가), (나) 사이 시기에 인도에서 있었던 사실로 옳은 것은?

> (가) 인도에 진출한 영국은 플라시 전투에서 프랑스 세력을 물리쳤다.
> (나) 영국은 인도를 직접 지배하기 위해 인도 통치 개선법을 제정하였다.

① 벵골 분할령이 발표되었다.
② 콜카타 대회가 개최되었다.
③ 세포이의 항쟁이 시작되었다.
④ 인도 국민 회의가 결성되었다.
⑤ 영국이 동인도 회사를 설립하였다.

출제가능성 90%

02 다음 주장에 따라 추진된 운동의 영향으로 옳은 것은?

> 벵골 분할에 벵골인은 아주 큰 불만을 품고 있습니다. …… 나는 '스와데시'가 경제적 혼란 상태에 있는 인도에서 강력해질 필요가 있다고 생각합니다.

① 통킹 의숙이 설립되었다.
② 동인도 회사가 해체되었다.
③ 마라타 동맹이 결성되었다.
④ 인도 통치 개선법이 제정되었다.
⑤ 명목상 인도인의 자치가 인정되었다.

03 다음 사례를 활용한 보고서의 주제로 적절한 것은?

> • 카르티니가 민족 운동과 여성 교육 운동을 전개하였다.
> • 서양식 교육을 받은 지식인, 이슬람교도 상인들이 이슬람 동맹을 결성하였다.

① 인도의 반영 운동
② 인도네시아의 민족 운동
③ 베트남의 반프랑스 운동
④ 태국 짜끄리 왕조의 개혁
⑤ 오스만 제국의 쇠퇴와 개혁

B 서아시아와 아프리카의 민족 운동

04 (가) 개혁에 대한 설명으로 옳지 않은 것은?

> 19세기에 들어 오스만 제국은 이집트의 자치와 그리스의 독립을 허용하였고, 유럽 영토 대부분을 잃었다. 이러한 위기를 극복하기 위해 오스만 제국은 1839년부터 [(가)](이)라고 불리는 대대적인 개혁을 추진하였다.

① 보수 세력의 반발을 샀다.
② 세금 제도를 서구식으로 개편하였다.
③ 청년 튀르크당의 주도로 전개되었다.
④ 징병제 실시와 같은 군제 개혁이 포함되었다.
⑤ 중앙 집권적 행정 체계가 마련되는 계기가 되었다.

주관식

05 다음 민족 운동을 전개한 아프리카의 국가를 쓰시오.

> • 19세기 초 무함마드 알리가 군대·교육·행정 기구를 유럽식으로 개편하고 산업을 육성하는 등 근대화를 추진하였다.
> • 아라비 파샤를 중심으로 하는 군부가 반영 운동을 전개하였으나 영국군에 진압되었다.

06 빈칸에 들어갈 내용으로 옳은 것은?

> 19세기 후반 영국은 남아프리카의 다이아몬드 광산을 차지하기 위해 남아프리카 동쪽의 줄루 왕국을 공격하였다. 영국의 침략을 받은 줄루족은 ____________

① 마지마지 봉기를 일으켰다.
② 마흐디 운동을 전개하였다.
③ 이산들와나 전투에서 영국군을 물리쳤다.
④ 아도와 전투에서 승리하여 독립을 유지하였다.
⑤ 메넬리크 2세를 중심으로 근대화 정책을 추진하였다.

01 밑줄 친 '봉기'에 대한 설명으로 옳은 것은?

세계사 신문 1857. ○○. ○○.

동인도 회사에 고용된 용병들이 봉기를 일으키다!

인도에서 동인도 회사에 고용된 인도인 용병들이 봉기를 일으키는 일이 벌어졌다. 봉기에 참여한 한 인도인은 기자와의 인터뷰에서 영국이 인도의 종교를 무시하고 크리스트교로 개종시키려 하고 있다며, 영국이 인도에서 물러나야 한다고 주장하였다. 항쟁이 점차 대규모 민족 운동으로 번질 조짐을 보이는 가운데 영국 정부가 어떻게 대응할지 귀추가 주목된다.

① 인도 국민 회의가 적극적으로 주도하였다.
② 전 인도 이슬람교도 연맹의 후원을 받았다.
③ 무굴 제국의 황제가 폐위되는 데 영향을 주었다.
④ 명목상 인도인이 자치를 획득하는 결과를 가져왔다.
⑤ 힌두교의 순수한 교리로 돌아가자는 종교 운동으로 확산되었다.

2017 수능 응용

02 (가) 국가에서 일어난 민족 운동에 대한 설명으로 옳은 것은?

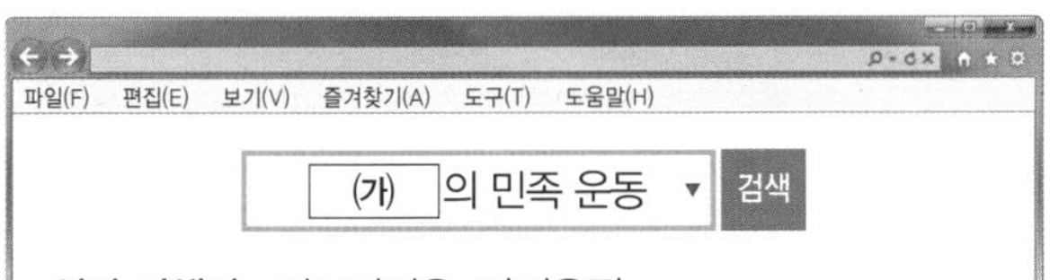

연관 검색어 판보이쩌우 판쩌우찐

1885년 유학자들이 황제의 권력을 회복하기 위한 근왕 운동을 일으켰으나 프랑스군에 진압되었다. 근왕 운동의 실패 이후 (가) 에서는 청의 양무운동과 변법자강 운동에 자극을 받아 근대화 운동이 일어났다.

① 호세 리살이 독립운동 단체를 조직하였다.
② 라마 5세가 서양 문물을 적극적으로 수용하였다.
③ 힌두교도들이 브라흐마 사마지 운동을 전개하였다.
④ 지식인과 이슬람교도 상인들이 이슬람 동맹을 결성하였다.
⑤ 근대 문물 수용을 위해 청년들을 일본으로 유학시키는 동유 운동이 전개되었다.

최고난도

03 (가), (나) 국가에서 일어난 민족 운동에 대한 설명으로 옳은 것을 〈보기〉에서 고른 것은?

- (가) 의 카자르 왕조는 19세기 초 러시아와 영국에 영토와 이권을 빼앗겼다.
- (나) 은/는 19세기에 들어 이집트의 자치와 그리스의 독립을 허용하였고, 차지하고 있었던 유럽 영토 대부분을 상실하였다.

보기

ㄱ. (가) – 이슬람교 초기의 순수성을 되찾자는 와하브 운동이 일어났다.
ㄴ. (가) – 상인, 이슬람 성직자들이 주도하는 담배 불매 운동이 전개되었다.
ㄷ. (나) – 무함마드 알리가 유럽식 근대화 정책을 추진하였다.
ㄹ. (나) – 미드하트 파샤 등이 입헌 군주제를 규정한 헌법을 공포하였다.

① ㄱ, ㄴ ② ㄱ, ㄷ ③ ㄴ, ㄷ
④ ㄴ, ㄹ ⑤ ㄷ, ㄹ

서술형 문제

04 다음을 읽고 물음에 답하시오.

- 신식 무기로 무장한 이 나라는 1896년 아도와 전투에서 이탈리아군을 물리쳤다.
- 식민지 확보를 위한 제국주의 열강의 침략으로 20세기 초에는 라이베리아와 이 나라를 제외한 아프리카의 대부분이 열강의 식민지가 되었다.

(1) 밑줄 친 '이 나라'를 쓰시오.

(2) (1)에서 19세기 후반에 전개된 근대화 정책에 대해 서술하시오.

03 두 차례의 세계 대전

A 제1차 세계 대전과 세계정세의 변화

★ 1. 제1차 세계 대전

독일, 오스트리아·헝가리 제국, 이탈리아가 3국 동맹을 결성하였고, 영국, 프랑스, 러시아가 3국 협상을 결성하였다.

배경	• 열강의 대립: 독일의 3B 정책과 영국의 3C 정책이 대립, 3국 동맹과 3국 협상 결성 • 발칸반도의 분쟁: 범게르만주의(독일, 오스트리아·헝가리 제국 중심)와 범슬라브주의(러시아, 세르비아 중심)의 대립 → 제1·2차 발칸 전쟁 발발
발발	사라예보 사건 발생 → 오스트리아·헝가리 제국이 세르비아에 선전 포고(1914) → 3국 동맹과 3국 협상 측이 전쟁에 가담 → 제1차 세계 대전으로 확대
전개	독일의 벨기에 침공 → 프랑스의 마른 전투·솜 전투 승리 → 영국의 해상 봉쇄 → 독일의 무제한 잠수함 작전 전개(→ 미국 참전), 러시아의 전선 이탈 → 오스만 제국과 오스트리아·헝가리 제국 등 항복
종결	독일에서 킬 군항 해군의 반란 발생 → 독일 공화국 정부의 항복 선언(1918)
결과	총력전·참호전 양상, 기관총, 전차 등 신무기 사용으로 막대한 피해 발생, 미국이 강대국으로 부상

보스니아의 수도 사라예보를 방문한 오스트리아·헝가리 제국의 황태자 부부가 세르비아 청년에게 암살당한 사건이다.

2. 러시아 혁명과 소련의 성립

(1) 러시아 혁명

상트페테르부르크에서 개혁을 요구하는 시위가 발생하였는데 정부의 무력 진압으로 많은 사상자가 발생하였다.

배경	• 민중의 개혁 요구: 산업화로 노동자 계층 증가, 지식인 사이에 자유주의와 사회주의 사상 확산 → 사회 개혁 요구 증가 • 피의 일요일 사건(1905): 차르의 전제 정치, 낙후된 경제, 러일 전쟁 패배로 국민 불만 증가 → 피의 일요일 사건 발생 → 차르 니콜라이 2세의 개혁 약속(헌법 제정, 두마 설치 등)
전개	• 3월 혁명: 차르의 개혁 성과 미흡, 제1차 세계 대전에서의 거듭된 패배 → 노동자와 병사들이 소비에트 조직, 혁명 추진 → 제정 붕괴, 임시 정부 수립 • 11월 혁명: 임시 정부의 전쟁 지속, 개혁 부진 → 레닌이 이끄는 볼셰비키가 봉기 → 임시 정부 타도, 소비에트 정부 수립

(2) 혁명 후의 러시아

레닌	볼셰비키의 일당 독재 선언, 독일과 브레스트리토프스크 조약 체결 후 제1차 세계 대전에서 이탈, 토지·산업의 국유화, 코민테른 결성 → 신경제 정책(NEP) 추진, 반혁명파 진압 → 소비에트 사회주의 공화국 연방(소련) 수립(1922)
스탈린	신경제 정책(NEP) 폐기, 경제 개발 5개년 계획 추진(중공업 육성, 농업 집단화 등), 독재 체제 강화

3. 전후 처리와 유럽의 정치·사회 변화

(1) 베르사유 체제의 성립

① 파리 강화 회의 개최: 제1차 세계 대전의 전후 처리 문제 논의, 미국 대통령 윌슨의 평화 원칙 14개조 채택

② 베르사유 조약 체결(1919): 전승국과 독일이 체결(독일의 모든 해외 식민지 상실, 알자스·로렌 지방을 프랑스에 양도, 군비 축소, 배상금 지불 등 규정) → 베르사유 체제 성립

(2) 평화 구축을 위한 노력

국제 연맹 창설(1920)	세계 각국의 협력 강화 및 평화 유지 목적 → 미국 불참, 초기 독일·소련 제외, 군사적 제재 수단 부재
각국의 노력	워싱턴 회의 개최, 로카르노 조약 체결, 켈로그·브리앙 조약 체결, 도스안·영안으로 독일의 배상금 삭감

군비 축소를 논의하였다. / 독일의 국제 연맹 가입과 국제 분쟁의 평화적 해결에 합의하였다.

(3) 전후 유럽의 변화

① 공화정 수립: 독일에서 바이마르 공화국 수립, 오스트리아·헝가리 제국과 오스만 제국에서 공화정 수립

② 신생 독립국 등장: 패전국에서 독립 → 대부분 공화정 채택

③ 참정권 확대: 재산에 따른 선거권 제한 폐지, 노동자와 여성의 선거권 확대

B 전후 아시아와 아프리카의 민족 운동

★ 1. 중국의 민족 운동

신문화 운동	천두슈·후스 등 지식인과 학생들이 주도, 유교 사상 비판, 서양의 과학과 민주주의 수용 주장, 『신청년』 발간
5·4 운동(1919)	일본이 중국에 21개조 요구 강요 → 연합국의 승인 → 베이징 대학생 주도로 반일본·반군벌 시위 전개
국공 합작	• 제1차 국공 합작(1924): 중국 국민당과 공산당이 반군벌, 반제국주의를 내세우며 국민 혁명 추진 • 제2차 국공 합작(1937): 장제스의 국민당이 공산당 토벌 → 공산당이 대장정 단행 → 시안 사건, 중일 전쟁을 계기로 제2차 국공 합작 성립

2. 인도와 동남아시아의 민족 운동

인도인을 영장 없이 체포하거나 재판 없이 투옥할 수 있도록 한 법이다.

인도	영국의 식민 지배 강화(선거권 제한, 롤럿법 제정) → 간디가 비폭력·불복종 시위 전개 → 네루가 인도 독립 동맹 결성 후 무력 투쟁 전개(완전 독립 요구) → 영국의 신인도 통치법 제정(군사와 외교를 제외한 인도의 자치 인정)
동남아시아	• 베트남: 호찌민이 베트남 공산당(인도차이나 공산당) 결성, 프랑스에 저항 • 인도네시아: 수카르노가 인도네시아 국민당 결성, 네덜란드에 저항 • 필리핀: 미국으로부터 자치권 획득, 완전한 독립 요구 • 태국: 청년 장교들의 쿠데타로 입헌 군주제 실시

국산품 애용, 납세 거부, 소금 행진 등을 전개하였다.

3. 서아시아와 아프리카의 민족 운동

오스만 제국	무스타파 케말이 튀르키예 공화국 수립(1923), 근대화 정책 추진(술탄 제도 및 일부다처제 폐지, 로마자 표기법 도입 등)
이란	리자 샤 주도의 민족 운동 전개 → 팔레비 왕조 수립(1925), 국호를 '이란'으로 정함, 근대화 정책 추진
팔레스타인	후사인·맥마흔 협정과 밸푸어 선언으로 아랍인과 유대인 간 갈등 발생
이집트	반영 운동 전개 → 독립 달성(수에즈 운하 관리권 제외)

★ 표시는 시험 전에 확인해 주세요.

C 대공황과 제2차 세계 대전

1. 대공황과 전체주의의 등장

(1) 대공황의 발생

① 전개: 미국의 경제 성장, 기업의 과잉 생산 → 상품 재고 증가 → 미국의 주가 폭락, 기업 파산 → 경제 위기 확산

② 극복 노력: 뉴딜 정책 추진(미국), 블록 경제 형성(영국, 프랑스 등)

- 뉴딜 정책: 정부 지출을 늘리고 공공사업을 통해 일자리를 창출하는 방식으로 전개되었다.
- 블록 경제: 자국과 식민지를 하나의 경제권으로 묶고 그 안에서만 교류하는 체제이다.

(2) 전체주의의 대두

이탈리아	무솔리니가 파시스트당 조직 후 로마로 진군하여 정권 장악(1922) → 국가 지상주의와 군국주의 주장, 국제 연맹 탈퇴, 에티오피아 침공(1935)
독일	나치스가 총선 승리, 히틀러 총통 취임, 극단적 게르만 민족주의와 인종주의 표방, 비밀경찰(게슈타포)과 친위대(SS) 창설 후 국민 사생활 통제, 국제 연맹 탈퇴 후 재무장 선포 → 라인란트 무력 점령, 오스트리아 합병 및 수데텐 점령(1938)
일본	만주 사변(1931)을 일으키고 만주국 수립, 군국주의화 촉진 → 국제 연맹 탈퇴(1933) → 중일 전쟁을 일으킴(1937)

무솔리니, 파시즘 독트린

파시스트의 국가 개념은 모든 것을 포괄하며, 국가를 떠나서는 인간과 영혼의 가치도 존재하지 않는다. …… 오직 전쟁만이 인간의 힘을 최고조에 이르게 하고 이에 직면할 용기를 가진 국민에게 고귀함을 부여한다.

- 대외 침략을 추구하였다.
- 개인의 권리보다 국가의 이익을 우선시하였다.

★ 2. 제2차 세계 대전

발발	독일·이탈리아·일본의 방공 협정 체결(1937), 독소 불가침 조약 체결(1939), 독일의 폴란드 침공(1939) → 영국·프랑스의 대독 선전 포고
전개	• 유럽 전선: 독일의 덴마크·네덜란드 점령, 프랑스 파리 함락 → 프랑스 정부의 영국 망명, 레지스탕스 운동 전개 → 독일이 독소 불가침 조약 파기 후 소련 침공(1941) • 아시아·태평양 전선: 일본의 동남아시아 침략, 진주만 기습 공격(1941) → 미국의 참전(태평양 전쟁 발발)
종결	미국의 미드웨이 해전 승리(1942), 소련의 스탈린그라드 전투 승리(1943) → 이탈리아 항복 → 연합군의 노르망디 상륙 작전 성공(1944) → 독일 항복(1945) → 미국이 일본에 원자 폭탄 투하 → 일본 항복(1945)
결과	대량 학살(난징 대학살, 홀로코스트), 대량 살상 무기 사용 → 큰 인적·물적 피해 발생

- 노르망디 상륙 작전: 연합군이 프랑스 서북부 해안에 상륙하여 독일군을 몰아내고 파리를 되찾았다.

3. 제2차 세계 대전 이후의 세계

(1) 전후 처리를 위한 논의: 카이로 회담(1943), 얄타 회담(1945), 포츠담 회담(1945) 등이 개최되어 전후 평화 논의

(2) 전후 처리: 4개국의 독일 분할 점령, 미군의 일본 지배, 뉘른베르크·도쿄에서 군사 재판 개최, 국제 연합(UN) 출범

- 국제 연합: 국제 연맹과 달리 미국이 참여하였고, 군사적 제재 수단을 보유하였다.

정답과 해설 33쪽

01 다음 설명이 맞으면 ○표, 틀리면 ×표를 하시오.

(1) 사라예보 사건을 계기로 제2차 세계 대전이 일어났다. (　　)

(2) 제1차 세계 대전 중 전개된 독일의 무제한 잠수함 작전은 미국이 참전하는 결과를 가져왔다. (　　)

02 볼셰비키를 이끌고 러시아 임시 정부를 무너뜨린 후 소비에트 정부를 수립한 인물은?

03 제1차 세계 대전 이후 전승국과 독일은 (　　　　)을 체결하여 독일의 모든 식민지 상실, 배상금 지불 등을 규정하였다.

04 다음에서 설명하는 인물을 〈보기〉에서 골라 기호를 쓰시오.

보기

ㄱ. 간디　　ㄴ. 호찌민　　ㄷ. 무스타파 케말

(1) 영국에 저항하여 소금 행진을 전개하였다. (　　)

(2) 오스만 제국을 무너뜨리고 튀르키예 공화국을 수립하였다. (　　)

(3) 베트남 공산당을 결성하고 반프랑스 민족 운동을 전개하였다. (　　)

05 미국의 루스벨트 대통령이 대공황을 극복하기 위해 정부의 적극적 역할을 강조하며 추진한 정책은?

06 대공황으로 독일의 경제 위기가 심화되자 (　　　　)가 이끄는 나치스는 극단적인 민족주의와 인종주의를 내세워 대외 팽창 정책을 추진하였다.

07 제2차 세계 대전 중 연합군이 프랑스 서북부 해안에 상륙하여 독일군을 몰아내고 파리를 되찾은 작전은?

08 제2차 세계 대전이 끝난 후 평화 유지와 국제 협력을 목적으로 출범한 (　　　　)은 총회를 중심으로 각종 이사회와 산하 기구를 두었다.

A 제1차 세계 대전과 세계정세의 변화

01 다음 사건이 일어나기 직전의 상황으로 옳은 것을 〈보기〉에서 고른 것은?

> 오스트리아·헝가리 제국의 황태자 부부가 보스니아의 수도 사라예보를 방문하였다. 이때 세르비아의 한 청년이 황태자 부부를 암살하는 사건이 발생하였다.

보기
ㄱ. 미국에서 대공황이 발생하였다.
ㄴ. 독일이 국제 연맹을 탈퇴하였다.
ㄷ. 3국 동맹과 3국 협상이 결성되었다.
ㄹ. 발칸반도에서 범슬라브주의와 범게르만주의가 대립하였다.

① ㄱ, ㄴ ② ㄱ, ㄷ ③ ㄴ, ㄷ
④ ㄴ, ㄹ ⑤ ㄷ, ㄹ

출제가능성 90%

02 지도와 같이 전개된 전쟁에 대해 학생들이 나눈 대화 내용으로 옳은 것은?

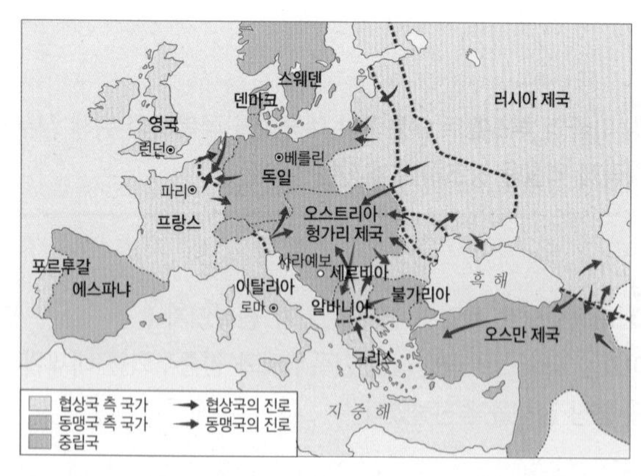

① 갑: 독일의 폴란드 침공으로 시작되었어.
② 을: 국제 연합(UN)이 창설되는 결과를 가져왔지.
③ 병: 미드웨이 해전을 기점으로 연합군이 주도권을 잡았어.
④ 정: 국가의 인력과 물자가 총동원되는 총력전으로 전개되었어.
⑤ 무: 원자 폭탄과 같은 대량 살상 무기의 사용으로 피해 규모가 컸지.

03 다음 사건이 러시아에 미친 영향으로 적절한 것은?

> 낙후된 경제와 러일 전쟁의 패배로 생활이 어려워진 러시아의 노동자들이 상트페테르부르크에서 개혁을 요구하는 평화적 시위를 벌였다. 이때 정부군이 시위대를 향해 발포하여 많은 사상자가 발생하였다.

① 농노 해방령이 발표되었다.
② 브나로드 운동이 일어났다.
③ 차르가 두마 설치를 약속하였다.
④ 신경제 정책(NEP)이 폐기되었다.
⑤ 데카브리스트의 봉기가 일어났다.

04 다음은 러시아를 주제로 다룬 신문을 만들기 위해 일어난 순서대로 기사 제목을 정리한 것이다. (가)에 들어갈 제목으로 적절한 것은?

> • 니콜라이 2세, 헌법 제정과 두마 설치를 약속한 배경은?
> • (가)
> • 볼셰비키가 일으킨 무장봉기로 소비에트 정부가 수립되다

① 경제 개발 5개년 계획 추진, 그 효과는?
② 국제 공산당 조직인 코민테른이 결성되다
③ 제정이 막을 내리고 임시 정부가 수립되다
④ 레닌이 신경제 정책(NEP)을 실시한 까닭은?
⑤ 스탈린그라드 전투에서 독일의 침략을 막아 내다

05 다음 내용에 해당하는 인물의 활동으로 옳지 않은 것은?

> • 생몰 연도: 1870~1924년
> • 주요 활동
> – 국제 공산당 연합 조직인 코민테른을 결성하였다.
> – 토지와 산업을 국유화하는 사회 개혁을 추진하였다.

① 공산당 일당 독재를 선언하였다.
② 경제 개발 5개년 계획을 추진하였다.
③ 브레스트리토프스크 조약을 체결하였다.
④ 볼셰비키를 이끌고 11월 혁명을 주도하였다.
⑤ 소비에트 사회주의 공화국 연방(소련)을 수립하였다.

출제가능성 90%

06 밑줄 친 '조약'에 대한 설명으로 옳지 않은 것은?

> 제1차 세계 대전이 끝나고 전승국 대표들은 베르사유 궁전에서 독일과 조약을 체결하였다. 이후 다른 패전국들과도 개별적으로 강화 조약을 체결함으로써 베르사유 체제가 성립되었다.

① 독일에 대한 보복적인 측면이 강하였다.
② 승전국의 이익이 우선적으로 고려되었다.
③ 독일의 막대한 배상금 지불을 명시하였다.
④ 프랑스가 알자스·로렌 지방을 차지하는 결과를 가져왔다.
⑤ 미국, 영국, 프랑스, 소련에 의한 독일 분할 점령이 결정되었다.

07 그래프는 독일의 전쟁 배상금 변화를 그린 것이다. 이러한 상황에 영향을 준 국제 사회의 노력으로 옳은 것은?

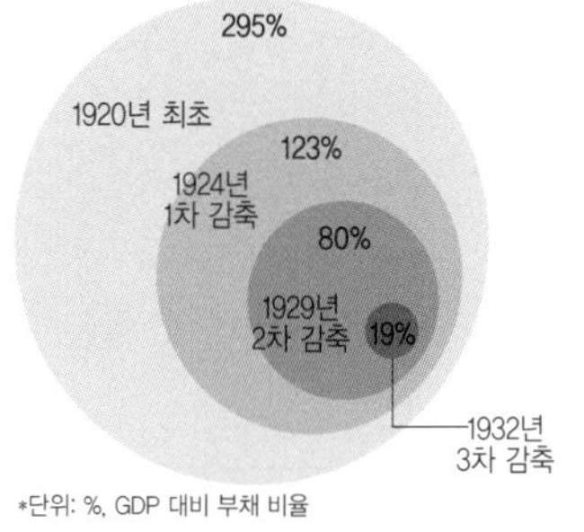

*단위: %, GDP 대비 부채 비율
(「세계 경제의 역사적 통계」, 2009)

① 베를린 회의 개최 ② 카이로 회담 개최
③ 3국 방공 협정 체결 ④ 도스안과 영안 결의
⑤ 국제 연합(UN) 창설

08 다음 학습 목표를 달성한 학생의 답변으로 적절하지 않은 것은?

> 학습 목표: 제1차 세계 대전이 끝나고 유럽에서 일어난 변화를 설명할 수 있다.

① 갑: 통일된 독일 제국이 성립되었어요.
② 을: 오스만 제국에서 공화정이 수립되었어요.
③ 병: 재산에 따른 선거권 제한이 폐지되었어요.
④ 정: 노동자층과 여성의 선거권이 확대되었어요.
⑤ 무: 폴란드와 같은 신생 독립국이 등장하였어요.

B 전후 아시아와 아프리카의 민족 운동

09 다음에서 설명하는 중국의 민족 운동을 쓰시오.

> 파리 강화 회의에서 일본의 21개조 요구가 연합국의 승인을 받자 베이징의 학생들이 톈안먼 광장에서 반일본·반군벌 시위를 일으켰다.

10 다음에서 설명하는 사건의 결과로 옳은 것은?

> 1936년 12월 중국 시안에서 만주 지역 군벌 장쉐량이 공산군 토벌을 격려하러 온 장제스를 감금하고 내전 중지와 항일 투쟁을 호소하였다.

① 중화민국이 수립되었다.
② 제2차 국공 합작이 성사되었다.
③ 쑨원이 중국 동맹회를 결성하였다.
④ 중국 공산당이 대장정을 단행하였다.
⑤ 베이징 학생들을 중심으로 5·4 운동이 일어났다.

11 (가) 인물이 추진한 정책으로 옳은 것은?

> 이 사진은 튀르키예 공화국의 초대 대통령 (가) 이/가 수세기 동안 사용해 온 아랍 문자 대신에 로마자를 변형한 새로운 문자를 쓰도록 하는 모습을 보여 준다.

① 탄지마트 추진
② 소금 행진 전개
③ 술탄 제도 폐지
④ 수에즈 운하 건설
⑤ 후사인·맥마흔 협정 체결

12 자료를 활용한 탐구 활동 주제로 가장 적절한 것은?

> • 아덴과 시리아 서쪽 지역을 제외한 모든 아랍 지역의 독립을 지지한다. …… 영국은 다양한 지역에 가장 적당한 형태의 정부가 수립되도록 아랍인에게 조언하고 도움을 줄 것이다.
> • 영국 정부는 팔레스타인에 유대인을 위한 국가를 건설하는 일에 호의를 보이며, 이 목적을 쉽게 달성할 수 있도록 최선을 다할 것이다.

① 소금 행진의 배경
② 와하브 운동의 과정
③ 팔레스타인 분쟁의 발단
④ 튀르키예 공화국 수립의 의미
⑤ 리자 샤가 전개한 민족 운동의 특징

C 대공황과 제2차 세계 대전

13 미국에서 다음 정책이 실시된 배경으로 옳은 것은?

> • 테네시강 유역 개발
> • 와그너법 제정(최저 임금제, 최고 노동 시간 규정 등)
> • 공공사업 진흥(교량, 고속 도로, 공원 등 대규모 건설 노동자 고용 및 예술가 지원)

① 대공황이 발생하였다.
② 전체주의가 등장하였다.
③ 독점 자본주의가 나타났다.
④ 자유방임주의가 확산되었다.
⑤ 제2차 세계 대전이 발발하였다.

14 다음 주장이 제기된 국가에 대한 설명으로 옳은 것은?

> 파시스트의 국가 개념은 모든 것을 포괄하며, 국가를 떠나서는 인간과 영혼의 가치도 존재하지 않는다. …… 오직 전쟁만이 인간의 힘을 최고조에 이르게 하고 이에 직면할 용기를 가진 국민에게 고귀함을 부여한다.

① 대공황이 확산되자 뉴딜 정책을 추진하였다.
② 무솔리니가 로마로 진군하여 정권을 잡았다.
③ 오스트리아를 합병하고 수데텐을 점령하였다.
④ 히로시마와 나가사키에 원자 폭탄을 투하하였다.
⑤ 게르만 민족주의를 내세워 유대인을 학살하였다.

출제가능성 90%

15 (가) 전쟁에 대한 설명으로 옳지 않은 것은?

> 위 사진은 (가) 당시 연합군이 노르망디 해안에 상륙하는 모습이다. 노르망디 상륙 작전의 성공으로 연합군은 독일군을 몰아내고 파리를 되찾을 수 있었다.

① 사라예보 사건을 계기로 발발하였다.
② 전후 뉘른베르크와 도쿄에서 군사 재판이 열렸다.
③ 독일이 4개국에게 분할 점령되는 결과를 가져왔다.
④ 일본의 진주만 공격으로 전선이 태평양 지역으로 확대되었다.
⑤ 난징 대학살과 같은 대량 학살이 자행되어 많은 인적 피해가 발생하였다.

16 다음 헌장을 발표한 국제기구에 대한 설명으로 옳은 것을 〈보기〉에서 고른 것은?

> 제1조 국제 평화와 안전을 유지한다. 이를 위하여 평화에 대한 위협을 없애고 침략 행위와 그 밖의 평화를 파괴하는 행위를 진압하기 위하여 효과적인 집단적 조치를 취하고, 나아가 평화를 깨뜨리는 모든 국제 분쟁과 사태를 평화적 수단에 따라, 정의와 국제법의 원칙에 따라 조정하거나 해결한다.
> 제42조 안전 보장 이사회는 정해진 조치로는 불충분하다고 추정되거나 불충분한 것으로 판명된 경우, 국제 평화와 안전을 유지하고 회복하는 데 필요한 육·해·공군에 의한 행동을 취할 수 있다.

보기
ㄱ. 군사적 제재 수단을 갖추지 못하였다.
ㄴ. 미국과 소련 등 강대국의 이해에 좌우되었다.
ㄷ. 국제 군사 재판을 열어 전쟁 범죄자를 처벌하였다.
ㄹ. 제2차 세계 대전 이후 평화 유지와 국제 협력을 목적으로 출범하였다.

① ㄱ, ㄴ ② ㄱ, ㄷ ③ ㄴ, ㄷ
④ ㄴ, ㄹ ⑤ ㄷ, ㄹ

정답과 해설 35쪽

01 다음 헌법이 제정될 당시의 국제 상황으로 옳은 것은?

> 제1조 독일은 공화국이다. 국가 권력은 국민으로부터 나온다.
> 제22조 국회 의원은 비례 대표제의 원칙에 따라 20세 이상 남녀의 보통·평등·직접·비밀 선거로 선출된다.
> 제159조 노동 조건 및 경제 조건을 보호하고 개선하기 위하여 단결의 자유는 누구에게나 보장된다. 이 자유를 제한하거나 방해하려는 모든 협정과 조치는 위법이다.

① 히틀러가 독일 총통에 취임하였다.
② 뉘른베르크와 도쿄에서 군사 재판이 개최되었다.
③ 독일, 이탈리아, 일본이 3국 방공 협정을 맺었다.
④ 미국에서 시작된 대공황이 전 세계로 확산되었다.
⑤ 오스트리아·헝가리 제국이 붕괴되고 공화정이 수립되었다.

2015 수능 응용

02 제1차 세계 대전 이후 (가), (나) 국가에서 일어난 민족 운동에 대한 설명으로 옳은 것은?

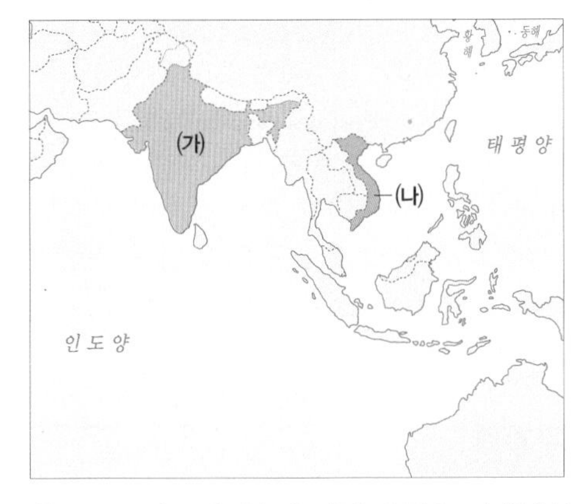

① (가) – 판보이쩌우가 민족 운동을 전개하였다.
② (가) – 수카르노가 반네덜란드 운동을 주도하였다.
③ (가) – 영국의 롤럿법 제정에 반대하여 비폭력·불복종 운동이 전개되었다.
④ (나) – 호세 리살이 독립운동 단체를 조직하였다.
⑤ (나) – 청년 장교들이 쿠데타를 일으켜 입헌 군주제를 실시하였다.

최고난도

03 밑줄 친 '이 전쟁'이 일어난 시기에 볼 수 있었던 모습으로 적절하지 않은 것은?

> **답사 계획서**
> 1. 장소: 폴란드의 아우슈비츠 강제 수용소
> 2. 기간: ○월 ○일~○월 ○일
> 3. 목적
> 이 전쟁 당시 많은 유대인들이 희생된 장소를 답사함으로써 전쟁의 참상을 이해하고 반전 평화를 추구해야 하는 이유를 생각해 볼 수 있다.

① 히로시마에 원자 폭탄을 투하하는 미군
② 킬 군항에서 폭동을 준비하는 독일 해군
③ 독소 불가침 조약의 파기 소식을 전하는 기자
④ 스탈린그라드에서 독일군과 전투를 벌이는 소련군
⑤ 일본군의 공격을 피해 하와이의 진주만을 벗어나는 사람들

서술형 문제

04 다음을 읽고 물음에 답하시오.

> 1929년 뉴욕 증권 거래소의 주가가 대폭락하자 미국의 경제 상황이 크게 악화되는 (가) 이/가 발생하였다. 이로 인해 미국의 기업과 공장, 은행이 무더기로 파산하였으며 실업자가 대거 발생하였다. 이러한 경제 위기는 미국 경제에 의존하고 있던 유럽을 비롯한 세계 여러 나라로 확산되었고, 세계 각국이 경제 위기에 빠지면서 사회 혼란과 불안은 더욱 커졌다.

(1) (가)에 들어갈 사건을 쓰시오.

(2) 위와 같은 상황을 해결하기 위해 영국과 프랑스가 실시한 정책을 서술하시오.

01 냉전의 전개와 오늘날의 세계

A 냉전 체제의 형성과 확대

★ 1. 냉전 체제의 형성

배경	제2차 세계 대전 이후 미국과 소련의 대립 본격화
형성	미국 중심의 자본주의 진영과 소련 중심의 공산주의 진영 간의 대립
미소 대립	• 자본주의 진영: 미국 중심, 트루먼 독트린 발표(공산주의 확대 저지 목적), 마셜 계획 추진, 북대서양 조약 기구(NATO) 결성 (마셜 계획: 서유럽 경제를 재건하기 위해 미국이 대규모 원조 기금을 제공한 정책이다.) • 공산주의 진영: 소련 중심, 코민포름(공산당 정보국) 조직, 코메콘(COMECON, 동유럽 경제 상호 원조 회의) 창설, 바르샤바 조약 기구(WTO) 결성

2. 냉전 체제의 확대

독일	소련의 베를린 봉쇄(1948) → 동독(공산주의 진영)·서독(자본주의 진영)으로 분단 → 베를린 장벽 설치(1961)
중국	국민당과 공산당 사이의 국공 내전 발발 → 공산당의 승리, 중화 인민 공화국 수립(1949)
한국	남북 분단 → 6·25 전쟁 발발(1950)
베트남	제네바 협정(1954) 이후 북베트남(공산당 정권)과 남베트남(친미 정권)으로 분단 → 베트남 전쟁 발발(미국 참전) → 미군 철수 → 북베트남 승리(베트남의 공산화, 1975)
쿠바	미국과 소련의 군비 확장, 핵무기 경쟁 → 소련이 쿠바에 미사일 기지 건설 시도 → 미국의 쿠바 해상 봉쇄로 핵전쟁의 위기에 처함(쿠바 미사일 위기, 1962) → 소련의 철수

(미군 철수: 전쟁이 장기화되면서 재정 부담이 커졌고, 국제적인 반전 여론이 조성되었기 때문이다.)

B 아시아·아프리카의 변화

1. 중국의 공산화

(1) 대약진 운동(1950년대 말): 마오쩌둥이 산업 발달과 공산주의 경제 건설 도모(인민공사를 중심으로 노동력 조직) → 과도한 목표 설정·기술 부족·노동 의욕 저하·자연재해 등으로 실패, 마오쩌둥의 위상 약화

(인민공사: 농촌의 경제, 사회, 교육, 군사 등을 총괄하는 행정 조직의 기초 단위이다.)

(2) 문화 대혁명(1966~1976): 덩샤오핑·류사오치 등 실용주의 세력 대두 → 마오쩌둥이 홍위병을 앞세워 공산주의 혁명 완수 추구(전통문화 파괴, 반대파 숙청, 지식인·예술인 억압 등)

(문화 대혁명: 대약진 운동 실패로 정치적 위기에 빠진 마오쩌둥이 이를 극복하기 위해 추진하였다.)

(홍위병: 마오쩌둥의 이념을 관철시키기 위해 조직된 준군사 조직으로 대부분 학생들로 구성되었다.)

2. 아시아·아프리카의 독립

아시아	• 인도: 영국으로부터 독립 → 인도 연방(힌두교 중심)과 파키스탄(이슬람교 중심)으로 분리(1947) • 인도네시아: 네덜란드로부터 독립 • 필리핀·말레이시아: 일본의 점령에서 벗어난 뒤 독립
아프리카	• 튀니지·모로코·알제리: 프랑스로부터 독립 • 가나: 영국으로부터 독립

★ 3. 제3 세계

형성	아시아·아프리카의 신생 독립국들이 비동맹 중립주의 노선을 표방하며 형성
활동	• '평화 5원칙' 발표(1954): 인도의 네루와 중국의 저우언라이가 델리에서 만나 '평화 5원칙' 발표 • 반둥 회의(아시아·아프리카 회의, 1955): 아시아·아프리카 29개국 대표들이 '평화 10원칙' 채택 • 제1차 비동맹 회의(1961): 미국·소련과 군사 동맹을 맺지 않은 국가들 간의 협력 결의 (제3 세계의 성립이 공식화되었다.)

C 냉전 체제의 완화와 공산주의권의 붕괴

★ 1. 냉전 체제의 완화

(1) 긴장 완화(데탕트) 분위기 형성

소련	흐루쇼프가 자본주의 국가들과의 평화 공존 추구(서독과 국교 회복 추진, 미국 방문)
미국	닉슨 독트린 발표(1969) → 베트남 전쟁에서 미군 철수(1973), 닉슨의 중국·소련 방문, 소련과 전략 무기 제한 협정(SALT) 체결, 중국과 국교 수립(1979)
독일	서독 총리 브란트의 동방 정책 추진 → 소련과 서독이 불가침 협정 체결(1972), 동·서독의 국제 연합(UN) 동시 가입(1973)

(동방 정책: 공산주의 국가와의 화해와 교류를 강조하였다.)

닉슨 독트린

(닉슨 독트린 발표 이후 미국은 베트남전에서 군대를 철수하고, 중국과의 국교를 수립하였다.)

1. 미국은 앞으로 베트남 전쟁과 같은 군사적 개입을 피한다.
2. 미국은 강대국의 핵에 의한 위협의 경우를 제외하고는 내란이나 침략에 대하여 각국이 스스로 협력하여 그에 대처하도록 한다.
3. 미국은 '태평양 국가'로서 그 지역에서 중요한 역할을 계속하지만 직접적·군사적·정치적 과잉 개입은 하지 않는다.
4. 아시아 여러 나라에 대한 원조는 경제 중심으로 바꾸며 다수국에 대한 원조 방식을 강화하여 미국의 과중한 부담을 피한다.

(2) 국제 질서의 다극화: 제3 세계의 등장, 중국과 소련의 이념 논쟁 및 국경 분쟁, 유럽 경제 공동체(EEC) 구성, 프랑스의 북대서양 조약 기구(NATO) 탈퇴, 헬싱키 협약 체결(1975), 동유럽에서 자유화 운동 전개

(헬싱키 협약: 1975년 핀란드 헬싱키에서 35개국이 주권 존중, 전쟁 방지, 인권 보호를 핵심으로 체결한 협약이다.)

2. 소련의 개혁과 해체

개혁	• 배경: 브레즈네프의 공산당 관료 체제 강화, 중앙 집중식 계획 경제 추진에 따른 한계 → 부정부패 증대, 경기 침체 • 고르바초프의 페레스트로이카(개혁)·글라스노스트(개방) 정책: 언론 통제 완화 등 정치 민주화 추진, 시장 경제 체제 도입, 동유럽 국가들에 대한 불간섭 선언, 군비 감축, 미국 및 서방 국가와 관계 개선 시도
해체	고르바초프의 정책에 대한 공산당 강경파의 반발 → 옐친의 저지, 공산당 해체 → 소련 내 여러 공화국이 독립 국가 연합(CIS) 결성 결의, 소련 해체(1991)

3. 독일과 동유럽 사회의 변화

(1) 독일의 통일

배경	동독과 서독 간 경제 격차 심화, 소련의 개혁·개방 정책 추진 등
과정	동독에서 민주화와 통일 요구 시위 전개, 동독 주민들이 서독으로 대거 탈출 → 베를린 장벽 붕괴(1989) → 동독의 자유 총선거에서 독일 연합 승리 → 동독이 서독에 흡수 통일(1990)

(2) 동유럽 공산주의권의 몰락

폴란드	바웬사가 이끄는 자유 노조가 총선거에서 승리
헝가리	다당제와 시장 경제 기반의 공화국 수립(1989)
루마니아	민주화 운동을 탄압한 차우셰스쿠 독재 정권 붕괴
체코 슬로바키아	하벨 주도의 민주화 운동으로 공산당 정권 붕괴(벨벳 혁명) → 체코 공화국과 슬로바키아 공화국으로 분리
유고 연방	티토 사후 민족주의 대두 → 유고슬라비아 연방 해체(1992)

★ 4. 중국의 변화

• '검은 고양이든 흰 고양이든 쥐를 잘 잡으면 좋은 고양이'라는 뜻으로, 자본주의든 공산주의든 중국 사람들을 잘살게 하면 그것이 제일이라는 의미이다.

(1) 덩샤오핑의 개혁·개방 정책: 흑묘백묘론을 바탕으로 추진, 시장 경제 체제 일부 도입, 경제특구 설치, 수출 주도형 경제 발전 전략 추진 → 고도의 경제 성장

(2) 톈안먼 사건(1989): 개혁·개방 정책 이후 관료의 부정부패와 빈부 격차 심화 → 학생·지식인들이 톈안먼 광장에서 민주화 요구 시위 전개 → 정부의 무력 진압

(3) 국력 신장: 홍콩·마카오 환수, 세계 무역 기구(WTO) 가입(2001), 베이징 올림픽 대회 개최(2008)

D 탈냉전 시대의 전개

★ 1. 세계 각지의 분쟁

• 후사인·맥마흔 협정과 밸푸어 선언을 배경으로 팔레스타인 지역에서 아랍인과 유대인 간의 갈등이 일어났다.

아시아	• 팔레스타인 분쟁: 유대인이 이스라엘 수립 → 이스라엘과 주변 아랍 국가·팔레스타인 내 아랍인 사이에 중동 전쟁 발발, 아랍인들이 팔레스타인 해방 기구(PLO) 창설 • 카슈미르 분쟁: 이슬람교도가 대부분인 카슈미르 지역이 인도에 강제 편입되면서 인도와 파키스탄 간 전쟁 발발 → 인도령과 파키스탄령으로 분할 → 갈등 지속
유럽	유고슬라비아 내전(연방 해체 이후 종족·종교 차별로 대규모 학살 발생), 체첸·러시아 분쟁(체첸의 독립 선언에 따른 갈등), 키프로스 분쟁(그리스계와 터키계 민족의 분쟁)
아프리카	르완다 내전(후투족과 투치족의 갈등), 수단 분쟁(크리스트교를 믿는 남부 흑인들이 북부 이슬람 정부에 저항)

2. 국지전과 테러

국지전	아프가니스탄 내전, 이란·이라크 전쟁, 걸프 전쟁 등
국제 테러	9·11 테러(미국 세계 무역 센터와 국방부 건물에 항공기 충돌)

3. 전후 세계 경제 질서의 변화

(1) 브레턴우즈 체제의 형성

성립	브레턴우즈 회의(국제 통화 금융 회의) 개최(1944) → 미국의 달러를 주거래 통화로 결정, 달러를 기준으로 각국의 환율 고정
전개	국제 통화 기금(IMF)과 국제 부흥 개발 은행(IBRD) 창설, 관세 및 무역에 관한 일반 협정(GATT) 체결(1947) → 자유 무역 확대, 상호 의존적인 국제 관계 강화

(2) 지역 단위의 협력

유럽	유럽 경제 공동체(EEC) 출범 → 유럽 공동체(EC) 출범 → 마스트리흐트 조약 발효로 유럽 연합(EU) 출범(1993)
아메리카	북미 자유 무역 협정(NAFTA) 체결, 미주 자유 무역 지대(FTAA) 출범
아시아	동남아시아 국가 연합(ASEAN) 창설, 아세안 자유 무역 지대(AFTA) 결성, 아시아·태평양 경제 협력체(APEC) 결성

E 현대 사회의 변화와 인류의 과제

1. 세계화와 대중 사회의 형성

1995년 세계 각국의 무역 불균형과 마찰을 감시하며 자유 무역을 추구하는 것을 목표로 출범하였다. •

세계화	• 배경: 교통수단·정보 통신 기술의 발달 → 인적·물적 교류 활발 → 세계 각 지역의 상호 의존성 증가 • 경제: 신자유주의 대두(자유 시장과 정부의 규제 완화 강조), 세계 무역 기구(WTO) 설립(1995), 다국적 기업 활동, 자유 무역 협정(FTA) 체결 → 국가 간 장벽 완화 • 문화: 전 세계의 문화 공유 → 국적과 인종에 관계없이 공감대 형성, 문화 획일화 등 부작용 초래
대중 사회 형성	1960년대 이후 대중 매체 발달, 대중의 영향력 증대 → 대중 사회 출현 → 민주주의의 확산에 기여

2. 과학 기술의 발달

(1) 과학 이론: 상대성 이론과 양자 역학 등장 등

(2) 유전 공학: 복제 양 탄생, 인간의 게놈 지도 완성 등

(3) 정보 통신: 컴퓨터 발달, 인터넷 보급 등

3. 현대 사회의 문제와 해결 노력

북반구의 선진 공업국과 남반구의 개발도상국 사이의 경제적 격차에서 생기는 문제이다. •

문제	• 국제 분쟁: 민족·종교·인종 갈등에 따른 대립 지속 • 빈부 격차: 신자유주의 확대에 따른 불공정 무역 심화로 남북문제 발생, 공공 서비스 축소와 산업 구조 조정으로 계층 간 빈부 격차 심화 • 여성·소수자: 여성과 소수자에 대한 차별 • 자원 문제: 고갈되어 가는 자원 확보를 위한 분쟁 격화 • 환경 문제: 지구 온난화, 오존층 파괴, 사막화 등 발생 → 환경 보호 노력(리우 선언 발표, 교토 의정서 채택, 파리 기후 협약 체결, 대체 에너지 개발 노력 등)
해결 노력	국제 연합(UN)의 적극적인 노력, 비정부 기구(NGO)의 다양한 활동 전개, 다른 인종과 종교에 개방적 태도 함양, 인류 과제에 대한 지속적인 관심과 참여 필요 등

카스피해, 남중국해의 난사 군도, 동중국해의 센카쿠 열도 등을 놓고 여러 국가가 분쟁을 벌이고 있다. •

1단계 개념 짚어 보기

01 제2차 세계 대전 이후 미국 중심의 자본주의 진영과 소련 중심의 공산주의 진영이 대립하면서 형성된 국제 정세를 일컫는 용어는?

02 다음 설명이 맞으면 ○표, 틀리면 ×표를 하시오.

(1) 베트남에서는 공산당이 지배하는 북베트남과 미국의 지원을 받는 남베트남 간에 전쟁이 일어났다. (   )
(2) 중국의 덩샤오핑은 청소년들로 조직된 홍위병을 앞세워 공산주의 혁명을 완수한다는 명분 아래 문화 대혁명을 추진하였다. (   )

03 제2차 세계 대전 이후 아시아·아프리카의 신생 독립국들이 비동맹 중립주의 노선을 표방하며 (   )를 형성하였다.

04 냉전 체제의 완화를 보여 주는 사건을 〈보기〉에서 골라 기호를 쓰시오.

보기
ㄱ. 베를린 봉쇄　　ㄴ. 베트남 전쟁
ㄷ. 닉슨 독트린 발표　　ㄹ. 베를린 장벽 붕괴
ㅁ. 쿠바 미사일 위기　　ㅂ. 헬싱키 협약 체결

05 소련의 (   )는 페레스트로이카(개혁)와 글라스노스트(개방)를 내세우며 정치 민주화와 시장 경제 체제 도입을 추진하였다.

06 1989년 톈안먼 광장에서 일어난 학생과 지식인들의 민주화 요구 시위를 중국 정부가 무력으로 진압한 사건은?

07 인도가 독립할 당시 이슬람교도가 대부분인 (   ) 지역이 인도에 강제 편입된 것을 계기로 인도와 파키스탄 사이에 분쟁이 지속되고 있다.

08 1995년 세계 각국의 무역 불균형을 감시하고 자유 무역을 추구하는 것을 목표로 출범한 국제기구는?

2단계 내신 다지기

A 냉전 체제의 형성과 확대

출제가능성 90%

01 다음 발표에 대한 설명으로 옳은 것은?

> 오늘날 전 세계의 거의 모든 나라는 두 가지 생활 방식 중 하나를 선택해야 합니다. 첫 번째 생활 방식은 다수의 의지에 기초하며, …… 다른 생활 방식은 소수의 의지로 다수를 강제하는 방식입니다. …… 저는 모든 민족이 자유로운 상황에서 운명을 스스로 결정할 수 있도록 도와야 한다고 믿습니다. 그래서 무엇보다 재정적인 지원을 염두에 두고 있습니다.

① 남북 전쟁이 발발하는 빌미를 제공하였다.
② 국제 연맹이 창설되는 계기를 마련하였다.
③ 공산주의의 확산을 막기 위한 목적이 있었다.
④ 유럽의 아메리카 간섭을 막겠다고 선언하였다.
⑤ 태평양 전쟁에서 일본의 무조건 항복을 요구하였다.

02 다음 목적에서 실시된 정책으로 옳은 것은?

> 트루먼 독트린 발표 이후 미국은 공산주의 세력의 확대를 막고, 미국의 상품 시장을 확대하고자 하였다.

① 코메콘 창설　　② 마셜 계획 추진
③ 반둥 회의 개최　　④ 대약진 운동 전개
⑤ 헬싱키 협약 체결

03 (가), (나) 국가의 활동으로 옳은 것은?

(가) 중심 자본주의 진영	↔	(나) 중심 공산주의 진영
• 정치: 트루먼 독트린 발표 • 경제: 마셜 계획 추진 • 군사: 북대서양 조약 기구(NATO) 결성		• 정치: 코민포름 결성 • 경제: 코메콘 창설 • 군사: 바르샤바 조약 기구(WTO) 결성

① (가) – 북베트남 정권을 지원하였다.
② (가) – 무제한 잠수함 작전을 전개하였다.
③ (나) – 롤럿법을 제정하여 식민 지배를 강화하였다.
④ (나) – 서독에서 베를린으로 가는 길을 봉쇄하였다.
⑤ (가), (나) – 카슈미르를 두고 충돌하였다.

04 밑줄 친 '전쟁'에서 미군이 철수한 배경으로 옳은 것은?

> 베트남은 공산당이 지배하는 북베트남과 친미 정권이 지배하는 남베트남으로 나뉘어 전쟁을 벌였다.

① 소련이 해체되었다.
② 제네바 협정이 체결되었다.
③ 트루먼 독트린이 발표되었다.
④ 국제적으로 반전 여론이 일어났다.
⑤ 반둥 회의에서 '평화 10원칙'이 채택되었다.

05 자료들을 활용한 탐구 주제로 가장 적절한 것은?

6·25 전쟁 당시 폭파된 한강 인도교 모습

쿠바 미사일 기지를 건설하는 현장 모습

① 베르사유 체제의 성립과 한계
② 탈냉전 시기 세계 각지의 분쟁
③ 일본의 제국주의 침략 전쟁 확대
④ 진주만 기습과 제2차 세계 대전의 확산
⑤ 냉전 시기 자본주의 진영과 공산주의 진영의 대립

B 아시아·아프리카의 변화

06 다음에서 설명하는 경제 성장 운동을 쓰시오.

> 중국에서 1950년대 말부터 산업 발달과 공산주의 경제 건설을 목표로 추진되었다. 이에 따라 농촌에서는 인민공사를 설치하고 이를 중심으로 경제 발전을 꾀하였다.

07 (가) 인물에 대한 설명으로 옳은 것은?

> **문화 대혁명**
> - 배경: 실용주의 세력의 대두
> - 목적: (가) 이/가 공산주의 혁명을 완수한다는 명분 아래 추진
> - 전개: 1966년부터 1976년까지 전개, 홍위병을 앞세워 반대파 숙청, 중국의 전통적인 가치와 문화 파괴, 예술인과 지식인 억압

① 삼민주의를 내세웠다.
② 시안 사건을 일으켰다.
③ 대약진 운동을 추진하였다.
④ 중화민국의 임시 대총통으로 선출되었다.
⑤ 동남부 해안 지역에 경제특구를 설치하였다.

08 다음은 제2차 세계 대전 이후의 정세를 정리한 것이다. (가), (나)에 대한 설명으로 옳은 것을 <보기>에서 고른 것은?

> 1. 아시아의 상황
>   (1) 인도: 영국으로부터 독립(1947) → (가) 인도 연방과 파키스탄으로 분리
>   (2) 동남아시아: 인도네시아, 말레이시아, 필리핀 등이 독립 쟁취
> 2. 아프리카의 상황: 가나, 튀니지, 모로코, (나) 알제리 독립

보기

ㄱ. (가) – 인도 국민 회의가 결성되는 배경이 되었다.
ㄴ. (가) – 힌두교도와 이슬람교도의 갈등이 원인이었다.
ㄷ. (나) – 아프리카에서 파쇼다 사건이 일어나는 데 영향을 주었다.
ㄹ. (나) – 알제리는 프랑스와의 전쟁에서 승리한 결과 독립을 이루었다.

① ㄱ, ㄴ　② ㄱ, ㄷ　③ ㄴ, ㄷ
④ ㄴ, ㄹ　⑤ ㄷ, ㄹ

09 다음 원칙의 채택이 국제 사회에 미친 영향으로 옳은 것은?

1. 기본적 인권과 국제 연합 헌장 존중
2. 주권과 영토 보전 존중
3. 인류와 국가 간의 평등
4. 내정 불간섭
5. 단독·집단의 자위권 존중
6. 강대국에 유리한 집단 방위 배제
7. 무력 침공 부정
8. 국제 분쟁의 평화적 해결
9. 상호 이익·협력 촉진
10. 정의와 국제 의무 존중

① 브레턴우즈 체제가 형성되었다.
② 동유럽 공산주의 국가들이 몰락하였다.
③ 서유럽에 대한 경제 원조가 이루어졌다.
④ 유대인이 팔레스타인에 이스라엘을 세웠다.
⑤ 제3 세계가 성립하면서 냉전 체제가 완화되는 데 영향을 주었다.

C 냉전 체제의 완화와 공산주의권의 붕괴

출제가능성 90%

10 다음 발표에 대한 설명으로 옳은 것은?

2. 미국은 강대국의 핵에 의한 위협의 경우를 제외하고는 내란이나 침략에 대하여 각국이 스스로 협력하여 그에 대처하도록 한다.
3. 미국은 '태평양 국가'로서 그 지역에서 중요한 역할을 계속하지만 직접적·군사적·정치적 과잉 개입은 하지 않는다.
4. 아시아 여러 나라에 대한 원조는 경제 중심으로 바꾸며 다수국에 대한 원조 방식을 강화하여 미국의 과중한 부담을 피한다.

① 6·25 전쟁이 일어나는 데 영향을 주었다.
② 마셜 계획이 추진되는 계기를 마련하였다.
③ 쿠바 미사일 위기가 일어나는 원인이 되었다.
④ 아메리카에 대한 유럽의 불간섭을 주장하였다.
⑤ 베트남 전쟁에서 미군이 철수하는 배경이 되었다.

11 다음 주장을 뒷받침하는 사례로 적절하지 않은 것은?

1960년대 이후 자본주의 진영과 공산주의 진영에서 미국과 소련의 영향력이 약화되면서 국제적으로 데탕트의 분위기가 조성되었다.

① 미국 닉슨 대통령이 중국을 방문하였다.
② 동독과 서독이 국제 연합에 동시 가입하였다.
③ 서독 총리 브란트가 동방 정책을 추진하였다.
④ 소련이 서베를린으로 통하는 길을 봉쇄하였다.
⑤ 미국과 소련, 유럽 국가들이 헬싱키 협약을 맺었다.

출제가능성 90%

12 다음 연설을 한 인물에 대한 설명으로 옳은 것은?

페레스트로이카 정책은 소련과 같은 (공산주의) 국가가 새로운 질적 상태로의 전환, 즉 권위주의적이고 관료주의적인 체제에서 벗어나 인간적이고 민주적인 사회로 평화롭게 이행하는 유일한 길이라고 생각합니다.

① 소비에트 정부를 수립하였다.
② 피의 일요일 사건을 일으켰다.
③ 시장 경제 체제의 도입을 추진하였다.
④ 영국, 프랑스와의 3국 협상을 성립시켰다.
⑤ 독립 국가 연합(CIS)의 결성을 주도하였다.

13 (가) 시기에 일어난 일로 옳지 않은 것은?

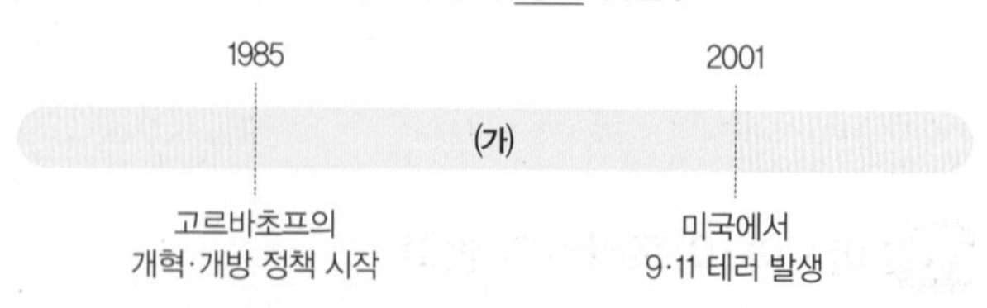

① 소련이 해체되었다.
② 동독이 서독에 흡수 통일되었다.
③ 유고슬라비아 연방이 해체되었다.
④ 소련과 서독이 불가침 협정을 맺었다.
⑤ 체코슬로바키아에서 하벨이 주도하는 민주화 운동으로 공산당 정권이 무너졌다.

출제가능성 90%

14 (가)에 들어갈 내용으로 옳은 것은?

마오쩌둥이 공산주의 원리에 위협이 되는 요소를 제거하기 위해 홍위병을 중심으로 문화 대혁명을 추진하였다.

⬇

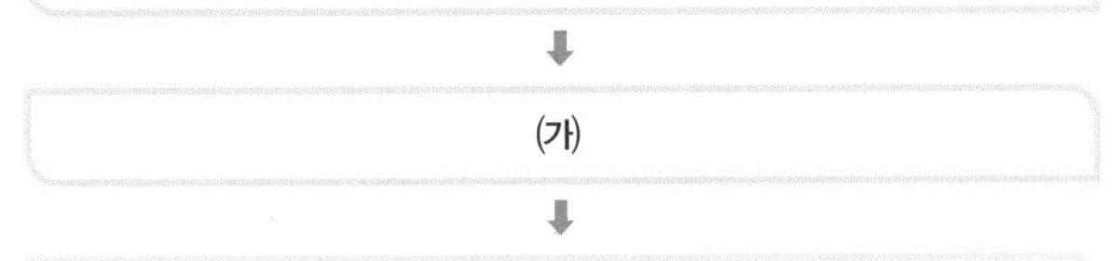

⬇

중국 정부가 톈안먼 광장에서 일어난 민주화 요구 시위를 무력으로 진압하였다.

① 중국이 6·25 전쟁에 개입하였다.
② 베이징 올림픽 대회가 개최되었다.
③ 덩샤오핑이 개혁·개방 정책을 펼쳤다.
④ 중국이 세계 무역 기구(WTO)에 가입하였다.
⑤ 국공 내전에서 승리한 공산당이 중화 인민 공화국을 수립하였다.

D 탈냉전 시대의 전개

15 지도와 같은 팔레스타인과 이스라엘의 영토 변화를 탐구하기 위한 활동으로 적절한 것은?

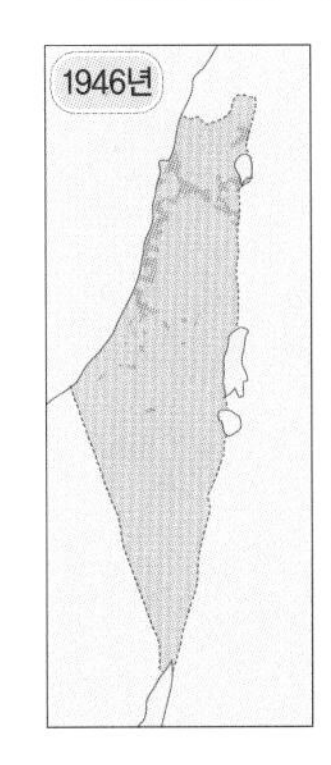

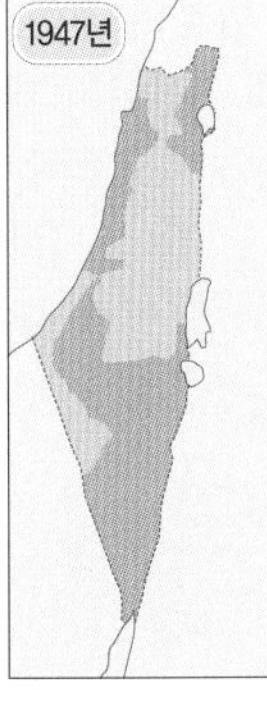

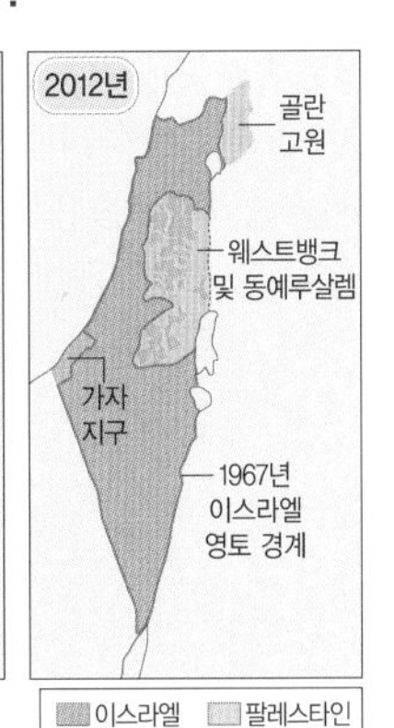

이스라엘 팔레스타인

① 중동 전쟁의 경과를 검색한다.
② 베를린 장벽이 설치된 배경을 조사한다.
③ 후투족과 투치족 간의 분쟁 원인을 알아본다.
④ 제1차 비동맹 회의에서 결정된 사항을 찾아본다.
⑤ 서독의 브란트 총리가 실시한 동방 정책의 영향을 살펴본다.

16 밑줄 친 '이 회의'에 대한 설명으로 옳은 것은?

1944년에 열린 <u>이 회의</u>에서 연합국 대표들은 미국의 달러화를 국제 무역의 주거래 통화로 삼고 달러를 기준으로 각국의 환율을 고정하는 데 합의하였다.

① 마스트리흐트 조약을 조인하였다.
② 뉴딜 정책이 추진되는 배경이 되었다.
③ 국제 통화 기금(IMF)의 설립에 영향을 주었다.
④ 대공황을 극복하기 위한 대책 마련을 위해 열렸다.
⑤ 독일의 배상금을 감면해 주는 도스안을 통과시켰다.

E 현대 사회의 변화와 인류의 과제

17 선생님의 질문에 대한 학생의 답변으로 적절하지 <u>않은</u> 것은?

선생님: 세계화에 따라 상품의 생산, 소비뿐만 아니라 문학, 음악 등에서도 국가의 장벽이 점차 낮아지고 있어요. 세계화로 인한 현상을 말해 볼까요?

① 갑: 국가가 경제에 적극 개입하고 있어요.
② 을: 세계 무역 기구(WTO)가 설립되었어요.
③ 병: 세계 각국이 자유 무역 협정(FTA)을 체결하고 있어요.
④ 정: 선진국과 개발 도상국 간의 경제적 격차가 심화되고 있어요.
⑤ 무: 세계 각 지역의 문화가 공유되는 한편 문화 획일화 현상이 나타나고 있어요.

18 환경을 보호하기 위한 노력에 해당하는 것을 <보기>에서 고른 것은?

보기
ㄱ. 코민포름 조직　　ㄴ. 리우 선언 발표
ㄷ. 반둥 회의 개최　　ㄹ. 교토 의정서 체결

① ㄱ, ㄴ　② ㄱ, ㄷ　③ ㄴ, ㄷ
④ ㄴ, ㄹ　⑤ ㄷ, ㄹ

정답과 해설 38쪽

01 (가) 정책에 대한 설명으로 옳은 것은?

① 트루먼 독트린을 구체화한 정책이다.
② 국제 연맹이 창설되는 데 영향을 주었다.
③ 쿠바 미사일 위기에 대응하여 추진되었다.
④ 소련과 독일이 불가침 조약을 체결하는 결과를 가져왔다.
⑤ 국제적으로 긴장 완화의 분위기가 조성되는 계기가 되었다.

2018 수능 응용

02 밑줄 친 '평화 원칙'에 대한 설명으로 옳은 것은?

세계사 신문 1954. 6. ○○.

평화 원칙을 발표하다

중국의 저우언라이 총리가 인도의 델리를 방문하여 네루 총리와 역사적인 만남을 가졌다. 중국의 저우언라이 총리와 인도의 네루 총리는 이념을 초월해 인류 평화를 위해 협력할 것을 전 세계에 호소하면서 평화 원칙에 합의하였다.

① 민족 자결주의가 포함되었다.
② 국제 연합(UN) 창설의 근거가 되었다.
③ 반둥 회의가 개최되는 데 영향을 주었다.
④ 브레턴우즈 체제가 형성되는 계기가 되었다.
⑤ 독일의 뉘른베르크에서 전범 재판이 열리는 데 기여하였다.

최고난도

03 지도의 분쟁 지역을 보고 학생들이 나눈 대화 내용으로 옳은 것은?

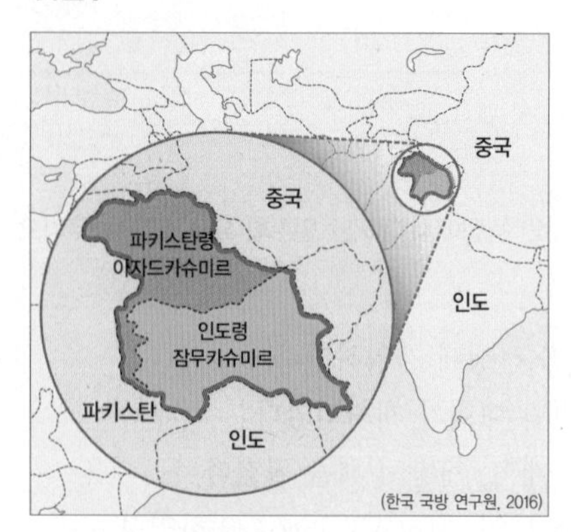

① 갑: 벨벳 혁명이 일어났어.
② 을: 이 지역에서 중동 전쟁이 발발하였어.
③ 병: 그리스계와 터키계 민족이 충돌하고 있어.
④ 정: 다수족인 후투족과 소수족인 투치족이 갈등을 빚고 있어.
⑤ 무: 이슬람교도가 대부분인 이 지역이 인도에 강제 편입되면서 분쟁이 시작되었어.

서술형 문제

04 다음을 읽고 물음에 답하시오.

> 제13차 전당 대회에서는 더 빠른 속도로 부자가 될 것이라고 말했다. 그러나 민중의 주머니는 불어나지 않았고, 검은 고양이와 흰 고양이는 더 뚱뚱해졌다. …… 물가는 하늘 높은 줄 모르고 치솟았다. …… 우리는 (덩샤오핑의) 개혁 정책을 포기하지 않을 것이다. …… 인민에게는 아직도 살 만한 집이 부족하다.
>
> – 민주화 요구 당시에 뿌려진 전단지, 1989

(1) 위와 같은 민주화 요구를 중국 정부가 무력 진압하면서 일어난 사건을 쓰시오.

(2) 밑줄 친 '개혁'의 구체적인 내용을 서술하시오.

내공 점검

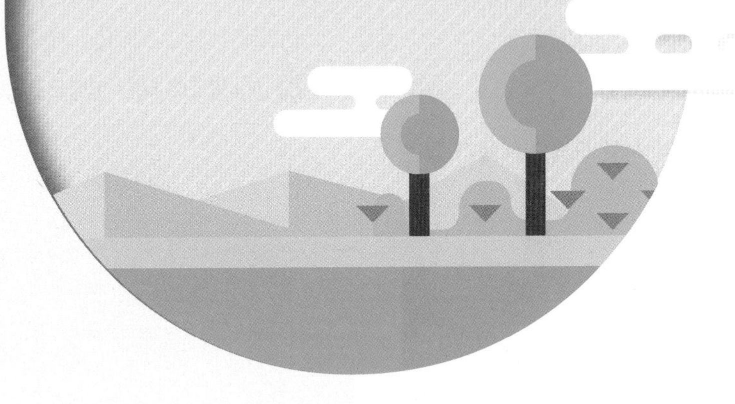

내공 점검

I. 인류의 출현과 문명의 발생

점수 /100점

01 밑줄 친 '인류'에 대한 설명으로 옳은 것은?

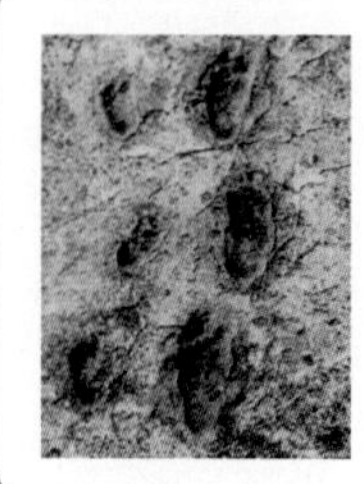

이 사진은 아프리카의 라에톨리에서 발견된 약 350만 년 전의 발자국이다. 라에톨리 지역에서 용암이 식어갈 때 사람의 발자국이 찍혀 그대로 굳어 형성된 것으로, 인류가 두 발로 걸었음을 보여 준다.

① 불과 언어를 사용하였다.
② 간단한 도구를 사용하였다.
③ 라스코 동굴에 벽화를 그렸다.
④ 사후 세계의 관념을 형성하였다.
⑤ 황색, 백색, 흑색 인종의 형질을 갖추었다.

02 (가), (나) 벽화가 그려진 시대의 사회 모습으로 옳지 않은 것은?

(가)

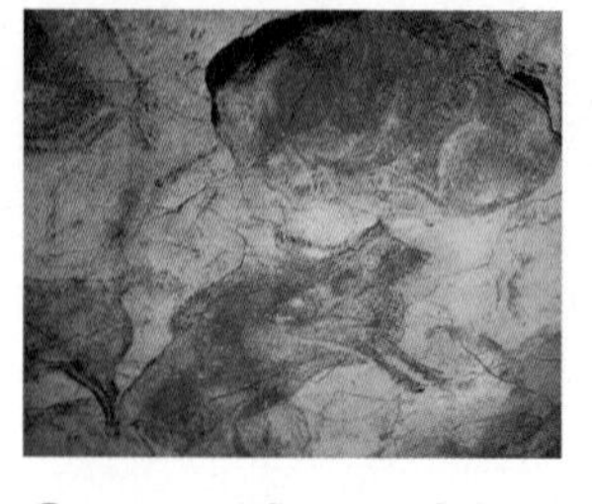

(나)

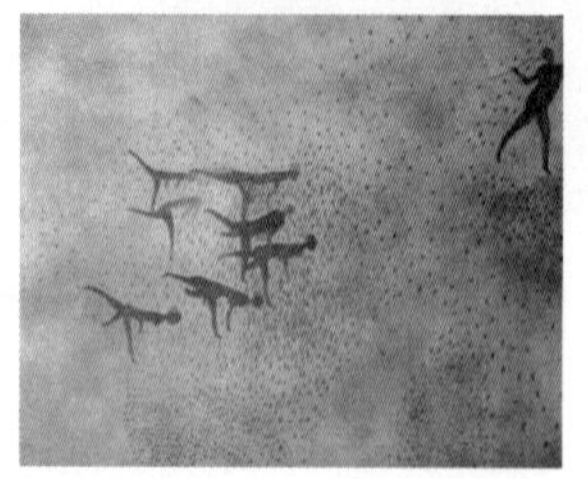

① (가) – 목축으로 식량을 얻었다.
② (가) – 다산과 풍요를 기원하는 조각품을 만들었다.
③ (나) – 베틀과 뼈바늘로 옷을 만들어 입었다.
④ (나) – 돌칼, 돌낫 등의 간석기를 사용하였다.
⑤ (가), (나) – 평등한 사회를 이루었다.

03 다음에서 설명하는 문명에서 있었던 사실로 옳은 것은?

기원전 3500년경 티그리스강과 유프라테스강 사이에서 수메르인이 도시 국가를 세워 문명을 일으켰다. 이 문명에서는 다신교를 믿었으며, 도시마다 지구라트를 세워 각기 다른 수호신을 섬겼다.

① 봉건제 실시
② 카스트제 성립
③ 피라미드 제작
④ 쐐기 문자 사용
⑤ 모헨조다로 건설

04 다음 유물을 남긴 문명에 대한 탐구 활동으로 적절한 것은?

① 함무라비왕의 업적을 정리한다.
② 카스트제가 성립된 배경을 조사한다.
③ 라스코 동굴 벽화의 의미를 분석한다.
④ 은허 발굴의 역사적 의의를 살펴본다.
⑤ 파라오가 신권 정치를 펼친 목적을 알아본다.

05 (가) 왕조에 대한 설명으로 옳은 것은?

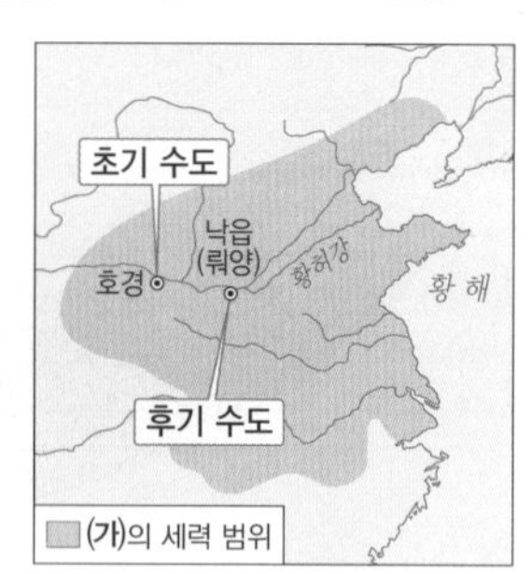

① 갑골문을 사용하였다.
② 봉건제를 실시하였다.
③ 브라만교가 성립되었다.
④ 함무라비왕 때 전성기를 이루었다.
⑤ 내세적인 신앙이 발달하여 미라를 만들었다.

주관식+서술형 문제

06 다음을 읽고 물음에 답하시오.

제40조 사들여 보유하고 있는 농지, 과수원 또는 가옥은 매각할 수 있다.
제196조 자유인의 눈을 멀게 하면 그의 눈도 멀게 한다.
제198조 노예의 눈을 멀게 하거나 뼈를 부러뜨린 자는 은을 바쳐야 한다.

(1) 위 내용이 담긴 법전을 편찬한 나라를 쓰시오.

(2) 위 내용을 통해 알 수 있는 이 사회의 특징을 두 가지 서술하시오.

내공 점검

Ⅱ. 동아시아 지역의 역사

점수 /100점

01 다음에서 설명하는 시대에 있었던 사실로 옳은 것은?

> 주가 수도를 낙읍(뤄양)으로 옮긴 때부터 진(秦)이 중국을 통일할 때까지의 시대이다.

① 오수전이 전국에 유통되었다.
② 기전체 역사서인 『사기』가 저술되었다.
③ 유가, 도가, 법가와 같은 학파가 등장하였다.
④ 호족이 향거리선제를 통해 관료로 진출하였다.
⑤ 봉건제와 군현제가 절충된 군국제가 실시되었다.

02 밑줄 친 '나라'에 대한 설명으로 옳은 것은?

> 전국 7웅이 서로 각축전을 벌이던 중 가장 서쪽에 위치하였던 <u>나라</u>가 나머지 여섯 나라를 차례로 무너뜨리고 중국을 최초로 통일하였다.

① 불교를 수용하였다.
② 봉건제를 도입하였다.
③ 화폐, 도량형, 문자를 통일하였다.
④ 유교를 통치 이념으로 확립하였다.
⑤ 철제 농기구를 사용하기 시작하였다.

03 지도의 영역을 차지한 중국의 왕조에 대한 설명으로 옳지 <u>않은</u> 것은?

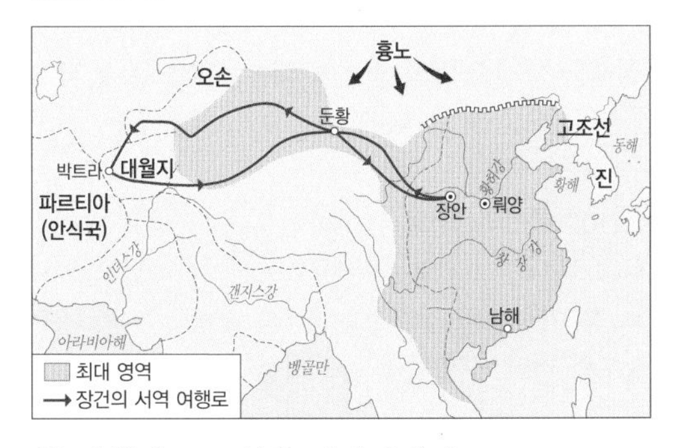

① 남월과 고조선을 멸망시켰다.
② 유교를 통치 이념으로 삼았다.
③ 군현제를 전국적으로 시행하였다.
④ 과거제를 실시하여 관리를 뽑았다.
⑤ 소금과 철을 국가에서 전매하였다.

04 다음은 후한 이후의 왕조 변천을 정리한 것이다. (가) 왕조에 대한 탐구 활동으로 적절한 것은?

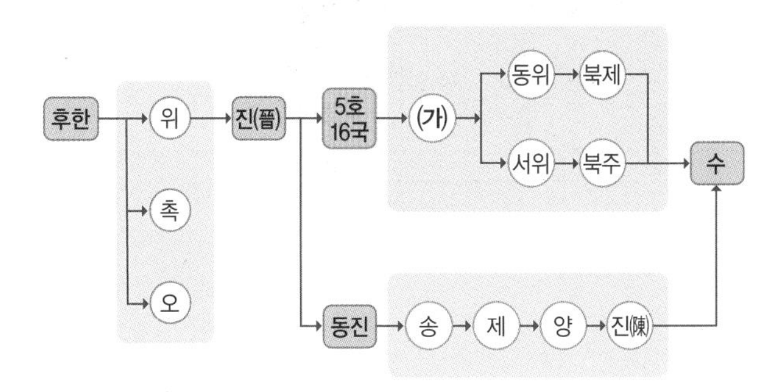

① 분서갱유의 목적을 알아본다.
② 한화 정책의 내용을 조사한다.
③ 『오경정의』의 편찬 배경을 찾아본다.
④ 장건이 서역에 다녀온 효과를 검토한다.
⑤ 당삼채에 드러난 문화적 특징을 정리한다.

05 빈칸에 들어갈 내용으로 가장 적절한 것은?

> **수행 평가 보고서**
>
> 1. 탐구 주제: 중국 ○ 문화의 특징
> 2. 조사 자료
>
> ⊙ 대진 경교 유행 중국비 ⊙ 당삼채 ⊙ 둔황 석굴에 그려진 호선무를 추는 무용수
>
> 3. 자료 분석 결과: ＿＿＿＿＿＿＿＿＿＿

① 국풍 문화가 발달하였다.
② 서민 문화가 발달하였다.
③ 청담 사상이 유행하였다.
④ 국제적인 문화가 발달하였다.
⑤ 동아시아 문화권이 형성되었다.

06 다음 제도를 도입한 송 황제의 업적으로 옳은 것은?

이 그림은 황제가 주관한 전시를 그린 것이다. 전시는 황제가 석차를 결정하는 시험으로, 관직 결정과 승진에 큰 영향을 주었다.

① 육유 반포
② 삼번의 난 진압
③ 정화의 원정 추진
④ 절도사의 권환 회수
⑤ 어린도책과 부역황책 정비

07 (가) 시기에 일어난 사건으로 옳은 것은?

① 요 건국
② 발해 멸망
③ 왕안석의 신법 추진
④ 요의 연운 16주 획득
⑤ 쿠빌라이 칸의 대도 천도

08 밑줄 친 '이 왕조'에 대한 설명으로 옳지 않은 것은?

위 그림은 장택단이 그린 「청명상하도」의 일부로, 카이펑의 음식점, 이야기꾼, 여관 등이 그려져 있어 이 왕조 사람들의 일상생활을 보여 준다.

① 교초가 전국적으로 유통되었다.
② 사대부가 지배층으로 성장하였다.
③ 시박사에서 무역 사무를 담당하였다.
④ 창장강 이남에 참파 벼가 도입되었다.
⑤ 잡극과 구어체로 된 소설이 유행하였다.

09 (가), (나)에 대한 설명으로 옳은 것은?

원은 민족 차별 정책을 실시하였다. 몽골인과 서방계의 (가) 은/는 지배층을 이루었다. 이들은 금의 지배를 받았던 한족이나 기타 민족을 한인, 남송의 지배를 받았던 한족을 (나) (으)로 분류하여 지배하였다.

① (가) – 주로 재정 업무를 담당하였다.
② (가) – 향거리선제를 통해 관료로 진출하였다.
③ (나) – 색목인이라고 불렸다.
④ (나) – 황건적의 난을 주도하였다.
⑤ (가), (나) – 조용조를 부담하였다.

10 다음 사건이 일본 사회에 미친 영향으로 옳은 것을 〈보기〉에서 고른 것은?

13세기 후반 원의 쿠빌라이는 고려와 연합하여 두 차례 일본을 침입하였다. 가마쿠라 막부는 무사를 동원하여 맞섰고, 전쟁 중에 태풍이 불어와 고려와 원의 연합군이 큰 피해를 입어 원의 침입을 막아 냈다.

보기

ㄱ. 난학이 발달하였다.
ㄴ. 신국 사상이 퍼졌다.
ㄷ. 국풍 문화가 발달하였다.
ㄹ. 무사들의 반발로 막부가 쇠퇴하였다.

① ㄱ, ㄴ
② ㄱ, ㄷ
③ ㄴ, ㄷ
④ ㄴ, ㄹ
⑤ ㄷ, ㄹ

11 다음 정책을 실시한 명의 황제에 대한 설명으로 옳지 않은 것은?

인접한 110호를 1리(里)로 편성하여 부유한 10호는 이장호로 하고 나머지 100호는 갑수호로 하여 10갑으로 나누었다. 각 이장호와 갑수호는 10년 교대로 이와 갑의 조세 징수와 치안 유지 등을 담당하였다.

① 재상제를 폐지하였다.
② 내각 대학사를 설치하였다.
③ 백성에게 육유를 보급하였다.
④ 학교를 세우고 과거제를 정비하였다.
⑤ 토지 대장과 조세 대장 겸 호적 대장을 마련하였다.

12 다음은 어느 청 황제가 쓴 자서전이다. 이 책에 들어갈 내용으로 적절한 것은?

> 나는 여덟 살 때 청 왕조의 황제로 즉위하였다. …… 나의 번 폐지에 대항하여 일어난 삼번의 난을 평정하는 데 성공하였다. 이어 외몽골과 티베트를 복속시켰다. 시베리아에 진출한 러시아와 네르친스크 조약을 맺어 국경선도 확정하였다.

① 군기처를 설치하였다.
② 자금성을 건설하였다.
③ 비밀 상주문 제도를 도입하였다.
④ 타이완의 반청 세력을 제압하였다.
⑤ 정화의 원정을 추진하여 국력을 떨쳤다.

13 다음 상황을 배경으로 중국에서 실시된 정책으로 옳은 것은?

> 신항로 개척 이후 중국은 유럽 상인과 교역하면서 주로 은을 받고 차, 비단, 도자기 등을 외국에 수출하였다. 이에 따라 일본과 아메리카의 은이 중국에 대량으로 유입되었다.

① 이갑제 실시
② 일조편법 시행
③ 문자의 옥 단행
④ 교자와 회자 유통
⑤ 만한 병용제 실시

14 다음 지도가 제작된 왕조에서 볼 수 있었던 모습으로 적절한 것은?

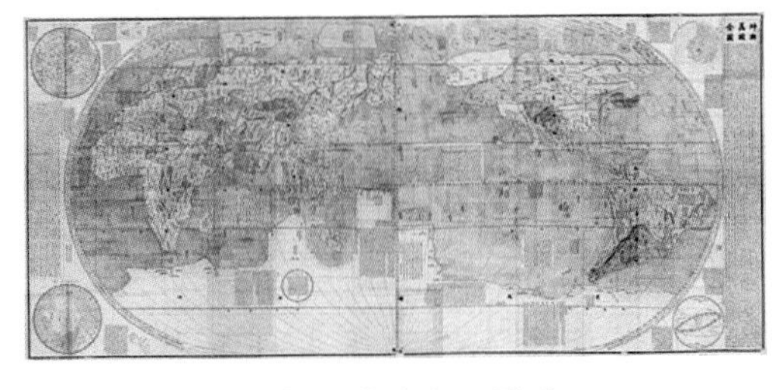

① 인두세의 폐지를 명령하는 황제
② 슈인장을 들고 무역에 나서는 상인
③ 9품중정제의 폐단을 상소하는 관리
④ 광저우에서 유럽 상인과 교역하는 공행
⑤ 심즉리설과 지행합일설을 주장하는 학자

15 (가) 막부에 대한 설명으로 옳지 않은 것은?

> (가) 의 쇼군은 다이묘에게 번이라고 불리는 영지를 주어 독립적인 지위를 인정하였다. 그러나 산킨코타이로 다이묘를 통제하는 한편, 국왕의 정치 간여를 금지하여 막부의 통제력을 강화하였다.

① 난학이 발달하였다.
② 임진왜란을 일으켰다.
③ 조닌 문화가 발전하였다.
④ 슈인장(주인장) 무역이 이루어졌다.
⑤ 상인들이 동업 조합인 가부나카마를 조직하였다.

주관식+서술형 문제

16 다음에서 설명하는 계층을 쓰시오.

> 명·청 대에 학교와 과거제를 통해 형성된 계층으로 지배층의 주류를 이루었다. 이들은 지방 행정을 운영하는 한편, 가벼운 형벌의 면책, 부역 면제 등의 특권을 누렸으며, 대토지를 소유한 대지주이기도 하였다.

17 다음을 보고 물음에 답하시오.

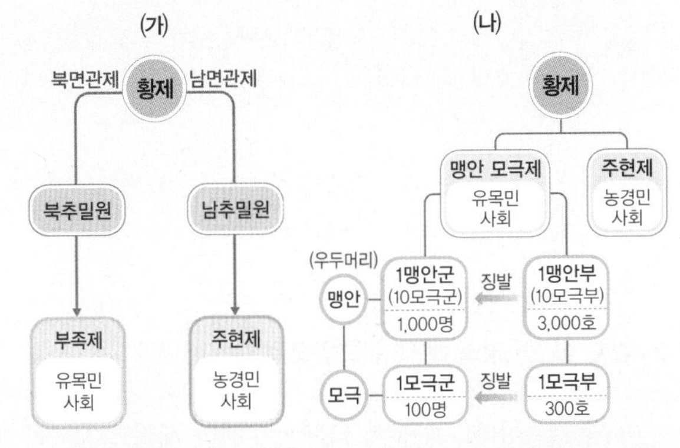

(1) (가), (나)의 방식으로 중국을 통치한 정복 왕조를 각각 쓰시오.

(2) 북방 민족이 (가), (나)와 같은 통치 방식을 실시한 이유를 서술하시오.

내공 점검

Ⅲ. 서아시아·인도 지역의 역사

점수 ／100점

01 지도의 영역을 차지한 왕조에 대한 설명으로 옳은 것은?

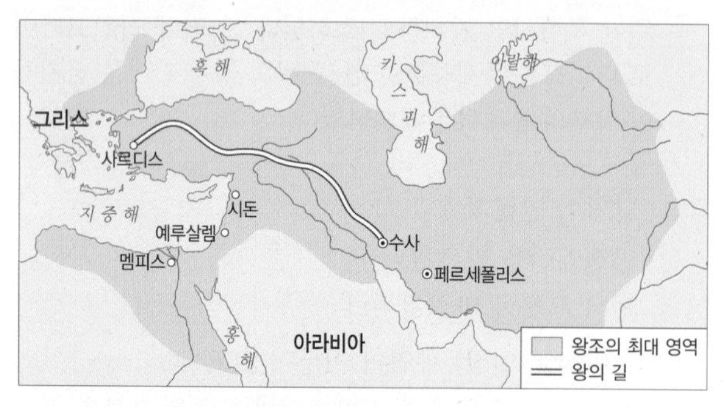

① 티마르제를 실시하였다.
② 조로아스터교를 국교로 삼았다.
③ 상좌부 불교를 동남아시아에 전파하였다.
④ 피지배 민족의 전통과 신앙을 존중하였다.
⑤ 티무르가 몽골 제국의 재건을 내걸고 수립하였다.

02 다음은 이슬람 제국의 변천을 정리한 것이다. (가) 시기에 있었던 사실로 옳은 것은?

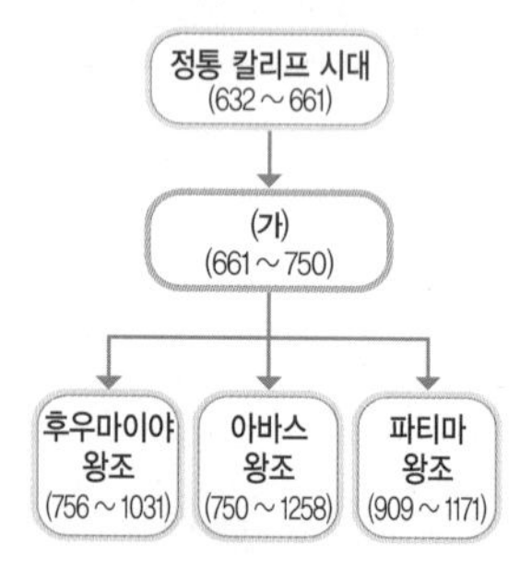

① 마니교가 창시되었다.
② 아랍인을 우대하였다.
③ 칼리프가 선출되었다.
④ 사산 왕조 페르시아를 정복하였다.
⑤ 데브시르메 제도로 인재를 선출하였다.

03 밑줄 친 '이 왕조'에 대한 설명으로 옳은 것은?

> <u>이 왕조</u>는 아바스 가문이 비아랍인 불만 세력과 시아파의 도움을 받아 건국하였다. 751년에는 당과의 탈라스 전투에서 승리하고 동서 교역로를 장악하여 경제적 번영을 누렸다.

① 예니체리를 운영하였다.
② 군주의 칭호로 '샤'를 사용하였다.
③ 술탄 아흐메트 사원을 건축하였다.
④ 모든 이슬람교도의 평등을 표방하였다.
⑤ 아소카왕의 정책으로 불교가 진흥하였다.

04 다음은 어느 왕조에 대한 탐구 활동이다. 빈칸에 들어갈 내용으로 적절한 것은?

> • 1모둠: 부와이 왕조를 정복한 과정을 살펴본다.
> • 2모둠: 크리스트교 세계와 십자군 전쟁을 벌인 배경을 찾아본다.
> • 3모둠: 왕실의 내분이 일어난 이유를 조사한다.
> • 4모둠: ______________________

① 인도·이슬람 문화의 사례를 정리한다.
② 아바스 왕조로부터 술탄의 칭호를 획득한 이유를 알아본다.
③ 중계 무역이 수도 사마르칸트의 번영에 미친 영향을 조사한다.
④ 시아파 이슬람교를 국교로 삼은 이후 주변국과의 관계를 조사한다.
⑤ 티마르제와 데브시르메 제도가 왕조의 영토 확장에 기여한 바를 살펴본다.

05 자료의 사건이 일어난 제국에 대한 설명으로 옳은 것을 <보기>에서 고른 것은?

> 우리는 비잔티움 제국의 수도인 콘스탄티노폴리스를 함락하였다. 이제 콘스탄티노폴리스의 이름을 이스탄불로 바꾸고 이곳을 제국의 수도로 삼을 것이다.

보기
ㄱ. 술탄이 칼리프의 칭호를 이어받았다.
ㄴ. 지중해 해상권을 장악하여 경제적으로 번영하였다.
ㄷ. 동남아시아 지역에 사절과 승려를 파견하여 불교를 포교하였다.
ㄹ. 정복한 지역의 언어, 종교, 전통을 탄압하여 이민족의 반발을 샀다.

① ㄱ, ㄴ ② ㄱ, ㄷ ③ ㄴ, ㄷ
④ ㄴ, ㄹ ⑤ ㄷ, ㄹ

06 마우리아 왕조에서 다음과 같이 주장한 왕의 정책으로 옳은 것은?

> 칼링가를 정복하면서 나는 결코 돌이킬 수 없는 양심의 가책을 느꼈다. 그들의 영토가 수많은 시체로 뒤덮인 처참한 광경을 바라보면서 나의 가슴은 온통 찢어지고 말았다. …… 나는 오직 진리에 맞는 법만을 실천하고 가르칠 것이다.

① 군현제를 실시하였다.
② 델리 술탄 왕조를 정복하였다.
③ 분서갱유로 사상을 통제하였다.
④ 불경을 정리하고 스투파를 건립하였다.
⑤ '왕의 귀'라고 불리는 감찰관을 속주에 파견하였다.

07 (가), (나) 종교에 대한 설명으로 옳지 않은 것은?

> (가) 7세기경 무함마드가 정립하였으며, 『쿠란』을 경전으로 삼았다.
> (나) 브라만교를 바탕으로 민간 신앙, 불교 등이 융합되어 성립한 종교이다.

① (가) – 신 앞에서 인간이 평등하다고 보았다.
② (가) – 유대교와 크리스트교의 영향을 받았다.
③ (나) – 『마누 법전』이 지침서 역할을 하였다.
④ (나) – 카스트에 따른 의무 수행을 중시하였다.
⑤ (가), (나) – 유일신을 섬겼다.

08 (가) 왕조에서 있었던 사실로 옳은 것은?

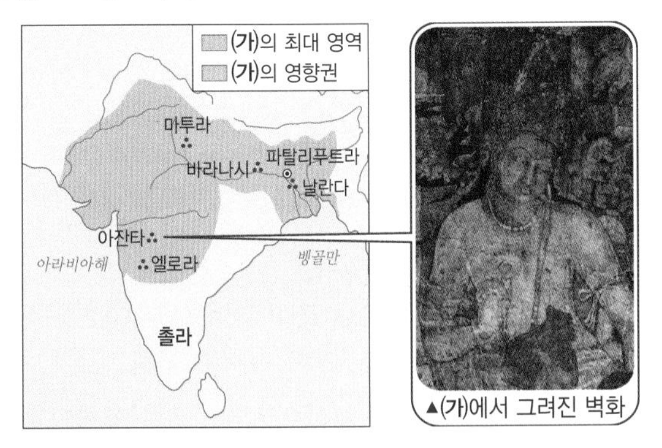

▲(가)에서 그려진 벽화

① '왕의 길'이 건설되었다.
② 간다라 양식이 등장하였다.
③ 산스크리트 문학이 발달하였다.
④ 마라타 동맹이 반란을 일으켰다.
⑤ 카니슈카왕이 영토를 확장하였다.

09 밑줄 친 '나'가 통치한 시기 무굴 제국에서 볼 수 있었던 모습으로 적절한 것은?

> 나는 나의 신앙에 일치시키려고 다른 사람들을 박해하였으며, 그것이 신에 대한 귀의라고 생각하였다. 그러나 …… 강제로 개종시킨 사람에게서 어떤 성실성을 기대할 수 있을까? …… 인간의 힘으로 이해할 수 없는 존재에 이름을 붙이는 것은 부질없는 짓이다. –『아크바르나마』

① 관료로 임명된 힌두교도
② 탈라스 전투에서 싸우는 군인
③ 지즈야의 부활에 반발하는 시크교도
④ 예니체리 군단에서 훈련을 받는 청소년
⑤ 아바스 왕조의 칼리프에게 술탄의 칭호를 얻는 왕

주관식+서술형 문제

10 (가), (나)에 들어갈 제도를 각각 쓰시오.

> 오스만 제국에서는 (가) (으)로 발칸반도의 크리스트교도 청소년을 강제로 징집하여 이슬람교도로 개종시킨 후 술탄의 친위 부대인 예니체리로 육성하였다. 또한 영토가 확대됨에 따라 술탄의 직할지를 제외한 영토를 총독이나 현지의 지배자에게 위임하고 이들에게 토지의 징세권을 주는 (나) 을/를 실시하였다. 이 제도는 오스만 제국의 군사력 강화에 기여하였다.

11 다음을 참고하여 힌두교의 확산이 인도 사회에 미친 영향을 서술하시오.

> 『베다』를 배우고 가르치는 일, 제사를 치르고 주관하는 일 …… 브라만에게 정해 주었다. 인민을 지키는 일, 제사, 학습 …… 크샤트리아에게 정해 주었다. 짐승을 기르는 일, …… 상업과 농사는 바이샤에게 정해 주었다. 수드라에게는 하나의 의무만을 정해 주었으니, 그것은 질투 없이 위의 세 신분에게 봉사해야 함이었다. –『마누 법전』

내공 점검

Ⅳ. 유럽·아메리카 지역의 역사

점수 /100점

01 다음 제도를 실시한 폴리스에 대한 설명으로 옳은 것은?

독재자가 될 가능성이 있는 사람의 이름을 도자기 파편에 적어서 6,000표 이상 나오면 10년간 외국으로 추방하였다.

⬆ 도자기 파편

① 펠로폰네소스 동맹을 이끌었다.
② 솔론 집권 시기 금권정을 실시하였다.
③ 호민관을 설치하고 평민회를 조직하였다.
④ 밀라노 칙령으로 크리스트교를 공인하였다.
⑤ 여자, 거류 외국인, 노예에게 참정권을 부여하였다.

02 밑줄 친 '대제국'의 문화에 대한 설명으로 옳은 것은?

알렉산드로스는 기원전 334년 동방 원정을 시작하여 페르시아를 정복하고 인더스강 유역까지 진출하여 대제국을 건설하였다.

① 파르테논 신전을 축조하였다.
② 철학에서 스토아학파가 등장하였다.
③ 『유스티니아누스 법전』이 편찬되었다.
④ 고딕 양식의 샤르트르 대성당이 세워졌다.
⑤ 호메로스가 『일리아드』와 『오디세이아』라는 작품을 저술하였다.

03 다음 연설이 이루어질 당시의 상황으로 옳은 것은?

이탈리아를 위해 싸우고 죽은 사람들은 공기와 햇빛을 향유할 뿐, 아무 것도 가진 것이 없습니다. …… 그들은 다른 사람들의 부와 사치를 위해서 싸우다 죽지만 자기 소유라 할 단 한 조각의 땅도 없습니다.

– 플루타르코스, 『영웅전』

① 로마가 동서로 분열되었다.
② 펠로폰네소스 전쟁이 일어났다.
③ 마케도니아가 그리스 세계를 정복하였다.
④ 게르만족이 대규모로 로마 영내에 들어왔다.
⑤ 로마에서 라티푼디움이 확대되면서 자영농이 몰락하였다.

04 다음 칙령을 반포한 로마 황제에 대한 설명으로 옳은 것은?

신앙은 각자 자신의 양심에 비추어 결정해야 할 일이라고 생각해 왔다. …… 크리스트교도만이 아니라 어떤 종교를 신봉하는 자에게도 각자가 원하는 신을 믿을 권리를 완전히 인정하는 것이다. 그 신이 무엇이든, 통치자인 황제와 그 신하인 백성에게 평화와 번영을 가져다 준다면 인정해야 마땅하다. …… 오늘부터 크리스트교든 다른 어떤 종교든 관계없이 각자 원하는 종교를 믿고 거기에 따르는 제의에 참석할 자유를 완전히 인정받는다.

① 콘스탄티노폴리스를 수도로 삼았다.
② 친위 부대로 예니체리를 조직하였다.
③ 악티움 해전에서 안토니우스를 격퇴하였다.
④ 정복지에 '왕의 귀', '왕의 눈'을 파견하였다.
⑤ 로마 제국을 넷으로 나누어 통치하였고 전제 군주제를 도입하였다.

05 (가)에 들어갈 내용으로 옳은 것은?

메로베우스 왕조를 세운 클로비스가 로마 가톨릭교로 개종하여 세례를 받았다.

⬇

⬇

로마 가톨릭의 교황 레오 3세가 프랑크 왕국의 카롤루스 대제에게 서로마 황제의 관을 씌워 주었다.

① 베르됭 조약이 체결되었다.
② 게르만족의 일파인 서고트족이 로마 영토 안으로 이동하였다.
③ 동프랑크의 오토 1세가 교황으로부터 로마 황제의 관을 받았다.
④ 게르만족 출신의 용병 대장 오도아케르가 서로마 제국을 멸망시켰다.
⑤ 카롤루스 마르텔이 투르·푸아티에 전투에서 이슬람군을 격퇴하였다.

06 다음 협약에 대해 학생들이 나눈 대화 내용으로 적절한 것은?

> 독일 왕국에서 주교와 수도원장의 서임은 그대(신성 로마 제국 황제)의 입회하에 이루어질 것이다. …… 신성 로마 제국 황제인 나, 하인리히는 모든 서임권을 성스러운 로마 가톨릭교회에 바친다. 그리고 짐의 왕국과 제국 내 모든 교회에서 교회법에 따른 주교와 수도원장의 선출과 성직 수임의 자유를 보장하는 것에 동의한다.

① 갑: 카노사의 굴욕이 일어나는 배경이 되었어.
② 을: 그리스 정교가 성립하는 데 영향을 주었어.
③ 병: 클뤼니 수도원에서 개혁 운동이 일어나는 근거가 되었어.
④ 정: 교황이 서임권을 차지하게 되어 교황의 권력이 점차 강화되었어.
⑤ 무: 서유럽에서 주종제와 장원을 기반으로 한 봉건제가 성립하는 데 결정적인 역할을 하였어.

07 다음 관계가 형성되었던 시기 서유럽의 문화에 대한 설명으로 옳지 <u>않은</u> 것은?

> 이 그림은 충성을 맹세하는 기사와 그를 서임하는 주군의 모습을 그린 것이다. 당시에는 이러한 주종 관계 서약을 통해 주군과 봉신이 쌍무적인 계약 관계를 맺었다.

① 성 소피아 대성당을 세웠다.
② 로마네스크 양식과 고딕 양식이 유행하였다.
③ 신학을 중심으로 한 스콜라 철학이 발달하였다.
④ 『아서왕 이야기』, 『롤랑의 노래』 등 기사도 문학이 발전하였다.
⑤ 유럽 각지에 대학이 세워져 자치권을 확보하고 교육 활동을 벌였다.

08 밑줄 친 '이 제국'에서 볼 수 있었던 모습으로 적절한 것은?

> 6세기 유스티니아누스 황제는 <u>이 제국</u>의 전성기를 이끌었다. 그는 정복 활동으로 옛 로마 제국의 영토를 거의 회복하였고, 로마법을 정리하여 『유스티니아누스 법전』을 편찬하였으며, 성 소피아 대성당을 건립하였다. 그러나 유스티니아누스 황제가 죽은 뒤 제국은 잦은 외부의 침입으로 위기를 맞아 영토를 상실하였다.

① 자크리의 난에 가담한 농민
② 페리클레스의 연설을 경청하는 시민
③ 군관구의 사령관에게 훈련받는 병사
④ 『둠즈데이 북』의 내용을 살피는 국왕
⑤ 아비뇽 교황청에서 교황을 보좌하는 성직자

09 ㉠, ㉡ 전쟁이 가져온 공통적인 영향으로 적절한 것은?

> 프랑스의 왕위 계승 문제를 둘러싸고 영국과 프랑스가 ㉠ <u>전쟁</u>을 벌였다. 이 전쟁에서 처음에는 영국이 우세하였으나 잔 다르크의 활약에 힘입어 프랑스군이 전세를 역전시켰다. 이후 영국에서는 왕위 계승을 둘러싸고 요크 왕가와 랭커스터 왕가 사이에 ㉡ <u>전쟁</u>이 일어났다.

① 십자군이 예루살렘을 회복하였다.
② 프랑크 왕국이 셋으로 분열되었다.
③ 봉건 제후들이 몰락하고 왕권이 강화되었다.
④ 동방 무역이 활발해지고 상공업이 발달하였다.
⑤ 노르만족이 노르망디 공국, 키예프 공국 등을 세웠다.

10 다음 글을 저술한 인물로 옳은 것은?

> 교황은 바로 나, 우신 덕분에 우아한 생활을 하고 있다. 왜냐하면 연극이나 다름없는 화려한 교회 의식을 통해 축복이나 저주의 말을 하고 감시의 눈만 번쩍이면, 충분히 그리스도에게 충성하였다고 생각하기 때문이다.

① 마키아벨리 ② 에라스뮈스
③ 페트라르카 ④ 토머스 모어
⑤ 레오나르도 다빈치

11 (가), (나) 결의에 대한 설명으로 옳은 것은?

> (가) 각 영방 제후는 종교를 결정할 권리를 가진다. 원칙은 루터파에게만 적용되며, 그 밖의 신교에는 적용되지 않는다.
> (나) 칼뱅파는 루터파와 동등한 특권을 가진다. 신성 로마 제국의 황제 재판소에서 루터파와 칼뱅파는 같은 수의 재판관을 두고 재판을 주관한다.

① (가) – 예수회 설립을 결정하였다.
② (가) – 위그노 전쟁을 계기로 발표되었다.
③ (나) – 30년 전쟁의 결과 체결되었다.
④ (나) – 영국 국교회가 확립되는 데 기여하였다.
⑤ (가), (나) – 콘스탄츠 공의회의 개최에 영향을 주었다.

12 밑줄 친 '이 문명'에 대한 설명으로 옳은 것은?

> 이 문명은 테노치티틀란에 도읍을 세우고 신권 정치로 멕시코 일대를 지배하며 발전하였다. '신이 머무는 곳'이라는 뜻을 가진 테노치티틀란은 긴 대로와 십자형 수로로 구획된 계획도시였다.

① 쿠스코 태양 신전을 남겼다.
② 에스파냐의 침입으로 파괴되었다.
③ 지구라트라는 건축물을 축조하였다.
④ 새끼줄 매듭으로 숫자와 문자를 대신하였다.
⑤ 『동방견문록』에 기록되어 유럽인의 주목을 받았다.

13 (가)에 들어갈 내용으로 적절한 것은?

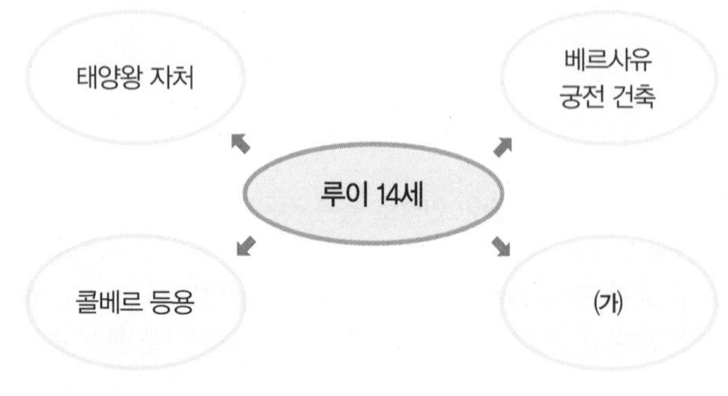

① 낭트 칙령 폐지
② 에스파냐의 무적함대 격파
③ 청과 네르친스크 조약 체결
④ 레판토 해전에서 오스만 제국 격파
⑤ 오스트리아와의 전쟁에서 슐레지엔 차지

14 빈칸에 들어갈 내용으로 옳지 않은 것은?

> 16·17세기에 일어난 과학의 발전과 세계관의 변화를 일컬어 과학 혁명이라고 한다. 이 시기 ______________

① 제너가 종두법을 발견하였다.
② 갈릴레이가 망원경을 제작하였다.
③ 코페르니쿠스가 지동설을 주장하였다.
④ 뉴턴이 만유인력의 법칙을 발견하였다.
⑤ 에디슨이 전구와 축음기를 발명하였다.

15 (가) 시기에 영국에서 있었던 일로 옳은 것은?

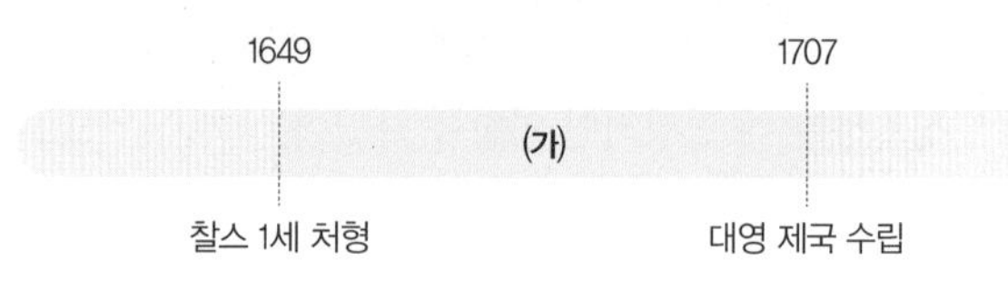

① 부패 선거구가 폐지되었다.
② 노동자들이 차티스트 운동을 펼쳤다.
③ 벤담과 밀이 공리주의를 제시하였다.
④ 제임스 와트가 증기 기관을 개량하였다.
⑤ 메리와 윌리엄이 공동 왕으로 추대되었다.

16 밑줄 친 '이 인물'의 활동으로 옳은 것은?

① 대륙 봉쇄령을 내렸다.
② 통령 정부를 구성하였다.
③ 공안 위원회를 설치하였다.
④ 빈 회의 개최를 주도하였다.
⑤ 호국경에 취임하여 항해법을 제정하였다.

17 다음 선언이 이루어졌던 시기 미국에서 일어난 전쟁에 대한 설명으로 옳은 것은?

> 현재 미국에 대해 반란 상태에 있는 주 또는 주의 일부 노예들은 1863년 1월 1일 이후부터 영원히 자유의 몸이 될 것입니다.

① 파리 조약의 체결로 종결되었다.
② 보스터 차 사건을 배경으로 일어났다.
③ 입헌 군주제가 수립되는 결과를 가져왔다.
④ 대프랑스 동맹이 다시 결성되는 데 영향을 주었다.
⑤ 게티즈버그 전투를 계기로 전세가 북부에 유리해졌다.

18 다음 현상이 나타난 원인으로 가장 적절한 것은?

> 18세기 후반부터 영국에서는 도시의 인구가 크게 증가하고 사람들의 생활이 풍요로워졌다. 그러나 급격한 도시화로 주택이 부족하고 위생 시설이 제대로 갖추어지지 않는 등 각종 도시 문제가 발생하였다.

① 신항로가 개척되었다.
② 가격 혁명이 일어났다.
③ 산업 혁명으로 산업 사회가 형성되었다.
④ 한자 동맹이 북유럽 교역권을 장악하였다.
⑤ 상공업 길드가 형성되어 교역이 활성화되었다.

19 밑줄 친 '이 사상'에 대한 탐구 활동으로 적절한 것은?

> 산업 혁명 이후 빈부 격차가 커지고 노동자들의 어려운 삶이 계속되자 자본주의 체제의 문제점을 비판하는 목소리가 높아지면서 이 사상이 등장하였다.

① 계몽사상의 성장과 확산
② 교부 철학의 등장과 발전
③ 사회주의의 특징과 그 영향
④ 에피쿠로스학파의 주요 주장
⑤ 중세 대학의 출현 배경과 교육 과정

주관식+서술형 문제

20 다음 주장을 펼치며 스위스에서 종교 개혁을 주도한 인물을 쓰시오.

> • 근면하고 검소한 직업 생활을 해야 하며 부자가 되는 것은 신의 은혜이다.
> • 인간의 구원은 이미 정해져 있으므로 구원을 믿고 성서에 따라 생활해야 한다.

21 다음 요구를 의회에 제출하기 위해 영국에서 전개되었던 운동을 쓰시오.

> 1. 21세 이상 모든 남자의 선거권 인정
> 2. 유권자 보호를 위해 비밀 투표제 실시
> 3. 하원 의원의 재산 자격 조항 폐지
> 4. 하원 의원에게 보수 지급
> 5. 인구 비례에 의한 평등한 선거구의 결정
> 6. 의원의 임기를 1년으로 하여 매년 선거 실시

22 지도를 보고 물음에 답하시오.

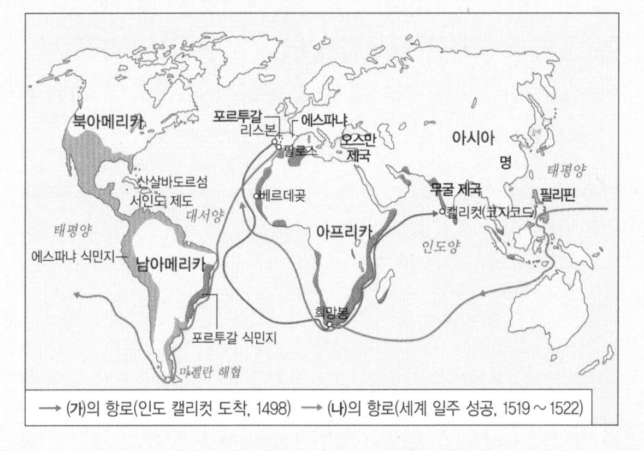

(1) (가), (나)에 해당하는 인물을 쓰시오.

(2) 지도와 같은 활동의 영향으로 나타난 무역 중심지의 변화를 서술하시오.

내공 점검

V. 제국주의와 두 차례 세계 대전

점수 /100점

01 다음에서 설명하는 사상을 기반하여 일어난 사실로 적절한 것은?

> 인종은 백인종, 황인종, 흑인종으로 구분할 수 있다. 그 안에는 위계질서가 존재하는데, 그 가운데에서 백인종이 가장 우수하다.

① 영국에서 차티스트 운동이 전개되었다.
② 볼셰비키가 러시아에서 혁명을 일으켰다.
③ 라틴 아메리카의 여러 나라가 독립하였다.
④ 제국주의 국가들이 아프리카를 분할 점령하였다.
⑤ 루이 14세가 콜베르를 등용하여 국내 산업을 보호하는 정책을 추진하였다.

02 밑줄 친 '이 국가'의 활동으로 옳은 것은?

> 이 국가는 제국주의 정책을 추진하여 오스트레일리아와 뉴질랜드를 자치령으로 만들었다.

① 말레이 연방을 수립하였다.
② 청을 물리치고 베트남을 차지하였다.
③ 비스마르크 제도와 마셜 제도를 점령하였다.
④ 동인도 회사를 앞세워 인도네시아에 진출하였다.
⑤ 에스파냐와의 전쟁에서 승리하여 필리핀을 식민지로 삼았다.

03 밑줄 친 상황이 일어난 원인을 알아보기 위해 검색할 자료로 적절한 것은?

> 1997년 7월 1일 영국이 홍콩의 주권을 중국에 반환하는 홍콩 반환식이 열렸다. 150년 이상 영국의 지배를 받은 홍콩은 이 날을 기점으로 중국의 특별 행정구가 되었다.

① 난징 조약　② 신축 조약
③ 베이징 조약　④ 포츠머스 조약
⑤ 시모노세키 조약

04 다음 주장을 토대로 중국에서 전개된 근대화 운동에 대한 설명으로 옳은 것은?

> 서양식 소총, 대포를 사들이고, 제조국을 설치하여 유산탄을 만들어 적군을 섬멸하는 데 쓰고 보니 과연 위력이 있었습니다. …… 외국인의 좋은 기술을 취해서 중국의 것으로 완성하여, 양자를 비교해서 모자람 없이 준비하여 근심이 없기를 바라는 것입니다.

① 반일본·반군벌 시위를 벌였다.
② 금릉 기기국을 설치하는 등 군수 공업을 육성하였다.
③ 쑨원을 임시 대총통으로 추대하고 중화민국을 세웠다.
④ 입헌 군주제 확립을 목표로 제도 개혁을 추진하였다.
⑤ 천조 전무 제도를 실시하여 토지를 분배하고자 하였다.

05 (가) 인물에 대한 설명으로 옳은 것은?

> (가) 은/는 『민보』를 창간하여 민족·민권·민생의 삼민주의를 이상으로 밝혔다. 민족주의는 만주족이 세운 청을 타도하고 한족의 국가를 세우는 것이고, 민권주의는 공화정체의 국가를 수립하는 것이었다. 민생주의는 제도적 개혁을 통하여 민생의 안정을 꾀하는 것이었다.

① 중국 동맹회를 조직하였다.
② 변법자강 운동을 주도하였다.
③ 중체서용을 바탕으로 양무운동을 전개하였다.
④ 상제회를 조직하고 태평천국 운동을 일으켰다.
⑤ 중화민국의 대총통이 된 후 스스로 황제가 되고자 하였으나 실패하였다.

06 (가), (나) 사이 시기에 일본에서 있었던 일로 옳은 것은?

> (가) 사쓰마 번과 조슈 번이 주도하여 막부를 타도하고 천황 중심의 정권을 세웠다.
> (나) 천황의 권한을 강조한 일본 제국 헌법이 공포되었다.

① 명과 감합 무역을 시작하였다.
② 미일 화친 조약이 체결되었다.
③ 자유 민권 운동이 전개되었다.
④ 하급 무사들이 존왕양이 운동을 일으켰다.
⑤ 미국 페리 함대가 일본에 개항을 강요하였다.

07 지도는 일본의 대외 팽창을 나타낸 것이다. (가), (나) 전쟁에 대한 설명으로 옳은 것은?

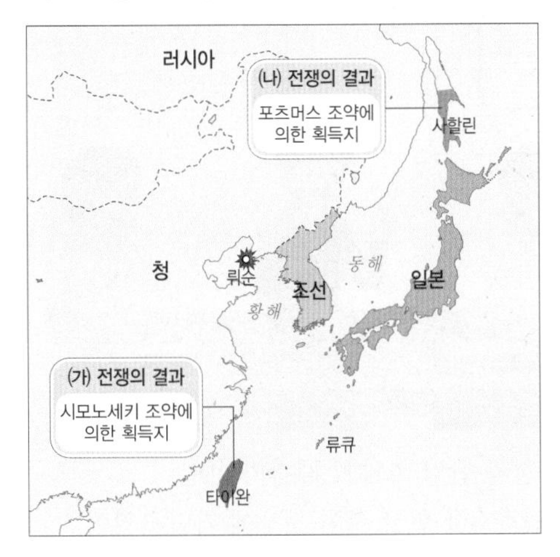

① (가) – 삼국 간섭 이후 전개되었다.
② (가) – 일본이 러시아 군함을 선제공격하였다.
③ (나) – 조선을 둘러싸고 청과 일본이 대립하였다.
④ (나) – 영국과 미국의 지지를 얻어 일본이 승리하였다.
⑤ (가), (나) – 일본이 만주와 한반도를 두고 러시아와 벌인 제국주의 침략 전쟁이다.

08 밑줄 친 '이 단체'에 대한 설명으로 옳은 것을 〈보기〉에서 고른 것은?

위 사진은 1885년 이 단체의 창립 대회 모습을 보여 준다. 이 단체는 인도에서 민족 운동이 확대되자, 영국이 인도인들을 회유하고자 결성하게 한 것이다.

보기
ㄱ. 브라흐마 사마지 운동을 전개하였다.
ㄴ. 람 모한 로이를 중심으로 조직되었다.
ㄷ. 영국의 벵골 분할령에 맞서 반영 운동을 벌였다.
ㄹ. 콜카타 대회를 열고 스와라지, 스와데시 등의 4대 강령을 채택하였다.

① ㄱ, ㄴ ② ㄱ, ㄷ ③ ㄴ, ㄷ
④ ㄴ, ㄹ ⑤ ㄷ, ㄹ

09 다음에서 설명하는 지역에서 전개된 민족 운동으로 옳은 것은?

17세기에 동인도 회사를 앞세워 진출한 네덜란드가 점령한 지역이다. 네덜란드는 이 지역에서 플랜테이션을 실시하여 막대한 이익을 얻었고, 네덜란드령 동인도를 건설하였다.

① 판보이쩌우가 동유 운동을 전개하였다.
② 판쩌우찐이 통킹 의숙 설립에 참여하였다.
③ 호세 리살이 민족 운동 단체를 조직하였다.
④ 지식인과 상인들이 이슬람 동맹을 결성하였다.
⑤ 라마 5세가 열강들 간의 세력 균형을 유도하였다.

10 밑줄 친 '이 정권'에 대한 설명으로 옳은 것은?

오스만 제국의 지식인, 젊은 관료, 청년 장교 등이 중심이 되어 조직한 이 정권은 헌법을 부활시키고 법률 제도의 서구화와 여성의 지위 향상, 교육과 조세 제도 개혁 등을 추진하였다.

① 근왕 운동을 전개하였다.
② 극단적인 튀르크 민족주의를 내세웠다.
③ 영국의 벵골 분할령 취소를 이끌어 냈다.
④ 정치 개혁을 단행하여 술탄 제도를 폐지하였다.
⑤ 탄지마트라고 불리는 대대적인 개혁을 추진하였다.

11 (가) 운동에 대한 설명으로 옳은 것은?

아랍 지역의 (가) 은/는 '초기 이슬람교 정신으로 돌아가자.'는 구호를 내세우며 전개되었다. 이에 따라 이슬람교의 근본 원리에 충실할 것이 강조되었다.

① 무함마드 알리가 추진하였다.
② 이슬람 동맹을 결성하는 성과를 냈다.
③ 이란에서 일어난 반영 운동의 열기를 보여 준다.
④ 사우디아라비아 왕국이 건설되는 계기가 되었다.
⑤ 카스트제에 반대하고 사티의 타파를 주장하였다.

12 빈칸에 들어갈 내용으로 옳지 않은 것은?

> 19세기 서양 열강의 침략에 맞서 서아시아와 아프리카에서는 민족 운동이 일어났다. 그 사례로 ____________

① 헤레로족이 독일에 저항하였다.
② 이란의 혁명 세력이 입헌 혁명을 일으켰다.
③ 무함마드 아흐마드가 마흐디 운동을 펼쳤다.
④ 아라비 파샤의 주도로 반영 운동이 일어났다.
⑤ 람 모한 로이를 중심으로 한 힌두교 지도자들이 브라흐마 사마지 운동을 전개하였다.

13 다음 사건이 일어난 시기를 연표에서 고른 것은?

> 영국이 해상을 봉쇄하여 독일로 들어가는 물자를 통제하였다. 그러자 독일은 협상국을 오가는 중립국 선박까지 공격하였다. 이에 영국 여객선 루시타니아호가 격침되어 1,200여 명이 사망하였다.

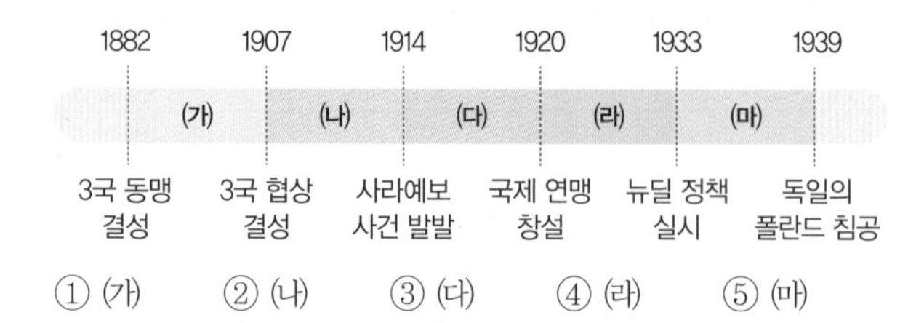

① (가) ② (나) ③ (다) ④ (라) ⑤ (마)

14 밑줄 친 '이 인물'에 대한 설명으로 옳은 것은?

> 영국은 소금법을 제정하여 인도에서 소금의 생산과 판매를 통제하였다. 그러자 이 인물은 직접 소금을 만들어 영국에 세금을 바치지 말자며 약 320km를 행진하였다. 이 과정에서 많은 인도인들이 동참하면서 전 인도인의 관심을 불러일으켰다.

① 인도 독립 동맹을 결성하였다.
② 비폭력·불복종 운동을 주도하였다.
③ 브라흐마 사마지 운동을 전개하였다.
④ 홍군을 이끌고 대장정을 단행하였다.
⑤ 로마자 표기법 도입을 비롯한 근대화 개혁을 추진하였다.

15 (가)에 들어갈 내용으로 적절한 것은?

① 전쟁의 결과 난징 조약이 체결되었어.
② 3국 동맹과 3국 협상 측이 전쟁에 가담하였어.
③ 전쟁에서 승리한 일본이 랴오둥반도와 타이완을 할양받았어.
④ 러시아는 전쟁 중 독일과 단독 강화 조약을 맺고 전선을 이탈하였어.
⑤ 전쟁의 과정에서 연합군은 노르망디 상륙 작전으로 파리를 되찾았어.

주관식+서술형 문제

16 다음에서 설명하는 민족 운동을 쓰시오.

> 베트남에서는 프랑스의 지배에 저항하여 1885년 유교 지식인을 중심으로 의병을 일으켜 황제의 권력을 회복하려 하였다.

17 다음을 읽고 물음에 답하시오.

> 제1차 세계 대전 이후 호황을 누리던 기업들이 생산을 늘려 소비가 생산을 따라가지 못하면서 재고가 쌓였다. 그 결과 뉴욕 증권 거래소의 주가가 대폭락하였고, 미국의 경제 상황이 크게 악화되었다.

(1) 위 상황을 해결하기 위해 미국이 실시한 정책을 쓰시오.

(2) (1)의 내용을 서술하시오.

내공 점검

VI. 현대 세계의 변화

점수 / 100점

01 다음 연설이 발표된 시기를 연표에서 고른 것은?

> 쿠바로 이동 중인 모든 공격용 무기를 수송하는 선박은 봉쇄될 것입니다. …… 쿠바에서 발사된 핵미사일이 서반구의 특정 국가를 타격하게 되면, 이를 소련이 미국을 공격하는 행위로 간주한다고 공언합니다.

① (가) ② (나) ③ (다) ④ (라) ⑤ (마)

02 다음은 제3 세계의 형성 과정을 정리한 것이다. 밑줄 친 '회의'의 결과 있었던 일로 옳은 것은?

> • 1954년: 중국 저우언라이와 인도 네루의 회동
> • 1955년: 반둥에서 29개국 대표가 <u>회의</u> 개최
> • 1961년: 유고슬라비아 티토, 인도 네루, 이집트 나세르 등이 제1차 비동맹 회의 개최

① '평화 10원칙'이 채택되었다.
② 트루먼 독트린이 발표되었다.
③ 미국과 중국이 국교를 수립하였다.
④ 세계 무역 기구(WTO)가 설립되었다.
⑤ 북대서양 조약 기구(NATO)가 결성되었다.

03 빈칸에 들어갈 내용으로 적절한 것은?

> • 갑: 소련에서는 흐루쇼프가 스탈린의 실정을 비판하고 사회 통제를 완화하였어.
> • 을: 뒤이어 집권한 브레즈네프는 공산당 관료 체제를 강화하여 권력을 당에 집중시켰지. 이 시기에 소련은 ______________________

① 농노 해방령을 발표하였어.
② 신경제 정책(NEP)을 추진하였어.
③ 크림 전쟁을 일으켰으나 패배하였어.
④ 중앙 집중식 계획 경제 정책을 실시하였어.
⑤ 국제 공산당 조직인 코민테른을 결성하였어.

04 다음 학습 목표를 성취한 학생의 답변으로 적절하지 <u>않은</u> 것은?

> 학습 목표: 냉전이 완화되던 시기 세계 각국에서 일어난 일을 설명할 수 있다.

① 갑: 중국에서 톈안먼 사건이 일어났어요.
② 을: 루마니아에서 차우셰스쿠가 처형당하였어요.
③ 병: 동독이 서독에 흡수되는 형태로 통일되었어요.
④ 정: 필리핀에서 호세 리살이 필리핀 연맹을 조직하였어요.
⑤ 무: 폴란드에서 자유 노조를 이끌던 바웬사가 대통령에 선출되었어요.

05 다음과 같은 현상이 나타난 배경으로 옳은 것은?

> 영국의 대처주의, 미국의 레이거노믹스와 같이 정부의 규제 완화와 자유로운 시장 활동을 내세운 정책이 대두하였다.

① 교토 의정서가 체결되었다.
② 뉴욕 증권 거래소의 주가가 대폭락하였다.
③ 1970년대 두 차례의 석유 파동이 일어났다.
④ 고르바초프가 집권하여 개혁·개방 정책을 펼쳤다.
⑤ 마스트리흐트 조약의 발효로 유럽 연합(EU)이 출범하였다.

주관식+서술형 문제

06 다음을 읽고 물음에 답하시오.

> (가) 미국은 1969년 아시아의 방위는 아시아의 힘으로 담당한다는 원칙을 담은 <u>외교 원칙</u>을 발표하였다.
> (나) 서독의 브란트 총리는 동방 정책을 추진하여 제2차 세계 대전 중 많은 피해를 입은 폴란드를 방문하였을 때 유대인 희생자 추모비 앞에 무릎을 꿇었다.

(1) 밑줄 친 '외교 원칙'의 명칭을 쓰시오.

(2) (가), (나) 정책이 국제 질서에 미친 영향을 서술하시오.

memo

내공의 힘

정답과 해설

세계사 학습과 선사 문화

개념 짚어 보기

본문 9쪽

01 (1) × (2) ○ (3) ○ 02 세계화 03 (1) ㄹ (2) ㄷ (3) ㄴ (4) ㄱ
04 구석기 05 신석기 혁명 06 애니미즘 07 씨족 사회

2단계 내신 다지기

본문 9~10쪽

01 ①	02 자민족 중심주의		03 ⑤	04 ①
05 ②	06 ①	07 ④	08 ⑤	09 ③

01 제시된 글은 역사가가 수집한 사료들을 종합하고 역사적 진실에 다가가기 위해 사료를 비판하는 과정을 보여 준다. 역사가는 사료 비판을 통해 사료의 사실 여부와 의미를 파악하며, 사회적·문화적 상황에 비추어 비판적으로 사료의 내용을 검토해야 한다.
바로 알기 ② 제시된 글은 역사가가 자료를 모은 후 이를 비판하는 과정을 설명하고 있다. ③ 사료에는 기록자의 주관적 입장이 포함될 수 있으므로, 이를 분석하고 비판하여 객관적인 사실을 파악하려고 노력해야 한다. ④ 국수주의적 태도로 사료를 해석하면 사료의 오류와 왜곡이 발생할 수 있다. ⑤ 세계사를 탐구할 때 자민족 중심주의 시각은 배제해야 한다.

02 제시된 글은 자민족 중심주의에 대한 설명이다. 주관적 역사관이 특정 민족과 문명을 중심에 두고 개입되면 유럽 중심주의, 오리엔탈리즘, 중화주의 등으로 발현되기도 한다.

03 오늘날 존재하는 대립과 갈등의 원인은 대부분 역사 속에서 배경을 찾을 수 있다. 따라서 어떤 문제의 역사적 배경을 알아야 그 문제 해결을 위한 올바른 방향을 설정할 수 있다. 프랑스와 독일의 공동 역사 교과서 출간은 역사 이해와 성찰을 통해 지역 간 갈등을 해결하고자 한 노력의 하나이다.
바로 알기 ①, ④ 특정 민족이나 시기를 중심으로 세계사를 바라보는 자세는 지양해야 한다. ② 자국 문화의 우수성은 문화의 비교를 통해 확인할 수 있는데, 제시된 글은 역사 갈등의 해소와 관련이 있다. ③ 자연의 이용과 극복은 제시된 글에서 도출할 수 있는 세계사 학습의 목적이 아니다.

극비 노트 세계사 학습의 목적

- 역사란 서로 연관된 전체이므로, 만일 네가 다른 나라에서 일어난 일들을 알지 못하면 어느 나라의 역사도 이해하지 못할 것이다. 나는 네가 한두 나라에 국한되는 답답한 역사를 배우지 말고 전 세계의 역사를 연구하라고 권하고 싶다. - 네루, 『세계사 편력 1』
- 세계사 공부의 목표는 역사적 렌즈를 통해 지구적 상황들을 이해하는 것이다. 이는 또한 자신의 것만이 아니라 몇몇 중요한 문화적 전통들에 진지한 관심을 두는 것을 수반한다. - 피터 N. 스턴스

세계사 학습은 다른 나라의 역사는 물론 자국의 역사를 이해하는 데 도움이 된다. 그리고 세계사 학습을 통해 오늘날 여러 지역에서 일어나는 사건이나 갈등을 역사적 맥락에서 파악하고 문제 해결을 위한 역사적 사고력과 세계사적 안목을 기를 수 있다.

04 제시된 글은 호모 네안데르탈렌시스의 특징에 해당한다. 호모 네안데르탈렌시스는 사후 세계에 대한 관념이 있어 시체를 매장하였다.
바로 알기 ② 최초의 인류는 오스트랄로피테쿠스이다. ③ 신석기 시대에 간석기로 농사를 지었다. ④ 호모 에렉투스부터 완전한 직립 보행을 하기 시작하였다. ⑤ 신석기 시대에 혈연 중심의 씨족 사회가 형성되었다.

05 왼쪽 유물은 구석기 시대의 뗀석기 중 하나인 주먹도끼이고, 오른쪽 유물은 구석기 시대에 만들어진 빌렌도르프의 비너스 조각상이다. 구석기 시대 사람들은 이동 생활을 하면서 동굴, 바위 그늘에 살거나 강가에 막집을 짓고 살았다.
바로 알기 ① 신석기 시대에는 베틀과 뼈바늘을 활용하여 옷을 지어 입었다. ③ 신석기 시대부터 농사를 짓기 시작하였다. 구석기 시대에는 사냥과 채집으로 식량을 얻었다. ④ 신석기 시대 사람들은 토기를 만들어 생산물을 보관하는 데 이용하였다. ⑤ 신석기 시대에 태양, 물, 나무 등에 정령이 깃들어 있다고 믿는 애니미즘이 등장하였다.

06 뗀석기, 사냥, 채집 등의 내용을 통해 자료가 구석기 시대를 정리한 것임을 알 수 있다. 구석기 시대에 등장한 호모 네안데르탈렌시스는 사후 세계에 대한 관념을 가져 죽은 자를 매장하기 시작하였다.
바로 알기 ②, ④, ⑤는 신석기 시대와 관련이 있다. ③ 구석기 시대는 평등한 사회였다. 왕은 청동기 시대 이후에 등장하였다.

07 약 1만 년 전 마지막 빙기 이후 변화된 자연환경을 바탕으로 신석기 시대가 시작되었다. 따라서 밑줄 친 '인류 생활의 변화'는 신석기 시대에 변화된 생활 모습을 가리킨다. 신석기 시대에는 농경과 목축이 시작되었다. 신석기 시대 사람들은 돌낫, 돌도끼와 같은 간석기를 사용하였고 토기를 만들어 생산물을 보관하는 데 활용하였다. 농경이 생활에서 중요한 부분을 차지하게 되자 사람들은 자연 현상을 중요하게 생각하였다. 그리하여 신석기 시대에는 태양과 물, 나무 등에 정령이 있다고 믿는 애니미즘이 생겨났다.
바로 알기 ④ 구석기 시대부터 언어를 사용하였다.

08 돌칼은 신석기 시대의 간석기이다. 신석기 시대에는 농사가 시작되었고 토기를 만들어 씨앗이나 생산물 등을 담는 데 활용하였다. 또한 뼈바늘과 베틀을 활용해 옷을 만들어 입었으며, 원시적 종교 의식인 애니미즘, 토테미즘, 영혼 숭배, 거석 숭배 등이 등장하였다.
바로 알기 ⑤ 알타미라 동굴 벽화는 구석기 시대에 제작되었다.

09 (가) 나무로 만든 막집은 구석기 시대, (나) 움집은 신석기 시대의 주거지이다. ③ 신석기 시대 사람들은 농사에 유리한 장소에 정착하여 촌락을 형성하였다. 촌락 주민들은 같은 조상을 모시고 재산을 공동으로 소유하며 생산물을 공평하게 나누어 혈연적인 씨족 사회를 형성하였다.
바로 알기 ①, ②, ⑤는 신석기 시대, ④는 구석기 시대에 대한 설명이다.

극비 노트 구석기 시대와 신석기 시대

구석기 시대	인류의 진화	• 오스트랄로피테쿠스: 최초의 인류 • 호모 에렉투스: 불과 언어 사용 • 호모 네안데르탈렌시스: 시체 매장 • 호모 사피엔스: 현생 인류의 조상
	생활 모습	뗀석기 사용, 채집과 수렵, 이동 생활(동굴, 숲속, 막집 등에 거주), 동굴 벽화 제작
신석기 시대	간석기 사용, 농경과 목축 시작, 정착 생활(움집 등에 거주), 씨족 사회 형성, 애니미즘·토테미즘·샤머니즘·거석 숭배 등장	

3단계 등급 올리기

본문 11쪽

01 ④ 02 ⑤ 03 ② 04 해설 참조

01 지도의 크로마뇽인, 상동인은 구석기 시대에 등장한 호모 사피엔스이다. 호모 사피엔스는 알타미라와 라스코 동굴 등에 벽화를 그렸다.

바로 알기 ① 움집은 신석기 시대부터 제작되었다. ② 신석기 시대 사람들은 농사를 지으면서 토기를 만들어 생산물을 보관하였다. ③ 오스트랄로피테쿠스부터 직립 보행이 시작되었다. ⑤ 신석기 시대에 농경과 목축이 시작되면서 생산력이 크게 증가하였다.

02 매머드의 뼈로 만든 막집과 알타미라 동굴 벽화는 모두 구석기 시대의 유적이다. 따라서 밑줄 친 '이 시대'는 구석기 시대이다. 구석기 시대 사람들은 주먹도끼, 찍개, 찌르개 등 뗀석기를 사용하여 사냥과 채집을 하였다.

바로 알기 ① 구석기 시대는 평등한 사회로, 왕이 없었다. ② 신석기 시대부터 토기가 제작되었다. ③ 신석기 시대 사람들은 뼈바늘로 옷을 만들어 입었다. ④ 신석기 시대에 농경이 시작되면서 날씨와 관계된 자연 현상을 중요하게 생각하였다. 그리하여 태양과 물 등에 정령이 깃들어 있다고 믿는 애니미즘이 생겨났다.

03 (가) 시기는 약 1만 년 전 이후에 해당하므로 신석기 시대이다. 마지막 빙기가 끝나고 지구의 기온이 상승하면서 등장한 신석기 시대에는 농경과 목축이 가능해졌다. 이 시기에는 돌을 갈아서 정교한 간석기를 제작하였고 음식을 저장할 토기를 만들었다.

바로 알기 ㄴ, ㄹ. 구석기 시대부터 불로 음식을 익혀 먹고 언어를 사용하여 서로 협력하였다.

서술형 문제

04 (1) 구석기 시대

(2) **예시 답안** 신석기 시대에 농경과 목축이 시작되면서 인류의 생활과 사회가 크게 변화한 것을 신석기 혁명이라고 한다.

채점 기준	배점
농경과 목축의 시작으로 생활과 사회가 크게 변화하였다고 서술한 경우	상
농경과 목축이 시작되었다고만 서술한 경우	하

02 문명의 발생

1단계 개념 짚어 보기

본문 13쪽

01 ㄱ, ㄷ, ㄹ 02 바빌로니아 왕국 03 파라오 04 ㉠ 폐쇄적, ㉡ 내세적, ㉢ 쐐기 문자 05 유대교 06 인더스 문명 07 아리아인 08 갑골문 09 봉건제

2단계 내신 다지기

본문 13~14쪽

01 ③ 02 ④ 03 ⑤ 04 ④ 05 카스트(바르나)제 06 ① 07 ②

01 지도에는 수메르인, 아카드인이 발전시킨 문명과 아무르인이 세운 바빌로니아 왕국의 영역이 표시되어 있다. 따라서 지도는 메소포타미아 문명과 관련이 있다. 메소포타미아 문명에서는 도시마다 지구라트라는 신전을 세워 각 도시의 수호신을 섬겼다.

바로 알기 ① 이집트 문명에서 파피루스로 종이를 제작하였다. ② 이집트 문명 사람들은 왕을 태양신 '라'의 아들이자 살아 있는 신으로 여겼다. ④ 인도 지역에 아리아인이 자리 잡은 후 『베다』를 경전으로 하는 브라만교가 성립되었다. ⑤ 페니키아인이 사용한 표음 문자는 그리스에 전해져 알파벳의 기원이 되었다.

극비 노트 메소포타미아 문명의 변천

민족	활동
수메르인	기원전 3500년경 메소포타미아 지역에 우르, 라가시 등 도시 국가 건설
아카드인	수메르인의 국가 정복
아무르인	바빌로니아 왕국 건설, 함무라비왕 때 메소포타미아 전역 통일

02 자료는 함무라비왕이 편찬한 함무라비 법전이다. 함무라비 법전은 메소포타미아 문명의 바빌로니아 왕국에서 편찬되었다. 메소포타미아 문명 사람들은 현세적인 종교관을 가졌는데, 이는 「길가메시 서사시」에 드러나 있다.

바로 알기 ① 헤브라이인이 창시한 유대교는 이슬람교, 크리스트교 등에 영향을 주었다. ② 인도 지역에 정착한 아리아인은 원주민을 다스리기 위해 카스트제를 만들었다. ③ 파라오는 이집트 문명의 왕이다. ⑤ 페니키아는 카르타고를 비롯한 많은 식민 도시를 건설하였다.

03 기원전 3000년경 나일강 유역에서 탄생하여 오랫동안 통일 왕국을 유지한 문명은 이집트 문명이다. 이집트 문명에서는 왕인 파라오가 살아 있는 신으로 여겨져 절대 권력을 가지고 신권 정치를 행하였다. 또한 피라미드 건설과 같은 대규모 토목 공사가 이루어졌다.

바로 알기 ① 갑골문은 중국 문명, ② 인물상은 인도 문명, ③ 지구라트는 메소포타미아 문명, ④ 모헨조다로 유적은 인도 문명에서 만들어졌다.

04 제시된 글의 '메소포타미아 지역과 교역', '인장'을 통해 (가) 문명이 인도 문명(인더스 문명)임을 알 수 있다. 인도 문명 사람들은 선박과 수레 등을 만들어 메소포타미아 지역과 교류하였는데, 이는 유적에서 발견된 인장과 토기 등을 통해 짐작할 수 있다. ④ 기원전 2500년경 인더스강 상류의 펀자브 지방에 하라파, 모헨조다로 등의 계획도시가 건설되었다.

바로 알기 ① 이집트 문명에서 태양력과 10진법을 사용하였다. ② 함무라비왕은 바빌로니아 왕국의 전성기를 이루었다. ③ 스톤헨지는 신석기 시대 후기에 제작되었다. ⑤ 메소포타미아 문명 사람들이 지구라트를 지어 도시마다 수호신을 섬겼다.

05 아리아인은 기원전 1500년경 인도의 펀자브 지방을 점령하였고, 기원전 1000년경에는 갠지스강 유역에 진출하는 등 세력을 확대하였다. 이들은 점령지의 주민들을 지배하기 위해 브라만, 크샤트리아, 바이샤, 수드라 등으로 계급을 구분한 카스트(바르나)제를 만들었다. 카스트제에서는 타고난 혈통으로 결정된 신분에 따라 개인의 사회적 지위와 직업이 정해졌다.

06 중국 상 왕조에서는 점을 쳐서 신의 뜻을 알고 이를 바탕으로 나라의 일을 결정하는 신권 정치를 펼쳤다. 점친 내용과 결과는 거북의 배딱지나 소의 어깨뼈에 기록하였는데, 이 문자를 갑골문이라고 한다.

바로 알기 ②, ④는 인도 문명, ③, ⑤는 이집트 문명과 관련이 있는 내용이다.

극비 노트 상의 신권 정치

- 점을 치는 사람(정인)이 "올해 왕이 오천의 병사를 모아 토방을 정벌하고자 하는데 신의 가호를 받을 수 있겠습니까?"라고 물었다.
- 상의 왕이 친히 점을 쳤다. 왕이 "올해 상에 풍년이 들겠습니까?"라고 물으니 복조를 본 후에 길하다고 여겼다. 동서남북의 땅에 풍년이 드니 길하다.

첫 번째 글은 전쟁에 대해 점을 친 것이고, 두 번째 글은 농사의 수확과 관련해서 점을 친 것이다. 상에서는 왕이 신과 소통할 수 있는 능력이 있다고 생각하였고, 왕은 나라의 일을 결정할 때 정인이라 불린 점술사의 도움을 받아 점을 치고 신의 뜻을 해석하였다. 이를 통해 상에서 신권 정치가 실시되었음을 알 수 있다.

07 왕과 제후 사이에 토지(봉토)의 하사와 조공·군사적 의무가 매개된다는 점을 통해 자료가 중국 주 왕조의 봉건제에 해당함을 알 수 있다. ① 주에서 왕은 도읍과 직할지를 다스렸다. ③, ⑤ 주 왕은 주로 형제나 친척을 제후로 임명하였기 때문에 주의 봉건제는 혈연관계를 기반으로 하였다. ④ 주의 봉건제는 적장자가 아버지의 작위를 세습하고, 적장자 외의 자식은 한 등급 아래의 작위를 받는 방식으로 운영되었다. 이를 통해 봉건제가 적장자 상속을 원칙으로 하는 종법제에 바탕을 두었음을 알 수 있다.

바로 알기 ② 『베다』는 자연 현상을 찬미하는 노래로, 브라만교의 경전이 되었다.

3단계 등급 올리기

본문 15쪽

01 ③ 02 ② 03 ② 04 해설 참조

01 유물은 쐐기 문자가 새겨진 점토판으로, 밑줄 친 '이 문명'은 메소포타미아 문명이다. 메소포타미아 문명 사람들은 끝이 뾰족한 갈대나 금속으로 점토판에 글자를 새겼는데, 그 모양이 쐐기와 닮아 쐐기 문자라고 불린다. 메소포타미아 문명에서는 태음력과 60진법을 사용하였다. 또한 다신교를 믿었는데, 도시 사람들은 지구라트라는 신전을 세워 도시의 수호신을 섬겼다.

바로 알기 ㄱ. 하라파와 모헨조다로 등의 계획도시를 건설한 곳은 인도 문명이다. ㄹ. 이집트의 왕 파라오는 태양신 '라'의 아들이자 살아 있는 신으로 간주되었다.

02 (가) 문명은 이집트 문명이다. 로제타석은 기원전 196년에 제작된 비석으로, 여기에는 이집트의 상형 문자와 함께 이집트의 민중 문자, 그리스 문자가 새겨져 있다. 이를 통해 이집트 상형 문자를 해독할 수 있었다. 「사자의 서」는 이집트 문명 사람들이 죽은 자를 위해 만든 사후 세계의 안내서이다. ② 이집트의 왕인 파라오는 신권 정치를 펼쳤고, 농민은 왕의 무덤인 피라미드 건설과 같은 대규모 토목 사업에 동원되었다.

바로 알기 ① 수드라는 인도 문명의 카스트제에서 가장 하위에 있는 계층을 말한다. 이들은 각종 노역에 종사하였다. ③ 갑골에 새겨진 갑골문을 사용한 왕조는 중국 상 왕조이다. ④ 지구라트는 메소포타미아 문명의 신전이다. ⑤ 페니키아인은 카르타고 등 많은 식민 도시를 세웠다.

03 지도는 아리아인의 인도 진출 과정을 보여 준다. 아리아인은 기원전 1500년경 인더스강에 자리 잡았고 기원전 1000년경에는 갠지스강에 정착하였다. 아리아인은 인도 정복 과정에서 카스트제를 만들었다. 이를 기반으로 브라만교가 성립하였고 자연 현상을 찬미하는 노래인 『베다』는 이후 브라만교의 경전이 되었다.

바로 알기 ① 「사자의 서」는 이집트 문명에서 제작되었다. ③ 모헨조다로 유적은 인도 문명의 초기에 해당하는 인더스 문명과 관련이 있다. ④ 중국의 상 왕조에서 갑골문을 사용하였다. ⑤는 나일강 유역에서 발생한 이집트 문명과 관련이 있다.

서술형 문제

04 예시 답안 메소포타미아 문명은 개방적 지형으로 이민족의 침입이 잦았기 때문에 현생에서 행복을 기원하는 현세적 종교관이 형성되었다. 이집트 문명은 폐쇄적 지형으로 이민족의 침입을 거의 받지 않았기 때문에 영혼 불멸과 사후 세계를 믿는 내세적 종교관이 형성되었다.

채점 기준	배점
이집트 문명과 메소포타미아 문명의 종교관을 자연환경과 연관하여 서술한 경우	상
이집트 문명과 메소포타미아 문명 중 한 문명의 종교관을 자연환경과 연관하여 서술한 경우	중
이집트 문명과 메소포타미아 문명의 종교관만 서술한 경우	하

01 동아시아 세계의 형성

1단계 개념 짚어 보기

본문 18쪽

01 우경　02 진　03 (1) ○ (2) ○ (3) ×　04 호족
05 (1) ㄱ (2) ㄷ (3) ㄴ　06 대운하　07 ㉠ 조용조, ㉡ 부병제
08 다이카 개신

2단계 내신 다지기

본문 18~21쪽

01 ③	02 ⑤	03 ⑤	04 ①	05 ③
06 ③	07 군국제	08 ③	09 ②	10 ①
11 ③	12 ⑤	13 ①	14 ③	15 ②
16 ③	17 ③	18 ④	19 ③	

01 지도는 춘추 전국 시대의 형세를 보여 준다. 춘추 전국 시대에 제후국 간 전쟁이 치열해지자 각 나라의 지배자들은 군주권을 강화하고 부국강병을 이루기 위해 변법을 실시하였다. 이에 따라 각 제후국에서는 유능한 인재를 관료로 등용하였다.
바로 알기 ①, ④는 진, ②는 한, ⑤는 상 대에 있었던 사실이다.

02 제시된 글은 춘추 전국 시대에 대한 설명이다. 춘추 전국 시대에는 철제 보습 등 철제 농기구가 보급되고 우경이 시작되어 농업 생산력이 크게 증가하였다. 이와 더불어 상공업이 발달하여 도전, 포전 등 다양한 화폐가 유통되었다. 또한 철제 무기가 도입되어 전쟁이 기병과 보병 중심으로 전개되자 일반 백성의 전쟁 참여가 늘어나 백성의 사회적 지위가 상승하였다. 이러한 변화를 바탕으로 신분 질서가 재편되어 사농공상이라는 개념이 등장하였다.
바로 알기 ⑤ 호족은 한 대에 등장한 세력이다.

03 춘추 전국 시대에는 제후국들이 경쟁적으로 유능한 인재를 등용하는 과정에서 제자백가가 등장하였다. 제자백가는 현실 문제를 해결할 정치사상을 제시하였다. ㄷ. 상앙, 한비자 등이 주장한 법가는 법과 형벌을 통해 사회 질서를 유지하고자 하였다. ㄹ. 공자, 맹자 등이 주장한 유가는 가족 윤리를 확장하여 사회 질서를 바로 잡으려 하였다.
바로 알기 ㄱ. 인위적인 제도를 배격한 학파는 도가이다. ㄴ. 차별 없는 사랑을 주장한 학파는 묵가이다.

04 제시된 글은 한비자의 주장이 담긴 것으로, 법에 따른 통치를 강조하는 법가 사상에 해당한다. 법가는 군주의 권위를 존중하고 법·형벌에 따른 엄격한 통치를 강조하여 강력한 왕권의 확립을 원하는 제후들의 환영을 받았다.
바로 알기 ②, ⑤는 유가, ③, ④는 묵가에 대한 설명이다.

05 인터뷰에서 '중국을 통일', '최초로 황제에 즉위' 등의 내용을 통해 ㈎가 진의 시황제임을 알 수 있다. 시황제는 중국 통일 이후 강력한 통일 정책을 추진하여 화폐, 도량형, 문자 등을 통일하였는데, 이때 문자는 전서체로 통일하였다.
바로 알기 ①은 당 현종, ②는 한 무제, ④는 춘추 시대의 5패, ⑤는 북위 효문제에 대한 설명이다.

06 책을 불태우고 선비를 묻어 죽인 내용을 통해 제시된 글이 진의 시황제가 단행한 분서갱유에 대한 것임을 알 수 있다. 진은 백성을 법가 사상에 따라 가혹하게 통치하였고, 농민을 강제로 대규모 토목 공사에 동원하여 백성의 반발을 초래하였다. 결국 진은 시황제 사후 진승·오광의 난을 계기로 각지에서 농민 반란이 일어나 멸망하였다.
바로 알기 ①, ②는 한, ④는 주, ⑤는 수에 대한 설명이다.

07 수도와 그 근처의 지역은 군현제로 다스리고, 먼 지역은 봉건제로 다스린 제도는 군국제이다. 군현제와 봉건제를 절충한 군국제는 한을 세운 고조(유방)가 처음으로 실시하였다.

극비 노트 봉건제, 군현제, 군국제

봉건제	왕은 수도 부근의 직할지만 통치하고 나머지 지역은 일족과 공신들을 제후로 임명하여 다스리게 한 제도
군현제	전국을 군현으로 편성하고 지방관을 임명하여 다스린 제도
군국제	수도와 그 근처의 지역은 군현을 두어 황제가 직접 통치하고, 먼 지역은 왕족이나 공신들을 제후로 봉하여 다스리게 한 제도

08 자료에서 사적인 동전 주조와 소금을 만드는 일을 금지하는 내용을 통해 밑줄 친 '황제'가 한의 무제임을 알 수 있다. 무제는 잦은 대외 원정으로 인한 재정 부족 문제를 해결하기 위해 소금과 철의 전매제를 실시하고 균수법과 평준법을 시행하는 등 통제 경제 정책을 실시하였다. 한편, 무제는 동중서의 건의를 받아들여 유교를 통치 이념으로 채택하였다.
바로 알기 ①은 수 문제, ②는 신 왕망, ④, ⑤는 진 시황제의 업적에 해당한다.

09 제시된 정치, 경제, 사회의 내용은 모두 한과 관련이 있으므로 ㈎에는 한 대의 문화에 대한 내용이 들어가야 한다. ① 한 대에는 사마천의 『사기』, 반고의 『한서』 등 기전체 역사서가 등장하였다. ③ 민간에서는 태평도, 오두미도 등의 민간 신앙이 유행하였다. ④ 한 대의 유학은 경전을 해석하고 주석을 다는 훈고학을 중심으로 발달하였다. ⑤ 후한에서는 채윤의 제지술 개량을 계기로 종이가 보급되어 학문과 사상이 크게 발전하였다.
바로 알기 ② 청담 사상은 위진 남북조 시대에 지식인들이 세속을 떠나 인물 평론과 철학적 논의 등을 나누던 풍조로, 죽림칠현은 청담 사상을 추구한 대표적인 사람들이다.

10 후한 멸망 후 수가 중국을 통일할 때까지의 분열 시기를 위진 남북조 시대라고 한다. 위진 남북조 시대에는 북방 민족의 문화와 한족의 문화가 융합되었고, 강남 개발이 본격화되었다. ① 북위의 효문제는 일정 연령의 농민에게 토지를 나누어 주는 균전제를 처음으로 실시하였다.
바로 알기 ②, ④는 한, ③은 당, ⑤는 춘추 시대에 있었던 사실이다.

11 제시된 글은 위진 남북조 시대에 시행된 관리 등용 제도인 9품중정제의 폐단에 대한 내용이다. 9품중정제의 실시로 대부분 유력 호족이 고위 관직을 독점하였다. 이들은 문벌 귀족으로 성장하여 대토지를 소유하고 막강한 권력을 누렸다.

> **극비 노트** 9품중정제의 실시
>
> 중정관을 두어 9품을 정하고 있는데, 등급의 높고 낮음이 그의 뜻에 달려 있어, 임금의 권세와 은혜를 제멋대로 가지고 놀며 천자의 권한을 빼앗고 있습니다. …… 이런 까닭에 상품(上品)에는 천한 가문이 없으며, 하품(下品)에는 권세 있는 가문이 없다고 합니다.
>
> 9품중정제는 각 지방에 파견된 중정관이 관할 지역의 여론을 토대로 인재를 9품으로 나누어 중앙에 추천한 제도이다. 당시 지방의 여론은 호족 세력이 좌우하고 있었기 때문에 대부분 유력 호족이 상품(上品)에 추천되어 고위 관직을 독점하는 폐단이 생겼다.

12 「여사잠도」는 위진 남북조 시대의 그림이다. 위진 남북조 시대에 북조에서는 왕실의 지원으로 불교가 융성하여 윈강, 룽먼 등지에 대규모 석굴 사원이 조성되었다(ㄷ). 남조에서는 지식인들 사이에서 인물 평론과 철학적 논의를 나누는 청담 사상이 유행하였다(ㄹ).
바로 알기 ㄱ, ㄴ은 당 대의 문화에 대한 설명이다.

13 제시된 글은 수 대의 대운하 건설에 대한 내용이다. 수에서는 양제 때까지 통제거, 영제거 등 5개의 운하를 건설하였다. ① 수의 문제는 문벌 귀족을 견제하고 중앙 집권을 도모하기 위해 시험을 통해 관리를 선발하는 과거제를 처음으로 실시하였다.
바로 알기 ②, ③, ⑤는 당, ④는 한에 대한 설명이다.

14 자료는 당 대에 만들어진 도자기인 당삼채에 대한 것으로, (가)는 당이다. 당삼채는 동서 교통로를 장악한 당이 서역과 교류하는 과정에서 서역의 영향을 받아 만들어졌다. ③ 당의 현종은 국경 방위를 위해 변방 지역에 절도사를 설치하였다.
바로 알기 ①, ②는 위진 남북조 시대, ④, ⑤는 한에 대한 탐구 활동이다.

15 제시된 글은 당 대에 시행된 양세법에 대한 설명이다. 당 대에 안사의 난 전후로 중앙 정부의 통치력이 약화되고 귀족의 장원 소유가 늘어나 균전제가 무너졌다. 이에 따라 균전제를 기반으로 부과하던 조용조를 운영하기가 어려워져 재정난이 심화되자 당 정부는 재산에 따라 세금을 부과하는 양세법을 실시하였다.
바로 알기 ①은 양세법 시행 이후의 일이다. ③ 흉노는 5세기에 멸망하였다. ④ 양세법은 균전제의 붕괴를 배경으로 실시되었다. ⑤ 화북과 강남을 연결하는 대운하는 수 대에 완성되었다.

16 밑줄 친 '이 시기'는 당 대이다. 당은 율령 체제를 정비하여 중앙에 3성 6부를 두고 지방에 주·현을 편성하였으며, 영토를 확장한 태종과 고종이 정복지를 기미 정책으로 다스렸다. ③ 당 대에는 화북 지방에서 2년 3작이 시작되었다.
바로 알기 ① 후한의 채윤이 제지술을 개량하였다. ②, ④, ⑤는 위진 남북조 시대에 대한 설명이다.

17 헤이안쿄를 도읍으로 한 (가) 시대는 헤이안 시대, 헤이조쿄를 도읍으로 한 (나) 시대는 나라 시대이다. ③ 나라 시대의 수도 헤이조쿄는 당의 장안성을 본떠 건설된 도시이다.
바로 알기 ① 쇼토쿠 태자의 개혁 추진, ② '일본' 국호의 사용 시작, ④ 아스카 문화 발달은 야마토 정권 시기의 일이다. ⑤ 일본 고유의 특색이 반영된 국풍 문화는 헤이안 시대에 발달하였다.

18 헤이안 시대에는 견당사 파견이 중지되면서 당의 문화를 일본 고유의 풍토와 관습에 조화시키려는 국풍 문화가 발달하였다. 그리하여 한자를 변형한 일본의 고유 문자인 가나가 만들어졌고, 주택과 관복 등에서도 일본 고유의 특색이 나타났다.
바로 알기 ①『만엽집』 발행, ② 도다이사 건립, ③『일본서기』 편찬은 나라 시대의 문화에 해당하는 사례이다. ⑤ 다이카 개신은 야마토 정권 시기에 당의 율령 체제를 본떠 추진한 개혁이다.

19 당의 제도와 문화가 동아시아 여러 나라에 전파된 결과 동아시아에서는 율령 체제, 유교, 불교, 한자를 공통 요소로 하는 문화권이 형성되었다.
바로 알기 ③ 법가 사상은 동아시아 문화권의 공통 요소에 해당하지 않는다.

3단계 등급 올리기

본문 22~23쪽

01 ③	02 ⑤	03 ①	04 ④	05 ⑤
06 ③	07 ②	08 해설 참조		

01 자료에서 제후국이 부국강병을 위해 능력에 따라 관리를 등용한 점, 도전·포전 등 다양한 화폐가 사용된 점을 통해 신문에서 다루는 시기가 춘추 전국 시대임을 알 수 있다. 춘추 전국 시대에는 철제 농기구가 보급되고 우경이 시작되어 농업 생산력이 크게 증가하였다.
바로 알기 ① 비단길은 한 대에 개척되었다. ② 비전은 당 대에 사용된 일종의 약속 어음이다. ④ 태평도와 오두미도는 한 대에 발전하였다. ⑤ 조로아스터교, 경교 등 외래 종교는 당 대에 유행하였다.

02 (가)에 해당하는 사상은 덕으로써 통치할 것을 주장한 유가이고, (나)에 해당하는 사상은 인위적인 제도를 배격한 도가이다. 유가와 도가 모두 진 시황제가 법가를 중심으로 사상을 통일하기 위해 단행한 분서갱유로 탄압받았다.
바로 알기 ① 도교는 민간 신앙에 도가 사상이 결합하여 성립하였다. ②는 법가, ③은 유가, ④는 묵가에 대한 설명이다.

03 화폐와 도량형을 통일하고 분서갱유를 단행한 황제는 진의 시황제이다. 시황제는 중국 통일 이후 전국을 36개의 군으로 나누고 각 군에 관리를 파견하여 다스리는 군현제를 실시하였다.
바로 알기 ② 균전제는 자영농 육성을 위해 농민에게 토지를 지급한 것으로, 북위 효문제가 도입하였다. ③ 고구려 원정은 수, 당 대에 추진되었다. ④, ⑤는 한 무제의 정책에 해당한다.

04 밑줄 친 '이 책'은 한 대의 역사가 사마천의 『사기』이다. 『사기』는 제왕의 전기인 본기, 제후국의 역사를 다룬 세가, 연표 형식의 표, 사회와 문화를 다룬 지, 영웅과 충신 등 다양한 인물의 전기를 기록한 열전으로 구성되었다. ④ 한 무제는 유교를 통치 이념으로 채택하였고, 수도에 태학을 설립하고 오경박사를 두어 유교를 보급하였다.
바로 알기 ① 제자백가는 춘추 전국 시대에 등장하였다. ② 과거제는 수 대에 처음 실시되었다. ③ 상인 조합인 행(行)은 당 대에 처음 결성되었다. ⑤ 만리장성 축조, 아방궁 건설 등은 진 시황제가 추진한 대규모 토목 공사이다.

05 제시된 차례에서 문벌 귀족 사회가 형성된 점, 한화 정책이 실시되고 호한 융합이 이루어진 점 등을 통해 이 책이 위진 남북조 시대를 다루고 있음을 알 수 있다. 위진 남북조 시대에는 남조와 북조에서 각기 다른 모습의 문화가 발전하였다. 북조에서는 불교가 왕실과 귀족의 보호를 받으며 융성하여 윈강 석굴, 룽먼 석굴과 같은 대규모 석굴 사원이 조성되었다.
바로 알기 ① 갑골문은 상의 신권 정치와 관련이 있다. ② 당삼채는 당 대에 유행한 도자기이다. ③ 반량전은 진 대에 사용된 화폐이다. ④ 『대당서역기』는 당 대에 현장이 인도를 순례하고 돌아온 후 저술된 책이다.

06 대진 경교 유행 중국비는 당 대에 건립된 것으로, 당 대에 경교(네스토리우스교)가 전파되어 유행하게 된 정황이 기록되어 있다. ③ 당 대에 공영달이 훈고학을 집대성하여 『오경정의』를 편찬하였다. 이 책은 과거 시험의 수험서 역할을 하였는데, 유교 경전의 해석을 획일화하는 폐단을 낳기도 하였다.
바로 알기 ① 후한 말에 황건적의 난이 일어났다. ② 위진 남북조 시대에 9품중정제가 실시되었다. ④ 수 대에 강남과 화북 지방을 잇는 대운하가 완성되었다. ⑤ 위진 남북조 시대에 인물의 평론과 철학적 논의를 나누는 청담 사상이 등장하여 죽림칠현이 활약하였다.

07 도다이사를 세운 점, 헤이조쿄를 수도로 삼은 점을 통해 밑줄 친 '이 시대'가 나라 시대임을 알 수 있다. 나라 시대에는 역사서인 『고사기』가 편찬되었다.
바로 알기 ① 가나는 헤이안 시대에 만들어졌다. ③ 헤이안 시대에는 귀족과 호족이 독자적인 세력을 형성하였고, 이들이 자신의 장원을 지키기 위해 무사를 고용하였다. ④ 견당사는 헤이안 시대에 폐지되었다. ⑤ 다이카 개신은 야마토 정권 시기에 단행되었다.

서술형 문제

08 (1) 무제
(2) **예시 답안** 한의 무제는 소금과 철의 전매제를 실시하였고, 균수법과 평준법을 실시하여 물가를 조절하였다. 또한 개인의 화폐 주조를 금지하고 국가에서 오수전을 주조하여 유통시켰다.

채점 기준	배점
한 무제의 통제 경제 정책(소금과 철의 전매제 실시, 균수법·평준법 실시, 오수전 주조) 중 두 가지를 서술한 경우	상
한 무제의 통제 경제 정책 중 한 가지만 서술한 경우	하

02 동아시아 세계의 발전

1단계 개념 짚어 보기

본문 25쪽

01 (1) × (2) ○ (3) ○ **02** 참파 벼 **03** 서하 **04** 맹안 모극제
05 ㉠ 색목인, ㉡ 한인, ㉢ 남인 **06** 교초 **07** 마르코 폴로
08 가마쿠라 막부

2단계 내신 다지기

본문 25~28쪽

01 ②	02 ③	03 ④	04 ④	05 ③
06 성리학	07 ①	08 ②	09 ⑤	10 ⑤
11 ②	12 ③	13 ②	14 ④	15 ④
16 ③	17 ③			

01 밑줄 친 '이 인물'은 송을 건국한 조광윤(태조)이다. 송의 태조는 중앙 집권 체제를 강화하기 위해 절도사의 권한을 중앙으로 회수하고 문관을 우대하는 문치주의를 채택하였다. 그리고 황제권을 강화하기 위해 중앙군을 강화하여 황제에 직속시키고 재상권을 축소하였으며 과거제에 전시를 도입하였다.
바로 알기 ②는 몽골 제국을 세운 칭기즈 칸의 정책이다.

02 (가) 제도는 전시이다. 송 태조가 실시한 전시는 과거 시험의 마지막 단계로 황제가 주관하여 직접 석차를 결정하였다. 송 대에 전시가 도입된 결과 유학적 소양을 갖춘 학자들이 대거 관료로 진출하여 학자 관료층인 사대부가 사회의 지배층을 형성하였다.
바로 알기 ① 전시의 시행으로 황제의 인사권이 강화되고 재상의 인사권은 약화되었다. ②, ⑤는 9품중정제가 위진 남북조 시대의 사회에 미친 영향이다. ④는 왕안석이 추진한 신법의 결과이다.

03 송이 문치주의를 채택하여 국방력이 약화된 틈을 타 북방 민족 국가인 요, 서하 등이 송을 압박하였다. 이로 인해 송은 막대한 군사비 지출과 해마다 요, 서하에 보내는 물자까지 더해져 재정난에 시달렸다. 이에 신종은 왕안석을 등용하여 재정 적자를 회복하고 군사력을 강화하기 위해 신법을 추진하였다.
바로 알기 ①은 원, ②는 남송의 성립, ③은 수, ⑤는 당과 관련이 있다.

극비 노트 왕안석의 신법

배경	• 문치주의 채택으로 국방력 약화 • 요, 서하 등 북방 민족의 침입으로 재정 지출 증가 • 중앙 집권화 추진으로 관리 수가 늘어나 재정 악화
내용	• 국가 재정 수입 확대: 청묘법, 시역법, 모역법, 균수법 • 군사력 강화: 보갑법, 보마법
결과	일시적으로 재정 개선 → 보수파(구법당) 관료와 지주·대상인의 반발로 실패, 구법당과 신법당의 당쟁 격화

04 송 대에는 학자 관료층인 사대부가 성장하였다. 사대부는 세습 특권에 의존하던 귀족과 달리 유학적 소양을 갖추었고, 황제에게 충성을 바치면서 천하를 함께 다스린다는 자부심과 책임감을 지녔다. 또한 이들은 지주층으로서 전호(소작농)를 지배하였다.
바로 알기 ㄱ. 세습적인 특권에 의존한 것은 귀족의 특징이다. ㄷ. 사대부는 성리학을 사상적 기반으로 삼았다.

05 그림은 북송의 화가 장택단이 수도 카이펑의 청명절 모습을 그린 「청명상하도」이다. 송 대에는 가뭄에 강한 참파 벼가 도입되고 시비법·모내기법이 널리 보급되는 등 농업 기술이 발달하였다. 또한 석탄 사용이 보편화되어 제철·자기·견직업 등 수공업이 발달하였다. 상업도 발달하여 교자와 회자 등의 지폐가 만들어졌다. 송 대의 상공업자들은 행, 작이라는 동업 조합을 결성하였다.
바로 알기 ③ 목화 재배는 원 대에 전국적으로 확대되었다.

06 송 대 사대부가 유학 연구를 심화하면서 송의 유학은 인간의 심성과 우주의 원리를 탐구하는 철학적 측면이 발전하였다. 이를 바탕으로 남송의 주희는 새로운 유학인 성리학을 완성하였다. 성리학은 상하의 구별을 정당화하는 대의명분과 화이론을 중시하였다.

07 송 대에는 상공업의 발달과 도시의 성장을 배경으로 서민 문화가 발달하였다. 도시 곳곳에는 서민을 대상으로 한 오락 시설이 만들어졌다. 문학에서는 구어체로 쓴 노래 가사인 사(詞), 잡극의 공연 대본, 구어체로 된 통속 문학 등이 유행하였다.
바로 알기 ② 공영달의 『오경정의』는 당 대에 편찬되었다. ③ 라마교는 원 대의 지배층 사이에서 유행하였다. ④ 『서상기』, 『비파기』 등은 원 대에 인기를 끈 원곡(희곡)이다. ⑤ 윈강 석굴은 위진 남북조 시대에 북조에서 조성되었다.

극비 노트 송의 문화 발달

성리학	남송의 주희가 집대성, 인간 심성과 우주의 원리 탐구, 대의명분과 화이론 중시
서민 문화	와자 등 서민을 대상으로 한 오락 시설 발달, 잡극 유행, 구어체로 된 통속 문학 발달, 사(詞) 유행
과학 기술	활판 인쇄술, 화약 무기, 나침반 발명 → 이슬람 세계를 거쳐 유럽에 전파
역사서 편찬	사마광의 『자치통감』 편찬(최초의 편년체 역사서)

08 나침반과 점토 활자판을 이용한 활판 인쇄술은 송 대에 발명되었다. ② 송 대에 사마광은 연대순으로 역사를 서술한 『자치통감』을 편찬하였고, 이는 편년체 역사서의 모범이 되었다.
바로 알기 ①, ⑤는 원, ③은 당, ④는 금과 관련된 주제이다.

09 제시된 글에서 '야율아보기의 부족 통일', '대장경 편찬', '연운 16주 획득' 등의 내용을 통해 발표 주제가 정복 왕조인 요에 대한 것임을 알 수 있다. 요는 정복지를 효과적으로 다스리고 부족 고유의 풍속과 정체성을 유지하기 위해 이중 지배 체제를 채택하였다. 그리하여 유목민은 북면관제, 농경민은 남면관제로 다스렸다.
바로 알기 ①은 원, ②는 남송, ③은 금, ④는 북위에 대한 설명이다.

10 도표는 금의 이중 지배 체제를 나타낸 것이다. 금은 유목민을 맹안 모극제로 다스리고, 정복지의 농경민을 주현제로 다스렸다. ⑤ 금은 송을 공격하여 수도 카이펑을 함락시키고 황제를 포로로 끌고 갔다(정강의 변). 이로써 화북 지방을 차지하게 된 금은 수도를 중도(베이징)로 옮기고 화북 지방을 지배하였다.
바로 알기 ①은 요, ②, ③은 원, ④는 수에 대한 설명이다.

11 (가)는 쿠빌라이(세조)이다. 쿠빌라이는 대도(베이징)를 수도로 원을 건국한 후 남송과 대리를 정복하여 중국 전역을 지배하였다. 또한 그는 각 민족의 종교, 문화에 관용적인 정책을 펴 원에서 다양한 문화가 공존하는 데 기여하였다.
바로 알기 ①, ③, ④는 칭기즈 칸, ⑤는 북위 효문제의 업적이다.

12 (가) 왕조는 원이다. ㄴ. 원을 세운 쿠빌라이(세조)는 남송과 대리를 멸망시키고 유목 민족 최초로 중국 전역을 지배하였다. ㄷ. 원은 중국을 효율적으로 지배하기 위해 관료제와 주현제 등 중국의 전통적인 제도를 통치에 활용하였다.
바로 알기 ㄱ은 금, ㄹ은 당에 대한 설명이다.

13 (가)는 색목인, (나)는 남인이다. 원은 몽골 제일주의에 따라 민족 차별 정책을 실시하여 몽골인과 색목인을 우대하고 한인과 남인은 차별하였다. 소수의 몽골인은 정치·군사의 요직을 독점하였고, 색목인은 상업과 회계에 밝아 재정과 행정 업무를 담당하였다.
바로 알기 ② 여진족, 거란족은 한인에 포함된다.

14 제시된 글은 원 대에 제국 전역에 설치한 역참에 대한 것이다. ④ 원 말기에 재정난을 해결하기 위해 무거운 세금을 거두고 교초를 남발하여 물가가 폭등하자 백성의 불만이 쌓였다. 이러한 가운데 백련교도가 중심이 된 홍건적의 난이 일어났고, 결국 원은 명을 세운 주원장에 의해 북쪽으로 밀려났다.
바로 알기 ①, ②, ⑤는 송, ③은 금과 관련된 탐구 활동이다.

극비 노트 역참 제도의 운영

> 여행자에게 중국은 가장 안전하고 좋은 고장이다. …… 전국의 모든 역참에는 숙소가 있는데, 관리자가 서기와 함께 와서 투숙객의 이름을 등록하고 확인 도장을 찍은 다음 숙소 문을 잠근다. 관리자는 기병과 보병을 데리고 늘 머물러 있다. 전국의 모든 역참이 이렇게 하고 있다.
> – 이븐 바투타, 『여행기』

원은 넓은 제국을 원활하게 통치하기 위해 제국 전체에 일정한 거리마다 역참을 설치하였다. 역참은 원래 관리와 군대가 원활하게 왕래하도록 건설되었지만 제국이 안정되면서 상인과 선교사, 학자들도 역참을 이용하였다.

15 패자는 역참의 통행증이고 교초는 원 대에 유통된 지폐로 모두 원 대의 유물이다. 원 대에는 동서 교류가 활발하여 베네치아 상인인 마르코 폴로, 모로코의 여행가인 이븐 바투타 등이 중국을 다녀갔고, 다양한 종교와 이슬람 세계의 역법, 천문학, 대포 제작 기술 등이 중국에 유입되었다. 원의 학자 곽수경은 이슬람 역법을 참고하여 수시력을 제작하였다. 한편, 중국의 화약 무기, 나침반, 인쇄술 등이 이슬람 세계를 거쳐 서양에 전해졌다.
바로 알기 ④ 대진 경교 유행 중국비는 당 대에 세운 비석이다.

16 제시된 글은 가마쿠라 막부에 대한 설명이다. ㄴ. 가마쿠라 막부 시기에는 일부 지역에서 쌀과 보리의 이모작이 가능해져 농업 생산력이 늘어났다. ㄷ. 가마쿠라 막부 시기에 등장한 불교 종파인 정토종은 누구든 염불만 외우면 구제받을 수 있다고 하였다. 그리하여 이 시기의 불교는 서민적이고 대중적으로 변해 갔다.
바로 알기 ㄱ은 나라 시대, ㄹ은 헤이안 시대의 성립과 관련이 있다.

17 자료는 가마쿠라 막부 시기 원의 일본 침입에 대한 것이다. 가마쿠라 막부는 두 차례에 걸친 원의 침략을 막아 냈으나, 전쟁에 참여한 무사들이 제대로 보상을 받지 못하고 경제적으로 궁핍해져 막부에 반발하게 되었다. 이 과정에서 봉건 질서가 동요하였고, 가마쿠라 막부는 점차 쇠퇴하였다.
바로 알기 ①, ⑤는 야마토 정권 시기에 있었던 일이다. ② 헤이안 시대 후반에 무사가 독자적인 세력으로 성장하였고, 이는 막부가 성립하는 배경이 되었다. ④ 국풍 문화는 헤이안 시대에 발달하였다.

3단계 등급 올리기

본문 29쪽

01 ② 02 ③ 03 ③ 04 해설 참조

01 제시된 글의 '수도 카이펑', '와자' 등의 내용을 통해 편지가 송과 관련된 것임을 알 수 있다. 송이 문치주의를 채택하여 국방력이 약화되자 북방 민족 국가인 요, 서하 등이 송에 침입하였다.
바로 알기 ①은 금에 대한 설명이다. ③ 송 대에는 성리학이 유학 연구의 주류를 형성하였다. ④, ⑤는 원과 관련된 내용이다.

02 자료는 송 대의 경제 발전과 관련이 있다. 송 대에는 모내기법이 널리 보급되었고, 가뭄에 강하고 단기간에 성장 가능한 참파 벼가 도입되어 농업 생산력이 향상되었다. 또한 상공업이 발달하여 거래 규모가 커지자 지폐인 교자가 유통되었다.
바로 알기 ①, ②, ④, ⑤는 원 대에 볼 수 있었던 모습이다.

03 (가)는 맹안 모극제를 시행한 금, (나)는 칭기즈 칸이 세운 몽골 제국이다. 몽골 제국은 넓은 제국을 원활하게 통치하기 위해 제국 전역에 역참을 설치하였다.
바로 알기 ①, ②는 원, ④는 요, ⑤는 북위에 대한 설명이다.

서술형 문제

04 (1) 왕안석
(2) 예시 답안 송이 문치주의를 채택하여 국방력이 약화되자 북방 민족 국가인 요, 서하 등이 송을 압박하여 국방비 지출이 증가하였고, 송의 중앙 집권화 추진으로 관리 수가 늘어나 국가 재정이 점차 악화되었다.

채점 기준	배점
문치주의 채택으로 인한 국방력 약화, 국방비 지출과 관리 수 증가로 인한 재정 악화를 모두 서술한 경우	상
위 내용 중 한 가지만 서술한 경우	하

03 동아시아 세계의 변동

1단계 개념 짚어 보기

본문 31쪽

01 (1) ○ (2) × (3) × 02 문자의 옥 03 신사(층) 04 공행
05 지정은제 06 (1) ㄷ (2) ㄱ (3) ㄴ 07 다이묘 08 조닌

2단계 내신 다지기

본문 31~34쪽

01 ②	02 이갑제	03 ④	04 ⑤	05 ①
06 ④	07 ④	08 ①	09 ④	10 ④
11 ②	12 ④	13 ③	14 ④	15 ⑤
16 ①	17 ③	18 ①		

01 난징을 수도로 나라를 세웠으며 몽골을 몰아내고 한족 왕조를 부활한 내용을 통해 밑줄 친 '그'가 주원장(홍무제)임을 알 수 있다. 홍무제는 한족의 유교 문화 회복을 위해 육유를 보급하고 과거제를 정비하였다. 또한 제도를 정비하여 조세 겸 호적 대장인 부역황책과 토지 대장인 어린도책을 만들었고, 지방 통치 제도인 이갑제를 실시하였다. 한편, 홍무제는 황제권 강화를 위해 재상제를 폐지하고 중앙의 6부를 황제 직속으로 편입하여 직접 통솔하였다.
바로 알기 ②는 영락제의 정책이다. 영락제는 재상제 폐지를 보완하기 위해 황제를 보좌하는 내각 대학사를 설치하였다.

02 제시된 글은 이갑제에 대한 설명이다. 명의 홍무제는 농민에 대한 관리의 수탈을 줄이기 위하여 농민이 직접 조세 징수와 치안 유지를 담당하도록 한 이갑제를 실시하였다.

03 지도의 원정로는 정화의 항해 경로를 표시한 것이다. 명의 영락제는 명의 국력을 과시하고 조공 체제를 확대하기 위하여 환관 정화에게 항해 명령을 내렸다(ㄴ). 그리하여 정화는 1405년부터 7차에 걸쳐 항해에 나섰다. 정화의 항해 결과 명은 여러 나라와 새롭게 조공·책봉 관계를 맺어 명 중심의 조공 체제가 확대되었다(ㄹ).
바로 알기 ㄱ. 정화의 원정은 왜구의 소탕과 관련이 없다. ㄷ. 네르친스크 조약은 청 대에 강희제가 러시아와 체결하여 국경을 확정한 것이다.

04 명 중기 이후 환관이 득세하여 정치가 문란하였고, 몽골과 왜구의 침략을 막기 위해 만리장성을 보수하는 등 막대한 재정을 지출하여 재정이 악화되었다. 이러한 위기를 해결하기 위해 내각 대학사 장거정은 토지 조사를 실시하고 일조편법을 전국으로 확대 시행하는 등의 개혁을 실시하였다.
바로 알기 ①은 장거정의 개혁 이후의 일이다. 장거정의 개혁으로 개선된 재정 상황은 장거정 사후 다시 악화되었으며 임진왜란 출병과 여진족과의 전쟁 등으로 재정 부담이 크게 늘었다. ②, ③은 원, ④는 송과 관련이 있는 내용이다.

05 제시된 글은 청의 옹정제가 시행한 비밀 상주문 제도에 대한 것이다. 옹정제는 군기처를 설치하고 비밀 상주문 제도를 실시하여 나라의 모든 정보와 결정권을 장악하였다. 또한 그는 인두세를 토지세에 합쳐서 은으로 징수하는 지정은제를 전국적으로 실시하였다.
바로 알기 ②, ④는 강희제, ③은 건륭제, ⑤는 누르하치(태조)에 대한 설명이다.

06 자료는 청의 관리 등용과 관련된 내용이다. 청은 한족 지식인을 회유하기 위해 주요 관직에 만주족과 한족을 같이 임명하는 만한 병용제를 실시하였다. ④ 청의 강희제는 1689년에 러시아와 네르친스크 조약을 체결하여 국경을 확정하였다.
바로 알기 ① 성리학은 송 대에 주희가 집대성하였다. ② 이자성의 난, ③ 장거정의 개혁, ⑤ 왕수인의 양명학 제창은 명 대에 있었던 사실이다.

07 제시된 글에 해당하는 세력은 신사이다. 신사는 명 대에 학교와 과거제의 결합으로 형성된 계층으로 전·현직 관료, 학위 소지자 등으로 구성되었다. 신사는 조세를 감면받고 요역을 면제받았으며 가벼운 형벌을 면하는 특권을 누렸다. 이들은 향촌에서 지방의 행정 질서를 유지하기 위한 활동을 전개하는 한편, 대토지를 소유하고 고리대를 경영하는 등 개인의 이익을 추구하였다.
바로 알기 ①은 귀족, ②는 명·청 대의 농민, ③은 명·청 대의 상인, ⑤는 절도사에 대한 설명이다.

08 지도는 명·청 대의 산업 발달을 나타낸 것이다. 명·청 대에는 각지에서 차, 면화, 사탕수수, 담배 등의 상품 작물이 재배되었다. 또한 아메리카 대륙의 작물인 옥수수, 고구마, 감자 등이 도입되어 농업 생산량이 증대되었다.
바로 알기 ㄷ. 명·청 대에는 송·원 대에 곡창 지대였던 창장강 하류가 면직업과 견직업 등 수공업의 중심지가 되었다. 이에 부족해진 식량을 창장강 중·상류 지방에서 가져오면서 이 지역이 새로운 곡창 지대로 개발되었다. ㄹ은 송 대의 상공업자에 대한 설명이다.

09 (가) 왕조는 만주족이 세운 청, (나) 왕조는 몽골 세력을 몰아내고 한족 왕조를 부활한 명이다. 명은 왕조 초기에 해금 정책을 추진하여 조선과의 조공 무역, 일본과의 감합 무역만을 허용하였다. 청 또한 초기에는 해금 정책을 실시하였으나 타이완의 반청 세력을 진압한 이후 몇 개의 항구를 개항하여 해외 무역을 허용하였다. 그러나 18세기 중반 이후 서양 상인들에게 해금을 강화하여 광저우 한 곳만 개항하고 공행을 설치하여 무역을 관리하였다.
바로 알기 ④ 청 대에 전례 문제의 발생 이후 선교사의 크리스트교 포교가 금지되었다.

10 제시된 글은 청의 강희제가 1712년 이후 늘어나는 인구에 관해서는 인두세를 거두지 않겠다고 선언한 내용이다. 이 선언을 계기로 인두세를 토지세에 합하여 은으로 한꺼번에 징수하는 지정은제가 실시되었다. ㄴ. 지정은제의 실시로 백성의 인두세 납부 부담이 사라져 인구가 증가하였다. ㄹ. 16세기 이후 중국에 은이 대량으로 유입되자 세금을 은으로 거두는 방식이 도입되어 지정은제가 실시될 수 있었다.
바로 알기 ㄱ. 명 대에 여러 항목의 세금을 토지세와 인두세로 통합하여 은으로 내게 하는 일조편법이 실시되었다. ㄷ. 당 대 안사의 난 전후 균전제가 붕괴되자 각종 세금을 재산에 따라 여름과 가을 두 번에 걸쳐 내게 하는 양세법이 시행되었다.

극비 노트 지정은제의 실시 배경

> 천하가 평정된 지 오래되어 호구가 날로 번창하니 인정을 헤아려 정세를 부과하는 일이 어렵다. 인정은 늘더라도 토지는 늘지 않으니 현재의 세역 장부에 등재된 인정 수를 늘리거나 줄이지 말고 영구히 고정하라. 그리고 지금 이후 태어나는 인정은 꼭 정세를 거둘 필요가 없다.
> -『성조실록』

청 대에 농업 기술의 발전, 외래 작물의 도입 등으로 식량 생산이 늘어나자 인구가 많이 증가하였다. 이에 강희제는 1712년 이후 늘어나는 인구에 관해서는 인두세를 거두지 않겠다고 선언하였다. 그리하여 인두세를 토지세에 합하여 은으로 한꺼번에 내는 지정은제가 점차 자리를 잡았고, 옹정제 때 전국적으로 실시되었다.

11 (가) 학문은 명 대에 왕수인이 성리학의 형식화를 비판하며 제창한 양명학이다. 양명학은 마음이 곧 하늘이 부여한 이치라는 심즉리를 주장하였고, 지행합일을 내세워 경전의 이해보다 실천을 강조하였다.
바로 알기 ①, ③은 고증학, ④는 공양학, ⑤는 실학에 대한 설명이다.

극비 노트 명·청 대의 학문

왕조	학문	특징
명	성리학	홍무제가 통치 이념으로 채택, 영락제가 『사서대전』·『영락대전』 등을 편찬하여 과거 시험에 활용
	양명학	형식화된 성리학을 비판하며 왕수인이 제창, 심즉리와 지행합일 강조, 인간 평등 주장
	실학	상공업과 예수회 선교사의 영향으로 실용 중시, 『본초강목』·『천공개물』 등 편찬
청	고증학	경전을 실증적으로 연구, 정부의 대규모 편찬 사업으로 발달, 금석학·갑골학 등 학문 영역 확대
	공양학	고증학 비판, 시대 변화에 따른 현실 인식과 개혁 강조

12 청은 『사고전서』, 『강희자전』 편찬 등 대규모 편찬 사업을 실시하여 한족 지식인을 회유하는 한편 서적에 청을 비방하는 내용이 없는지 점검하였다. ④ 청 대에는 『홍루몽』 등의 구어체 소설처럼 서민이 즐기는 문학 작품이 널리 보급되었다.
바로 알기 ① 채윤이 제지술을 개량한 것은 한 대의 일이다. ② 송 대에 서민 오락 시설인 와자가 형성되었다. ③ 당삼채는 당 대에 유행한 도자기이다. ⑤ 『자치통감』은 송 대에 사마광이 편찬하였다.

13 제시된 글은 청 대 옹정제의 금교령에 대한 내용이다. 명 말 청 초에 중국에 진출한 예수회 선교사들은 조상에 대한 제사를 비롯한 중국의 전통에 대해 관용적이었다. 그러나 18세기 이후 중국에 들어온 선교사들 사이에서 중국의 전통을 인정하는 문제를 두고 전례 문제가 발생하였다. 이에 청은 금교령을 내려 황궁에 봉사하는 선교사를 제외하고는 모두 추방하고 크리스트교 포교를 금지하였다. 이후 청과 서양의 문화 교류는 상당 기간 중지되었다.

바로 알기 ① 명은 성리학을 통치 이념으로 삼고 관학으로 정립하였다. ② 명 대에 활동한 예수회 선교사 마테오 리치는 『천주실의』를 저술하여 크리스트교를 전파하였다. ④ 카르피니는 몽골 제국 시기에 중국을 방문하였다. ⑤ 홍건적의 난은 원 말기에 일어났다.

14 (가) 막부는 무로마치 막부이다. 아시카가 다카우지가 개창한 무로마치 막부는 명과의 감합 무역을 통해 왜구를 단속하고 경제적 안정을 이루었다. 그러나 쇼군의 후계자를 둘러싼 분쟁이 일어나자 막부는 점차 쇠퇴하여 무사들이 패권 쟁탈전을 벌이는 전국 시대가 시작되었다.

바로 알기 ① 일본 최초의 무가 정권은 가마쿠라 막부이다. ② '일본'이라는 국호는 야마토 정권 시기인 7세기 말에 처음 사용되었다. ③ 에도 막부는 초기에 해외로 나가는 상인들에게 슈인장을 주어 무역을 진흥하였다. ⑤ 국풍 문화는 헤이안 시대에 발전하였다.

15 산킨코타이는 에도 막부가 다이묘를 통제하기 위해 시행한 제도이다. 다이묘들은 산킨코타이에 따라 1년마다 자신의 영지와 에도에 번갈아 머물러야 했는데, 이 과정에서 비용이 많이 들었기 때문에 산킨코타이는 다이묘들에게 경제적인 부담이 되었다. ㄷ. 에도 막부는 쇄국 정책을 강화하는 한편 나가사키를 개방하여 네덜란드인과의 교역을 허용하였다. ㄹ. 에도 막부 시기에는 네덜란드인을 통해 받아들인 서양의 학문인 난학이 발전하였다. 『해체신서』는 이때 번역된 서양의 해부학 서적이다.

바로 알기 ㄱ. 다이카 개신은 야마토 정권 시기에 이루어졌다. ㄴ. 가마쿠라 막부 시기에 원이 일본을 침략하였으나 실패하였다.

16 밑줄 친 '막부'는 에도 막부이다. 에도 막부는 쇄국 정책을 강화하여 크리스트교 포교를 금지하고 사무역을 엄격히 통제하는 한편 나가사키를 개방하여 데지마를 통한 네덜란드인과의 교역을 허용하였다. ② 에도 막부에서는 네덜란드인을 통해 받아들인 서양 학문인 난학이 발달하였다. ③ 에도 막부는 조선의 통신사를 통해 선진 문물을 받아들였다. ④ 에도 막부 시기에는 상인들이 동업 조합인 가부나카마를 결성하여 이익을 도모하였다. ⑤ 에도 막부 시기에 일부 학자들은 고전과 고대사 연구를 통해 고대 일본의 정신으로 돌아갈 것을 주장하는 국학 운동을 전개하였다.

바로 알기 ①은 에도 막부 성립 이전의 일이다. 전국 시대를 통일한 도요토미 히데요시가 조선을 침략하여 임진왜란을 일으켰으나 실패하였다.

17 가부키와 우키요에는 모두 에도 막부의 조닌들이 주로 향유한 문화이다. 에도 막부 시기에는 상공업이 발달하여 경제력을 갖춘 도시 상공업자인 조닌이 성장하였으며, 이들에 의해 조닌 문화가 발전하였다.

바로 알기 ①, ④는 에도 막부의 다이묘, ②는 에도 막부의 쇼군, ⑤는 에도 막부의 무사에 대한 설명이다.

18 조닌 문화는 에도 막부 시기에 발달하였다. 에도 막부 시기에는 나가사키의 인공 섬인 데지마의 네덜란드인을 통해 일본에 서양의 의학, 천문학, 조선술 등의 학문이 유입되었는데, 이를 난학이라고 한다.

바로 알기 ②는 야마토 정권, ③은 헤이안 시대와 관련된 내용이다. ④ 야마토 정권 시기부터 중국에 파견된 견당사는 헤이안 시대에 폐지되었다. ⑤는 가마쿠라 막부와 관련된 내용이다.

3단계 등급 올리기

본문 35쪽

01 ③ 02 ④ 03 ① 04~05 해설 참조

01 밑줄 친 '이 왕조'는 명이다. 명 대에는 예수회 선교사가 소개한 서양 문물의 자극을 받아 실용을 중시하는 실학이 발전하였다. 그리하여 『본초강목』, 『농정전서』, 『천공개물』 등 실용적인 서적이 편찬되었다. ③ 명 대에는 여러 항목의 세금을 토지세와 인두세로 통합하여 은으로 내게 하는 일조편법이 시행되었다.

바로 알기 ①은 송, ②, ④, ⑤는 청과 관련된 내용이다.

02 제시된 글에서 아메리카 대륙에서 전래된 외래 작물인 고구마를 수확하는 내용을 통해 가상 일기가 명·청 대와 관련된 것임을 알 수 있다. ㄴ. 명·청 대에는 경제 발전과 교육의 확대로 서민 의식이 향상되어 소작료 납부 거부 운동, 신분 해방 운동 등 서민 운동이 일어났다. ㄹ. 명·청 대에는 창장강 하류 지방에서 수공업이 발달하였고, 창장강 중·상류 지방이 곡창 지대로 개발되었다.

바로 알기 ㄱ은 당, ㄷ은 송과 관련된 내용이다.

03 (가)는 마테오 리치이다. 마테오 리치는 「곤여만국전도」를 제작하여 중국인을 포함한 동아시아 사람들의 세계관에 영향을 주었다. 또한 그는 『천주실의』를 저술하여 크리스트교를 전파하였고, 명의 학자 서광계와 함께 『기하원본』을 번역하여 유클리드의 기하학을 소개하였다.

바로 알기 ② 『오경정의』는 당 대에 편찬된 책이다. ③ 『농정전서』는 명 대에 서광계가 편찬하였다. ④ 마테오 리치를 비롯한 예수회 선교사들은 조상에 대한 제사 등 중국의 전통에 대해 관용적이었다. ⑤는 마르코 폴로에 대한 설명이다.

서술형 문제

04 예시 답안 청은 한족에게 호복을 강요하였고, 특정한 문자나 용어 사용을 구실로 사상을 탄압하는 문자의 옥과 금서 지정을 통해 한족의 사상을 통제하였다.

채점 기준	배점
청의 강경책(호복 강요, 문자의 옥, 금서 지정) 중 두 가지를 서술한 경우	상
청의 강경책 중 한 가지만 서술한 경우	하

05 예시 답안 은이 중국에 대량으로 유입되자 중국에서는 은이 화폐로 사용되었고, 세금을 은으로 내는 방식이 도입되어 명 대에 일조편법, 청 대에 지정은제가 시행되었다.

채점 기준	배점
은이 화폐로 사용되고 세금을 은으로 내는 방식이 도입되었다고 서술한 경우	상
은의 유입으로 인한 변화 중 한 가지만 서술한 경우	하

서아시아의 여러 제국과 이슬람 세계의 형성

1단계 개념 짚어 보기

본문 37쪽

01 (1) × (2) ○ (3) ○ 02 사산 왕조 페르시아 03 헤지라
04 (1) ㄷ (2) ㄴ (3) ㄱ 05 쿠란 06 셀주크 튀르크 07 티무르
08 술레이만 1세 09 밀레트

2단계 내신 다지기

본문 38~41쪽

01 ②	02 ①	03 ⑤	04 ②	
05 조로아스터교		06 ②	07 ③	08 ①
09 ②	10 ①	11 ②	12 ⑤	13 ②
14 ⑤	15 ②	16 ③	17 ⑤	18 ⑤
19 ①				

01 (가)는 아시리아이다. 아시리아는 기원전 7세기경 우수한 철제 무기와 기병을 바탕으로 서아시아의 상당 부분을 통일하였다. 그러나 아시리아는 피정복민을 강압적으로 통치하였고, 이에 여러 민족이 반란을 일으켜 멸망하였다.
바로 알기 ① 알렉산드로스의 침공으로 멸망한 왕조는 아케메네스 왕조 페르시아이다. ③ 셀주크 튀르크는 아바스 왕조로부터 술탄의 칭호를 얻었다. ④ 속주에 '왕의 눈', '왕의 귀'를 파견한 왕조는 아케메네스 왕조 페르시아이다. ⑤ 파르티아는 중국의 한과 인도의 쿠샨 왕조, 로마를 연결하는 중계 무역으로 번영하였다.

02 (가)는 아시리아, (나)는 아케메네스 왕조 페르시아이다. 아시리아는 기원전 7세기경 철제 무기와 기병을 바탕으로 서아시아의 상당 부분을 통일하였으며, 정복지에 총독을 파견하는 등 중앙 집권 체제를 강화하였다. 아케메네스 왕조 페르시아는 조로아스터교를 믿었으며, 피지배 민족에게 관용 정책을 펼쳤다. 또한 전국 20여 개의 속주에 총독을 파견하고 감찰관을 보내는 등 여러 제도를 정비하여 중앙 집권 체제를 강화하였다.
바로 알기 ① 3세기 초에 이란 계통의 농경민이 건국한 왕조는 사산 왕조 페르시아이다.

03 제시된 글은 아케메네스 왕조 페르시아의 통치 방식을 설명한 것이다. 아케메네스 왕조 페르시아의 다리우스 1세는 중앙 집권 체제를 강화하여 '왕의 길'이라는 도로망을 건설하였고, 페르세폴리스 왕궁을 건설하였다. 한편, 아케메네스 왕조 페르시아는 피정복민에게 관용 정책을 펼친 것에 힘입어 약 200년 동안 통일과 번영을 누렸다. 그러나 그리스와의 전쟁과 지방 총독의 반란으로 쇠퇴하다가 기원전 4세기 알렉산드로스에게 정복당하였다.
바로 알기 ⑤는 정통 칼리프 시대에 대한 설명이다. 무함마드 사후 이슬람 공동체는 정치·종교의 지도자인 칼리프를 선출하였다.

04 밑줄 친 '도로'는 아케메네스 왕조 페르시아의 다리우스 1세가 건설한 '왕의 길'이다. 다리우스 1세는 도로와 함께 역참제를 정비하여 왕권을 강화하였다.
바로 알기 ① 마니교는 사산 왕조 페르시아 시기에 등장하였다. ③ 예니체리는 오스만 제국 술탄의 친위 부대이다. ④ 아바스 왕조가 당과의 탈라스 전투에서 승리하였다. ⑤ 정통 칼리프 시대에 이슬람 세력이 사산 왕조 페르시아를 정복하였다.

05 기원전 6세기경 조로아스터가 창시한 조로아스터교에서 세상을 선의 신 아후라 마즈다와 악의 신 아리만이 싸우는 곳으로 보았다. 조로아스터교의 유일신 숭배, 선악의 대결, 최후의 심판, 천국과 지옥 등의 교리는 훗날 유대교, 크리스트교, 이슬람교 등에 영향을 주었다.

06 (가)는 사산 왕조 페르시아이다. 사산 왕조 페르시아에서는 공예가 발달하였는데, 사산 왕조 페르시아의 금속 세공품과 유리 공예품은 유럽과 이슬람 세계, 그리고 동아시아까지 전파되었다. ② 사산 왕조 페르시아는 조로아스터교를 국교로 삼았다.
바로 알기 ① 이스마일 1세는 사파비 왕조를 수립하였다. ③ 알렉산드로스에게 멸망한 왕조는 아케메네스 왕조 페르시아이다. ④ 아케메네스 왕조 페르시아에서 '왕의 길'을 건설하였다. ⑤ 오스만 제국은 지즈야를 걷고 밀레트의 자치를 허용하였다.

07 제시된 글은 이슬람교의 경전인 『쿠란』의 일부 내용이다. 7세기경 메카의 상인이었던 무함마드가 이슬람교를 정립하였다. 그는 우상 숭배를 배격하고 신(알라)은 유일하며 모든 사람은 신 앞에서 평등하다고 주장하여 민중의 지지를 받았다.
바로 알기 ① 이슬람교는 7세기경에 정립되었고, 파티마 왕조는 10세기 초에 수립되었다. ② 아후라 마즈다를 최고신으로 섬긴 종교는 조로아스터교이다. ④ 『베다』는 브라만교의 경전이다. ⑤ 이슬람교에서는 우상 숭배를 금지하였기 때문에 신을 그림이나 조각으로 표현할 수 없었다.

> **극비 노트** 이슬람교의 특징
>
> 알라는 모세에게 성서를 주고 …… 마리아의 아들 예수에게 권능을 내려 성령으로 그를 보호하였다. …… 우리는 알라를 믿고 우리에게 계시가 된 것과 아브라함과 이스마엘과 이삭과 야곱과 …… 모세와 예수, 예언자들이 계시받은 것들을 믿는다. 그 누구도 구별하지 아니하며 알라만을 믿는다.
> -『쿠란』
>
> 메카의 상인이었던 무함마드는 아라비아반도가 혼란한 시기에 유대교와 크리스트교의 영향을 받아 이슬람교를 정립하였다. 이슬람교에서는 알라를 유일신으로 섬기고 우상 숭배를 배격하였다.

08 (가) 시기는 정통 칼리프 시대에 해당한다. 정통 칼리프 시대에 이슬람 세력은 사산 왕조 페르시아를 멸망시켰다.
바로 알기 ② 1055년에 셀주크 튀르크가 바그다드에 입성하였다. ③ 아바스 왕조는 751년 당과 탈라스 전투를 벌였다. ④ 1453년 오스만 제국의 메흐메트 2세가 비잔티움 제국을 정복하였다. ⑤ 우마이야 왕조의 일파는 756년에 후우마이야 왕조를 세웠다.

09 지도는 우마이야 왕조의 정복지와 영역을 표시한 것이다. 우마이야 왕조는 아랍인을 우대하고 비아랍인 이슬람교도를 차별하여 비아랍인의 불만을 초래하였다.

바로 알기 ①은 정통 칼리프 시대, ③은 사파비 왕조, ④는 정통 칼리프 시대 이전, ⑤는 아케메네스 왕조 페르시아 시기에 해당한다.

10 밑줄 친 '이 왕조'는 아바스 왕조이다. 아바스 가문은 비아랍인 불만 세력과 시아파의 도움을 받아 우마이야 왕조를 멸망시키고 아바스 왕조를 세웠다. 그리고 모든 이슬람교도의 평등을 내세워 아랍인의 특권을 폐지하고 비아랍인 이슬람교도에 대한 세금 제도상의 차별을 철폐하였다.
바로 알기 ㄷ. 티무르 왕조가 앙카라 전투에서 오스만 제국을 물리쳤다. ㄹ. 우마이야 왕조 때 북인도와 이베리아반도까지 영토를 확장하였다.

11 제시된 글은 이슬람교도가 지켜야 하는 의무인 5행의 내용이다. 이슬람교도는 이슬람교와 아랍어를 중심으로 이슬람 문화권을 형성하였다. 이슬람 세계에서는 자연 과학이 크게 발달하였다. 수학에서는 대수법과 삼각법, 영(0)을 포함한 아라비아 숫자 체계가 완성되었다. 의학에서는 예방 의학과 외과 분야가 발전하였으며, 화학도 발달하여 알칼리와 산의 구별법과 승화 작용이 발견되었다.
바로 알기 ② 화약, 나침반, 제지법은 중국에서 발명되었다. 이러한 발명품은 이슬람 세계를 거쳐 유럽에 전해졌다.

극비 노트 이슬람 세계의 자연 과학 발달

천문학	지구 구형설 설명, 태양력 제작, 경도와 위도 및 자오선의 길이 측정
화학	알칼리와 산의 구별법, 승화 작용 발견
물리학	광학 연구, 비중 측정
수학	아라비아 숫자, 대수법과 삼각법 완성
의학	예방 의학과 외과 수술 성행, 이븐시나의 『의학전범』 저술

12 지도는 셀주크 튀르크의 영역과 진출 방향을 표시한 것이다. 따라서 (가)는 셀주크 튀르크이다. ㄷ. 셀주크 튀르크는 비잔티움 제국을 압박한 것을 배경으로 크리스트교 세계와 십자군 전쟁을 벌였다. ㄹ. 셀주크 튀르크는 바그다드에 입성하고 칼리프를 보호하여 아바스 왕조로부터 술탄의 칭호를 받았다.
바로 알기 ㄱ은 오스만 제국, ㄴ은 아바스 왕조에 대한 설명이다.

13 밑줄 친 '이 왕조'는 티무르 왕조이다. 티무르 왕조는 유럽과 이슬람 세계, 중국을 잇는 교통의 중심에 위치하여 동서 무역을 독점하며 번영하였다.
바로 알기 ① 오스만 제국의 메흐메트 2세가 콘스탄티노폴리스를 점령하였다. ③ 사산 왕조 페르시아가 조로아스터교를 국교로 삼았다. ④ 우마이야 왕조 시기에 우마이야 가문이 칼리프를 세습하였다. ⑤ 사파비 왕조는 페르시아의 군주 칭호인 '샤'를 사용하는 등 페르시아인의 민족의식 부흥을 위해 노력하였다.

14 제시된 글은 사파비 왕조에 대한 설명이다. 사파비 왕조는 시아파 이슬람교를 국교로 정하여 주변의 무굴 제국이나 수니파인 오스만 제국 등과 대립하였다.
바로 알기 ①, ③은 오스만 제국, ②는 티무르 왕조, ④는 아케메네스 왕조 페르시아와 관련이 있다.

15 (가)는 사파비 왕조의 아바스 1세이다. 아바스 1세는 이스파한으로 수도를 옮기고 군사력을 강화하여 오스만 제국에 빼앗긴 바그다드를 되찾아 영토를 넓혔다. 또한 경제 부흥을 위해 중상주의 정책을 펼쳤다.
바로 알기 ① 진의 시황제가 분서갱유를 단행하였다. ③ 셀주크 튀르크가 부와이 왕조를 정복하였다. ④ 티무르 왕조가 앙카라 전투에서 오스만 제국에 승리하였다. ⑤ 오스만 제국의 술레이만 1세가 오스트리아의 빈을 공격하였다.

16 '밀레트 제도', '지중해 해상권 장악', '앙카라 전투 패배', '술탄이 칼리프의 칭호 계승' 등을 통해 제시된 내용이 오스만 제국에 대한 발표 주제임을 알 수 있다. 오스만 제국은 비잔티움 제국을 멸망시키고 비잔티움 제국의 수도 콘스탄티노폴리스를 이스탄불로 개칭하여 수도로 삼았다.
바로 알기 ① 우마이야 왕조에서 아랍인 우대 정책을 펼쳤다. ② 셀주크 튀르크가 크리스트교 세계와 십자군 전쟁을 벌였다. ④ 우마이야 왕조 때 이슬람교가 수니파와 시아파로 분리되었다. ⑤ 셀주크 튀르크는 바그다드에 입성하여 칼리프를 보호하고 아바스 왕조로부터 술탄이라는 칭호와 정치적 실권을 위임받았다.

17 지도는 오스만 제국의 진출 방향과 최대 영역을 표시한 것이다. 오스만 제국은 비이슬람교도에게 이슬람교로의 개종을 강제하지 않았고, 지즈야(인두세)만 납부하면 종교 공동체인 밀레트를 만들어 자치를 누릴 수 있게 하였다.
바로 알기 ① 아바스 1세는 사파비 왕조의 전성기를 이루었다. ②는 사산 왕조 페르시아, ③은 아케메네스 왕조 페르시아, ④는 우마이야 왕조에 대한 설명이다.

18 자료는 오스만 제국의 술레이만 1세에 대한 것이다. 술레이만 1세는 헝가리를 정복하고 유럽의 연합 함대를 무찔러 지중해와 홍해, 아라비아해 연안까지 세력을 확대하였다. 이로써 오스만 제국은 지중해 교역의 이익을 독점하게 되었다.
바로 알기 ①, ② 메흐메트 2세가 비잔티움 제국을 멸망시키고 콘스탄티노폴리스를 이스탄불로 고쳐 수도로 삼았다. ③ 티무르가 몽골 제국의 재건을 내걸고 티무르 왕조를 수립하였다. ④ 셀림 1세가 맘루크 왕조를 정복하였다.

19 사진은 오스만 제국에서 건축한 술탄 아흐메트 사원이다. ② 오스만 제국은 이슬람 문화를 바탕으로 튀르크, 페르시아, 비잔티움 제국의 문화를 융합하였는데, 미술에서는 페르시아의 영향을 받아 세밀화가 유행하였다. ③, ④ 오스만 제국에서는 데브시르메 제도로 관료와 예니체리를 충당하고 티마르제를 실시하여 군사력을 강화하였다. ⑤ 오스만 제국의 술탄은 영토 확장 과정에서 칼리프의 칭호까지 이어받았다.
바로 알기 ① 오스만 제국에서는 제국 내의 이교도에게 이슬람교를 강제하지 않았으며, 지즈야만 납부하면 종교 공동체의 자치를 허용하였다.

3단계 등급 올리기

본문 42~43쪽

01 ③ 02 ⑤ 03 ④ 04 ② 05 ⑤
06 ③ 07 ~ 08 해설 참조

01 제시된 글은 아시리아의 왕이 엘람 왕국을 정복한 후 새긴 문자판의 내용이다. 아시리아는 도로와 역전제를 정비하고 전국을 주(州)로 나눈 후 총독을 파견하여 직접 통치하는 등 중앙 집권 체제를 강화하였다.

바로 알기 ① 티마르제는 오스만 제국의 술탄이 군사 복무의 대가로 일정 봉토에 대한 징세권을 부여한 제도이다. ② 중국 한 왕조를 세운 고조가 군국제를 실시하였다. ④ 아시리아는 피지배 민족을 강압적으로 다스려 피정복민의 반란을 초래하였다. ⑤ 아바스 왕조는 모든 이슬람교도의 평등을 표방하여 아랍인의 특권을 폐지하고 비아랍인에 대한 차별을 없앴다.

02 밑줄 친 '그'는 아케메네스 왕조 페르시아의 다리우스 1세이다. 다리우스 1세는 속주에 총독과 감찰관을 파견하고 '왕의 길'이라 불린 도로와 역참제를 정비하는 등 중앙 집권을 강화하였다. 또한 새로운 왕궁으로 페르세폴리스를 건설하였다.

바로 알기 ㄱ. 조로아스터교를 국교로 정한 왕조는 사산 왕조 페르시아이다. ㄴ. 아시리아가 서아시아 세계의 상당 부분을 최초로 통일하였다. 아케메네스 왕조 페르시아는 아시리아 멸망 후 분열된 서아시아를 다시 통일하였다.

03 '진정한 의미의 이슬람 제국', '시아파의 도움을 받아 건국', '수도 바그다드', '탈라스 전투의 승리' 등을 통해 제시된 주제가 아바스 왕조와 관련된 내용임을 알 수 있다. 아바스 왕조는 모든 이슬람교도의 평등을 내세우고 아랍인과 비아랍인의 차별을 없애 범이슬람 제국으로 발전하였다.

바로 알기 ① 헤지라는 아바스 왕조가 세워지기 전인 622년에 단행되었다. ② 조로아스터교의 경전인 『아베스타』는 사산 왕조 페르시아 시기에 집대성되었다. ③ 무함마드가 죽은 후 이슬람 세계의 지도자로 칼리프를 선출하는 정통 칼리프 시대가 시작되었다. ⑤ 정통 칼리프 시대에 이슬람 세력이 이집트와 사산 왕조 페르시아를 정복하였다.

04 왼쪽 글은 후우마이야 왕조의 성립(756), 오른쪽 글은 셀주크 튀르크의 바그다드 입성(1055)과 관련이 있다. ② 10세기 초 카이로를 수도로 수립된 파티마 왕조는 아바스 왕조의 권위를 부정하고 칼리프 칭호를 사용하였다.

바로 알기 ① 아바스 왕조는 13세기경 몽골 제국에 정복당하였다. ③ 751년 아바스 왕조가 중국의 당과 탈라스 전투를 벌였다. ④ 기원전 6세기경 조로아스터가 조로아스터교를 창시하였다. ⑤ 무함마드는 622년 메카 귀족층의 탄압을 피해 이슬람교도와 함께 메디나로 피신하였는데, 이를 헤지라라고 한다.

05 바위의 돔 사원은 이슬람교의 모스크로, 이슬람 문화권과 관련이 있다. ① 이슬람 세계에서는 성지 순례를 하는 과정에서 지리학이 발달하였다. ② 이슬람 세계에서 발달한 자연 과학은 유럽에 전해져 유럽의 근대 과학 성립에 영향을 주었다. ③ 이슬람 사회에서는 상업 행위를 긍정적으로 여겨 상인들의 활동이 활발하였고, 이들의 교역로를 중심으로 대도시가 발달하였다. ④ 이슬람 사회에서는 천문학이 발달하여 지구 구형설을 설명하고 태양력을 만들었다.

바로 알기 ⑤ 숫자 영(0)의 개념을 최초로 사용한 지역은 인도이다. 이슬람 문화권에서는 인도에서 숫자 영(0)의 개념을 도입하여 아라비아 숫자를 완성하였다.

06 자료의 '예니체리' 등을 통해 (가)가 오스만 제국임을 알 수 있다. 오스만 제국은 술탄의 직할지를 제외한 영토인 티마르를 정부 관료나 군인들에게 나누어 주고 봉급으로 그 토지에 대한 징세권을 부여한 티마르제를 운영하였다.

바로 알기 ① 셀주크 튀르크와 크리스트교 세계 사이에 십자군 전쟁이 일어났다. ② 아바스 왕조가 탈라스 전투에서 당군에 승리하였다. ④ 아바스 왕조가 셀주크 튀르크에 술탄의 칭호를 주고 정치적 실권을 위임하였다. ⑤ 우마이야 왕조에서 우마이야 가문이 칼리프를 세습하였다.

극비 노트 오스만 제국의 통치 제도

데브시르메 제도	정복지의 크리스트교 청소년을 징발하여 이슬람교로 개종시킨 후 관료나 예니체리에 편성
티마르제	술탄의 직할지를 제외한 영토의 징세권을 관료나 군사들에게 분배한 일종의 군사적 봉건제
밀레트 제도	비이슬람교도라도 지즈야(인두세)만 납부하면 종교 공동체(밀레트)의 자치 허용

오스만 제국은 넓은 영토를 효율적으로 다스리기 위해 티마르제를 실시하고 데브시르메 제도를 통해 예니체리와 관료를 충당하였다. 한편, 관용 정책을 펼쳐 제국을 안정시켰다.

서술형 문제

07 예시 답안 조로아스터교는 영토 확장을 신의 이름으로 정당화하였기 때문에 아케메네스 왕조 페르시아가 동서로 팽창하는 데 중요한 동력을 제공하였다.

채점 기준	배점
조로아스터교에서 영토 확장을 신의 이름으로 정당화하여 제국이 팽창하는 데 기여하였다고 서술한 경우	상
조로아스터교가 영토 확장을 신의 이름으로 정당화하였다고만 서술한 경우	하

08 (1) 밀레트
(2) 예시 답안 오스만 제국은 여러 민족의 다양한 종교와 풍습을 인정하는 관용 정책을 펼쳤고, 능력에 따른 기회를 제공하여 인재를 등용하였다.

채점 기준	배점
오스만 제국이 여러 민족의 종교와 풍습을 인정하는 관용 정책을 펼쳤고, 능력에 따른 기회를 제공하였음을 모두 서술한 경우	상
오스만 제국이 관용 정책을 펼쳤고 능력에 따른 기회를 제공하였다고 서술한 경우	중
오스만 제국의 관용 정책과 능력에 따른 기회 제공 중 한 가지만 서술한 경우	하

02 인도의 역사와 다양한 종교·문화의 출현

1단계 개념 짚어 보기

본문 45쪽

01 (1) × (2) ○ 02 아소카왕 03 쿠샨 왕조 04 힌두교
05 델리 술탄 왕조 06 아우랑제브 황제 07 우르두어
08 (1) ㄴ (2) ㄱ (3) ㄷ

2단계 내신 다지기

본문 46~48쪽

01 ①	02 ⑤	03 ④	04 카니슈카왕	
05 ①	06 ②	07 ③	08 ②	09 ③
10 ⑤	11 ②	12 ②	13 ④	14 ②

01 밑줄 친 '그'는 고타마 싯다르타(석가모니)이다. 카필라 왕국의 왕자였던 고타마 싯다르타는 세상을 떠돌며 깨달음을 얻고 가르침을 전파하여 석가모니라는 명칭을 얻었다. 고타마 싯다르타가 창시한 불교는 브라만교의 지나친 권위주의와 신분 차별에 반대하여 크샤트리아와 바이샤 세력의 환영을 받았다.
바로 알기 ㄷ은 자이나교, ㄹ은 조로아스터교에 대한 설명이다.

02 지도는 마우리아 왕조의 영역을 보여 준다. 찬드라굽타 마우리아는 마우리아 왕조를 세우고 최초로 북인도를 통일하였다. 마우리아 왕조의 전성기를 이룬 아소카왕은 불경을 정리하고 스투파(불탑)를 세우는 등 불교의 보호와 포교에 힘썼다. 마우리아 왕조 시기에는 개인의 해탈을 강조하는 상좌부 불교가 발전하였다.
바로 알기 ⑤ 쿠샨 왕조에서 인도 문화와 헬레니즘 문화가 융합된 간다라 양식이 발달하였다.

03 제시된 글은 마우리아 왕조의 전성기를 이룬 아소카왕에 대해 정리한 것이다. 아소카왕은 불교에 귀의한 뒤 불경을 정리하고 스투파를 세우는 등 적극적으로 불교를 장려하였다.
바로 알기 ① 무굴 제국의 아우랑제브 황제가 이슬람 제일주의 정책을 펼쳤다. ② 아바스 왕조가 탈라스 전투에서 당군에 승리하였다. ③ 무굴 제국의 아크바르 황제가 지즈야를 폐지하였다. ⑤ 아케메네스 왕조 페르시아의 다리우스 1세가 속주에 감찰관을 파견하여 총독을 감독하게 하였다.

04 쿠샨 왕조의 카니슈카왕은 2세기 중엽 간다라 지방을 중심으로 활발한 정복 전쟁을 벌여 북인도와 중앙아시아에 이르는 최대 영토를 확보함으로써 쿠샨 왕조의 전성기를 열었다. 또한 그는 불교를 보호하여 불경을 모으는 일을 지원하고 포교에 힘썼다. 이에 힘입어 대승 불교가 크게 발전하였다.

05 (가)는 간다라 양식이다. 알렉산드로스의 원정으로 인도 서북부 지방에 헬레니즘 문화가 전파되어 간다라 지방에서 간다라 양식이 발달하였다.
바로 알기 ② 타지마할과 아그라성은 인도·이슬람 양식으로 건축되었다. ③ 찬드라굽타 2세는 굽타 왕조의 전성기를 이룬 왕이다. ④ 간다라 양식은 대승 불교와 함께 중앙아시아를 거쳐 동아시아 지역에 전파되었다. ⑤는 굽타 양식에 대한 설명이다.

06 지도는 대승 불교의 전파 경로를 표시한 것이다. 대승 불교는 쿠샨 왕조에서 중앙아시아와 동아시아 지역 쪽으로 전파되었다. ② 대승 불교에서는 많은 백성(중생)의 구제를 중시하였다.
바로 알기 ①은 상좌부 불교, ③, ④는 힌두교에 대한 설명이다. ⑤ 대승 불교에서는 부처를 불상으로 만들어 예배하였다.

극비 노트 상좌부 불교와 대승 불교

구분	상좌부 불교	대승 불교
발전 시기	마우리아 왕조, 아소카왕 시기	쿠샨 왕조, 카니슈카왕 시기
교리적 목표	개인의 해탈	중생의 구제
전파 지역	동남아시아 지역	중앙아시아, 동아시아 지역

07 (가)는 굽타 왕조이다. 굽타 왕조는 찬드라굽타 2세 때 북인도 대부분을 차지하고 남쪽으로 영토를 확장하여 대제국으로 발전하였다. 한편 굽타 왕조 시기에 힌두교가 성립하였는데, 힌두교에서는 신 비슈누가 왕의 모습으로 나타났다고 보아 왕의 권위를 강화해 주었다. 그리하여 굽타 왕조의 왕실은 힌두교를 적극 보호하였다.
바로 알기 ㄱ. 쿠샨 왕조 시기에 간다라 양식이 발달하였다. ㄹ. 무굴 제국은 아크바르 황제의 관용 정책에 힘입어 약 1세기 동안 번영을 누렸다.

08 '브라만교를 바탕으로 민간 신앙, 불교 등이 융합', '시바와 비슈누', '굽타 왕실의 적극적인 보호' 등을 통해 자료가 힌두교에 대한 내용임을 알 수 있다. 힌두교는 카스트에 따른 의무 수행을 강조하여 인도 사회에서 직업 세습에 의한 카스트제가 정착되는 데 영향을 주었다.
바로 알기 ① 나나크는 시크교를 창시하였다. ③ 조로아스터교에서 선한 신 아후라 마즈다의 상징인 불을 신성하게 여겼다. ④ 이슬람교도는 『쿠란』의 가르침을 중시하였다. ⑤ 대승 불교가 중앙아시아를 거쳐 동아시아 지역에 전파되었다.

09 왼쪽 유적은 아잔타 제1 석굴의 연화수 보살상이고, 오른쪽 유물은 사르나트에서 출토된 불상이다. 이 문화유산은 모두 굽타 왕조에서 만들어졌다. ③ 굽타 왕조에서 숫자 영(0)의 개념이 최초로 사용되어 아라비아 숫자의 형성에 기여하였다.
바로 알기 ① 무굴 제국에서 인도·이슬람 양식이 발달하였다. ② 중국의 송 왕조에서 화약 무기와 나침반이 발명되었다. ④ 무굴 제국 시기 시크교가 펀자브 지방을 중심으로 발전하였다. ⑤ 쿠샨 왕조에서 간다라 양식이 발달하였다.

10 제시된 글은 델리 술탄 왕조에 대한 설명이다. 델리 술탄 왕조는 이슬람교로 개종하면 세금을 감면해 주어 카스트제에 불만이 컸던 인도인 중 이슬람교로 개종하는 사람이 많았다.

바로 알기 ①은 아케메네스 왕조 페르시아와 관련이 있다. ② 티무르 왕조와 오스만 제국이 앙카라 전투를 벌였다. ③은 무굴 제국, ④는 오스만 제국과 관련이 있다.

11 제시된 글에는 어느 한 종교만을 강요하지 않겠다는 아크바르 황제의 생각이 드러나 있다. 무굴 제국의 아크바르 황제는 다른 종교를 존중하는 정책을 펼쳐 비이슬람교도에게 거두던 지즈야(인두세)를 폐지하여 힌두교도의 환영을 받았다.

바로 알기 ① 오스만 제국에서 밀레트를 허용하였다. ③ 쿠샨 왕조의 카니슈카왕이 대승 불교를 지원하였다. ④ 아우랑제브 황제가 힌두교 사원을 파괴하였다. ⑤ 오스만 제국에서 데브시르메 제도로 인재를 뽑았다.

극비 노트 아크바르 황제의 종교 정책

> 나는 나의 신앙에 일치시키려고 다른 사람들을 박해하였으며, 그것이 신에 대한 귀의라고 생각하였다. 그러나 …… 강제로 개종시킨 사람에게서 어떤 성실성을 기대할 수 있을까? …… 인간의 힘으로 이해할 수 없는 존재에 이름을 붙이는 것은 부질없는 짓이다.
> – 아크바르 황제, 『아크바르나마』

아크바르 황제는 다른 종교를 존중하는 관용 정책을 실시하여 힌두교도에게 관직을 개방하고 비이슬람교도에 대한 지즈야를 폐지하였다.

12 제시된 글의 '바부르', '타지마할' 등을 통해 해당 내용이 무굴 제국에 대한 발표 주제임을 알 수 있다. 무굴 제국은 중국, 동남아시아, 아라비아, 지중해를 잇는 인도양 무역을 주도하였는데, 면직물과 견직물, 향신료가 대표적인 수출품이었다.

바로 알기 ① 마우리아 왕조에서 상좌부 불교가 발전하였다. ③ 에프탈의 침입으로 쇠퇴한 왕조는 굽타 왕조이다. ④ 아케메네스 왕조 페르시아의 다리우스 1세가 페르세폴리스를 건설하였다. ⑤ 쿠샨 왕조에서 간다라 양식이 성립되었고, 굽타 왕조에서 굽타 양식이 발달하였다.

13 지도는 무굴 제국의 영토를 표시한 것으로, 빗금 친 지역은 아우랑제브 황제 때 확보한 지역이다. 아우랑제브 황제는 인도 남부의 데칸고원까지 정복하여 무굴 제국의 최대 영토를 확보하였다. 아우랑제브 황제는 이슬람 제일주의를 지향하여 힌두교 사원을 파괴하고 비이슬람교도에 대한 인두세인 지즈야를 부활시켰다.

바로 알기 ①은 바부르, ②는 사산 왕조 페르시아, ③은 아크바르 황제, ⑤는 마우리아 왕조의 아소카왕과 관련이 있다.

14 밑줄 친 '이 제국'은 무굴 제국이다. 무굴 제국이 등장하면서 인도에서는 기존의 힌두 문화와 새로 유입된 이슬람 문화가 융합되어 발전하였다. 종교에서는 힌두교와 이슬람교가 융합된 시크교가 발전하였고, 언어에서는 힌두어, 페르시아어, 아랍어 등이 합쳐진 우르두어가 일상적으로 사용되었다. 회화에서는 페르시아의 세밀화와 인도 양식이 융합된 무굴 회화가 발달하였으며, 건축에서는 이슬람의 아라베스크와 돔, 인도의 연꽃무늬와 만자 무늬 등이 융합된 건축물이 건립되었다.

바로 알기 ② 굽타 왕조에서 굽타 양식이 발달하였다.

3단계 등급 올리기

본문 49쪽

01 ② 02 ④ 03 ② 04 해설 참조

01 대화에서 '칼링가 전투 이후 불교에 귀의', '돌기둥' 등의 내용을 통해 인터뷰를 하는 인물이 마우리아 왕조의 아소카왕임을 유추할 수 있다. 아소카왕은 산치 대탑을 비롯한 스투파(불탑)를 곳곳에 세우고 동남아시아 지역에 포교단을 파견하는 등 불교의 보호와 포교에 힘썼다.

바로 알기 ㄴ. 무굴 제국의 아크바르 황제가 지즈야를 폐지하였다. ㄹ. 쿠샨 왕조에서 대승 불교와 간다라 양식이 발달하면서 부처를 불상으로 만들어 예배하였다.

극비 노트 아소카왕의 불교 정책

> 칼링가를 정복하면서 나는 결코 돌이킬 수 없는 양심의 가책을 느꼈다. 그들의 영토가 수많은 시체로 뒤덮인 처참한 광경을 바라보면서 나의 가슴은 온통 찢어지고 말았다. …… 나는 오직 진리에 맞는 법만을 실천하고 가르칠 것이다.
> – 아소카왕의 돌기둥 비문

제시된 글에는 아소카왕이 불교의 교리를 바탕으로 나라를 다스리겠다고 선언한 내용이 담겨 있다. 아소카왕은 칼링가 전투에서 전쟁의 참혹함을 깨닫고 불교에 귀의한 뒤 적극적으로 불교를 장려하였다.

02 제시된 글은 힌두교의 경전 역할을 한 『마하바라타』에 실린 글로, 자신의 의무를 수행할 것을 강조하고 있다. 굽타 왕조 시대에 성립된 힌두교에서 카스트에 따른 의무 수행을 중시하여 직업 세습에 의한 카스트제가 인도 사회에 정착되어 갔다.

바로 알기 ① 시크교는 무굴 제국에서 발전하였다. ② 예니체리는 오스만 제국의 군대이다. ③ 우마이야 왕조에서 우마이야 가문이 칼리프를 세습하자 이슬람교가 수니파와 시아파로 분리되어 대립하였다. ⑤ 쿠샨 왕조 시기 대승 불교와 간다라 양식이 동아시아에 전파되었다.

03 사진은 무굴 제국의 샤자한이 세운 타지마할이다. 따라서 (가)는 무굴 제국이다. 무굴 제국에서는 시크교도와 마라타 동맹 등의 반란이 일어났다.

바로 알기 ① 쿠샨 왕조에서 간다라 양식이 등장하였다. ③ 아리아인이 인도 지역에 정착한 후 카스트제를 만들었다. ④ 마우리아 왕조의 아소카왕이 산치 대탑을 세웠다. ⑤ 굽타 왕조 시기 칼리다사가 희곡 『샤쿤탈라』를 지었다.

서술형 문제

04 (1) 아크바르 황제

(2) 예시 답안 힌두교도에게 관직을 개방하고 신앙의 자유를 허용하였다. 그리고 비이슬람교도에게 부과하던 지즈야(인두세)를 폐지하였다.

채점 기준	배점
아크바르 황제의 종교적 관용 정책을 두 가지 서술한 경우	상
아크바르 황제의 종교적 관용 정책을 한 가지만 서술한 경우	하

01 고대 지중해 세계

1단계 개념 짚어 보기

본문 51쪽

01 (1) × (2) ○ (3) × 02 (1) ㄷ (2) ㄱ (3) ㄴ 03 알렉산드로스
04 ㉠ 스토아학파, ㉡ 에피쿠로스학파 05 라티푼디움
06 옥타비아누스 07 밀라노 칙령

2단계 내신 다지기

본문 51~54쪽

01 ①	02 ⑤	03 ①	04 ①	05 ①
06 ③	07 ③	08 ⑤	09 ②	10 ⑤
11 ④	12 농지법, 곡물법		13 ⑤	14 ⑤
15 ④	16 ⑤	17 ③		

01 (가)는 폴리스이다. 그리스는 산지가 많은 지형 조건 때문에 정치적 통일을 이루지 못하고 폴리스를 형성하였다. 폴리스들은 공통된 언어와 종교를 바탕으로 동족 의식을 갖고 스스로를 헬레네스라고 부르며 다른 민족과 구별하였다. 또한 4년마다 올림피아 제전을 열어 민족의 결속력을 키웠다.
바로 알기 ② 그리스는 산이 많고 평야가 적었기 때문에 통일된 국가를 이루지 못하고 폴리스를 형성하였다. ③ 폴리스들은 정치적 통일은 이루지 못하였으나 같은 언어와 종교를 바탕으로 동족 의식을 가졌다. ④ 아고라는 집회와 상거래, 공공 생활의 중심지였다. ⑤ 아크로폴리스는 종교와 군사의 거점이었다.

02 기원전 6세기 초 아테네에서는 솔론이 재산 정도에 따라 참정권을 차등 분배하였다. 그러나 이 정책은 귀족과 평민 모두의 불만을 샀고, 이때 페이시스트라토스가 참주정을 실시하였다. 기원전 6세기 말에는 클레이스테네스가 부족제를 개편하고 도편 추방제를 실시하였다. 이후 페리클레스가 수당제, 추첨제 등을 실시하면서 아테네 민주 정치는 전성기를 맞이하였다.
바로 알기 ㄱ. 솔론의 개혁 이후 페이시스트라토스가 참주로 등장하여 독재를 실시하였다. ㄴ. 고대 그리스 아테네에서는 여자, 거류 외국인, 노예에게 참정권을 부여하지 않았다.

극비 노트 아테네 민주 정치의 발전 과정

솔론의 개혁	재산 정도에 따라 신분을 나누어 참정권 부여
⬇	
참주의 출현	사회 혼란을 틈타 페이시스트라토스와 같은 참주가 등장하여 독재 실시
⬇	
클레이스테네스의 개혁	혈연 중심의 부족제를 거주지 중심으로 개편, 500인 평의회 구성, 도편 추방제 실시
⬇	
페리클레스의 개혁	민회의 권한 강화, 공무 수당제와 공직 추첨제 실시

03 제시된 글에서 혈연 중심 부족제를 거주지 중심 부족제로 개편한 내용을 보아 밑줄 친 '그'가 클레이스테네스임을 알 수 있다. 클레이스테네스는 부족제를 개편하고 도편 추방제를 실시하여 아테네 민주 정치의 기틀을 마련하였다.
바로 알기 ②, ⑤ 페리클레스는 공무 수당을 지급하여 가난한 시민도 정치에 참여할 수 있게 하는 등 아테네 민주 정치의 전성기를 이끌었다. ③ 클레이스테네스는 그리스·페르시아 전쟁 이전에 활동하였다. ④는 로마의 호르텐시우스법에 대한 설명이다.

04 제시된 글은 펠로폰네소스 전쟁 중에 사망한 전몰자를 위한 페리클레스의 추도 연설문이다. 페리클레스는 공무 수당을 지급하여 가난한 시민도 정치에 참여하게 하였고, 특수직을 제외한 모든 관직과 배심원을 추첨으로 선출하였다.
바로 알기 ② 클레이스테네스가 부족제를 개편하고 도편 추방제를 실시하였다. ③ 솔론의 개혁 이후 혼란을 틈타 페이시스트라토스가 참주정을 실시하였다. ④ 솔론은 재산의 정도에 따라 참정권을 차등 분배하는 금권정을 실시하였다. ⑤는 포에니 전쟁 이후 그라쿠스 형제가 실시한 개혁과 관련이 있다.

05 (가)는 스파르타이다. 스파르타는 소수의 도리스인이 다수의 원주민을 정복하여 펠로폰네소스반도에 세운 폴리스이다. 소수의 지배층이 다수의 원주민을 통치해야 했기 때문에 강력한 군국주의 체제를 발전시켰고, 시민들은 어릴 때부터 엄격한 군사 훈련을 받았다. 지배층은 피정복민을 국가 노예(헤일로타이)로 삼아 농사를 짓게 하고 반자유민(페리오이코이)은 주로 상공업에 종사하도록 하였다.
바로 알기 ① 델로스 동맹은 아테네를 중심으로 한 폴리스들의 동맹이다.

06 지도는 그리스·페르시아 전쟁을 보여 준다. 이 전쟁에서 그리스는 아테네와 스파르타를 중심으로 단결하여 페르시아의 공격을 물리쳤다. 이후 아테네는 델로스 동맹의 맹주가 되어 해상 제국으로 발전하였다.
바로 알기 ① 알렉산드로스의 정복 활동으로 헬레니즘 문화가 형성되었다. ② 그리스·페르시아 전쟁에서 그리스는 페르시아의 공격을 물리쳤다. ④ 스파르타는 펠로폰네소스 전쟁에서 승리한 후 그리스 세계의 패권을 잡았다. ⑤ 로마와 카르타고 간에 일어난 포에니 전쟁 이후 로마에서 라티푼디움이 등장하였다.

07 건축물은 그리스의 파르테논 신전이다. 그리스에서는 합리적이고 인간 중심적인 문화가 발전하였다. 건축과 조각에서는 조화와 균형의 미가 중시되었는데, 파르테논 신전이 대표적이다. 문학에서는 호메로스가 전쟁 영웅과 신의 세계를 다룬 『일리아드』와 『오디세이아』를 편찬하였고, 역사에서는 헤로도토스가 그리스·페르시아 전쟁을 다룬 『역사』를 저술하였다.
바로 알기 ③ 로마에서는 광대한 제국의 통치에 필요한 법률, 건축, 토목과 같은 실용적인 분야의 문화가 발달하였다.

08 아케메네스 왕조 페르시아의 왕 다리우스 3세와의 이소스 전투에서 대승을 거둔 인물은 알렉산드로스이다. 알렉산드로스는

동방 원정을 통해 대제국을 건설하였다. 그는 정복지의 종교와 관습을 존중하고, 그리스인과 페르시아인의 결혼을 장려하였다. 또한 동방의 전제 군주정을 받아들이는 등 동서 융합을 위해 노력하였다.
바로 알기 ⑤ '왕의 길'을 건설한 인물은 아케메네스 왕조 페르시아의 다리우스 1세이다.

09 전시회는 헬레니즘 문화에 대해 다루고 있다. 헬레니즘 시대에는 인간 육체의 아름다움과 감정을 사실적으로 표현한 작품이 많이 등장하였는데, 「라오콘 군상」이 대표적이다.
바로 알기 ①은 그리스의 「원반 던지는 사람」, ③은 그리스의 「아테네 여신상」, ④는 인도 쿠샨 왕조의 간다라 불상, ⑤는 로마의 옥타비아누스 조각상이다.

10 로마에서는 상공업의 발달로 부유해진 평민들이 중장 보병으로 군사적 역할이 커지자 정치적 권리를 요구하였다. 당시 전쟁을 치르기 위해 군사력이 필요했던 로마 귀족들은 평민의 요구를 받아들여 (다) 호민관직을 설치하고 평민회를 조직하였다. 이어 (가) 로마 최초의 성문법인 12표법이 제정되었다. 또한 (라) 리키니우스·섹스티우스법으로 집정관 2명 중 1명은 평민에서 선출되었고, (나) 호르텐시우스법으로 평민회의 의결 사항이 원로원의 동의 없이 법적 효력을 갖게 되었다.
바로 알기 ①은 (라), ②는 (가), ③은 (나), ④는 (다)에 대한 설명이다.

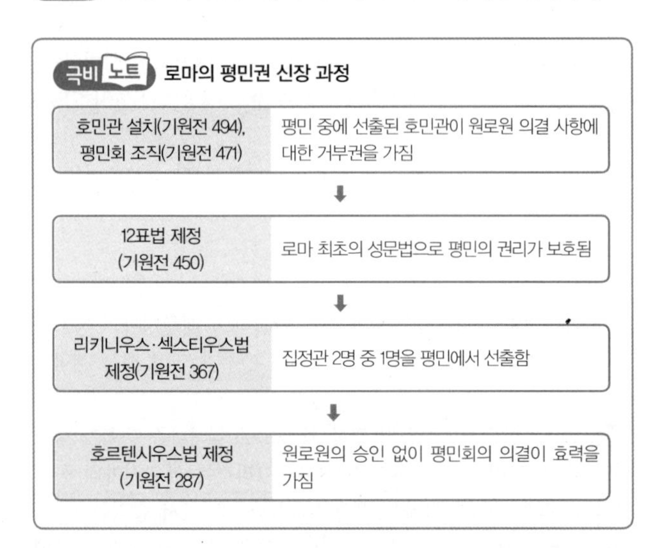

극비 노트 로마의 평민권 신장 과정
호민관 설치(기원전 494), 평민회 조직(기원전 471)
평민 중에 선출된 호민관이 원로원 의결 사항에 대한 거부권을 가짐
12표법 제정 (기원전 450)
로마 최초의 성문법으로 평민의 권리가 보호됨
리키니우스·섹스티우스법 제정(기원전 367)
집정관 2명 중 1명을 평민에서 선출함
호르텐시우스법 제정 (기원전 287)
원로원의 승인 없이 평민회의 의결이 효력을 가짐

11 제시된 글에서 설명하는 전쟁은 포에니 전쟁이다. 세 차례의 전쟁에서 승리한 로마는 서지중해의 패권을 장악하여 대외적인 팽창을 이루었으나 노예 노동을 이용한 라티푼디움 경영으로 자영농이 몰락하여 사회가 혼란해졌다.
바로 알기 ① 콜로나투스는 군인 황제 시대에 등장하였다. ② 헬레니즘 문화의 영향으로 인도 쿠샨 왕조의 간다라 양식이 만들어졌다. ③ 호르텐시우스법은 포에니 전쟁 이전에 제정되었다. ⑤ 기원전 1세기에 옥타비아누스가 군 지휘권과 주요 관직을 독점하고 사실상 황제로 군림하였다.

12 제시된 글은 포에니 전쟁 이후 자영농이 토지를 잃고 몰락하여 빈민이 된 상황을 보여 준다. 기원전 2세기 후반 그라쿠스 형제는 이러한 사회 문제를 해결하기 위해 개혁을 추진하였다. 티베리우스 그라쿠스는 농지법을 통해 유력자의 대토지 소유를 제한하고 농민에게 토지를 재분배하고자 하였으며, 동생 가이우스 그라쿠스는 곡물법을 통해 빈민들에게 곡물을 싼 가격으로 분배하고자 하였다. 그러나 이들의 개혁은 귀족의 반대로 성공하지 못하였다.

13 (가)는 기원전 3세기 로마가 이탈리아반도를 통일한 시기이고, (나)는 5현제 중 한 명인 트라야누스 황제가 로마 최대의 영토를 확보하였을 때이다. 이렇게 영토를 확장하는 과정에서 로마는 카르타고와의 전쟁을 통해 서지중해의 패권을 장악하였고, 전쟁 이후 로마에서는 군인 정치가들에 의한 3두 정치가 전개되었다.
바로 알기 ㄱ. 서로마 제국이 멸망한 것은 476년의 일이다. ㄴ. 로마 최초의 성문법인 12표법은 기원전 450년에 제정되었다.

14 제2차 3두 정치 시기에 옥타비아누스는 이집트의 클레오파트라와 연합한 안토니우스의 군대를 악티움 해전에서 격파하여 로마의 권력을 장악하였다. 이후 그는 원로원으로부터 '아우구스투스'의 칭호를 받았고, 프린켑스(제1 시민)를 자처하였다. 그러나 옥타비아누스는 군대 통수권과 재정권 등을 장악하고 황제와 같은 권한을 행사하였다. 이렇게 하여 로마에서는 공화정이 끝나고 제정이 시작되었다.
바로 알기 ① 옥타비아누스는 로마 제정을 수립하였다. ②는 콘스탄티누스 대제에 대한 설명이다. ③은 테오도시우스 황제에 대한 설명이다. ④는 알렉산드로스에 대한 설명이다.

15 3세기 말 디오클레티아누스 황제는 로마의 위기를 해결하기 위해 제국을 4분할하여 통치하였고, 전제 군주제를 통해 황제권을 강화하였다. 이후 콘스탄티누스 대제는 밀라노 칙령을 공포하여 크리스트교를 공인하였고, 니케아 공의회를 개최하여 아타나시우스파의 삼위일체설을 정통으로 인정하였다. 또한 제국을 하나로 합치고 수도를 콘스탄티노폴리스로 옮겼다. 테오도시우스 황제는 크리스트교를 국교로 선포하였다.
바로 알기 ①, ②는 콘스탄티누스 대제에 대한 설명이다. ③은 디오클레티아누스 황제에 대한 설명이다. ⑤ 테오도시우스 황제가 죽은 후 로마는 동서로 분열되었다.

16 사진은 로마인들이 도시에 물을 공급하기 위해 건설한 수도교이다. 로마에서는 대제국을 통치하기 위해 건축, 법률, 토목 등 실용적인 분야의 문화가 발달하였다. 로마는 아피아 가도를 비롯하여 도시들을 잇는 도로를 건설하였고 콜로세움, 개선문 등의 건축물을 세웠다. 법률도 발달하였는데 로마 최초의 성문법인 12표법은 시민법으로 발전하였고, 이어 로마 제국 내의 모든 민족에게 적용되는 만민법으로 확대되었다.
바로 알기 ⑤ 인간의 관능적인 아름다움을 표현한 「밀로의 비너스상」은 헬레니즘 문화를 대표하는 작품이다.

17 제시된 글은 콘스탄티누스 대제가 공포한 밀라노 칙령으로 크리스트교를 공인한 것이다. 크리스트교는 유대교의 선민사상과 형식적인 율법주의를 배격하였다. 또한 민족과 신분을 초월한 신의 사랑과 평등, 인간애를 강조하였다. 로마의 박해에도 불구하고 크리스트교의 교세가 점차 확산되자 콘스탄티누스 대제는 밀라노 칙령으로

크리스트교를 공인하였다. 이후 테오도시우스 황제는 크리스트교를 국교로 선포하였다.

바로 알기 ③ 크리스트교는 황제 숭배와 군대 복무를 거부하여 로마 황제로부터 박해를 당하였다.

3단계 등급 올리기

본문 55쪽

01 ③　02 ④　03 ②　04 해설 참조

01 제시된 글은 클레이스테네스가 실시한 도편 추방제에 대한 설명이다. 아테네에서는 참주가 출현하여 독재를 실시하자 참주의 출현을 막기 위해 독재자가 될 가능성이 있는 사람의 이름을 도자기 파편에 써서 투표를 하고 6,000표 이상이면 10년간 외국으로 추방하였다.

바로 알기 ① 도편 추방제는 클레이스테네스가 처음 실시하였다. ② 공무 수당제는 페리클레스가 실시하였다. ④ 도편 추방제는 그리스·페르시아 전쟁 이전에 실시되었다. ⑤ 아테네는 여자, 노예, 거류 외국인에게 참정권을 부여하지 않았다.

02 (가)는 가이우스 그라쿠스의 개혁에 대한 설명이고, (나)는 옥타비아누스의 제정 성립에 대한 설명이다. 로마는 그라쿠스 형제의 개혁이 귀족들의 반대로 실패한 후 귀족파와 평민파 사이에 권력 투쟁이 벌어져 내전에 휩싸였고, 스파르타쿠스가 주도한 노예 반란까지 겹쳐 큰 혼란에 빠졌다. 이러한 상황에서 군인 정치가들이 등장하여 3두 정치를 실시하였다. 2차 3두 정치 시기에 옥타비아누스가 악티움 해전에서 승리하면서 로마의 지배권을 장악하였고 황제와 같은 권한을 행사하였다.

바로 알기 ①, ⑤는 (나) 옥타비아누스의 제정 성립 이후의 일이다. ②, ③은 (가) 가이우스 그라쿠스의 개혁 이전에 일어났다.

03 제시된 글은 군인 황제 시대에 대한 설명이다. 이 시기 로마에서는 군인 출신 황제가 연이어 등장한 가운데 게르만족, 사산 왕조 페르시아와 같은 이민족이 자주 침입하였다. 이러한 상황에서 전쟁 포로의 감소와 노예의 지위 향상으로 더 이상 노예에 의한 라티푼디움 운영이 어려워지자 소작인(콜로누스)에게 토지를 경작하게 하는 콜로나투스가 운영되었다.

바로 알기 ㄴ, ㄹ은 군인 황제 시대 이전의 일이다.

서술형 문제

04 (1) 알렉산드로스

(2) **예시 답안** 그리스 문화와 오리엔트 문화가 융합된 헬레니즘 문화가 발달하였다.

채점 기준	배점
그리스 문화와 오리엔트 문화가 융합된 헬레니즘 문화가 발달하였다고 서술한 경우	상
그리스 문화와 오리엔트 문화의 융합과 헬레니즘 문화의 발달 중 한 가지만 서술한 경우	하

02 서유럽 봉건 사회의 형성과 비잔티움 제국

1단계 개념 짚어 보기

본문 57쪽

01 게르만족　02 (1) ㄴ (2) ㄷ (3) ㄱ　03 카롤루스 대제
04 농노　05 카노사의 굴욕　06 (1) ○ (2) ×
07 유스티니아누스 황제　08 키예프 공국

2단계 내신 다지기

본문 58~60쪽

01 ②　02 ⑤　03 ③　04 ⑤
05 노르만족　06 ②　07 ①　08 ⑤　09 ④
10 ④　11 ②　12 ②　13 ③　14 ⑤

01 지도는 게르만족의 이동을 나타낸 것이다. 발트해 연안에서 농경, 목축, 수렵 생활을 하던 게르만족은 인구가 증가하자 농경지를 찾아 남쪽으로 이동하여 3세기 무렵에는 상당수의 게르만족이 로마 제국 내에서 소작농이나 용병으로 활동하였다. 4세기 후반에는 훈족이 서진해 게르만족을 압박하자, 이를 계기로 게르만족이 로마 영토 안으로 이동하였다. 게르만족의 이동으로 서로마 제국이 멸망하고 중세 유럽 사회가 시작되었다.

바로 알기 ② 바이킹이라 불렸던 민족은 노르만족이다. 이들은 농사에 불리한 자연환경 때문에 주로 해안 지역의 약탈을 일삼았다.

극비 노트 게르만족의 이동

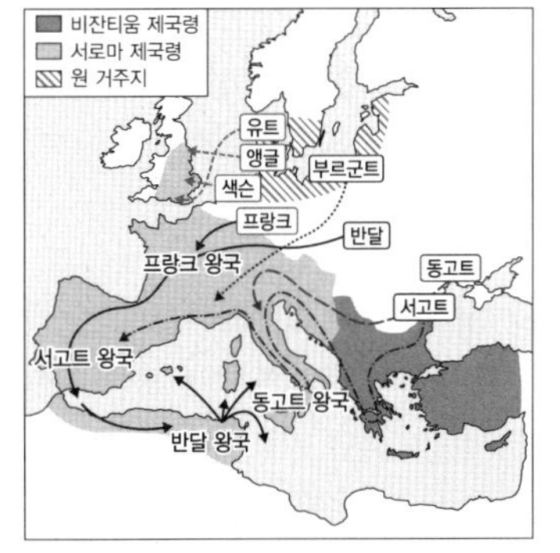

4세기 후반 훈족의 압박으로 게르만족의 일파인 서고트족이 로마 제국 내로 이동하자, 이를 계기로 많은 게르만족이 이동하여 서로마 제국 곳곳에 정착하였다. 이로 인해 서고트 왕국, 반달 왕국, 프랑크 왕국 등 게르만족의 여러 왕국이 등장하였다. 서로마 제국은 게르만족 출신 용병 대장 오도아케르에게 476년에 멸망하였다.

02 (가)는 프랑크 왕국이다. 프랑크 왕국은 게르만족이 세운 국가 중에서 가장 넓은 영토를 차지하고 가장 오랫동안 왕국을 유지하였다. 프랑크 왕국은 본거지를 유지한 채 가까운 갈리아 지방에 정착하여 현지에 쉽게 적응하였다. 또한 메로베우스 왕조를 개창한 클로비스가 로마 가톨릭교로 개종하였기 때문에 로마 원주민과의 문화적 마찰을 줄일 수 있었다.

바로 알기 ①, ②, ③, ④는 비잔티움 제국과 관련된 내용이다.

03 프랑크 왕국의 클로비스는 메로베우스 왕조를 개창하고 로마 가톨릭교의 아타나시우스파로 개종하여 로마인과의 융합을 꾀하였다. 클로비스 사후 실권을 잡은 궁재 카롤루스 마르텔은 투르·푸아티에 전투에서 이슬람군을 격퇴하여 크리스트교 세계를 보호하였다. 카롤루스 마르텔의 아들 피핀은 메로베우스 왕조를 무너뜨리고 카롤루스 왕조를 개창한 후 이탈리아 중부 지역을 교황에게 기증하였다.

바로 알기 ㄱ. 교황으로부터 서로마 황제의 관을 받은 인물은 카롤루스 대제이다. ㄹ. 황제 교황주의에 입각하여 왕국을 통치한 나라는 비잔티움 제국이다.

극비 노트 프랑크 왕국의 변천

클로비스	5세기 말 메로베우스 왕조 개창, 로마 가톨릭교로 개종
카롤루스 마르텔	투르·푸아티에 전투에서 이슬람 세력 격퇴(크리스트교 세계 보호)
피핀	카롤루스 왕조 개창, 이탈리아 중부 지역을 교황에게 기증(교황령의 시초)
카롤루스 대제	옛 서로마 제국 영토의 대부분 차지, 서로마 황제로 대관, 카롤루스 르네상스 창출(→ 로마 문화, 크리스트교, 게르만 문화가 융합된 중세 서유럽 문화의 기틀 마련)

04 (가)는 카롤루스 대제이다. 프랑크 왕국의 전성기를 이끈 카롤루스 대제는 영토를 확장하고 크리스트교를 전파하였다. 이에 교황 레오 3세는 카롤루스 대제를 서로마 황제로 대관하였다. 또한 카롤루스 대제는 궁정 학교를 세워 학문과 문예를 부흥시키는 등 카롤루스 르네상스를 일으켰다. 이로써 로마 문화와 크리스트교, 게르만 문화가 융합되어 중세 서유럽 문화의 기틀이 마련되었다.

바로 알기 ① 로마법을 집대성한 인물은 비잔티움 제국의 유스티니아누스 황제이다. ② 성상 파괴령을 발표한 인물은 비잔티움 제국의 레오 3세이다. ③ 알렉산드로스가 유럽, 아시아, 아프리카에 걸친 대제국을 건설하였다. ④ 프랑크 왕국의 클로비스가 로마 가톨릭교의 아타나시우스파로 개종하였다.

05 제시된 글은 노르만족에 대한 설명이다. 바이킹이라고도 불린 노르만족은 농사에 불리한 자연환경 때문에 주로 해안 지역의 약탈을 일삼았다. 프랑크 왕국이 분열되던 9세기부터 노르만족은 비옥한 땅을 찾아 남쪽으로 내려와 유럽 각지에 진출하였다. 노르만족은 이주지에 노르망디 공국, 노르만 왕조, 시칠리아 왕국, 노브고로드 공국 등을 세웠고 원주지인 스칸디나비아반도에는 노르웨이, 스웨덴, 덴마크 등을 건설하였다.

06 중세 서유럽의 봉건 사회는 주종제를 바탕으로 하였다. 주군은 봉신에게 봉토를 수여하고 봉신을 보호할 의무가 있었고, 봉신은 주군에게 군사적 봉사와 충성을 맹세하였다. 이러한 주종 관계는 한쪽이 의무를 이행하지 않으면 파기되는 쌍무적 계약 관계였다.

바로 알기 ㄴ. 주군이 봉신에게 봉토를 수여하고 보호의 의무를 졌다. ㄹ. 봉신은 자신의 영토 안에서 주군의 간섭을 받지 않고 재판과 세금 징수를 할 수 있는 불입권을 가지고 있었다.

07 밑줄 친 '보도'는 중세 장원의 농노이다. 농노는 농민과 노예의 특징을 모두 가지고 있었다. 이들은 영주 직영지에서 강제로 노동을 해야 했고, 영주에게 부역과 각종 세금을 바쳤으며 장원 내의 시설 이용료를 지불해야 했다. 다만 농노는 고대 노예와는 달리 결혼을 하고 약간의 재산을 소유할 수 있었다.

바로 알기 ① 농노는 거주 이전의 자유가 없었다.

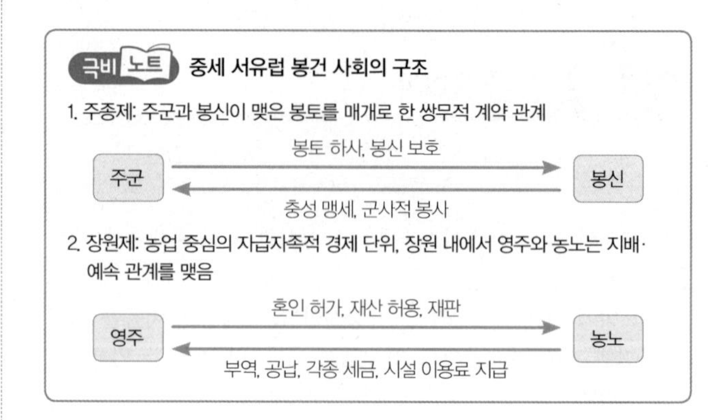

극비 노트 중세 서유럽 봉건 사회의 구조
1. 주종제: 주군과 봉신이 맺은 봉토를 매개로 한 쌍무적 계약 관계
봉토 하사, 봉신 보호
주군
봉신
충성 맹세, 군사적 봉사
2. 장원제: 농업 중심의 자급자족적 경제 단위, 장원 내에서 영주와 농노는 지배·예속 관계를 맺음
혼인 허가, 재산 허용, 재판
영주
농노
부역, 공납, 각종 세금, 시설 이용료 지급

08 로마 가톨릭교회는 세력이 커지면서 점차 세속화되었다. 성직자들이 국왕이나 제후의 봉신이 되면서 성직자 임명권도 세속 권력이 차지하였으며, 성직자가 혼인하거나 성직이 매매되는 등 부패와 타락이 나타났다. 이에 10세기 초 클뤼니 수도원을 중심으로 교회를 정화하려는 개혁 운동이 일어났다.

바로 알기 ① 성직자의 과세권을 두고 황제와 교황이 대립하여 아비뇽 유수가 일어났다. ②, ③ 비잔티움 제국의 성상 파괴령으로 인해 동서 교회가 분열되었다. ④ 13세기 교황권이 절정을 달하며 교황은 해, 황제는 달에 비유되었다.

09 제시된 글은 카노사의 굴욕에 대한 내용이다. 성직자 서임권을 둘러싸고 교황 그레고리우스 7세와 신성 로마 제국 황제 하인리히 4세가 대립하였다. 교황이 세속 군주의 성직자 서임을 금지하였는데 황제가 이를 무시하자 교황이 황제를 파문하였고, 제후들의 지지를 받지 못한 황제는 교황에게 굴복하였다.

바로 알기 ① 성상 파괴령은 동서 교회 분열의 배경이 되었다. ② 로마의 콘스탄티누스 대제가 밀라노 칙령으로 크리스트교를 공인하였다. ③ 크리스트교는 4세기 말 테오도시우스 황제 때 로마의 국교가 되었다. ⑤ 크리스트교는 성상 파괴령을 계기로 교황을 중심으로 한 로마 가톨릭교회와 비잔티움 제국의 황제를 수장으로 하는 그리스 정교로 분열되었다.

10 카노사의 굴욕은 1077년에 일어났다. 이후에도 서임권 투쟁은 계속되었으나 1122년 보름스 협약으로 교황이 서임권을 갖게 되었다.

11 (가)는 11세기에 유행한 로마네스크 양식의 대표적 건축물인 피사 대성당이고, (나)는 12세기에 유행한 고딕 양식의 대표적 건축물인 샤르트르 대성당이다. ②는 로마네스크 양식의 특징이다.

바로 알기 ①, ③ 높은 첨탑과 스테인드글라스(채색 유리)는 고딕 양식의 특징이다. ④ 내부를 모자이크 벽화로 장식한 것은 비잔티움 양식의 특징이다. ⑤ 로마네스크 양식의 건축물은 창문을 작게 만들어 실내가 어두운 편이었다.

12 중세 서유럽 문화는 크리스트교를 중심으로 그리스, 로마, 게르만적 문화 요소가 융합되었다. 중세 서유럽에서는 『니벨룽겐의 노래』, 『아서왕 이야기』 등과 같은 기사도 문학이 유행하였다. 건축 양식으로는 첨탑과 스테인드글라스를 특징으로 하는 고딕 양식이 발달하였다.

바로 알기 ㄴ. 『유스티니아누스 법전』은 비잔티움 제국의 법전이다. ㄹ. 성 소피아 대성당은 비잔티움 양식의 영향을 받았다.

13 지도는 비잔티움 제국의 영역을 나타낸 것이다. 비잔티움 제국은 서유럽과는 달리 황제가 교회를 지배하는 황제 교황주의가 발전하였다. 유스티니아누스 황제가 죽은 뒤 잦은 외부의 침입으로 위기를 맞은 비잔티움 제국은 군사력 강화와 자영농 육성을 위해 군관구제와 둔전병제를 실시하였다.

바로 알기 ㄱ. 『둠즈데이 북』을 작성한 것은 노르만 왕조이다. ㄹ. 게르만족의 이동으로 인해 서로마 제국이 멸망하였다.

14 건축물은 비잔티움 제국의 유스티니아누스 황제 시기에 건립된 성 소피아 대성당이다. 성 소피아 대성당은 돔과 내부 모자이크 장식을 특징으로 하는 비잔티움 문화의 대표적 건축물이다. 한편, 비잔티움 제국은 그리스 고전을 수집·연구·보존하여 서유럽 세계의 르네상스에 큰 영향을 주었다.

바로 알기 ①, ④는 중세 서유럽 문화에 대한 설명이다. ②, ③은 이슬람 문화에 대한 설명이다.

3단계 등급 올리기

본문 61쪽

01 ③ 02 ⑤ 03 ④ 04 해설 참조

01 (가)는 장원이다. 중세 유럽 사회는 장원을 단위로 하는 자급자족 사회였다. 이러한 장원은 경작지, 목초지, 삼림, 황무지 등으로 나뉘었다. 경작지는 영주 직영지와 농민 보유지로 구분되었으며, 공동 노동의 편리성을 위해 울타리를 치지 않았다. 한편, 장원에서는 농경지를 춘경지, 추경지, 휴경지로 나누어 삼포제 방식으로 경작하였다.

바로 알기 ③ 장원의 농노는 방앗간, 제빵소 등 영주의 시설물을 이용하고 그 사용료를 내야 했다.

02 (가)는 교황 그레고리우스 7세가 1075년에 내린 「교황 훈령」이고, (나)는 1122년에 체결된 보름스 협약이다. 그레고리우스 7세는 「교황 훈령」으로 세속 군주의 성직자 서임을 금지하였다. 그러나 신성 로마 제국 황제 하인리히 4세는 이를 무시하였고, 교황은 황제를 파문하였다. 이에 맞서 황제는 교황을 폐위하려 하였으나 제후와 주교의 지지마저 잃자 카노사성으로 교황을 찾아가 사죄하였다(카노사의 굴욕, 1077). 서임권 투쟁은 이후에도 지속되었으나, 결국 보름스 협약으로 교황이 서임권을 차지하였다.

바로 알기 ① 성상 파괴령이 반포된 것은 726년이다. ② 게르만족의 대이동은 4세기 후반의 일이다. ③ 로마의 콘스탄티누스 대제가 밀라노 칙령으로 크리스트교를 공인한 후 325년 니케아 공의회를 소집하였다. ④ 보름스 협약으로 교황이 서임권을 차지한 이후 교황의 영향력이 점차 강화되어 13세기 인노켄티우스 3세 때 절정을 이루었다.

극비 노트 보름스 협약

> 독일 왕국에서 주교와 수도원장의 서임은 그대(신성 로마 제국 황제)의 입회하에 이루어질 것이다. …… 신성 로마 제국 황제인 나, 하인리히는 모든 서임권을 성스러운 로마 가톨릭교회에 바친다. 그리고 짐의 왕국과 제국 내 모든 교회에서 교회법에 따른 주교와 수도원장의 선출과 성직 수임의 자유를 보장하는 것에 동의한다. – 보름스 협약

교황 그레고리우스 7세와 황제 하인리히 4세에서 시작된 성직자 서임권 투쟁은 카노사의 굴욕 이후에도 계속되었다. 서임권 투쟁은 1122년 보름스 협약으로 교황이 서임권을 차지하면서 끝이 났고, 이후 교황의 영향력은 점차 강화되어 13세기에 절정에 이르렀다.

03 제시된 글에서 설명하는 나라는 비잔티움 제국이다. 비잔티움 제국의 수도 콘스탄티노폴리스는 유럽과 아시아를 잇는 교역로에 위치하여 동서 교통의 중심지이자 상공업과 무역의 중심지로서 큰 번영을 누렸다. 비잔티움 제국은 6세기 유스티니아누스 황제 때 전성기를 맞았다. 그는 로마법을 정리한 『유스티니아누스 법전』을 편찬하였으며, 성 소피아 대성당을 건립하였다. 한편, 유스티니아누스 황제가 죽은 뒤 잦은 외부의 침입으로 위기를 맞은 비잔티움 제국에서는 군사력 강화와 자영농 육성을 위한 군관구제와 둔전병제가 실시되었다.

바로 알기 ④는 중세 서유럽 문화와 관련된 내용이다.

서술형 문제

04 **예시 답안** 정치적으로 봉토를 매개로 하여 주종 관계를 맺었으며 주종 관계는 국왕과 제후, 제후와 기사 사이에 피라미드 형태를 이루었다. 경제적으로는 장원을 매개로 영주와 농노가 지배·예속 관계를 형성하였다.

채점 기준	배점
정치적으로 봉토를 매개로 주종 관계가 피라미드 형태로 이루어져 있었고, 경제적으로 장원을 매개로 영주와 농노가 지배·예속 관계를 형성하고 있었다고 서술한 경우	상
정치적으로는 주종 관계, 경제적으로는 장원제를 바탕으로 하고 있었다고 서술한 경우	중
정치적, 경제적 특징 중 한 가지만 서술한 경우	하

03 중세 유럽 세계의 성장과 변화

1단계 개념 짚어 보기

본문 63쪽

01 (1) × (2) ○ (3) × 02 길드 03 대헌장 04 백년 전쟁
05 르네상스 06 에라스뮈스 07 (1) ㄴ (2) ㄱ (3) ㄷ
08 30년 전쟁

2단계 내신 다지기

본문 63~64쪽

01 ⑤ 02 ① 03 ⑤ 04 ① 05 ③
06 ② 07 베스트팔렌 조약

01 밑줄 친 '전쟁'은 십자군 전쟁이다. 십자군 전쟁은 셀주크 튀르크의 위협을 받은 비잔티움 제국의 황제가 교황 우르바누스 2세에게 도움을 요청하자 교황이 클레르몽 공의회에서 성지 회복을 위한 전쟁을 호소하며 시작되었다. 8차례의 전쟁 중 1차 원정을 제외하고는 모두 실패로 끝나 전쟁을 이끈 교황의 권위가 떨어지고 전쟁에 참여한 많은 제후와 기사의 세력이 약화되었다. 반면 왕권은 강화되었다.

바로 알기 ㄱ. 프랑스와 영국 사이에서 벌어진 백년 전쟁에서 잔 다르크의 활약으로 프랑스가 승리하였다. ㄴ. 신교와 구교의 대립으로 발발한 30년 전쟁은 베스트팔렌 조약으로 마무리되었다.

극비 노트 십자군 전쟁

배경	11세기 셀주크 튀르크의 예루살렘 점령과 비잔티움 제국 위협 → 비잔티움 제국 황제의 도움 요청 → 교황 우르바누스 2세가 클레르몽 공의회에서 성지 회복을 위한 전쟁 호소
전개	• 제1차 십자군: 성지 탈환 성공, 예루살렘 왕국 건설 • 제4차 십자군: 비잔티움 제국의 수도 콘스탄티노폴리스 점령, 라틴 제국 수립
결과	세속적 목적 강화로 성지 탈환 실패
영향	• 정치: 교황권 약화, 제후 및 기사 계층 몰락, 왕권 강화 • 경제: 지중해 교역과 동방 교역 활성화 → 상공업 발달, 이탈리아의 도시 번영 • 문화: 비잔티움 문화와 이슬람 문화 유입 → 서유럽 문화 발전에 자극

02 (가)는 지중해 교역권이다. 십자군 전쟁의 영향으로 원거리 무역이 활발해지고 상업 거래가 확대되면서 도시는 한층 성장하였다. 베네치아와 제노바 등은 지중해 무역의 거점 도시로서 동방 무역을 통해 번영을 누렸고, 밀라노와 토리노 등에서는 직물업이 발달하였다.

바로 알기 ② 십자군 전쟁으로 지중해 무역은 더욱 활기를 띠었다. ③, ⑤ 북부 독일의 함부르크와 뤼베크 등은 한자 동맹을 결성하여 발트해와 북해의 무역을 주도하였다. ④ 프랑스의 샹파뉴 지방에서는 정기 시장이 형성되어 지중해와 북유럽의 두 교역권을 연결하였다.

극비 노트 중세 유럽의 교역 발달

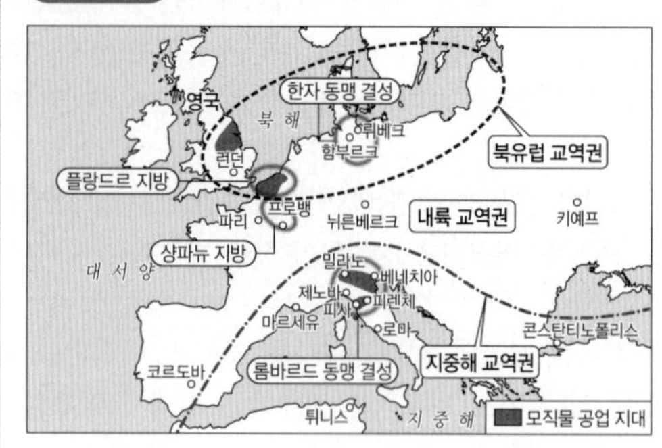

11세기경부터 서유럽 각지에 시장이 생기고 도시가 형성되었다. 특히 십자군 전쟁 이후 도시가 더욱 발전하였다. 지중해 연안의 도시들은 동방 무역으로 번영하였고, 북부 독일의 도시와 플랑드르 지방은 북유럽 교역권을 형성하였다. 프랑스의 샹파뉴 지방에서는 정기 시장이 형성되어 지중해 교역권과 북유럽 교역권을 연결하였다.

03 (가)는 흑사병이다. 14세기 중엽 흑사병이 유럽에 창궐하여 유럽 인구의 3분의 1이 감소하였다. 흑사병으로 인구가 줄어들어 노동력이 부족해지자 영주들은 농민에 대한 처우를 개선하였다. 그러나 일부 지역의 영주들은 줄어든 수입을 보충하기 위해 직영지를 확대하고 화폐 지대를 부역으로 되돌려 농민에 대한 속박을 강화하려고 하였다.

바로 알기 ① 흑사병으로 인해 농노 신분에서 해방되는 사람들이 늘어나 장원이 점차 해체되어 갔다. ② 14세기에는 아비뇽 유수, 교회의 대분열 등으로 교회의 권위가 실추되어 교황권이 약화되었다. ③ 포에니 전쟁 이후 로마의 유력자들이 라티푼디움을 경영하였다. ④ 주종제 형성은 흑사병과 관련이 없다.

04 14세기 아비뇽 유수 이후 교황청이 로마로 되돌아갔으나 아비뇽에서도 교황이 선출되어 서로 정통성을 내세우며 대립하는 교회의 대분열이 일어났다. 이로 인해 교황과 교회의 권위가 추락하자 교회 개혁의 움직임이 나타났다. 영국의 위클리프와 보헤미아의 후스는 교회의 세속화와 성직자의 타락을 비판하며 『성서』에 기반을 둔 신앙을 강조하였다. 이에 맞서 로마 가톨릭교회는 콘스탄츠 공의회를 소집하여 위클리프를 이단으로 규정하고 후스를 화형에 처하였다.

바로 알기 ② 성상 파괴령으로 동서 교회가 대립하다가 로마 가톨릭교회와 그리스 정교로 갈라졌다. ③, ④ 11세기에 성직자 서임권을 둘러싸고 황제와 교황이 대립하여 카노사의 굴욕이 일어났다. ⑤ 클레르몽 공의회에서 교황이 성지 회복을 위한 전쟁을 호소하면서 십자군 전쟁이 일어났다.

05 제시된 글에서 설명하는 문화 운동은 르네상스이다. 르네상스는 그리스·로마의 고전을 수집하고 연구하여 인간 중심의 새로운 문화를 창출하려는 움직임으로, 지중해 무역으로 부유해진 상인들과 군주의 후원을 받아 이탈리아에서 가장 먼저 시작되었다. 이탈리아의 르네상스는 인간의 개성과 감정을 중시하고, 자유로운 탐구와 비판 정신을 바탕으로 자연을 사실적으로 관찰하였다. 이러한 르네상스는 16세기 이후 알프스 이북 지역으로 확산되었다.

바로 알기 ③ 높은 첨탑과 스테인드글라스는 중세 고딕 양식의 특징이다.

06 인간의 구원이 이미 정해져 있다는 예정설의 내용으로 보아 밑줄 친 '그'는 칼뱅이다. 칼뱅은 근면하고 검소한 직업 생활을 강조하며 부자가 되는 것을 신의 은총이라 여겼다. 이러한 주장은 신흥 상공업자들 사이에서 큰 호응을 얻어 영국, 네덜란드, 프랑스 등지로 퍼졌다.

바로 알기 ① 「95개조 반박문」을 발표한 인물은 루터이다. ③ 교회의 세속화를 비판하다 이단으로 규정된 인물은 위클리프이다. ④ 헨리 8세는 수장법을 내려 국왕이 영국 교회의 수장임을 선포하였다. ⑤ 와트 타일러가 영국에서 농민 봉기를 이끌었다.

> **극비 노트 칼뱅의 예정설**
>
> 일찍이 신께서는 영원불변의 섭리를 통해 구제해 주고자 하는 자들과 파멸에 빠뜨리고자 하는 자들을 결정하였다. 선택된 자에게 이와 같은 섭리는 인간의 자질과는 아무런 관계가 없는 신의 자비에 근거한 것이며, 또 반대로 신께서 지옥에 떨어뜨리시려고 하는 모든 자에게 생명으로 나아가는 길이 막혀 있음을 뜻하는 것이다.
>
> – 칼뱅, 『크리스트교 강요』
>
> 스위스에서는 칼뱅이 인간의 구원은 신에 의해 미리 정해져 있다는 예정설을 펼치며 종교 개혁을 추진하였다. 칼뱅은 성서에 나와 있지 않은 일체의 교리와 의식을 배격하고, 구원에 대한 확인을 가지고 근면하게 맡은 일에 종사해야 한다고 강조하였다. 그의 주장은 신흥 상공업자들의 환영을 받아 프랑스, 영국, 네덜란드 등지로 확산되었으며, 유럽 자본주의 발달에 영향을 끼쳤다.

07 독일에서는 구교와 신교 사이의 대립이 심화되어 30년 전쟁이 발발하였다. 30년 전쟁은 국제 전쟁으로 확대되었으며, 이 전쟁의 결과 베스트팔렌 조약이 체결(1648)되어 제후가 가톨릭, 루터파, 칼뱅파 등을 선택하는 것이 허용되었다. 또한 스위스와 네덜란드의 독립이 정식으로 승인되었다.

3단계 등급 올리기

본문 65쪽

01 ⑤ 02 ① 03 ② 04 해설 참조

01 지도는 십자군 전쟁의 전개 과정을 보여 준다. 170여 년간 전개된 십자군 전쟁은 성지 회복이라는 본래 목적을 이루지 못하였다. 전쟁이 실패로 끝나자 교황의 권위는 추락하였고, 장기간 전쟁에 참여한 제후와 기사 세력이 몰락하면서 상대적으로 왕권이 강화되었다. 또한 전쟁 과정에서 동방과의 교역이 활발해져 상공업이 발달하였으며, 비잔티움 문화와 이슬람 문화가 서유럽에 유입되면서 서유럽 문화의 발전을 자극하였다.

바로 알기 ① 카롤루스 대제 사후 프랑크 왕국이 분열되었다. ② 성지 회복에 실패하면서 십자군 참여를 호소한 교황의 권위가 약화되었다. ③ 전쟁 과정에서 동방과의 교역이 활발해져 상공업이 발달하였다. ④ 장기간 전쟁에 참여한 제후와 기사 세력이 몰락하면서 왕권이 강화되었다.

02 르네상스는 16세기에 알프스 이북으로 확산되었는데, 당시 이 지역에는 교회의 권위와 봉건 사회의 관습이 강하게 남아 있었다. 이에 알프스 이북의 인문주의자들은 교회와 사회 지배층을 비판하면서 초기 크리스트교 정신으로 돌아갈 것을 주장하였다. 현실 사회와 교회를 비판하는 개혁적 성향을 잘 보여 주는 작품으로는 에라스뮈스의 『우신예찬』, 토머스 모어의 『유토피아』, 세르반테스의 『돈키호테』 등이 있다.

바로 알기 ②, ③, ⑤는 이탈리아 르네상스와 관련이 있다. ④ 토마스 아퀴나스는 13세기에 스콜라 철학을 집대성하였다.

극비 노트 이탈리아와 알프스 이북의 르네상스

구분	이탈리아	알프스 이북
시기	14~16세기	16세기 이후
특징	인간과 자연의 사실적 묘사	현실 사회와 교회 비판
인문 주의자	• 페트라르카: 라틴어 고전 연구, 서정시를 남김 • 보카치오: 『데카메론』 저술 • 마키아벨리: 『군주론』 저술	• 에라스뮈스: 『우신예찬』 저술 • 토머스 모어: 『유토피아』 저술
문학, 미술, 건축	• 레오나르도 다빈치(「모나리자」), 라파엘로(「아테네 학당」), 미켈란젤로(「다비드상」) 등 활동 • 르네상스 양식 발달(성 베드로 성당)	• 국민 문학 발달(자국어로 작품 저술) → 세르반테스의 『돈키호테』, 셰익스피어의 『햄릿』 저술 • 반에이크 형제(유화 기법 개발), 브뤼헐(서민 생활과 현실의 부조리 표현) 등 활동

03 칼뱅파는 루터파와 동등한 특권을 가지고, 각 제후는 자기 영내에서 실질적으로 독립된 주권을 행사한다는 내용을 통해 제시된 조약이 베스트팔렌 조약임을 알 수 있다. 종교 개혁이 확산되면서 신교와 구교의 갈등이 심화되어 종교 전쟁이 일어났는데 대표적인 것이 30년 전쟁이다. 30년 전쟁은 종교 전쟁으로 시작하였으나 유럽 주요 왕가들이 자신의 이해관계에 따라 전쟁에 가담하여 국제 전쟁으로 확대되었다. 30년 전쟁은 1648년 베스트팔렌 조약의 체결로 제후에게 칼뱅파를 선택할 권리가 주어지며 마무리되었다. 이 조약에 따라 신성 로마 제국은 프랑스와 스웨덴에게 영토를 빼앗겼고, 스위스와 네덜란드의 독립이 정식으로 인정되었다.

바로 알기 ㄴ. 루터파를 공식적으로 인정한 아우크스부르크 화의에 대한 설명이다. ㄹ. 프랑스에서 일어난 위그노 전쟁의 결과 낭트 칙령이 발표되었다.

서술형 문제

04 (1) (가) 백년 전쟁, (나) 장미 전쟁

(2) 예시 답안 백년 전쟁과 장미 전쟁으로 귀족 세력이 약화되고 왕권이 강화되면서 중앙 집권 국가로 발전할 수 있는 토대가 마련되었다.

채점 기준	배점
왕권의 강화와 중앙 집권 국가 발전으로의 토대 마련을 모두 서술한 경우	상
왕권의 강화와 중앙 집권 국가 발전으로의 토대 마련 중 한 가지만 서술한 경우	하

04 유럽 세계의 변화

1단계 개념 짚어 보기

본문 67쪽

01 (1) × (2) ○ (3) × 02 아스테카 문명 03 대서양
04 절대 왕정 05 중상주의 06 동인도 회사
07 (1) ㄷ (2) ㄱ (3) ㄹ (4) ㄴ

2단계 내신 다지기

본문 67~68쪽

01 ④ 02 ④ 03 가격 혁명 04 ②
05 ③ 06 ② 07 ⑤ 08 ③

01 제시된 글은 신항로 개척의 배경에 대한 내용이다. 유럽인들은 프레스터(성직자) 존의 전설이나 마르코 폴로의 『동방견문록』 등을 접하며 동방에 대한 호기심을 갖게 되었다. 십자군 전쟁 이후 동서 교류의 확대로 향신료나 비단 등의 동양의 산물이 유럽에 전해지자 동방에 대한 유럽의 관심은 더욱 커졌다. 또한 지리학, 천문학, 조선술 등 원거리 여행에 필요한 기술과 지식이 발달하면서 유럽의 여러 탐험가들이 신항로 개척에 나섰다.

바로 알기 ①, ②, ③, ⑤는 신항로 개척의 배경과 관련이 없다.

02 (가)는 남아프리카의 희망봉을 돌아 인도양으로 향하는 항로를 개척한 바스쿠 다 가마이다. 바스쿠 다 가마는 포르투갈의 후원으로 신항로 개척에 나섰으며, 아프리카를 돌아 인도의 캘리컷에 다다르는 항로를 개척하였다.

바로 알기 ① 마젤란은 대서양과 태평양을 건너 필리핀에 도착하였고, 마젤란 사후 그의 일행이 귀환하여 최초로 세계 일주에 성공하였다. ② 에스파냐의 후원을 받은 콜럼버스는 1492년에 아메리카의 서인도 제도를 발견하였다. ③ 오도아케르는 5세기 후반에 서로마 제국을 멸망시킨 게르만 출신 용병이다. ⑤ 포르투갈의 바르톨로메우 디아스는 1488년에 희망봉이라 부른 아프리카 남쪽 끝에 도착하였다.

03 밑줄 친 '이 사건'은 가격 혁명이다. 신항로 개척 이후 에스파냐는 아스테카 문명과 잉카 문명을 정복한 뒤 금광·은광 개발에 몰두하였는데, 아메리카에서 채굴한 많은 양의 금과 은이 유럽에 들어오면서 화폐 가치가 하락하고 물가가 폭등하는 현상이 나타났다. 이를 가격 혁명이라고 한다. 화폐 가치의 하락은 화폐 지대를 받던 영주들에게 경제적 타격을 주었다.

극비 노트 가격 혁명과 상업 혁명

가격 혁명	아메리카산 금, 은이 유럽으로 대량 유입 → 물가 상승, 봉건 영주 타격, 신흥 시민 계층의 이익 증대
상업 혁명	넓은 해외 시장을 바탕으로 상업과 제조업 발달 → 금융 제도 발전 → 근대 자본주의의 발전에 기여

04 에스파냐인들은 아메리카를 정복한 후 원주민을 동원해 금과 은을 채굴하고 대농장에서 사탕수수와 담배를 재배하였다. 한편, 아메리카 원주민들은 유럽에서 들어온 천연두와 홍역 등의 전염병에 무방비로 노출되었다. 이러한 유럽인의 수탈과 전염병으로 원주민의 수는 크게 감소하였다.

바로 알기 ① 유럽인의 진출로 아스테카 문명이 파괴되었다. ③ 셀주크 튀르크가 세력을 확대하면서 십자군 전쟁이 발발하였다. ④ 9세기 무렵 노르만족이 정복 활동을 벌이면서 유럽 곳곳에 노르만 왕조가 등장하였다. ⑤ 제1차 십자군 원정 때 십자군이 예루살렘 왕국을 건설하였다.

05 제시된 글은 왕권신수설에 대한 내용이다. 왕권신수설은 왕의 권력이 신에게서 내려왔다는 주장으로, 절대 왕정을 이론적으로 뒷받침하였다.

바로 알기 ①, ②, ④, ⑤는 왕권신수설과 관련이 없다.

06 밑줄 친 '이 국가'는 에스파냐이다. 에스파냐는 신항로 개척으로 발견한 아메리카 대륙의 아스테카 문명과 잉카 문명을 파괴하였다. 아메리카를 식민지로 삼아 대제국을 건설한 에스파냐는 펠리페 2세 때 오스만 제국을 격파하고, 포르투갈을 병합하였다. 그러나 극단적인 가톨릭 강요 정책은 네덜란드의 독립을 초래하였고, 무적함대마저 영국에 패하면서 국력이 쇠퇴하였다.

바로 알기 ①, ④는 프랑스, ③은 영국, ⑤는 프로이센과 관련된 내용이다.

07 제시된 글은 프로이센의 군주인 프리드리히 2세가 주장한 내용으로, 군주는 백성 위에 군림하는 존재가 아님을 주장하고 있다. 그는 계몽사상의 영향을 받아 '국가 제일의 심부름꾼(공복)'을 자처하였다. 이는 동유럽 계몽 전제 군주의 특징을 보여 준다.

바로 알기 ① 이베리아반도의 크리스트교 국가들이 이슬람 세력을 축출하기 위해 재정복 운동을 펼쳤다. ② 르네상스는 14세기 무렵 이탈리아에서 등장하였다. ③ 황제 교황주의는 비잔티움 제국의 정치적 특징이다. ④ 아우크스부르크 화의는 루터의 종교 개혁과 관련이 있다.

08 자료는 조선소에서 일하는 표트르 대제의 모습이다. 표트르 대제는 서유럽의 선진 문화와 제도를 적극 도입하였다. 그는 서유럽 문물 수용이 쉬운 곳에 위치한 상트페테르부르크를 수도로 삼았고, 청과 네르친스크 조약을 맺어 국경선을 확정하였다.

바로 알기 ㄱ은 프랑스의 루이 14세에 대한 설명이다. ㄹ은 영국의 엘리자베스 1세와 관련된 설명이다.

3단계 등급 올리기

본문 69쪽

01 ③ 02 ⑤ 03 ① 04 해설 참조

01 (가)는 포르투갈이다. 포르투갈은 12세기에 카스티야로부터 독립하여 15세기에 중앙 집권 국가로 성장하였으며, 신항로 개척에 앞장섰다.

바로 알기 ① 영국과 백년 전쟁을 벌인 나라는 프랑스이다. ② 일본의 난학 성립에 영향을 준 나라는 네덜란드이다. ④ 영국에서 왕위 계승을 둘러싸고 장미 전쟁이 일어났다. ⑤ 비잔티움 제국은 십자군 전쟁 당시 십자군에게 콘스탄티노폴리스를 약탈당하였다.

02 신항로 개척 이후 유럽의 상인들은 공업 제품을 아프리카에서 노예와 교환하고, 노예들을 아메리카의 대농장에 팔았다. 그리고 노예를 판매한 대금으로 설탕, 담배 등 플랜테이션 작물을 사들여 유럽에 팔았다. 이로써 대서양 무역은 유럽, 아메리카, 아프리카를 잇는 삼각 무역의 형태로 변화하였다.
바로 알기 ㄱ. 아메리카 대륙에서 많은 양의 금, 은이 유럽에 들어와 유럽의 물가가 크게 올랐다. ㄴ. 신항로 개척 이후 무역의 중심지가 지중해에서 대서양으로 이동하였다.

극비 노트 신항로 개척 이후 은의 유통

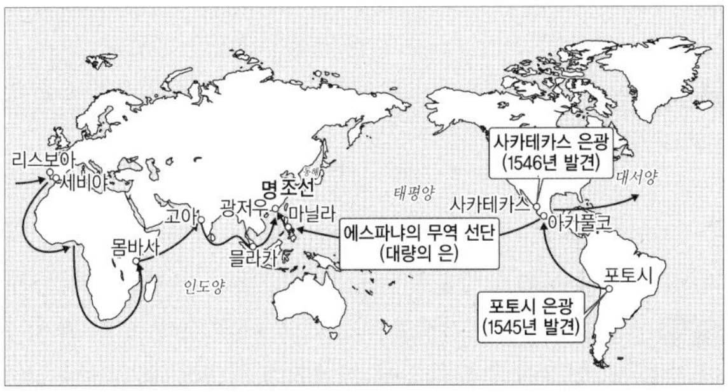

신항로 개척 이후 아메리카가 교역망에 통합되면서 세계적인 교역망이 형성되었고, 아메리카의 은이 교역의 매개체가 되었다.

03 (가)는 프랑스의 앙리 4세, (나)는 영국의 엘리자베스 1세이다. 프랑스의 앙리 4세는 부르봉 왕조를 개창하면서 낭트 칙령을 발표하여 종교 전쟁을 수습하고 절대 왕정의 기틀을 마련하였다. 엘리자베스 1세는 에스파냐의 무적함대를 격파하고, 동인도 회사를 세워 아시아로 진출하였다.
바로 알기 ②, ⑤는 프랑스의 루이 14세, ③은 영국의 존왕, ④는 러시아의 표트르 대제에 대한 설명이다.

서술형 문제

04 (1) 프리드리히 2세
(2) 예시 답안 프리드리히 2세는 군주를 '국가 제일의 심부름꾼(공복)'이라고 생각하였다. 그는 산업을 장려하고 종교적 관용 정책을 실시하였으며, 오스트리아와 전쟁을 벌여 슐레지엔 지방을 차지하였다.

채점 기준	배점
프리드리히 2세의 군주관과 그의 활동을 모두 서술한 경우	상
프리드리히 2세의 군주관과 그의 활동 중 한 가지만 서술한 경우	하

05 시민 혁명과 국민 국가의 형성

1단계 개념 짚어 보기

본문 72쪽

01 (1) ○ (2) × (3) ○ 02 권리 장전 03 (미국) 독립 선언문 04 국민 의회 05 나폴레옹 06 빈 회의 07 (1) ㄴ (2) ㄷ (3) ㄱ 08 남북 전쟁

2단계 내신 다지기

본문 72~75쪽

01 ①	02 ②	03 자유방임주의		04 ⑤
05 ①	06 ②	07 ⑤	08 ④	09 ③
10 ②	11 ⑤	12 ②	13 ①	14 ⑤
15 ③	16 ③	17 ⑤	18 ①	19 ①
20 ④				

01 뉴턴은 만유인력의 법칙을 발견하고 이를 보편적인 수학 공식으로 설명하였으며, 모든 자연 현상을 필연적인 인과 법칙으로 설명함으로써 기계론적 우주관을 확립하였다.
바로 알기 ② 하비는 혈액 순환의 원리를 밝혔다. ③ 케플러는 행성이 태양을 타원 궤도로 회전함을 밝혀 지동설을 보완하였다. ④ 갈릴레이는 망원경으로 천체를 관측하여 지동설을 입증하였다. ⑤ 코페르니쿠스는 『천체의 회전에 관하여』에서 지동설을 주장하였다.

02 제시된 글은 17세기에 활동한 로크가 내세운 사회 계약설의 내용이다. 로크는 사회 계약으로 수립된 정부가 의무를 다하지 못하면 국민은 이에 저항할 권리가 있다고 주장하였다. 이러한 로크의 사상은 시민 혁명의 사상적 기반이 되었다.
바로 알기 ① 코페르니쿠스 등이 지동설을 주장하여 천동설을 대체하는 새로운 우주관을 제시하였다. ③ 영국에서는 왕위 계승 문제를 둘러싸고 장미 전쟁이 일어났다. ④ 계몽사상가인 몽테스키외가 삼권 분립을 주장하였다. ⑤ 중세 유럽에서 교회의 세속화 문제를 해결하기 위해 클뤼니 수도원이 개혁 운동을 전개하였다.

03 밑줄 친 '이 사상'은 자유방임주의이다. 애덤 스미스는 국가의 간섭을 최소한으로 줄이고, 개인의 자유로운 경제 활동을 보장하면 '보이지 않는 손'이 작용하여 시장 기능을 이끌어 갈 것이라고 주장하여 산업 혁명 초기의 경제 체제 수립에 기여하였다.

04 찰스 1세의 전제 정치에 대응하여 의회가 국왕에게 제출하였다는 점을 통해 (가) 문서가 권리 청원임을 알 수 있다. 권리 청원에는 의회의 동의 없이 과세할 수 없다는 내용이 담겨 있다.
바로 알기 ①, ② 프랑스에서 국민 의회가 '인간과 시민의 권리선언(인권 선언)'을 작성하여 발표하였다. 이 선언에 자유와 평등, 국민 주권, 재산권 보호 등의 이념이 담겨 있다. ③ 클레르몽 공의회는 십자군 전쟁의 시작과 관련이 있다. ④ 영국에서 하노버 왕조가 개창되면서 내각 책임제가 본격적으로 시작되었다.

05 제시된 글은 크롬웰에 대한 설명이다. 크롬웰은 영국과 영국 식민지로 들어오는 수입품의 수송은 영국이나 그 식민지의 선박 또는 수출하는 국가의 선박을 이용하도록 규정하는 항해법을 제정하였다. 이는 당시 해상 무역의 강국인 네덜란드에 타격을 주어 영국과 네덜란드 간에 전쟁이 일어나는 원인이 되었다.

바로 알기 ②는 알렉산드르 2세, ③은 나폴레옹, ④는 메테르니히, ⑤는 로베스피에르가 펼친 정책이다.

06 제시된 글은 명예혁명의 결과 승인된 권리 장전의 내용이다. 의회가 메리와 윌리엄을 공동 왕으로 추대하고 이후 이들이 권리 장전을 승인하면서 영국에서는 의회를 중심으로 한 입헌 군주제의 토대가 마련되었다.

바로 알기 ① 빈 체제는 나폴레옹이 몰락한 뒤인 19세기 초반에 형성되었다. ③ 미국은 먼로 선언으로 유럽의 아메리카에 대한 불간섭을 주장하였다. ④ 사르데냐 왕국이 주도한 통일 운동으로 1861년 남북을 통합한 이탈리아 왕국이 탄생하였다. ⑤ 중상주의는 16세기 이후 절대 왕정이 추진한 경제 정책이다.

극비 노트 영국 혁명의 전개

청교도 혁명(1642~1649)
찰스 1세의 전제 정치 → 국왕의 권리 청원 승인 → 국왕의 의회 소집 → 의회가 과세 요구 거부 → 의회파와 왕당파 사이의 내전 → 찰스 1세 처형, 공화정 수립

⬇

명예혁명(1688)
제임스 2세의 전제 정치 → 의회가 메리와 윌리엄을 공동 왕으로 추대 → 국왕의 권리 장전 승인(1689) → 의회를 중심으로 한 입헌 군주제의 토대 마련

07 영국이 중상주의 경제 정책을 강화하여 북아메리카의 식민지에 인지세를 비롯한 각종 세금을 부과하자 식민지인들이 납세를 거부하였다. 이러한 저항은 보스턴 차 사건으로 이어졌고, 영국은 보스턴 항구를 폐쇄하는 등 강경 대응하였다. 식민지 대표들은 제1차 대륙 회의를 열어 영국의 탄압 조치를 철회할 것을 요구하였고 곧이어 영국군과 식민지 민병대의 충돌이 일어나면서 미국 독립 전쟁이 시작되었다.

바로 알기 ①은 미국의 남북 전쟁, ②는 프랑스 혁명, ③은 영국 명예혁명의 배경이다. ④ 빈 체제가 성립하자 이에 저항하여 그리스가 독립하고 라틴 아메리카에서도 독립운동이 일어났다.

08 (가) 보스턴 차 사건은 1773년의 일이고, (나) 아메리카 합중국의 탄생은 1789년의 일이다. 보스턴 차 사건 이후 영국군과 식민지 민병대가 충돌하자 식민지 대표들은 제2차 대륙 회의를 열어 독립 선언문을 발표하였다(1776).

바로 알기 ①, ⑤는 19세기 미국, ②는 17세기 영국, ③은 18세기 영국에서 있었던 일이다.

09 제시된 헌법은 미국 헌법이다. 이 헌법은 북아메리카 13개 주가 영국으로부터 독립한 후 제정되었으며, 연방주의와 삼권 분립에 기초하여 작성되었다. 이 헌법에 따라 연방 정부가 수립되고 워싱턴이 대통령에 선출되면서 아메리카 합중국이 수립되었다(1789).

바로 알기 ① 남북 전쟁은 1861년에 발발하였다. ② 18세기 초 영국에서 하노버 왕조가 개창되었다. ④ 『유스티니아누스 법전』은 비잔티움 제국의 법전이다. ⑤ 형식적으로 평민과 귀족의 동등한 권리를 규정한 것은 로마의 호르텐시우스법이다.

10 밑줄 친 '이 회의'는 삼부회이다. 루이 16세가 소집한 삼부회에서 제1, 2 신분과 제3 신분 간의 대립이 극대화되면서 프랑스 혁명이 일어나게 되었다.

바로 알기 ① 민회는 그리스·로마 시대의 시민 총회이다. ③ 나폴레옹 몰락 후 유럽 각국 대표들이 빈 회의를 열었다. ④ 북아메리카 식민지 대표들이 대륙 회의를 개최하였다. ⑤ 로마 가톨릭교회는 콘스탄츠 공의회를 열어 로마 교황의 정통성을 인정하였다.

11 제시된 글은 프랑스 혁명 당시에 국민 의회가 혁명의 이념을 담아 발표한 '인간과 시민의 권리선언(인권 선언)'의 내용이다. 이 선언이 발표된 후 새 헌법이 제정되었고 입법 의회가 수립되었다. 입법 의회는 오스트리아, 프로이센과 혁명전쟁을 벌였다.

바로 알기 ①, ②, ③, ④는 인권 선언 발표 이전에 프랑스에서 일어난 일이다.

12 제시된 글에서 설명하는 세력은 프랑스 혁명 때 등장한 자코뱅파이다. 국민 공회를 주도한 자코뱅파는 루이 16세를 처형하였다.

바로 알기 ①, ③ 위그노 전쟁과 자크리의 난은 프랑스 혁명 이전에 일어났다. ④ 영국의 노동자들이 선거권의 확대를 요구하며 인민헌장을 발표하는 등 차티스트 운동을 펼쳤다. ⑤ 러시아의 지식인들이 농민을 계몽하기 위해 브나로드 운동을 전개하였다.

13 지도와 같이 유럽 각지로 원정을 나갔으며 트라팔가르 해전, 워털루 전투 등을 치른 인물은 프랑스의 나폴레옹이다. 나폴레옹은 국민 투표를 통해 황제에 즉위하여 제1 제정을 열었다. 이후 그는 영국을 견제하기 위해 대륙 봉쇄령을 내렸다.

바로 알기 ② 입법 의회는 프랑스 혁명 세력이 조직하였다. ③ 테르미도르 반동으로 실각한 인물은 프랑스의 로베스피에르이다. ④ 의회를 해산하고 호국경에 오른 인물은 영국의 크롬웰이다. ⑤ 예수회를 설립한 인물은 에스파냐의 로욜라이다.

14 풍자화는 빈 회의(1814~1815)를 묘사하고 있다. 나폴레옹 몰락 이후 오스트리아의 재상 메테르니히의 주도로 빈 회의가 개최되었다. 빈 회의에서는 유럽 각국의 지배권과 영토를 프랑스 혁명 이전으로 되돌리기로 결정하였다. 그 결과 빈 체제가 성립되어 유럽 각국의 자유주의와 민족주의 운동이 탄압받았다.

바로 알기 ① 카노사의 굴욕은 1077년의 일이다. ② 비잔티움 제국은 1453년에 멸망하였다. ③ 보스턴 차 사건은 1773년에 일어났다. ④ 루터의 「95개조 반박문」은 1517년에 발표되었다.

15 샤를 10세가 발표한 칙령이라는 점, 언론의 자유를 제한하고 의회를 해산한다고 한 점 등을 통해 제시된 글이 프랑스 샤를 10세의 전제 정치 실시와 관련된 것임을 알 수 있다. 샤를 10세의 국정 운영에 저항하여 프랑스에서는 1830년 7월 혁명이 일어나 루이 필리프의 7월 왕정이 성립되었다.

바로 알기 ① 인권 선언은 프랑스 혁명 당시 국민 의회가 발표하였다. ② 제2 제정 당시 프랑스가 프로이센과의 전쟁에서 패하자 파리의 사회주의자와 노동자들이 파리 코뮌을 수립하였다. ④ 1799년 나폴레옹은 쿠데타를 일으켜 통령 정부를 구성하였다. ⑤ 영국에서는 제임스 2세의 전제 정치에 대한 반발로 명예혁명이 일어나 메리와 윌리엄이 공동 왕으로 추대되었다.

16 프랑스에서 일어난 2월 혁명으로 유럽 각국에서 자유주의와 민족주의 운동이 일어났는데, 오스트리아에서는 메테르니히가 실각하며 빈 체제가 사실상 붕괴하였다.

바로 알기 ① 프랑스 7월 혁명의 영향으로 벨기에가 독립하였다. ② 부르봉 왕실의 부활은 7월 혁명의 배경이다. ④ 프로이센의 재상인 비스마르크는 독일 통일을 위해 철혈 정책을 내세워 군비 확장을 추진하였다. ⑤ 빈 체제에 반발하여 그리스가 독립하였다(1829).

극비 노트 프랑스의 7월 혁명과 2월 혁명

구분	7월 혁명(1830)	2월 혁명(1848)
배경	부르봉 왕실 부활, 샤를 10세의 전제 정치 시행	7월 왕정 시기 소수의 부유한 시민에게만 선거권 부여
전개	자유주의자·파리 시민들의 봉기 → 샤를 10세 추방, 루이 필리프 즉위, 입헌 군주제 수립	중하층 시민 계급과 노동자들의 봉기(선거권 확대 요구) → 루이 필리프 퇴위, 제2 공화정 수립
영향	벨기에 독립, 유럽 각국의 자유주의 운동 촉진	유럽에서 자유주의·민족주의 운동 촉진, 메테르니히 몰락 → 빈 체제 붕괴

17 사르데냐 왕국의 재상 카보우르는 프랑스의 지원을 받아 오스트리아와 전쟁을 일으켜 중북부 이탈리아를 병합하였다. 때마침 가리발디가 이끄는 의용군이 시칠리아와 나폴리를 점령하고 이를 사르데냐 국왕에게 바침으로써 남북이 통일된 이탈리아 왕국이 탄생하였다(1861). 지도에서 이탈리아는 (마)이다.

바로 알기 (가)는 영국, (나)는 에스파냐, (다)는 프랑스, (라)는 독일이다.

18 제시된 글에서 빌헬름 1세가 황제에 즉위하면서 제국 수립을 선포하였다고 한 것을 통해 밑줄 친 '제국'이 1871년에 수립된 독일 제국임을 알 수 있다. 독일 제국은 프로이센이 주도한 통일 운동의 결과 수립되었다.

바로 알기 ② 가리발디의 의용군은 시칠리아와 나폴리를 점령하였으며, 이는 이탈리아와 관련된 설명이다. ③ 네덜란드 북부 7주의 독립으로 쇠퇴한 것은 에스파냐이다. ④ 프랑스는 상퀼로트의 봉기로 왕권이 정지되기도 하였다. ⑤ 러시아는 스웨덴과 북방 전쟁을 벌여 발트해로 진출하였다.

19 제시된 글은 미국의 대통령인 링컨이 남북 전쟁 중인 1863년에 발표한 노예 해방 선언이다. 이 선언 이후 전세가 북부에 유리해지면서 북부의 승리로 남북 전쟁이 끝났다.

바로 알기 ② 카르보나리당은 이탈리아에서 등장한 단체이다. ③ 러시아에서 브나로드 운동이 전개되었다. ④ 파리 조약에서 북아메리카 13개 주의 독립이 인정되었다. ⑤ 유럽의 아메리카에 대한 불간섭 원칙을 포함한 것은 먼로 선언에 해당한다.

20 제시된 글은 농노 해방령으로, 크림 전쟁 패배 이후 개혁의 필요성을 절감한 러시아의 알렉산드르 2세가 1861년에 발표하였다. 그러나 농노 해방이 농민에게 별다른 혜택을 주지 못하고 차르의 전제 정치도 유지되자 지식인들은 브나로드 운동을 전개하였다.

3단계 등급 올리기

본문 76~77쪽

01 ③ 02 ② 03 ⑤ 04 ④ 05 ②
06 ③ 07 ③ 08 해설 참조

01 제시된 글은 갈릴레이의 주장이다. 16·17세기 과학 혁명이 전개되면서 코페르니쿠스, 갈릴레이 등이 지동설을 주장하였다. 과학 혁명이 확산되자 우주가 통일적인 법칙에 따라 움직이고 있으며 인간의 이성은 이를 객관적이고 합리적으로 파악할 수 있다는 기계론적 우주관이 확립되었다.

바로 알기 ① 절대 왕정을 이론적으로 정당화한 것은 왕권신수설이다. ② 스콜라 철학은 중세 신학의 발전과 관련이 있다. ④ 토머스 모어의 『유토피아』는 알프스 이북의 르네상스를 대표하는 작품이다. ⑤ 르네상스는 이탈리아에서 시작되어 알프스 이북 지역으로 확산되었다.

02 인간이 개인행동의 자유를 맡기기 위해 지배자와 합의·계약을 한다고 한 점, 출처가 『리바이어던』인 점 등을 통해 제시된 글이 홉스의 사회 계약설임을 알 수 있다. 사회 계약설은 자연법사상에 바탕을 둔 이론으로, 홉스는 정부가 존립할 필요성을 사회 계약으로 설명하고 절대 군주를 옹호하였다.

바로 알기 ㄴ. 스토아학파는 헬레니즘 시대에 등장한 철학 학파이다. ㄹ. 베이컨과 데카르트의 연구 방법론이 사회 계약설과 계몽사상 등에 영향을 주었다.

03 지도는 영국에서 1642년부터 전개된 청교도 혁명의 전개 과정을 보여 준다. 청교도 혁명은 찰스 1세의 전제 정치에 맞서 의회파가 왕당파와 싸움을 벌이면서 시작되었다. 청교도 혁명의 결과 크롬웰이 주도한 의회파가 권력을 차지하였으며 찰스 1세가 처형되고 공화정이 수립되었다.

바로 알기 ① 권리 장전은 명예혁명의 결과 승인되었다. ② 영국 국교회 확립은 헨리 8세와 엘리자베스 1세의 활동과 관련이 있다. ③ 제임스 2세의 전제 정치를 원인으로 명예혁명이 시작되었다. ④ 영국 농촌에서는 장원제 붕괴 이후 젠트리 계층이 등장하였으며, 이는 청교도 혁명 이전부터 이루어졌던 일이다.

04 영국의 중상주의 정책 강화에 반발해 일어난 보스턴 차 사건을 기점으로 시작된 미국 독립 전쟁은 요크타운 전투에서 식민지군이 영국군을 격퇴하면서 승세를 잡았다. 결국 파리 조약을 통해 북아메리카 13개 주는 독립을 인정받았다.

바로 알기 ①, ②는 프랑스 혁명과 관련이 있다. ③ 대륙 횡단 철도는 미국의 남북 전쟁 이후에 부설되었다. ⑤ 아메리카 합중국(미합중국) 탄생 이후 링컨이 미국의 제16대 대통령에 당선되었다.

05 학생들의 대화에서 바스티유 감옥이 함락되고 자유와 평등, 국민 주권, 재산권 보호 등의 혁명 이념을 담은 선언(인간과 시민의 권리선언)이 발표되었다고 한 것을 통해 밑줄 친 '이 사건'이 프랑스 혁명임을 알 수 있다. 프랑스 혁명 당시 입법 의회의 뒤를 이어 성립한 국민 공회가 공화정을 선포하고, 재판을 거쳐 루이 16세를 처형하였다.

바로 알기 ① 메르센 조약은 프랑크 왕국의 분열 과정에서 체결되었다. ③, ④는 루이 14세 때 있었던 일이다. ⑤는 프랑스 혁명 이전에 있었던 일이다.

06 1814년 빈 회의가 개최되어 유럽 각국의 지배권과 영토를 프랑스 혁명 이전으로 되돌리자고 결정하면서 보수적인 빈 체제가 성립되었다. 빈 체제는 1848년 오스트리아에서 메테르니히가 실각하면서 사실상 붕괴되었다. 한편 빈 회의 개최 이후 프랑스에서는 부르봉 왕조가 부활하였는데, 샤를 10세가 전제 정치를 펼치자 프랑스 시민들이 7월 혁명을 일으켜 루이 필리프를 새 왕으로 추대하고 입헌 군주제를 수립하였다.

바로 알기 ①, ②는 1861년, ④는 1799년, ⑤는 1871년에 일어난 일이다.

07 표는 19~20세기 영국에서 선거법이 개정되면서 나타난 상황을 보여 준다. 유권자의 비율이 시간이 지나면서 점차 증가하고 있으며 노동자와 여성의 참정권이 보장되어 가고 있음을 알 수 있다. 1832년 선거법 개정의 혜택을 받지 못한 노동자들은 1838년에 인민헌장을 발표하고 참정권 확대를 요구하는 차티스트 운동을 전개하였다.

바로 알기 ①은 16세기, ②, ④, ⑤는 17세기에 있었던 일이다.

극비 노트 영국의 차티스트 운동

1. 21세 이상 모든 남자의 선거권 인정
2. 유권자 보호를 위해 비밀 투표제 실시
3. 하원 의원의 재산 자격 조항 폐지
4. 하원 의원에게 보수 지급
5. 인구 비례에 의한 평등한 선거구의 결정
6. 의원 임기를 1년으로 하여 매년 선거 실시

– 인민헌장, 1838

영국에서는 1832년 선거법 개정이 이루어져 신흥 상공업자 계급에게 선거권이 주어졌다. 그러나 선거법 개정의 혜택을 받지 못한 노동자들은 인민헌장을 내걸고 선거권을 비롯한 정치적 권리를 요구하는 차티스트 운동을 전개하였다. 차티스트 운동은 정부에 의해 진압되었으나 이후 제2차(1867), 제3차(1884) 선거법 개정이 이루어져 노동자들에게도 선거권이 주어졌다.

서술형 문제

08 (1) 사회 계약설

(2) 예시 답안 미국 독립 선언문에는 천부 인권, 국민 주권, 저항권 등 민주주의의 원리가 담겨 있다.

채점 기준	배점
천부 인권, 국민 주권, 저항권을 모두 서술한 경우	상
위 내용 중 두 가지를 서술한 경우	중
위 내용 중 한 가지만 서술한 경우	하

06 산업 혁명과 산업 사회의 형성

1단계 개념 짚어 보기

본문 79쪽

01 산업 혁명 02 선대제 03 영국 04 ㉠ 풀턴, ㉡ 모스
05 (1) × (2) ○ 06 사회주의 07 공리주의 08 낭만주의

2단계 내신 다지기

본문 79~80쪽

01 ④ 02 ③ 03 ⑤ 04 ⑤
05 기계 파괴 운동(러다이트 운동) 06 ② 07 ①
08 ④

01 제시된 글은 영국 산업 혁명에 대한 설명이다. 영국에서는 1780년대 제임스 와트가 개량한 증기 기관이 기계의 새로운 동력으로 사용되면서 면직물 분야에서 처음으로 대량 생산이 가능해졌다. 이에 따라 공장제 기계 공업이 확산되고 제철업과 석탄 산업 등도 발전하였다.

바로 알기 ① 중상주의는 유럽 각국의 절대 왕정이 추진한 경제 정책이다. ②, ⑤ 16세기 무렵부터 신항로 개척이 이루어지면서 대서양 삼각 무역이 발달하였다. ③ 영국에서는 2차 인클로저 운동으로 토지를 잃은 농민들이 공장에 노동력을 제공하였고 이는 영국에서 산업 혁명이 시작되는 배경 중 하나가 되었다.

02 19세기 초 영국의 스티븐슨이 증기 기관차를 제작하였고, 미국에서는 풀턴이 증기선의 운항에 성공하였다. 통신에서는 미국의 모스가 유선 전신을 발명하였고, 이탈리아의 마르코니가 무선 전신을 발명하였다. 이러한 교통과 통신의 발달로 시장이 확대되고 세계 교역량이 증가하였다.

바로 알기 ③ 르네상스 시기 나침반이 개량되어 원거리 항해에 사용되었고 이는 신항로 개척에 기여하였다.

03 (가)는 영국, (나)는 프랑스, (다)는 벨기에, (라)는 독일, (마)는 이탈리아이다. 영국의 산업 혁명을 시작으로 여러 나라에 산업화가 확산되었다. 벨기에는 광업이 크게 발전하였고, 프랑스는 섬유 공업을 중심으로 산업화가 전개되었다. 독일은 통일 이후 정부의 주도로 급속하게 산업화를 전개하여 중공업이 발달하였다.

바로 알기 ⑤ 19세기 말부터 러시아는 대규모 차관을 도입하고 시베리아 횡단 철도를 부설하는 등 산업화를 꾀하였다.

04 첫 번째 글은 산업 혁명 시기의 노동 문제를 보여 주고, 두 번째 글은 산업화로 인해 각종 도시 문제가 나타난 상황을 보여 준다. 산업 혁명의 결과 산업 사회로 발전하면서 노동자들은 낮은 임금을 받으며 열악한 환경에서 장시간 노동에 시달렸고, 아동까지 일터로 내몰리는 등 노동 문제가 대두되었다. 한편 급속한 도시화로 환경 오염, 주택 부족, 교통 혼잡, 불결한 위생 등 각종 도시 문제가 발생하였다.

바로 알기 ① 차티스트 운동은 선거법 개정의 혜택을 받지 못한 영국의 노동자들이 전개한 운동이다. ② 브나로드 운동은 러시아의 지식인들이 전개한 농촌 계몽 운동이다. ③ 2차 인클로저 운동은 영국의 대지주들이 대규모 농업을 하기 위해 토지를 매입, 합병하여 사유지로 만든 운동이다. ④ 농노 해방령은 러시아의 알렉산드르 2세가 추진한 내정 개혁이다.

05 산업화가 진전되어 기계 공업이 발전하게 되면서 일부 노동자들은 기계에게 일자리를 빼앗겨 자신들의 삶이 비참해졌다고 여겨 기계 파괴 운동(러다이트 운동)을 벌였다.

06 (가)는 영국에서 제정된 공장법이다. 산업화가 확산되면서 유럽 각국에서는 임금 인상과 노동 조건 개선을 요구하는 노동 운동이 활발해졌다. 이에 각국 정부는 노동자들의 요구를 받아들여 다양한 해결책을 모색하였다. 영국에서는 공장법을 제정하여 장시간 노동을 제한하고 여성과 아동 노동자를 보호하였다.
바로 알기 ① 곡물법은 영국 정부가 수입 곡물에 관세를 부과한 법이다. ③ 심사법은 영국의 관리와 의원은 영국 국교도만 할 수 있다고 규정한 법률이다. ④ 항해법은 영국과 영국 식민지로 들어오는 수입품은 영국과 그 식민지 및 수출국의 선박을 이용하여 수송하도록 한 규정이다. ⑤ 인신 보호법은 영국 국왕에 의한 불법 체포나 구금을 금지한 법률이다.

07 밑줄 친 '이 사상'은 사회주의이다. 산업 혁명 이후 빈부 격차가 커지고 노동자의 어려운 삶이 계속되자 자본주의 체제의 문제점을 비판하는 사회주의가 등장하였다. 초기 사회주의 사상가인 생시몽, 오언 등은 협동을 통한 이상적인 공동체를 구상하였다. 이에 비해 마르크스와 엥겔스는 '과학적 사회주의'를 주장하였다. 이들은 자본가와 노동자 간의 계급 투쟁을 강조하였다. 이러한 사회주의의 영향으로 사회주의를 표방하는 단체와 정당이 출현하여 노동자의 권리 확보에 힘썼다.
바로 알기 ① 공리주의는 19세기 벤담과 밀이 제시하였으며, 영국의 자유주의 개혁에 영향을 주었다.

극비 노트 사회주의 사상가들의 주장

초기 사회주의	• 푸리에, 생시몽, 오언 등 • 자본가와 노동자의 타협과 협동을 통한 이상 사회 건설 추구	• 자본주의 체제의 사유 재산제 비판 • 공장을 비롯한 생산 수단을 사회 공동의 소유로 만들 것을 주장
'과학적 사회주의'	• 마르크스, 엥겔스 등 • 자본가와 노동자 간 계급 투쟁을 통한 공산주의 사회 건설 주장	

08 두 작품 모두 19세기 산업 혁명 시기에 그려진 것이다. 19세기 독일에서는 칸트와 피히테를 거쳐 헤겔이 관념론 철학을 완성하였다. 한편 생물학 분야에서 다윈은 『종의 기원』을 통해 생물들이 자연 선택의 과정을 거쳐 환경에 적응한 종만 살아남아 발전한다는 진화론을 주장하였다.
바로 알기 ㄱ. 에라스뮈스의 『우신예찬』은 르네상스 시기인 16세기에 저술되었다. ㄷ. 17세기 유럽에서 호화롭고 웅장한 바로크 양식이 유행하였다.

본문 81쪽

01 ④ 02 ⑤ 03 ③ 04 해설 참조

01 학생들은 영국의 산업 혁명에 대해 이야기하고 있다. 영국에서는 2차 인클로저 운동에 따라 토지를 잃은 농민들이 공장에 유입되어 노동력을 제공하였다. 이는 산업 혁명이 시작되는 배경이 되었다. 산업 혁명 시기에는 방직기와 방적기가 발명되어 기계를 이용한 공업이 발전하였는데, 여기에 증기 기관이 새로운 동력으로 사용되면서 공장제 기계 공업이 확산되고 생산량이 급속도로 증가하였다. 한편, 스티븐슨이 증기 기관차를 제작한 이후 각지에 철도가 부설되었다.
바로 알기 ④ 19세기 말 러시아가 시베리아 횡단 철도를 부설하여 산업화를 꾀하였다.

02 제시된 글은 19세기 산업 혁명이 본격화되면서 나타난 노동 문제를 보여 주고 있다. 산업 혁명이 전개되던 19세기경에는 유선 전신과 증기 기관차가 발명되었다. 이 시기 노동자들은 기계를 파괴하는 러다이트 운동을 벌이기도 하였으며, 일부 지식인들 사이에서는 사회주의 사상이 퍼졌다.
바로 알기 ⑤ 권리 청원 제출은 17세기 영국에서 볼 수 있었던 모습이다.

03 자료의 인물은 마르크스이다. 마르크스는 생시몽, 오언 등 초기 사회주의자들의 비현실성을 비판하면서 '과학적 사회주의'를 주장하였다. 그는 자본가와 노동자 간의 계급 투쟁을 강조하고 이를 통해 평등한 공산주의 사회가 도래할 것이라고 주장하였다.
바로 알기 ① 관념론 철학을 완성한 인물은 헤겔이다. ② 생시몽, 오언 등 초기 사회주의자들이 협동과 공동체를 강조하였다. ④ 마르크스는 자본주의의 사유 재산제를 비판하였다. ⑤ 영국의 노동자들이 차티스트 운동을 전개하였다.

서술형 문제

04 (1) 산업 혁명
(2) 예시 답안 산업 혁명으로 생산력이 비약적으로 증가하였으며, 교통과 통신이 발달하면서 전 세계가 가깝게 연결되었다. 그러나 각종 노동 문제와 도시 문제가 발생하였다.

채점 기준	배점
산업 혁명의 긍정적인 영향과 부정적인 영향을 모두 서술한 경우	상
산업 혁명의 긍정적인 영향과 부정적인 영향 중 한 가지만 서술한 경우	하

01 제국주의 열강의 침략과 동아시아의 민족 운동

1단계 개념 짚어 보기

본문 83쪽

01 사회 진화론　02 (1) × (2) ○ (3) ○　03 난징 조약
04 (1) ㄷ (2) ㄱ (3) ㄴ　05 중화민국　06 미일 화친 조약
07 메이지 유신　08 청일 전쟁

2단계 내신 다지기

본문 84~86쪽

01 ①	02 ⑤	03 네덜란드	04 ④	05 ②
06 ④	07 ②	08 ⑤	09 ⑤	10 ②
11 ⑤	12 ②	13 ②	14 ⑤	15 ④
16 ③	17 ①			

01 제시된 글은 제국주의 정책을 정리한 것이다. 19세기 후반 서양 열강은 우월한 군사력과 경제력을 바탕으로 식민지를 적극 확보하는 제국주의 팽창 정책을 추진하였다. 인종주의는 인종 사이에 유전적 우열이 있다고 믿는 이론으로, 제국주의를 옹호하는 사상적 기반이 되었다.

바로 알기 ② 왕권신수설은 절대 왕정과 관련이 있다. ③ 스콜라 철학은 중세 서유럽에서 발달하였다. ④ 조로아스터교는 페르시아에서 유행하였다. ⑤ '과학적 사회주의'는 산업 혁명 이후 자본주의 체제를 비판하면서 등장하였다.

극비 노트 제국주의의 등장

독점 자본주의 등장	• 소수의 거대 기업이 시장 독점 • 원료 공급지, 상품 판매 시장, 자본의 투자처 필요
침략적 민족주의 대두	• 산업화 과정에서 발생한 국내 문제 해결의 필요성 • 대외 팽창을 국가의 위신을 높이는 수단으로 인식
새로운 사상의 확산	사회 진화론과 인종주의가 제국주의 열강의 식민지 획득 경쟁 정당화

⬇

제국주의의 등장

서양 열강이 군사력과 경제력을 바탕으로 식민지 확보 경쟁 전개

02 다윈의 진화론을 사회 발전에 적용하여 설명한 이론은 사회 진화론이다. 스펜서는 사회 진화론을 통해 우월한 나라나 민족이 열등한 나라나 민족을 지배하는 것은 당연하다고 주장하였다. 사회 진화론은 서양 열강의 침략 행위를 정당화하는 데 이용되었다.

바로 알기 ① 사회 계약설은 절대 왕정의 왕권신수설에 반대하여 등장하였다. ② 사회 진화론은 제국주의를 정당화하는 데 이용되었다. ③ 사회주의가 자본주의의 불합리한 면을 비판하였다. ④ 뉴턴이 만유인력의 법칙을 발견하면서 기계론적 우주관이 확립되었다.

03 네덜란드는 17세기에 동인도 회사를 앞세워 인도네시아에 진출하여 향신료 무역을 독점하였다. 이후 네덜란드는 인도네시아에서 플랜테이션으로 막대한 이익을 얻었고, 수마트라섬과 보르네오섬까지 점령하여 네덜란드령 동인도를 건설하였다.

04 (가)는 영국이다. 인도에 진출한 영국은 동인도 회사를 앞세워 인도 무역을 주도하였고, 플라시 전투(1757)에서 프랑스를 물리친 후에는 인도에 대한 지배를 강화해 나갔다. 한편, 제국주의 열강은 태평양에도 진출하여 여러 섬을 점령하였는데 영국은 오스트레일리아와 뉴질랜드를 자치령으로 삼았다.

바로 알기 ①은 미국, ②, ⑤는 독일, ③은 네덜란드에 대한 설명이다.

05 (나)는 프랑스령 인도차이나이다. 프랑스는 서아프리카를 기점으로 아프리카를 동서로 연결하는 횡단 정책을 추진하였다. 아시아에서는 플라시 전투에서 영국에 패하였으나 청과의 전쟁에서 승리하여 베트남의 지배권을 장악하였고, 이후 베트남과 캄보디아, 라오스를 합쳐 프랑스령 인도차이나 연방을 수립하였다.

바로 알기 ① (가)는 인도, ⑤ (마)는 오스트레일리아로 모두 영국의 지배를 받았다. ③ (다)는 필리핀에 해당한다. 미국은 필리핀을 차지한 에스파냐와 전쟁에서 승리하여 필리핀을 식민지로 삼았다. ④ (라)는 인도네시아로, 네덜란드의 지배를 받았다.

06 밑줄 친 '이 지역'은 아프리카 대륙이다. 영국은 아프리카의 북부인 이집트 카이로와 남부인 케이프타운을 연결하는 종단 정책을 추진하였다.

바로 알기 ① 플라시 전투는 인도에서 일어났다. ② 보스턴 차 사건은 미국에서 일어났다. ③ 차티스트 운동은 영국에서 전개되었다. ⑤ 네덜란드령 동인도는 인도네시아 지역에 건설되었다.

07 5개 항구를 개항한 점, 공행을 폐지한 점을 통해 제시된 글이 제1차 아편 전쟁 이후 체결된 난징 조약임을 알 수 있다. 제1차 아편 전쟁은 영국의 삼각 무역으로 인해 적자에 시달리던 청 정부가 임칙서를 파견하여 아편을 몰수하면서 일어났다. 청과의 무역 확대를 꾀하던 영국은 이를 빌미로 전쟁을 일으켰다. 전쟁에서 패한 청은 난징 조약을 체결하여 영국에 홍콩을 할양하고 상하이 등 5개 항구를 개항하였다. 한편 아편 전쟁의 패배로 청 정부의 권위는 크게 떨어졌다.

바로 알기 ② 플라시 전투는 영국과 프랑스가 인도 지배를 두고 플라시에서 벌인 전투이다.

극비 노트 톈진 조약과 베이징 조약

톈진 조약, 1858
• 즈푸, 난징, 한커우, 타이난 등 10개 항구를 개방한다.
• 외국 공사의 베이징 주재 및 크리스트교 포교를 승인한다.

베이징 조약, 1860
• 톈진 항구를 추가로 개방하고, 주룽반도를 영국에 할양한다.
• 중국 노동자의 해외 이민을 허용한다.

제2차 아편 전쟁에서 패배한 청은 톈진 조약과 베이징 조약을 맺어 외국 공사의 베이징 주재 및 크리스트교의 포교를 허용하고 주룽반도 일부를 영국에 할양하였다.

08 제시된 글은 태평천국군이 발표한 천조 전무 제도이다. 태평천국군은 '만주족을 몰아내고 한족의 국가를 세우자(멸만흥한).'고

주장하며 한때 난징을 점령하였다. 이들은 천조 전무 제도를 통해 토지 균등 분배, 신분제 폐지 등을 내세워 농민의 지지를 얻었다. 그러나 태평천국 운동은 한인 신사층이 조직한 향용의 반격과 내부 분열 등으로 실패하였다.

바로 알기 ⑤ 입헌 군주제를 도입하고자 한 것은 변법자강 운동이다.

09 첫 번째 사건은 태평천국 운동으로 1851년부터 1864년까지 전개되었고, 두 번째 사건은 의화단 운동으로 1899년부터 1901년까지 전개되었다. 그 사이에 중국에서 있었던 일은 변법자강 운동이다. 1898년에 캉유웨이, 량치차오 등 개혁적 성향의 지식인들이 일본의 메이지 유신을 모방한 변법자강 운동을 추진하였다.

바로 알기 ① 중화민국이 수립된 것은 1912년이다. ② 1842년 난징 조약의 체결로 홍콩이 영국에 할양되었다. ③, ④ 1911년 청 정부가 민간 철도의 국유화를 시도하자 신군이 우창에서 봉기하였다.

10 사진은 이홍장이며, 제시된 글은 이홍장이 서양의 기술 수용을 주장한 것이다. 이홍장, 증국번 등은 중국의 전통 체제를 그대로 유지하면서 서양의 과학 기술만을 받아들여 부국강병을 이루려는 양무운동을 전개하였다.

바로 알기 ① 광서신정은 의화단 운동 이후 청 정부가 단행한 개혁이다. ③ 의화단 운동은 백련교 계통의 비밀 결사인 의화단 세력이 전개하였다. ④ 중국 동맹회는 쑨원이 조직하였다. ⑤ 천조 전무 제도는 태평천국 운동 세력이 발표하였다.

11 첫 번째 글은 정관잉, 두 번째 글은 캉유웨이의 주장으로, 모두 변법자강 운동과 관련이 있다. 캉유웨이, 정관잉 등 개혁적 성향의 지식인들은 일본의 메이지 유신을 본뜬 근대화 개혁을 시도하여 입헌 군주제 도입, 상공업 육성, 신식 군대 양성 등을 추진하였다. 그러나 보수파의 탄압으로 100일 만에 중단되었다.

바로 알기 ㄱ. 부청멸양을 내세운 것은 의화단 운동이다. ㄴ. 증국번, 이홍장 등이 주도한 것은 양무운동이다.

12 제시된 글은 의화단 운동에 대한 설명이다. 청은 의화단을 이용하여 열강에 대항하고자 열강에 선전 포고를 하였으나 의화단은 8개국 연합군에 의해 진압되었다. 그 결과 청은 열강과 신축조약을 맺어 막대한 배상금을 지불하고 외국 군대의 베이징 주둔을 허용하였다.

바로 알기 ① 변법자강 운동에 대한 반발로 무술정변이 일어났다. ③ 신해혁명을 일으킨 세력이 중화민국을 세웠다. ④ 아편 전쟁 이후 농민들의 생활이 궁핍해지자 홍수전이 만주족의 지배에 반기를 들며 태평천국 건설을 선언하였다. ⑤ 청일 전쟁은 청과 일본이 조선의 주도권을 둘러싸고 대립하는 과정에서 일어났다.

13 중국 동맹회를 조직하고 삼민주의를 주장한 인물은 쑨원이다. 쑨원은 신해혁명이 일어나자 중화민국의 임시 대총통에 추대되었다.

바로 알기 ① 민간 철도의 국유화는 청 정부가 추진하였다. ③은 변법자강 운동을 주도한 캉유웨이, 량치차오의 활동이다. ④는 태평천국 운동을 일으킨 홍수전의 활동이다. ⑤는 반크리스트교·반제국주의 운동을 펼친 의화단 세력의 활동이다.

14 우창에서 신군이 봉기하면서 전개된 점, 중국 최초의 공화정 정부가 수립되는 결과를 가져온 점 등을 통해 제시된 내용이 신해혁명에 대한 것임을 알 수 있다. 의화단 운동 이후 중국에서는 청 왕조를 몰아내려는 혁명 운동이 점차 확산되었다. 이러한 가운데 청 정부가 민간 철도를 국유화한 후 이를 담보로 외국 차관을 도입하려 하자 신해혁명이 일어났다.

바로 알기 ① 애로호 사건으로 제2차 아편 전쟁이 일어났다. ② 홍수전이 상제회를 조직한 후 태평천국 운동을 전개하였다. ③ 신해혁명 이후 위안스카이가 황제 즉위를 시도하였으나 실패하였다. ④ 영국의 인도산 아편 밀수출로 피해를 입은 청 정부가 임칙서를 보내 아편을 몰수하면서 제1차 아편 전쟁이 일어났다.

15 밑줄 친 '정부'는 메이지 정부이다. 메이지 정부는 적극적으로 서양 문물을 수용하는 문명개화 정책을 추진하였다. 번을 통폐합하여 현을 설치하고 중앙 정부가 직접 임명한 지사를 파견하는 폐번치현을 단행하였으며, 에도를 도쿄로 개명하여 수도로 삼았다. 또한 신분제를 폐지하였고, 징병제를 실시하여 근대적 군대를 육성하였다.

바로 알기 ④ 미일 수호 통상 조약은 에도 막부 시기인 1858년에 체결되었다.

16 제시된 헌법은 1868년 수립된 메이지 정부가 1889년에 발표한 일본 제국 헌법이다. 메이지 정부는 천황의 권한을 강조한 일본 제국 헌법을 공포하고 의회를 설립하여 입헌 군주국의 모습을 갖추었다.

바로 알기 ① 정한론은 메이지 정부 초기 일부 세력이 조선을 침략하자고 주장한 것이다. ② 청일 전쟁은 1894년부터 1895년까지 전개되었다. ④ 일본은 메이지 정부가 수립되기 이전인 1854년에 미국과 미일 화친 조약을 체결하여 문호를 개방하였다. ⑤ 메이지 정부는 사쓰마 번과 조슈 번이 주도하여 막부를 타도하고 세운 정권이다.

극비 노트 메이지 정부의 개혁 정책

정치	에도를 도쿄로 개칭하여 수도로 삼음, 국왕 중심의 중앙 집권 체제 수립, 봉건제 폐지(폐번치현 단행)
경제	토지와 조세 제도 개혁(막부와 각 번이 가지고 있던 토지세 징수권을 중앙 정부에 귀속시킴), 근대 산업 육성(공장 설립, 철도 부설 등)
사회	신분제 폐지(사민평등 선언), 의무 교육 제도 실시
군사	징병제 실시
외교	미국·유럽에 유학생과 사절단 파견(이와쿠라 사절단 등)

17 (가) 전쟁은 1894년부터 1895년까지 전개된 청일 전쟁이다. 조선에서 동학 농민 운동이 일어나자 일본은 조선에 군대를 파병하고 청군을 기습 공격하여 청일 전쟁을 일으켰다. 전쟁에서 승리한 일본은 시모노세키 조약을 맺어 청으로부터 랴오둥반도와 타이완을 할양받았다. 이에 러시아는 일본의 팽창을 견제하기 위해 삼국 간섭을 주도하였다.

바로 알기 ① 러시아가 만주와 한반도에 영향력을 확대하자 일본은 영일 동맹(1902)을 맺은 뒤 러일 전쟁을 일으켰다(1904).

3단계 등급 올리기

본문 87쪽

01 ② 02 ⑤ 03 ① 04 해설 참조

01 (가) 국가는 독일이다. ㄱ. 아프리카에 진출한 독일과 프랑스는 모로코를 둘러싸고 두 차례 대립하였다. ㄷ. 독일은 태평양에 진출하여 비스마르크 제도와 마셜 제도 등을 점령하였다.
바로 알기 ㄴ. 영국은 17세기에 동인도 회사를 앞세워 인도에 진출하였다. ㄹ. 네덜란드는 자와섬, 수마트라섬, 보르네오섬을 합쳐 네덜란드령 동인도를 건설하였다.

02 (가)는 제1차 아편 전쟁, (나)는 제2차 아편 전쟁이다. 영국은 애로호 사건을 계기로 프랑스와 연합하여 제2차 아편 전쟁을 일으켰다. 그 결과 청은 서양 열강과 톈진 조약을 체결하여 외국 공사의 베이징 주재 및 크리스트교 포교의 자유를 허용하였으며, 베이징 조약을 맺어 톈진 항구를 개항하고 주룽반도의 일부를 영국에 할양하였다.
바로 알기 ① 애로호 사건을 계기로 제2차 아편 전쟁이 일어났다. ②, ③은 백련교 계통의 비밀 결사인 의화단이 일으킨 의화단 운동과 관련이 있다. ④ 제1차 아편 전쟁의 결과 공행 무역이 폐지되었다.

극비 노트 제1·2차 아편 전쟁

구분	제1차 아편 전쟁	제2차 아편 전쟁
배경	영국의 인도산 아편 밀매 → 임칙서의 아편 몰수	영국의 조약 개정 요구 → 애로호 사건 발생
전개	영국의 청 공격 → 청의 패배	영국과 프랑스의 청 공격 → 청의 패배
결과	난징 조약 체결	톈진 조약·베이징 조약 체결

03 첫 번째 사건은 1904년에 시작된 러일 전쟁으로, 포츠머스 조약이 체결되면서 1905년에 마무리되었다. 두 번째 사건은 신해혁명으로, 청 정부가 민간 철도를 국유화하여 외국의 차관을 얻으려 한 것을 계기로 1911년에 일어났다. 두 사건 사이 시기인 1910년에 대한 제국이 일본에 강제로 병합되었다.
바로 알기 ② 1876년에 조선과 일본이 강화도 조약을 체결하였다. ③ 신해혁명 이후인 1915년에 위안스카이가 황제 제도의 부활을 시도하였으나 실패하였다. ④ 청과 일본이 조선의 지배권을 둘러싸고 1894년부터 1895년까지 청일 전쟁을 벌였다. ⑤ 일본은 1854년 미국과 미일 화친 조약을 체결하고 문호를 개방하였다.

서술형 문제

04 (1) 신축조약(베이징 의정서)
(2) 예시 답안 청은 신축조약에 따라 제국주의 열강에 막대한 배상금을 지불하고, 외국 군대의 베이징 주둔을 허용하였다.

채점 기준	배점
배상금 지불, 외국 군대의 베이징 주둔 허용을 서술한 경우	상
위 내용 중 한 가지만 서술한 경우	하

02 인도와 동남아시아, 서아시아와 아프리카의 민족 운동

1단계 개념 짚어 보기

본문 89쪽

01 세포이의 항쟁 02 벵골 분할령 03 (1) × (2) ○ (3) ○
04 탄지마트(은혜 개혁) 05 청년 튀르크당 06 와하브 운동
07 아라비 파샤 08 (1) ㄱ (2) ㄷ (3) ㄴ

2단계 내신 다지기

본문 90쪽

01 ③ 02 ⑤ 03 ② 04 ③
05 이집트 06 ③

01 (가) 플라시 전투는 1757년에 시작되었고, (나) 인도 통치 개선법은 1858년에 제정되었다. 1857년에 시작된 세포이의 항쟁을 계기로 영국은 인도를 직접 지배하기 위해 무굴 제국의 황제를 폐위하고 인도 통치 개선법을 제정하였다.
바로 알기 ①은 1905년, ②는 1906년, ④는 1885년, ⑤는 1600년의 일이다.

02 '벵골 분할', '스와데시' 등의 내용을 통해 제시된 글이 인도 국민 회의의 활동과 관련이 있음을 알 수 있다. 영국이 벵골 분할령을 발표하자 인도 국민 회의는 콜카타 대회를 열어 4대 강령을 채택하고 반영 운동에 앞장섰다. 인도인의 저항이 계속되자 영국은 벵골 분할령을 취소하고 명목상 인도인의 자치를 인정하였다.
바로 알기 ① 통킹 의숙은 베트남에서 설립되었다. ②, ④ 세포이의 항쟁의 영향으로 인도 통치 개선법이 제정되고 동인도 회사가 해체되었다. ③ 마라타 동맹은 18세기 초에 결성되었다.

03 제시된 글은 인도네시아에서 전개된 민족 운동에 대한 것이다. 인도네시아에서는 카르티니가 민족 운동과 여성 교육 운동에 앞장서 인도네시아에 최초의 여학교를 세웠다. 한편, 지식인과 이슬람교도 상인들은 이슬람 동맹을 결성하여 외국 상인의 세력 확대와 크리스트교 선교 활동에 저항하였다.

04 (가)는 오스만 제국이 추진한 탄지마트로, 오스만 제국은 부국강병을 이루기 위해 탄지마트를 단행하였다. 이를 통해 중앙 집권적인 행정 체계를 마련하고 세금 제도와 교육 제도를 서구식으로 바꾸었으며, 군제 개혁을 추진하여 징병제를 실시하였다. 그러나 탄지마트는 보수 세력의 거센 반발로 성과가 미흡하였다.
바로 알기 ③ 청년 튀르크당은 탄지마트가 중단된 이후 결성되었다.

05 이집트에서는 무함마드 알리가 근대화를 추진하고 아라비 파샤 중심의 군부가 반영 운동을 전개하였다.

06 영국의 침략을 받은 줄루족은 이산들와나 전투에서 영국군을 물리쳤으나, 이어진 전투에서 패하여 영국의 지배를 받게 되었다.

바로 알기 ①은 탄자니아, ②는 수단, ④, ⑤는 에티오피아에서 일어난 민족 운동에 해당한다.

3단계 등급 올리기

본문 91쪽

01 ③ 02 ⑤ 03 ④ 04 해설 참조

01 밑줄 친 '봉기'는 세포이의 항쟁이다. 1857년에 일어난 세포이의 항쟁을 계기로 영국은 무굴 제국의 황제를 폐위하고 인도 통치 개선법을 제정하였다.

바로 알기 ① 인도 국민 회의는 1885년에 결성되었다. ② 전 인도 이슬람교도 연맹은 1906년에 결성되었다. ④는 인도 국민 회의의 활동과 관련이 있다. ⑤는 브라흐마 사마지 운동에 대한 설명이다.

02 (가)는 베트남이다. 베트남에서는 1885년 유학자들이 황제의 권력을 회복하기 위한 근왕 운동을 일으켰으나 프랑스군에 진압되었다. 이후 판보이쩌우가 청년들을 일본에 유학 보내 근대 문물을 배우도록 하는 동유 운동을 전개하였으며, 판쩌우찐이 통킹 의숙 설립에 참여하여 문맹 퇴치와 근대 사상 보급에 앞장섰다.

바로 알기 ①은 필리핀, ②는 태국, ③은 인도, ④는 인도네시아에서 일어난 민족 운동에 대한 설명이다.

03 (가)는 이란, (나)는 오스만 제국이다. ㄴ. 이란의 카자르 왕조가 영국 상인에게 담배 제조 및 판매 독점권을 주자 상인과 이슬람 성직자들은 담배 불매 운동을 벌였다. ㄹ. 오스만 제국이 실시한 탄지마트의 성과가 미흡하자 미드하트 파샤를 비롯한 개혁 세력은 입헌 군주제 실시, 의회 설립 등의 내용을 담은 헌법을 공포하였다.

바로 알기 ㄱ은 아랍 지역, ㄷ은 이집트에서 일어난 민족 운동에 대한 설명이다.

극비 노트 서아시아의 민족 운동

오스만 제국	오스만 제국의 쇠퇴 → 탄지마트 실시 → 미드하트 파샤의 개혁 추진 → 청년 튀르크당의 혁명 전개
아라비아 반도	압둘 와하브 주도로 와하브 운동 전개 → 민족 운동으로 발전 → 사우디아라비아 왕국 건설에 영향을 줌
이란	영국의 이권 침탈에 저항하여 담배 불매 운동 전개 → 혁명 세력이 국민 의회 수립, 입헌 군주제 헌법 제정

서술형 문제

04 (1) 에티오피아

(2) 예시 답안 19세기 후반 에티오피아에서는 메넬리크 2세가 분열된 에티오피아를 통일하여 신식 군대를 만들고 철도를 부설하는 등 근대화 정책을 추진하였다.

채점 기준	배점
메넬리크 2세가 추진한 근대화 정책을 사례를 들어 서술한 경우	상
메넬리크 2세가 근대화 정책을 추진하였다고만 서술한 경우	하

03 두 차례의 세계 대전

1단계 개념 짚어 보기

본문 93쪽

01 (1) × (2) ○ 02 레닌 03 베르사유 조약 04 (1) ㄱ (2) ㄷ (3) ㄴ 05 뉴딜 정책 06 히틀러 07 노르망디 상륙 작전 08 국제 연합(UN)

2단계 내신 다지기

본문 94~96쪽

01 ⑤ 02 ④ 03 ③ 04 ③ 05 ②
06 ⑤ 07 ④ 08 ① 09 5·4 운동 10 ②
11 ③ 12 ③ 13 ① 14 ② 15 ①
16 ④

01 제시된 글은 1914년에 일어난 사라예보 사건이다. 19세기 후반 국제적으로 긴장이 고조되는 가운데 독일은 프랑스를 고립시키기 위해 오스트리아·헝가리 제국, 이탈리아와 3국 동맹을 맺었다(1882). 이에 맞서 영국과 프랑스는 러시아를 끌어들여 3국 협상을 맺고(1907) 독일의 팽창을 견제하였다. 발칸반도에서도 위기감이 고조되었는데 러시아는 범슬라브주의를, 독일은 범게르만주의를 내세우며 세력을 확대하였다.

바로 알기 ㄱ. 1929년 뉴욕 증권 거래소의 주가 대폭락을 시작으로 미국에서 대공황이 발생하였다. ㄴ. 대공황이 전 세계로 확산되자 독일은 국제 연맹을 탈퇴하고 재무장에 나섰다.

02 지도는 제1차 세계 대전의 전개 과정을 보여 준다. 제1차 세계 대전은 국가의 모든 인력과 물자가 총동원되는 총력전으로 전개되었고, 기관총, 전차, 독가스 등 다양한 신무기들이 투입되어 엄청난 물적 손실과 인적 손실을 낳았다.

바로 알기 ①, ②, ③, ⑤는 제2차 세계 대전에 대한 설명이다.

극비 노트 제1차 세계 대전과 제2차 세계 대전

구분	제1차 세계 대전	제2차 세계 대전
배경	3국 동맹과 3국 협상의 대립, 발칸반도의 분쟁	대공황의 시작과 전체주의의 대두
전개	사라예보 사건 발생 → 오스트리아·헝가리 제국이 세르비아에 선전 포고 → 독일의 벨기에 침공, 무제한 잠수함 작전 전개 → 미국의 참전 → 러시아의 전선 이탈 → 독일 항복	독일의 폴란드 침공 → 독일의 파리 함락 → 일본의 진주만 침공 → 미국의 미드웨이 해전 승리 → 독일의 스탈린그라드 전투 패배 → 연합군의 노르망디 상륙 작전 성공 → 독일, 일본 항복
결과	참호전, 총력전, 신무기 등장 → 인적·물적 피해 발생	대량 학살, 대량 살상 무기 사용 → 인적·물적 피해 발생

03 제시된 글은 러시아에서 일어난 피의 일요일 사건에 대한 설명이다. 피의 일요일 사건 이후 노동자와 농민의 시위가 계속되자

니콜라이 2세는 이를 무마하기 위해 헌법 제정, 두마(국회) 설치 등을 약속하였다.

바로 알기 ① 농노 해방령 발표, ② 브나로드 운동, ⑤ 데카브리스트의 봉기는 모두 피의 일요일 사건 이전의 일이다. ④ 신경제 정책의 폐기는 스탈린이 추진한 것으로 피의 일요일 사건과 관련이 없다.

04 피의 일요일 사건(1905) 이후 총파업이 발생하자 니콜라이 2세는 이를 무마하기 위해 헌법 제정, 두마(국회) 설치 등을 약속하였다. 그러나 전제 정치가 계속되고 국민들의 생활이 더욱 어려워지자 노동자와 군인은 소비에트를 조직하여 제정을 무너뜨리고 임시 정부를 수립하였다(1917. 3.). 이후 임시 정부가 개혁을 미루고 전쟁을 지속하자 레닌이 이끄는 볼셰비키가 11월 혁명을 일으켜 임시 정부를 무너뜨리고 소비에트 정부를 수립하였다(1917. 11.).

바로 알기 ① 경제 개발 5개년 계획 추진, ② 코민테른 결성, ④ 신경제 정책(NEP) 추진, ⑤ 스탈린그라드 전투는 모두 11월 혁명 이후의 일이다.

05 코민테른을 결성하고 토지를 국유화한 인물은 레닌이다. 임시 정부가 개혁을 미루자 레닌이 이끄는 볼셰비키가 11월 혁명을 일으켰다. 이후 레닌은 공산당 일당 독재를 선언하고 독일과 브레스트리토프스크 조약을 맺었다. 1922년에는 반혁명 세력을 진압하고 소비에트 사회주의 공화국 연방(소련)을 수립하였다.

바로 알기 ② 경제 개발 5개년 계획은 레닌에 이어 집권한 스탈린이 추진하였다.

06 밑줄 친 '조약'은 베르사유 조약이다. 제1차 세계 대전이 끝나고 전후 처리 문제를 논의하기 위해 파리 강화 회의가 개최되었고, 그 결과 베르사유 조약이 체결되었다. 이 조약에 따라 독일은 모든 해외 식민지를 상실하고 알자스·로렌 지방을 프랑스에 양도하였으며, 군비를 대폭 축소하고 막대한 전쟁 배상금을 물어야 했다. 이처럼 베르사유 조약은 승전국의 이익이 우선적으로 고려되었고, 독일에 보복적인 측면이 강하였다.

바로 알기 ⑤ 제2차 세계 대전이 종결된 이후 독일은 미국, 영국, 프랑스, 소련에 의해 분할 점령되었다.

극비 노트 베르사유 조약

제45조 독일은 자르 하류에 있는 탄광 지대의 절대적인 소유권 및 독점 채굴권을 프랑스에 넘겨준다.
제119조 독일은 해외 식민지에 관한 모든 권리와 요구를 동맹국과 연합국의 주요 국가에 넘겨준다.
제235조 독일은 …… 200억 마르크에 해당하는 액수를 지불해야 한다.

제1차 세계 대전이 끝나고 전승국과 독일은 전승국의 이익을 보장하고 패전국인 독일을 응징하는 내용의 베르사유 조약을 체결하였다(1919). 베르사유 조약은 독일에 가혹한 책임을 지움으로써 향후 독일 국민의 불만을 키우는 계기가 되었다.

07 그래프는 제1차 세계 대전의 패전국이었던 독일의 배상금 축소 과정을 보여 준다. 베르사유 조약에 따라 독일은 천문학적인 액수의 배상금을 지불하여야 했고, 이로 인해 독일 경제는 타격을 입게 되었다. 결국 유럽 각국은 독일의 전쟁 배상금 부담을 덜어 주기 위해 도스안과 영안을 결의하였다.

바로 알기 ① 베를린 회의는 제국주의 열강의 아프리카 분할 점령 원칙을 정하기 위해 비스마르크의 주도로 개최되었다. ② 카이로 회담은 제2차 세계 대전 중 개최되었다. ③ 3국 방공 협정은 1937년 독일, 이탈리아, 일본이 체결하였다. ⑤ 국제 연합(UN)은 제2차 세계 대전이 종결된 후 창설되었다.

08 제1차 세계 대전 종결을 전후하여 유럽의 민주주의는 크게 발전하였다. 독일에서는 혁명이 일어나 제정이 무너지고 바이마르 공화국이 수립되었다. 오스트리아·헝가리 제국과 오스만 제국에서도 제정이 붕괴되고 공화정이 수립되었다. 아울러 패전국의 지배를 받던 여러 민족이 독립하여 유럽에는 폴란드를 비롯한 많은 신생 독립국이 생겨났다. 또한 재산에 따른 선거권 제한이 사라지고 여성에게도 선거권이 부여되었다.

바로 알기 ①은 1871년의 일이다. 제1차 세계 대전 종결을 전후하여 독일에서는 혁명이 일어나 바이마르 공화국이 수립되었다.

09 파리 강화 회의에서 산둥반도의 이권이 일본으로 넘어가자, 중국에서는 베이징의 학생들을 중심으로 산둥반도의 이권 반환과 21개조 요구의 철회를 촉구하는 5·4 운동이 전개되었다.

10 제시된 글은 시안 사건에 대한 설명이다. 일본의 중국 침략이 본격화되자 중국에서는 내전을 중지하고 일본의 침략에 맞서 싸우자는 요구가 거세졌다. 이러한 상황에서 장쉐량이 장제스를 감금하고 내전 중지와 항일 투쟁을 요구한 시안 사건(1936)이 일어났다. 중국 국민당 정부와 공산당은 시안 사건을 계기로 제2차 국공 합작을 성사시켜 항일 투쟁의 통일 전선을 형성하였다.

바로 알기 ①은 1912년, ③은 1905년, ④는 1934~1936년, ⑤는 1919년에 있었던 일이다.

11 (가)는 튀르키예 공화국의 초대 대통령인 무스타파 케말이다. 무스타파 케말은 제1차 세계 대전 이후 청년 장교들과 함께 술탄 정부를 타도하고 튀르키예 공화국을 수립하였다. 이후 로마자 표기법을 도입하여 터키어를 표기하고, 근대 교육 제도를 시행하였으며, 여성의 참정권을 인정하는 등 근대화 정책을 추진하였다.

바로 알기 ① 탄지마트는 오스만 제국의 개혁 세력이 1839년에 추진한 정책이다. ② 소금 행진은 인도에서 간디가 전개하였다. ④ 수에즈 운하는 이집트에서 건설하였다. ⑤ 후사인·맥마흔 협정은 영국 외교관 맥마흔이 아랍인 지도자에게 아랍 민족의 독립과 아랍 국가의 건설을 약속한 것이다.

12 첫 번째 글은 후사인·맥마흔 협정(1915), 두 번째 글은 밸푸어 선언(1917)이다. 제1차 세계 대전 중 영국은 밸푸어 선언을 통해 팔레스타인에 유대인 국가를 건설하는 것을 지지하겠다고 약속하였다. 그러나 이는 아랍 민족의 독립과 아랍 국가의 건설을 약속한 후사인·맥마흔 협정과 모순된 일이었다. 이후 밸푸어 선언에 따라 유대인이 팔레스타인에 이스라엘을 건국하면서 팔레스타인 지역을 둘러싸고 유대인과 아랍인 사이에 분쟁이 일어났다.

바로 알기 ① 소금 행진은 인도에서 전개되었다. ② 와하브 운동은 18세기에 아라비아반도에서 일어났다. ④는 오스만 제국, ⑤는 이란에서 전개된 민족 운동과 관련이 있다.

13 제시된 글은 미국의 루스벨트 대통령이 추진한 뉴딜 정책의 내용이다. 뉴딜 정책은 대공황(1929)의 위기를 극복하는 과정에서 추진되었고 생산량 조절, 대규모 공공사업 시행, 노동자의 권리 보장, 사회 보장 제도 실시 등을 주요 내용으로 하였다.

바로 알기 ② 전체주의는 독일, 이탈리아, 일본에서 나타났다. ③ 독점 자본주의는 소수의 거대 기업이 시장을 지배하는 것으로, 제국주의의 등장과 관련이 있다. ④ 대공황이 발생하자 미국 정부는 자유방임주의를 일부 포기하였다. ⑤ 제2차 세계 대전은 1939년부터 1945년까지 전개되었다.

14 제시된 글은 이탈리아의 무솔리니가 발표한 파시즘 독트린으로, 개인의 희생을 바탕으로 국가의 이익을 추구하는 전체주의 사상이 드러나 있다. 전체주의의 영향으로 이탈리아의 무솔리니는 파시스트당을 조직하고 로마로 진군하여 정권을 장악하였다.

바로 알기 ① 미국은 대공황을 극복하기 위해 뉴딜 정책을 추진하였다. ③ 제2차 세계 대전 직전 독일은 오스트리아를 강제로 합병하고 체코슬로바키아의 수데텐 지방까지 점령하였다. ④ 제2차 세계 대전 당시 미국은 일본의 항복을 받아내기 위해 히로시마와 나가사키에 원자 폭탄을 투하하였다. ⑤ 제2차 세계 대전 중 독일은 게르만 민족주의를 내세워 유대인을 학살하였다.

15 (가) 전쟁은 제2차 세계 대전이다. 제2차 세계 대전은 일본의 진주만 공격과 그에 따른 미국의 참전으로 아시아·태평양 지역까지 확산되었다. 이후 연합군의 노르망디 상륙 작전이 성공을 거두면서 전쟁은 연합군에게 유리한 양상으로 전개되었다. 한편, 제2차 세계 대전은 난징 대학살과 홀로코스트 같은 대량 학살이 자행되어 많은 인적 피해가 발생하였다. 전쟁이 끝난 후에는 뉘른베르크와 도쿄에서 전쟁 범죄자 처벌을 위한 군사 재판이 열렸다.

바로 알기 ① 사라예보 사건을 계기로 오스트리아·헝가리 제국이 세르비아에 선전 포고를 하면서 제1차 세계 대전이 발발하였다.

16 제시된 글은 국제 연합(UN) 헌장이다. 제2차 세계 대전 이후 평화 유지를 목적으로 출범한 국제 연합(UN)은 안전 보장 이사회의 결의가 총회보다 우선하고 미국, 소련 등의 5개 상임 이사국에 거부권을 주는 등 강대국의 이해에 좌우되는 한계를 보였다.

바로 알기 ㄱ. 국제 연합(UN)은 국제적 분쟁을 제재할 무력 수단을 갖추었다. ㄷ. 뉘른베르크와 도쿄 재판에서 제2차 세계 대전의 범죄자 처벌이 이루어졌다.

극비 노트 국제 연합(UN) 헌장

> 제1조 국제 평화와 안전을 유지한다. …… 평화를 파괴하는 행위를 진압하기 위하여 효과적인 집단적 조치를 취하고, 나아가 평화를 깨뜨리는 모든 국제 분쟁과 사태를 평화적 수단에 따라, 정의와 국제법의 원칙에 따라 조정하거나 해결한다.
> 제42조 안전 보장 이사회는 정해진 조치로는 불충분하다고 추정되거나 불충분한 것으로 판명된 경우, 국제 평화와 안전을 유지하고 회복하는 데 필요한 육·해·공군에 의한 행동을 취할 수 있다.

국제 연합(UN)은 제2차 세계 대전 이후 세계 평화의 필요성에 대한 공감대를 토대로 출범하였다. 회원국이 모두 참여하는 총회를 중심으로 각종 이사회와 산하 기구를 두었으며, 분쟁 지역에 평화 유지군을 파견하였다.

3단계 등급 올리기

본문 97쪽

01 ⑤ 02 ③ 03 ② 04 해설 참조

01 제시된 글은 독일의 바이마르 헌법이다. 제1차 세계 대전 종결을 전후하여 유럽의 민주주의는 크게 발전하였다. 독일에서는 혁명이 일어나 제정이 무너지고 바이마르 공화국이 수립되었다(1919). 오스트리아·헝가리 제국과 오스만 제국에서도 제정이 붕괴되고 공화정이 수립되었다.

바로 알기 ① 히틀러는 1933년에 독일 총통으로 취임하였다. ② 제2차 세계 대전이 끝나고 뉘른베르크와 도쿄에서 군사 재판이 열렸다. ③ 3국 방공 협정은 1937년에 체결되었다. ④ 대공황은 1929년에 미국에서 시작되어 전 세계로 확산되었다.

02 (가)는 인도, (나)는 베트남이다. 영국이 인도에서 롤럿법을 제정하는 등 인도인에 대한 탄압을 강화하자, 간디는 롤럿법의 폐지와 자치를 요구하며 비폭력·불복종 운동을 전개하였다.

바로 알기 ① 판보이쩌우가 민족 운동을 전개한 것은 베트남이다. ② 인도네시아의 수카르노는 인도네시아 국민당을 결성하고 반네덜란드 독립운동을 주도하였다. ④ 필리핀의 호세 리살은 에스파냐인과 필리핀인의 동등한 대우를 요구하며 필리핀 연맹을 조직하였다. ⑤ 태국에서는 제1차 세계 대전 이후 청년 장교들이 쿠데타를 일으켜 입헌 군주제를 실시하였다.

03 밑줄 친 '이 전쟁'은 제2차 세계 대전이다. 제2차 세계 대전 당시 독일은 폴란드의 아우슈비츠 수용소에 유대인을 가두어 학살하였다. 독일의 폴란드 공격으로 시작된 제2차 세계 대전은 일본이 진주만을 기습 공격하면서 아시아·태평양 지역까지 확산되었다. 한편, 서부 유럽의 대부분을 장악한 독일군은 독소 불가침 조약을 파기하고 소련을 침공하였으나, 스탈린그라드 전투에서 패하였다. 이후 연합군의 노르망디 상륙 작전이 성공을 거두면서 전세가 연합군으로 기울게 되었고, 마침내 독일이 항복을 선언하였다. 이후 미국이 일본에 원자 폭탄을 투하하자 일본도 무조건 항복을 선언하였다.

바로 알기 ② 킬 군항에서 독일군이 일으킨 반란을 계기로 독일 정부가 무조건 항복을 선언함으로써 제1차 세계 대전이 종결되었다.

서술형 문제

04 (1) 대공황

(2) **예시 답안** 대공황이 전 세계로 확산되자 영국, 프랑스 등은 자국과 식민지를 하나의 경제권으로 만들고 그 안에서만 교류하는 블록 경제를 형성하였다.

채점 기준	배점
영국과 프랑스가 본국과 식민지를 하나의 경제권으로 만드는 블록 경제를 형성하였다고 서술한 경우	상
영국과 프랑스가 블록 경제를 형성하였다고만 서술한 경우	하

냉전의 전개와 오늘날의 세계

1단계 개념 짚어 보기

본문 100쪽

01 냉전 (체제)	02 (1) ○ (2) ×	03 제3 세계
04 ㄷ, ㄹ, ㅂ	05 고르바초프	06 톈안먼 사건
07 카슈미르	08 세계 무역 기구(WTO)	

2단계 내신 다지기

본문 100~103쪽

01 ③	02 ②	03 ④	04 ④	05 ⑤
06 대약진 운동		07 ③	08 ④	09 ⑤
10 ⑤	11 ④	12 ③	13 ④	14 ③
15 ①	16 ③	17 ①	18 ④	

01 제시된 글은 1947년에 미국 대통령 트루먼이 발표한 트루먼 독트린이다. 트루먼은 그리스와 튀르키예에서 공산주의 세력이 확대되자 공산주의 침략을 받는 지역에 군사적·경제적 원조를 한다는 외교 방침을 발표하여 공산주의의 확산을 막으려고 하였다.

바로알기 ① 노예제 확대에 반대한 링컨이 대통령에 당선되자 남부가 연방에서 탈퇴하면서 남북 전쟁이 일어났다. ② 제1차 세계 대전의 전후 처리 과정에서 국제 연맹이 창설되었다. ④ 유럽의 아메리카 간섭을 막겠다는 것은 미국의 먼로 대통령이 발표한 선언에 해당된다. ⑤ 카이로 회담과 포츠담 회담에서 일본의 무조건 항복을 요구하였다.

02 미국은 트루먼 독트린 발표 이후 유럽 경제의 재건을 위해 유럽 국가에 대규모 경제 원조 기금을 제공한다는 마셜 계획을 추진하였다. 마셜 계획의 경제 지원 대상은 유럽의 모든 국가였으나, 소련이 자국의 영향권에 있던 국가의 참여를 막아 서유럽 국가로 한정되었다.

바로알기 ① 코메콘은 동유럽 경제 협력 기구이다. ③ 1955년 아시아·아프리카 대표들이 반둥 회의에서 '평화 10원칙'을 채택하였다. ④ 대약진 운동은 중국의 마오쩌둥이 추진한 공산주의 경제 건설 운동이다. ⑤ 헬싱키 협약은 1975년 주권 존중, 전쟁 방지 등을 핵심으로 체결된 국제 협약이다.

03 (가) 국가는 미국, (나) 국가는 소련이다. 소련은 미국, 영국, 프랑스가 서베를린 지역을 하나의 경제 단위로 통합하자 서독에서 베를린으로 가는 길을 봉쇄하여 서베를린을 고립시켰다.

바로알기 ①은 소련, ②는 독일, ③은 영국과 관련된 내용이다. ⑤ 카슈미르를 두고 인도와 파키스탄이 충돌하였다.

04 밑줄 친 '전쟁'은 베트남 전쟁이다. 미국은 공산주의 확대를 막는다는 명분으로 베트남 전쟁에 참전하였으나 전쟁이 장기화되면서 재정 부담이 커지고, 국제적인 반전 여론도 크게 일어났다. 이러한 상황에서 미국은 1969년 베트남 전쟁과 같은 미국의 군사적 개입을 피하겠다는 내용의 닉슨 독트린을 발표하였으며, 이후 베트남 전쟁에서 군대를 철수하였다.

바로알기 ① 1991년에 소련이 해체되었다. ② 제네바 협정 이후 베트남이 남북으로 분단되었다. ③ 트루먼 독트린은 1947년에 미국이 공산주의의 확대를 저지할 목적으로 발표한 것이다. ⑤ 1955년 반둥 회의에서 아시아·아프리카 29개국 대표가 모여 '평화 10원칙'을 채택하면서 제3 세계의 성립이 공식화되었다.

05 미국과 소련을 중심으로 하는 냉전 체제가 형성되면서 자본주의 진영과 공산주의 진영이 곳곳에서 대립하였다. 한반도에서 냉전의 영향으로 남북한 정부가 각각 수립된 후 1950년 6·25 전쟁이 발발하였다. 한편, 소련이 쿠바에 미사일 기지를 건설하려 하자 미국이 쿠바 해상을 봉쇄하면서 미국과 소련 양국이 핵전쟁 직전의 상황까지 가기도 하였다(쿠바 미사일 위기, 1962).

바로알기 ① 베르사유 체제는 제1차 세계 대전 직후에 성립되었다. ② 6·25 전쟁과 쿠바 미사일 위기는 냉전 시기에 일어난 일이다. ③ 일본은 만주 사변(1931) 이후 제국주의 침략 전쟁을 확대하였다. ④ 진주만 기습은 제2차 세계 대전 중인 1941년에 일어났다.

극비 노트 냉전 체제의 형성과 전개

형성	미국 중심의 자본주의 진영과 소련 중심의 공산주의 진영 간의 대립
전개	베를린 봉쇄, 독일 분단, 6·25 전쟁 발발, 베트남 전쟁 발발, 쿠바 미사일 위기 발생

06 1950년대 말부터 중국은 인민공사를 중심으로 산업 발달과 공산주의 경제 건설을 도모하려는 대약진 운동을 전개하였다. 그러나 기술 부족, 노동 의욕 저하, 자연재해 등으로 실패하였다.

07 (가) 인물은 중국의 마오쩌둥이다. 마오쩌둥은 공산주의 경제 건설을 추진하는 대약진 운동을 전개하였으나 실패하면서 정치적 위기에 빠졌다. 이에 문화 대혁명을 추진하여 실용적인 경제 개혁을 내세우던 자신의 반대 세력을 몰아내고 권력을 더욱 강화하였다. 이 기간 동안 중국의 전통문화가 파괴되고 수많은 예술인과 지식인이 탄압을 받았다.

바로알기 ①, ④ 삼민주의를 내세웠으며, 중화민국의 임시 대총통이 된 인물은 쑨원이다. ②는 장쉐량, ⑤는 덩샤오핑에 대한 설명이다.

08 제2차 세계 대전 이후 아시아와 아프리카의 여러 국가들이 유럽의 식민 지배에서 벗어나 독립을 쟁취하였다. ㄴ. 인도는 영국으로부터 독립하였으나 종교 갈등으로 다시 분열하여 인도 연방과 파키스탄으로 분리되었다. ㄹ. 알제리는 프랑스와 전쟁을 벌인 끝에 독립하였다.

바로알기 ㄱ. 인도 국민 회의는 1885년에 결성되었다. ㄷ. 파쇼다 사건은 1898년에 일어났다.

09 제시된 글은 '평화 10원칙'이다. 1955년에 열린 반둥 회의(아시아·아프리카 회의)에서 아시아·아프리카 29개국 대표가 '평화 10원칙'을 채택하였다. 그 결과 자본주의 진영과 공산주의 진영 중 어느 편에도 가담하지 않는 제3 세계가 성립하였다. 이는 냉전 체제가 완화되는 데 영향을 주었다.

바로 알기 ① 1944년에 열린 브레턴우즈 회의 이후 자유 무역이 활성화될 수 있는 경제 질서인 브레턴우즈 체제가 형성되었다. ② 소련의 개혁·개방 움직임의 영향을 받은 동유럽 공산주의 국가들이 민주주의와 시장 경제 제도를 받아들였다. ③ 미국이 마셜 계획으로 서유럽에 경제 원조를 하였다. ④ 밸푸어 선언과 팔레스타인 분할안을 배경으로 유대인이 팔레스타인 지역에 이스라엘을 세웠다.

10 제시된 글은 1969년에 닉슨 대통령이 발표한 닉슨 독트린의 내용이다. 닉슨 대통령은 이 발표를 통해 더 이상 아시아에서 벌어지는 내란이나 침략에 개입하지 않겠다고 선언하였는데, 이를 계기로 미국은 베트남 전쟁에서 군대를 철수하였다.
바로 알기 ① 6·25 전쟁은 1950년에 발발하였다. ② 미국은 1947년 마셜 계획을 발표하였다. ③ 쿠바 미사일 위기는 1962년에 일어났다. ④ 미국은 1823년 먼로 선언을 통해 아메리카에 대한 유럽의 불간섭을 주장하였다.

11 1960년대 이후 화해와 평화를 지향하는 국제 분위기가 형성되면서 냉전 체제가 완화되었다. 닉슨 독트린 발표 이후 미국의 닉슨 대통령은 중국과 소련을 차례로 방문하여 관계 개선에 나섰다. 이에 따라 소련과 전략 무기 제한 협정(SALT)을 체결하고 중국과 국교를 맺었다. 유럽에서는 서독 총리 브란트의 동방 정책에 힘입어 동독과 서독이 국제 연합(UN)에 동시 가입하였다. 또한 35개국이 헬싱키 협약을 맺어 상호 협력의 기초를 마련하였다.
바로 알기 ④ 베를린 봉쇄는 냉전 체제의 확대와 관련된 사건이다.

극비 노트 **냉전 체제의 변화**

냉전 체제의 완화
제3 세계 등장, 중국과 소련의 이념 논쟁, 닉슨 독트린 발표, 서독 총리 브란트의 동방 정책 추진, 헬싱키 협약 체결, 동유럽에서 자유화 운동 전개 등
⬇
공산주의권의 붕괴
소련의 해체, 독일 통일, 동유럽 공산주의권의 몰락, 중국의 개혁·개방 정책 추진

12 제시된 글에서 페레스트로이카 정책을 추진한다고 언급한 것, 이를 통해 민주적인 사회로 평화롭게 이행하고자 함을 밝힌 것 등을 통해 이 연설을 발표한 인물이 소련의 고르바초프임을 알 수 있다. 고르바초프는 1980년대에 페레스트로이카(개혁)와 글라스노스트(개방)를 내세우며 정치 민주화와 시장 경제 체제 도입을 추진하였다. 이러한 개혁·개방 정책은 소련 해체의 직접적인 배경이 되었다.
바로 알기 ① 소비에트 정부를 수립한 인물은 레닌이다. ② 피의 일요일 사건은 1905년 러시아 노동자들의 시위에 정부군이 발포하여 많은 사상자가 발생한 사건이다. ④ 러시아, 영국, 프랑스가 1907년에 3국 협상을 결성하였다. ⑤ 독립 국가 연합(CIS)의 결성을 주도한 인물은 옐친이다.

13 소련에서는 고르바초프의 개혁·개방 정책 이후 권력을 장악한 옐친이 독립 국가 연합(CIS)을 결성하기로 결의하면서 소련이 공식적으로 해체되었다(1991). 동유럽 공산주의 국가들은 소련의 개혁·개방 움직임의 영향을 받아 민주주의와 시장 경제 체제를 받아들였다. 체코슬로바키아에서는 1989년 공산당 정권이 붕괴되는 벨벳 혁명이 일어났고, 유고슬라비아에서는 민족주의가 대두하면서 1992년 유고슬라비아 연방이 해체되었다. 한편, 이 시기 독일에서는 베를린 장벽이 무너지고 동독이 서독에 흡수되는 형태로 통일이 이루어졌다(1990).
바로 알기 ④ 소련과 서독이 불가침 협정을 맺은 것은 1972년에 일어난 일이다.

14 1970년대 말 마오쩌둥이 사망한 후 정권을 잡은 덩샤오핑은 개혁·개방 정책을 펼쳐 시장 경제 체제를 일부 도입하였다. 개혁·개방 정책으로 경제가 성장하자 정치 민주화를 요구하는 목소리가 높아졌고 결국 1989년에는 학생과 지식인들이 톈안먼 광장에서 민주화를 요구하는 시위를 벌였다. 중국 정부가 이를 무력으로 진압하여 수천 명의 인명 피해가 발생하였다.
바로 알기 ① 중국이 6·25 전쟁에 개입한 것은 1950년의 일이다. ② 베이징 올림픽 대회 개최는 2008년의 일이다. ④ 중국의 세계 무역 기구(WTO) 가입은 2001년의 일이다. ⑤ 중화 인민 공화국 수립은 1949년의 일이다.

극비 노트 **덩샤오핑의 개혁·개방 정책**

> 1984년 나는 광저우에 와 본 적이 있습니다. 당시 농촌 개혁은 한 지 몇 년 되지 않았고, 경제특구도 이제 막 시작한 초보 단계였습니다. …… 이번에 와 보니 선전과 주하이 경제특구, 기타 몇몇 지방은 내가 전혀 예상하지 못할 정도로 발전이 빠릅니다. …… 사회주의 기본 제도가 확립된 다음, 생산력의 발전을 속박하는 경제 체제를 근본적으로 바꾸어 생기와 활력에 찬 사회주의 경제 체제를 건립하고, 생산력의 발전을 촉진하는 것이 개혁입니다. – 남순강화, 1992

1970년대 말 집권한 중국의 덩샤오핑은 개혁·개방 정책을 실시하여 중국에 시장 경제 체제를 일부 도입하였다. 덩샤오핑은 톈안먼 사건 이후 보수파들이 개혁·개방 정책을 비판하자 1992년 경제특구를 순방하면서 개혁·개방의 중요성을 역설하였다. 훗날 덩샤오핑의 이 순방을 '남방을 순회하면서 개혁·개방을 촉구한 일련의 연설'이라는 뜻의 남순강화라고 불렀다.

15 지도는 팔레스타인과 이스라엘의 분쟁 상황을 보여 준다. 아랍인과 유대인 사이의 갈등은 영국이 아랍 세력과 맺은 후사인·맥마흔 협정과 유대인과 맺은 밸푸어 선언이 양 세력의 이해관계 속에서 충돌하면서 일어났다. 이후 팔레스타인 지역에 유대인들이 이스라엘을 세우면서 아랍인과 유대인 간에 중동 전쟁이 일어났다. 아랍인이 조직한 팔레스타인 해방 기구(PLO)와 이스라엘은 1994년 평화 협상을 체결하고 팔레스타인 자치 정부를 수립하였으나 분쟁 상황은 계속되고 있다.
바로 알기 ② 냉전 체제가 형성되면서 베를린을 동서로 나누는 베를린 장벽이 설치되었다. ③ 르완다에서는 다수 민족인 후투족과 소수 민족인 투치족 간의 분쟁으로 수십만 명이 학살되었다. ④ 미국, 소련과 군사 동맹을 맺지 않은 국가들이 제1차 비동맹 회의를 열어 협력을 결의하였다. ⑤ 서독의 브란트 총리가 실시한 동방 정책은 냉전의 완화에 영향을 주었다.

16 밑줄 친 '이 회의'는 브레턴우즈 회의이다. 이 회의에 따라 국제 통화 기금(IMF)과 국제 부흥 개발 은행(IBRD)이 설립되었다.

바로 알기 ① 마스트리흐트 조약은 유럽 공동체(EC)의 12개국이 유럽 연합(EU)을 설립하는 데 합의한 조약으로 1992년 조인되었다. ② 대공황을 극복하기 위해 미국은 뉴딜 정책을 추진하였다. ④ 브레턴우즈 회의는 제2차 세계 대전 중에 세계 경제 질서 재편과 무역 자유화에 대해 논의하기 위해 열렸다. ⑤ 도스안 통과는 제1차 세계 대전의 전후 처리 과정에서 있었던 일이다.

17 세계화에 따라 세계 무역 기구(WTO)가 설립되었고, 자유 무역 협정(FTA) 체결이 늘어나고 있다. 또한 각 지역의 문화가 다양한 매체를 통해 전 세계에 공유되면서 사람들은 국적이나 인종에 구애받지 않고 공감대를 형성하고 있다. 한편, 세계화는 빈부 격차 심화, 문화적 다양성 축소 등의 부작용을 낳기도 한다.

바로 알기 ① 세계화에 따라 정부의 규제 완화와 자유로운 시장 활동을 내세운 신자유주의가 제기되었다.

18 지구 온난화, 오존층 파괴, 사막화 등의 환경 문제가 전 지구적인 문제로 떠오르자 세계 각국은 이를 공동으로 해결하기 위한 노력을 전개하였다. 이러한 노력의 일환으로 1992년 '환경과 개발에 관한 공동 선언(리우 선언)'이 발표되었고, 1997년 산업 국가들의 온실가스 배출량 감축을 위한 교토 의정서가 체결되었다.

바로 알기 ㄱ. 코민포름은 소련 및 동유럽의 정치적 상황을 분석하는 역할을 하였던 공산당 정보국이다. ㄷ. 반둥 회의에서 아시아·아프리카 대표들이 '평화 10원칙'을 채택하였다.

3단계 등급 올리기

본문 104쪽

01 ① **02** ③ **03** ⑤ **04** 해설 참조

01 지도의 (가)는 제2차 세계 대전 이후 유럽의 재건을 위해 미국이 추진한 유럽 원조 계획인 마셜 계획에 해당한다. 마셜 계획은 공산주의 확산을 방지하려는 트루먼 독트린을 구체화한 정책이다. 마셜 계획의 경제 지원 대상은 유럽의 모든 국가였으나, 소련이 자국의 영향권에 있던 국가들의 참여를 막으면서 서유럽 국가로 한정되었다.

바로 알기 ② 제1차 세계 대전 이후 평화를 위한 논의 결과 국제 연맹이 창설되었다. ③ 쿠바 미사일 위기는 1962년에 일어났다. ④ 소련과 독일의 상호 불가침 조약은 제2차 세계 대전 발발 직전에 체결되었다. ⑤ 미국의 닉슨 독트린 발표 이후 긴장 완화의 분위기가 조성되었다.

극비 노트 트루먼 독트린과 닉슨 독트린

트루먼 독트린	미국의 트루먼 대통령이 공산주의 침략을 받는 지역에 정치적·군사적 원조를 제공하겠다는 내용의 외교 방침 발표(1947) → 유럽 원조 계획인 마셜 계획 추진
닉슨 독트린	미국의 닉슨 대통령이 아시아에서 벌어지는 내란이나 침략에 개입하지 않겠다는 내용의 외교 방침 발표(1969) → 긴장 완화(데탕트)의 분위기 조성

02 제시된 신문 기사에서 인도의 네루와 중국의 저우언라이가 만나 합의하였다고 한 것을 통해 밑줄 친 '평화 원칙'이 '평화 5원칙'임을 알 수 있다. 이 원칙의 합의를 계기로 1955년에 반둥 회의(아시아·아프리카 회의)가 개최되었다.

바로 알기 ① 제1차 세계 대전의 전후 처리 과정에서 미국 대통령 윌슨이 민족 자결주의를 제시하였다. ② 제2차 세계 대전의 전후 처리 과정에서 평화 유지와 국제 협력을 목적으로 국제 연합(UN)이 창설되었다. ④ 1944년에 열린 브레턴우즈 회의의 결과 브레턴우즈 체제가 형성되었다. ⑤ 제2차 세계 대전 종전 이후 독일의 뉘른베르크에서 전범 재판이 열렸다.

03 인도는 영국으로부터 독립할 당시 종교에 따라 힌두교도 중심인 인도와 이슬람교도 중심인 파키스탄으로 분리되었다. 그러나 이슬람교도가 대부분인 카슈미르 지역이 인도에 강제 편입되면서 인도와 파키스탄 간에 전쟁이 일어났다. 카슈미르 지역은 인도령과 파키스탄령으로 분할되었으나 국경선이 명확하지 않아 갈등이 지속되고 있다.

바로 알기 ① 체코슬로바키아에서는 하벨이 주도하는 민주화 운동으로 공산당 정권이 무너지는 벨벳 혁명이 일어났다. ② 팔레스타인 지역에서 이스라엘과 아랍 민족 간 중동 전쟁이 일어났다. ③ 키프로스에서 그리스계와 터키계 민족이 충돌하고 있다. ④ 르완다에서 다수족인 후투족과 소수족인 투치족 간에 분쟁이 발생하였다.

서술형 문제

04 (1) 톈안먼 사건

(2) 예시 답안 시장 경제 체제를 일부 도입하고, 동남부 연안의 도시에 경제특구를 설치하였으며, 수출 주도형 경제 발전 전략을 추진하는 등 개방 정책을 실시하였다.

채점 기준	배점
시장 경제 체제 일부 도입, 경제특구 설치, 수출 주도형 경제 발전 전략 추진을 언급하여 개방 정책을 실시하였다고 서술한 경우	상
개방 정책을 실시하였다고만 서술한 경우	하

내공 점검

Ⅰ 인류의 출현과 문명의 발생 106쪽

01 ② 02 ① 03 ④ 04 ⑤ 05 ②
06 해설 참조

01 제시된 글에서 약 350만 년 전의 발자국이고 두 발로 서서 걸었다는 내용을 통해 밑줄 친 '인류'가 오스트랄로피테쿠스에 속한 인류임을 알 수 있다. 오스트랄로피테쿠스는 두 발로 서서 걷고 간단한 도구를 사용하였다.
바로 알기 ① 호모 에렉투스는 불을 이용하고 언어로 의사소통을 하였다. ③ 라스코 동굴에 벽화를 그린 인류는 호모 사피엔스이다. ④ 호모 네안데르탈렌시스는 시체를 매장하는 풍습을 지녔는데, 이를 통해 사후 세계의 관념을 형성하였음을 알 수 있다. ⑤ 황색, 백색, 흑색 인종의 형질을 갖춘 인류는 호모 사피엔스이다.

02 (가)는 구석기 시대에 그려진 알타미라 동굴 벽화, (나)는 신석기 시대에 그려진 타실리나제르 벽화이다. ② 구석기 시대에는 다산과 풍요를 기원하며 풍만한 여인상을 조각하기도 하였는데, 빌렌도르프의 비너스 조각상이 대표적이다. ③, ④ 신석기 시대에는 베틀과 뼈바늘로 옷을 지어 입었고 간석기를 사용하였다. ⑤ 구석기 시대와 신석기 시대는 평등한 사회였다.
바로 알기 ① 신석기 시대에 농경과 목축이 시작되어 인간이 식량을 생산하는 단계로 접어들었다.

03 제시된 글은 메소포타미아 문명의 성립과 발전에 대한 설명이다. 기원전 3500년경 티그리스강과 유프라테스강 사이의 비옥한 지대에서 수메르인이 도시 국가를 세워 메소포타미아 문명을 일으켰다. 이 문명 사람들은 점토판에 쐐기 문자로 기록을 남겼다.
바로 알기 ① 중국의 주 왕조에서 봉건제를 실시하였다. ② 아리아인이 인도 지역에 정착한 후 원주민을 지배하기 위해 카스트제를 만들었다. ③ 이집트 문명 사람들은 내세를 믿어 피라미드를 만들었다. ⑤ 드라비다인이 세운 것으로 추정되는 인도 문명에서 모헨조다로와 같은 계획도시가 건설되었다.

04 유물은 이집트 문명에서 제작된 「사자의 서」이다. 이집트의 왕 파라오는 태양신 '라'의 아들이자 살아 있는 신으로서 절대 권력을 갖고 신권 정치를 실시하였다.
바로 알기 ① 함무라비왕은 바빌로니아 왕국의 전성기를 이끌었다. ② 아리아인이 인도 지역에 정착한 이후 카스트제를 만들었다. ③ 구석기 시대 사람들이 사냥의 성공 등을 기원하며 라스코 동굴 벽화를 그렸다. ④ 중국 상 왕조가 은허를 중심으로 황허강 일대를 통치하였다.

05 지도는 주 왕조의 세력 범위를 표시한 것으로, (가)는 주 왕조이다. 기원전 11세기경 상을 멸망시킨 주는 호경에 도읍하고 황허강 유역을 지배하였다. 이후 주 왕실의 권위가 약화되면서 주는 견융족의 침입을 받아 낙읍(뤄양)으로 천도하였다. ② 주의 왕은 직할지를 직접 다스리고 나머지 지역은 친족과 공신들을 제후로 삼아 다스리게 하는 봉건제를 실시하였다.
바로 알기 ① 갑골문은 상 왕조에서 사용되었다. ③ 브라만교는 인도 문명에서 성립되었다. ④ 메소포타미아 지역에서 형성된 바빌로니아 왕국은 함무라비왕 때 전성기를 이루었다. ⑤ 이집트 문명에서는 내세적 신앙이 발달하여 미라를 만들고 무덤에 「사자의 서」를 넣기도 하였다.

주관식+서술형 문제

06 (1) 바빌로니아 왕국
(2) 예시 답안 바빌로니아 왕국에서 사유 재산과 계급이 존재하였고 법이 신분에 따라 차등 적용되었음을 알 수 있다.

채점 기준	배점
사유 재산과 계급 존재, 신분에 따른 법의 적용을 모두 서술한 경우	상
사유 재산과 계급 존재, 신분에 따른 법의 적용 중 한 가지만 서술한 경우	하

Ⅱ 동아시아 지역의 역사 107~109쪽

01 ③ 02 ③ 03 ④ 04 ② 05 ④
06 ④ 07 ③ 08 ① 09 ① 10 ④
11 ② 12 ④ 13 ② 14 ⑤ 15 ②
16 신사(층) 17 해설 참조

01 제시된 글은 춘추 전국 시대에 대한 설명이다. 춘추 전국 시대에 제후국들이 부국강병을 추진하면서 능력 있는 인재를 등용하였는데, 이 과정에서 유가, 도가, 법가, 묵가와 같은 제자백가가 등장하였다.
바로 알기 ① 오수전은 한 대에 전국으로 유통되었다. ② 한에서 사마천이 기전체 역사서인 『사기』를 저술하였다. ④ 한 대에 호족들이 향거리선제를 통해 관료로 진출하였다. ⑤ 한을 세운 고조가 군국제를 실시하였다.

02 전국 7웅이 서로 각축전을 벌이다가 중국을 통일하였다는 내용을 통해 밑줄 친 '나라'는 진(秦)임을 알 수 있다. 진의 시황제는 전국의 화폐와 도량형, 문자를 통일하였다.
바로 알기 ①은 후한, ②는 주, ④는 한, ⑤는 춘추 전국 시대에 대한 설명이다.

03 지도는 한의 영역에 해당한다. 한 무제는 군현제를 전국적으로 실시하여 중앙 집권 체제를 강화하였으며, 동중서의 건의를 받아들여 유교를 통치 이념으로 삼았다. 대외 확장에도 힘써 남쪽의 남월과 동쪽의 고조선을 정복하고 군현을 설치하였다. 한편, 무제는 잦은 대외 원정으로 재정이 부족해지자 소금과 철을 국가에서 전매하는 정책을 실시하였다.
바로 알기 ④ 과거제는 수 대에 처음 시행되었다.

04 도표는 위진 남북조 시대의 왕조 변천을 정리한 것으로, 5호 16국을 통합한 (가)는 북위이다. 북위의 효문제는 한화 정책을 추진하여 선비족의 복장과 언어를 금지하고 중국식 성을 사용하게 하였다.

바로 알기 ① 분서갱유는 진의 시황제가 단행하였다. ③『오경정의』는 당 대에 편찬되었다. ④ 한 무제는 대월지와 동맹을 맺고 흉노를 견제하기 위해 장건을 서역에 파견하였다. ⑤ 당삼채는 당 대에 만들어진 도자기이다.

05 자료의 대진 경교 유행 중국비, 당삼채, 호선무 등을 통해 보고서가 당 문화의 특징에 대한 것임을 알 수 있다. 대진 경교 유행 중국비에는 로마에서 전래된 경교와 관련된 기록이 있고, 당삼채에는 낙타, 서역인, 서역 악기 등이 모습이 표현되어 있다. 둔황 석굴에는 페르시아식 춤을 추는 무용수가 그려져 있다. 이는 당 대에 국제적인 문화가 발전하였음을 보여 준다.

바로 알기 ① 일본에서 헤이안 시대에 국풍 문화가 발달하였다. ② 송 대 이후 서민 문화가 발달하였다. ③ 청담 사상은 위진 남북조 시대에 유행하였다. ⑤ 동아시아 문화권의 공통 요소는 유교, 불교, 율령, 한자이다. 따라서 제시된 자료를 통해 동아시아 문화권을 추론하는 것은 적절하지 않다.

06 그림은 황제가 직접 시험을 주관하는 전시의 모습을 그린 것이다. 전시를 도입한 송 태조(조광윤)는 절도사의 권한을 회수하고 황제 중심의 중앙 집권 체제를 강화하였다.

바로 알기 ① 명 태조(홍무제, 주원장)는 민중을 교화하기 위해 육유를 반포하였다. ② 청의 강희제는 오삼계 등이 일으킨 삼번의 난을 진압하였다. ③ 명의 영락제는 환관 정화에게 여러 차례에 걸쳐 대규모 항해를 추진하게 하였다. ⑤ 명 태조는 토지 대장인 어린도책과 조세 대장 겸 호적 대장인 부역황책을 마련하고 이를 바탕으로 세금과 요역을 징수하였다.

07 거란이 세운 요는 강력한 국력을 바탕으로 송과 전연의 맹약을 맺고 평화를 보장해 주는 대가로 막대한 물자를 받았다. 이로 인해 재정난에 시달린 송에서는 신종이 왕안석을 등용하여 재정 수입의 확대와 부국강병을 위한 신법을 단행하였다. 그러나 이 개혁이 실패한 이후 송의 국력은 더욱 약화되었다. 결국 여진이 세운 금이 송의 수도 카이펑을 함락하고 황제를 포로로 끌고 가는 정강의 변을 일으켰다.

바로 알기 ① 요 건국, ② 발해 멸망, ④ 요의 연운 16주 획득은 전연의 맹약 이전의 일이다. ⑤ 쿠빌라이 칸의 대도 천도는 정강의 변 이후의 일이다.

08 「청명상하도」는 송의 수도 카이펑의 번화한 모습을 그린 것이다. 따라서 밑줄 친 '이 왕조'는 송이다. ② 송 대에는 각종 학교와 서원이 증가하고 과거제가 강화되면서 관료로 등용된 학자 관료층인 사대부가 지배층으로 성장하였다. ③ 송은 광저우와 항저우 등에 시박사를 설치하여 무역 사무를 맡아보게 하였다. ④ 송 대에 창장강 이남에 참파 벼가 도입되어 농업 생산력이 증가하였다. ⑤ 송 대에는 잡극이 공연되고 구어체 소설이 발달하는 등 서민 문화가 발달하였다.

바로 알기 ① 교초는 원 대의 지폐이다. 송은 거래 규모가 커지고 전황이 계속되자 교자와 회자 등의 지폐를 만들어 사용하였다.

09 (가)는 색목인, (나)는 남인이다. ① 원은 색목인의 상업적·재정적 능력을 인정하여 중간층으로 우대하면서 재정 업무 등을 담당하게 하였다.

바로 알기 ② 한 대에 향거리선제가 실시되었다. ③ (가)가 색목인이다. ④ 한 대에 황건적의 난이 일어났다. ⑤ 조용조는 당 대의 세금 제도이다.

10 제시된 글은 원의 쿠빌라이가 고려와 연합하여 가마쿠라 막부 시기에 일본을 두 차례 침입한 사건을 보여 준다. 이를 막아 내는 과정에서 태풍이 불어와 고려와 원의 연합군이 크게 피해를 입었다. 이 사건을 계기로 일본에서는 일본이 신의 보호를 받는 나라라는 신국 사상이 퍼졌다. 그러나 전쟁에 동원된 무사들이 보상을 받지 못하였고 계속 군역 부담을 지면서 경제적으로 궁핍해졌다. 결국 무사들이 막부에 반발하면서 봉건 질서가 동요하여 가마쿠라 막부는 쇠퇴해 갔다.

바로 알기 ㄱ. 에도 막부에서 난학이 발달하였다. ㄷ. 헤이안 시대에 국풍 문화가 발달하였다.

11 제시된 글은 명의 태조(홍무제)가 시행한 이갑제에 대한 설명이다. 홍무제는 유교를 부흥시키기 위해 학교를 세우고 과거제를 정비하였으며 육유를 만들어 백성에게 보급하였다. 그리고 토지 대장(어린도책)과 조세 대장 겸 호적 대장(부역황책)을 정비하여 이를 바탕으로 세금과 요역을 징수하였다. 또한 재상제를 폐지하여 황제권을 강화하였다.

바로 알기 ② 명의 영락제가 내각 대학사를 설치하였다.

12 제시된 글에서 '청 왕조의 황제', '삼번의 난 평정', '네르친스크 조약 체결' 등의 내용을 통해 이 자서전이 강희제와 관련이 있음을 알 수 있다. 강희제는 타이완의 반청 세력을 제압하였다.

바로 알기 ①, ③ 청의 옹정제는 군기처를 설치하고 비밀 상주문 제도를 도입하여 모든 정보와 결정권을 장악함으로써 황제 독재권을 강화하였다. ②, ⑤ 명의 영락제는 자금성을 건설하여 베이징으로 수도를 옮기고 대외 팽창 정책을 추진하였다. 그리고 환관 정화에게 명하여 인도와 아프리카 동해안까지 진출하는 대규모 해양 원정단을 여러 차례 파견하였다.

13 16세기경 신항로 개척 이후 중국 내에 은 유통량이 증가하면서 명·청 대에 은이 화폐로 사용되고 은으로 세금을 내는 일조편법(명)과 지정은제(청)가 시행되었다.

바로 알기 ① 이갑제는 명의 홍무제가 관리의 수탈을 줄일 목적으로 실시한 제도이다. ③ 문자의 옥은 청이 한족을 강압적으로 다스린 정책이다. ④ 교자와 회자는 송 대에 유통된 지폐이다. ⑤ 만한 병용제는 청이 한족을 회유할 목적으로 시행한 정책이다.

14 지도는 명 대에 마테오 리치가 제작한 「곤여만국전도」이다. ⑤ 명 대에 양명학을 제창한 왕수인은 심즉리설과 지행합일설을 주장하였다.

바로 알기 ① 청에서는 인두세를 토지세에 합쳐 은으로 징수하는 지정은제를 시행하였다. ② 일본의 에도 막부는 해외로 나가는 선박에 막부의 도장을 찍은 슈인장(주인장)을 주어 공신력을 높였다. ③ 9품중정제는 위진 남북조 시대의 관리 선발 제도이다. ④ 청은 18세기 후반 해금 정책을 강화하여 광저우 한 곳만 개항하고 공행을 설치하여 무역을 관리하였다.

15 (가)는 에도 막부이다. 에도 막부 시대에는 상업이 발전하면서 상인들이 가부나카마라는 동업 조합을 조직하였으며, 상인층이 향유한 조닌 문화가 발달하였다. 한편 에도 막부에는 네덜란드인으로부터 서양의 학문과 지식이 전해졌는데, 이를 연구하는 난학이 발달하였다. 대외적으로 에도 막부는 해외로 나가는 상인들에게 무역 허가증을 주는 슈인장(주인장) 무역을 시행하였다.

바로 알기 ② 전국 시대를 통일한 도요토미 히데요시가 임진왜란을 일으켰다. 이후 도쿠가와 이에야스가 에도 막부를 열었다.

주관식+서술형 문제

16 명·청 대의 지배층을 이룬 신사는 지방 행정을 운영하면서 여러 특권을 누렸다.

17 (1) (가) 요, (나) 금

(2) 예시 답안 요와 금은 정복 지역을 효과적으로 통치하면서 자신들의 전통과 정체성을 유지하기 위해 농경민과 유목민을 분리하여 통치하는 이중 지배 체제를 채택하였다.

채점 기준	배점
정복 지역의 효과적 통치, 자신들의 전통과 정체성 유지를 모두 서술한 경우	상
정복 지역의 효과적 통치, 자신들의 전통과 정체성 유지 중 일부만 서술한 경우	하

Ⅲ 서아시아·인도 지역의 역사 110~111쪽

01 ④ 02 ② 03 ④ 04 ② 05 ①
06 ④ 07 ⑤ 08 ③ 09 ①
10 (가) 데브시르메 제도, (나) 티마르제 11 해설 참조

01 지도에서 수사와 페르세폴리스가 수도이고, '왕의 길'을 건설한 것을 통해 지도가 아케메네스 왕조 페르시아의 영역을 표시한 것임을 알 수 있다. 아케메네스 왕조 페르시아는 피지배 민족에게 관용 정책을 펼쳤다.

바로 알기 ① 티마르제는 오스만 제국에서 실시되었다. ② 사산 왕조 페르시아는 조로아스터교를 국교로 삼았다. ③ 인도의 마우리아 왕조가 상좌부 불교를 동남아시아에 전파하였다. ⑤ 티무르는 몽골 제국의 재건을 내걸고 티무르 왕조를 세웠다.

02 정통 칼리프 시대에 제4대 칼리프 알리가 살해되자, 시리아 총독 무아위야가 칼리프가 되어 우마이야 왕조를 열었다. 이후 우마이야 왕조는 아바스 왕조에 멸망하였다. 따라서 (가)는 우마이야 왕조이다. 우마이야 왕조는 아랍인 우월주의를 표방하면서 아랍인을 우대하고 아랍인 외의 이슬람교도를 차별하는 정책을 펼쳐 비아랍인의 불만을 샀다.

바로 알기 ① 마니교는 사산 왕조 페르시아 시기에 창시되었다. ③ 정통 칼리프 시대에 칼리프가 선출되었다. 우마이야 왕조에서는 우마이야 가문이 칼리프를 세습하였다. ④ 정통 칼리프 시대에 이슬람 세력이 사산 왕조 페르시아를 정복하였다. ⑤ 데브시르메 제도는 오스만 제국에서 실시되었다.

03 '아바스 가문이 비아랍인 불만 세력과 시아파의 도움을 받아 건국', '탈라스 전투에서 승리' 내용을 통해 밑줄 친 '이 왕조'가 아바스 왕조임을 알 수 있다. 아바스 왕조는 모든 이슬람교도의 평등을 표방하여 범이슬람 제국으로 발전하였다.

바로 알기 ① 예니체리는 오스만 제국에서 운영된 술탄의 친위 부대이다. ② 사파비 왕조는 페르시아의 민족의식 부흥에 힘써 군주의 칭호로 '샤'를 사용하였다. ③ 오스만 제국에서 술탄 아흐메트 사원이 건축되었다. ⑤ 마우리아 왕조에서 아소카왕이 불교 진흥 정책을 펼쳤다.

04 부와이 왕조를 정복하였고 크리스트교 세계와 십자군 전쟁을 벌였으며 왕실의 내분이 일어난 내용을 통해 제시된 탐구 활동이 셀주크 튀르크의 발전과 쇠퇴에 대한 것임을 알 수 있다. 셀주크 튀르크는 11세기경 부와이 왕조를 무너뜨리고 바그다드에 입성하여 칼리프를 보호하였다. 이에 아바스 왕조의 칼리프는 셀주크 튀르크의 왕에게 정치적 지배자를 뜻하는 '술탄'이라는 칭호와 정치적 실권을 위임하였다.

바로 알기 ① 무굴 제국에서 인도·이슬람 문화가 발전하였다. ③ 티무르 왕조에서 중계 무역이 발달하면서 수도 사마르칸트가 번영하였다. ④ 사파비 왕조가 시아파 이슬람교를 국교로 삼았다. ⑤ 티마르제와 데브시르메 제도는 오스만 제국에서 실시되었다.

05 자료는 메흐메트 2세의 콘스탄티노폴리스 함락과 관련이 있다. 오스만 제국의 메흐메트 2세는 비잔티움 제국의 수도 콘스탄티노폴리스를 점령한 후 이름을 이스탄불로 바꾸어 수도로 삼았다. ㄱ. 오스만 제국은 셀림 1세 때 술탄이 칼리프의 칭호까지 획득하여 이슬람 세계의 최고 지배자로 군림하였다. ㄴ. 오스만 제국은 유럽의 연합 함대를 무찔러 지중해의 해상권을 장악하였다.

바로 알기 ㄷ. 마우리아 왕조의 아소카왕은 동남아시아 지역에 승려와 사절을 파견하여 불교를 포교하였다. ㄹ. 오스만 제국은 다양한 민족의 종교, 언어, 전통을 인정하는 관용 정책을 펼쳐 제국을 안정시켰다.

06 제시된 글은 마우리아 왕조의 아소카왕이 새긴 돌기둥 비문의 일부이다. 아소카왕은 칼링가 전투를 계기로 전쟁의 참혹함을 깨닫고 불교에 귀의하였다. 그리고 불교를 적극적으로 장려하여 불교 경전을 정리하고 곳곳에 스투파(불탑)를 세웠으며 주변 지역에 포교단을 파견하였다.

바로 알기 ① 중국 진과 한 왕조 등에서 군현제가 실시되었다. ② 무굴 제국의 바부르가 델리 술탄 왕조를 정복하였다. ③ 진의 시황제가 분서갱유를 단행하여 사상을 통제하였다. ⑤ 아케메네스 왕조 페르시아의 다리우스 1세가 '왕의 귀'라고 불린 감찰관을 속주에 파견하여 총독을 감시하게 하였다.

07 (가)는 이슬람교, (나)는 힌두교에 대한 설명이다. 유대교와 크리스트교의 영향을 받아 성립된 이슬람교에서는 인간 평등을 주장하였다. 한편, 힌두교에서는 카스트에 따른 의무 수행을 중시하였다. 각 카스트의 생활 방식을 규정한 『마누 법전』은 힌두교도의 일상생활에 영향을 주었다.
바로 알기 ⑤는 이슬람교에만 해당한다. 이슬람교에서는 알라를 유일신으로 섬겼으나, 힌두교에서는 브라흐마, 비슈누, 시바 등 다양한 신을 숭배하였다.

08 지도는 굽타 왕조의 영역과 영향권을 표시한 것이고, 사진은 아잔타 제1 석굴의 연화수 보살상이다. 따라서 (가)는 굽타 왕조이다. 굽타 왕조 시대에는 산스크리트어가 공용어가 되면서 산스크리트 문학이 발달하였다.
바로 알기 ① 아케메네스 왕조 페르시아의 다리우스 1세가 '왕의 길'을 건설하였다. ② 쿠샨 왕조 시기에 간다라 지방에서 인도 문화와 헬레니즘 문화가 융합된 간다라 양식이 등장하였다. ④ 무굴 제국 시기에 마라타 동맹이 반란을 일으켰다. ⑤ 카니슈카왕은 쿠샨 왕조의 왕이다.

09 제시된 글에는 무굴 제국의 아크바르 황제가 종교적으로 관용 정책을 펼치겠다는 의지가 드러나 있다. 따라서 밑줄 친 '나'는 아크바르 황제이다. 아크바르 황제는 힌두교도를 이슬람교도와 차별 없이 관료로 임명하였고, 지즈야(인두세)를 폐지하여 힌두교도의 환영을 받았다.
바로 알기 ② 탈라스 전투는 아바스 왕조와 당 사이에 일어났다. ③ 아크바르 황제는 지즈야를 폐지하였으나, 이후 아우랑제브 황제가 지즈야를 부활시켰다. ④ 예니체리 군단은 오스만 제국에서 운영된 술탄의 친위 부대이다. ⑤ 셀주크 튀르크의 왕이 아바스 왕조의 칼리프로부터 술탄의 칭호를 받았다.

주관식+서술형 문제

10 오스만 제국에서는 데브시르메 제도로 크리스트교도 청소년을 징집하여 예니체리나 관료로 육성하였고, 술탄의 직할지를 제외한 지역을 다스리는 관료나 군인들에게 토지에 대한 징세권을 주는 티마르제를 실시하였다.

11 예시 답안 힌두교에서 카스트에 따른 의무 수행을 강조하여 직업 세습에 의한 카스트제가 인도 사회에 정착되어 갔다.

채점 기준	배점
힌두교에서 카스트에 따른 의무 수행을 강조하여 카스트제가 인도 사회에 정착되었다고 서술한 경우	상
힌두교에서 카스트에 따른 의무 수행 강조, 카스트제가 인도 사회에 정착 중 한 가지만 서술한 경우	하

Ⅳ 유럽·아메리카 지역의 역사 112~115쪽

01 ②	02 ②	03 ⑤	04 ①	05 ⑤
06 ④	07 ①	08 ③	09 ③	10 ②
11 ③	12 ②	13 ①	14 ⑤	15 ⑤
16 ③	17 ⑤	18 ③	19 ③	
20 칼뱅	21 차티스트 운동		22 해설 참조	

01 자료는 도편 추방제에 대한 것이다. 그리스의 아테네는 독재자의 출현을 막기 위해 도편 추방제를 실시하였다. 아테네의 솔론은 재산에 따라 참정권을 차등 분배하는 금권정을 실시하였으나 이 정책은 귀족과 평민 모두의 반발을 샀다.
바로 알기 ① 펠로폰네소스 동맹을 이끈 폴리스는 스파르타이다. ③ 호민관을 설치하고 평민회를 조직한 나라는 로마이다. ④ 로마의 콘스탄티누스 대제는 밀라노 칙령으로 크리스트교를 공인하였다. ⑤ 아테네는 여자, 거류 외국인, 노예에게는 참정권을 부여하지 않았다.

02 밑줄 친 '대제국'은 알렉산드로스 제국이다. 알렉산드로스 제국의 헬레니즘 문화는 개방적이고 세계 시민주의적인 성격을 띠었다. 헬레니즘 시대에는 공동체에 대한 인식이 약화되고 개인의 행복을 추구하는 개인주의가 발달하였다. 이에 철학에서는 스토아학파, 에피쿠로스학파 등이 등장하였다.
바로 알기 ①, ⑤ 파르테논 신전의 축조와 호메로스의 『일리아드』·『오디세이아』 저술은 그리스 문화와 관련이 있다. ③ 『유스티니아누스 법전』의 편찬은 비잔티움 제국의 문화와 관련이 있다. ④ 중세 서유럽에서 고딕 양식의 건축물이 세워졌다.

03 제시된 글은 로마의 호민관이었던 티베리우스 그라쿠스의 연설 내용이다. 그는 포에니 전쟁 이후 라티푼디움의 확대로 자영농이 몰락하는 상황을 비판하고 농지법 제정 등을 추진하였다. 그의 뒤를 이은 동생 가이우스 그라쿠스는 곡물법을 제정하였다.
바로 알기 ① 로마가 동서로 분열된 것은 그라쿠스 형제의 개혁 이후인 395년의 일이다. ②, ③은 그리스 세계의 분열 및 쇠퇴와 관련이 있다. ④ 게르만족의 이동은 서로마 제국의 멸망과 관련이 있다.

04 제시된 글은 313년 로마의 콘스탄티누스 대제가 내린 밀라노 칙령이다. 콘스탄티누스 대제는 밀라노 칙령으로 크리스트교를 공인하였으며, 콘스탄티노폴리스를 수도로 삼았다.
바로 알기 ② 오스만 제국은 친위 부대로 예니체리를 조직하였다. ③ 로마의 옥타비아누스가 악티움 해전에서 안토니우스를 격퇴하였다. ④ 아케메네스 왕조 페르시아에서 정복지에 '왕의 귀', '왕의 눈'을 파견하였다. ⑤ 디오클레티아누스 황제 때 로마 제국을 넷으로 나누어 통치하였고 전제 군주제를 도입하였다.

05 (가)는 클로비스의 가톨릭교 개종에 대한 내용으로 5세기 말의 일이고, (나)는 프랑크 왕국의 카롤루스 대제가 서로마 제국의 황제 지위를 인정받게 된 내용으로 800년의 일에 해당한다. 이 사이 시기인 8세기 전반 프랑크 왕국의 카롤루스 마르텔은 투르·푸아티에 전투에서 이슬람 세력의 침입을 격퇴하였다.

바로 알기 ① 베르됭 조약 체결은 843년의 일이다. ② 4세기 후반부터 게르만족의 이동이 시작되었다. ③ 오토 1세가 교황으로부터 로마 황제의 관을 받은 것은 962년의 일이다. ④ 서로마 제국이 멸망한 것은 476년의 일이다.

06 제시된 글은 1122년에 있었던 보름스 협약의 내용이다. 보름스 협약으로 교황이 서임권을 차지하면서 교황과 황제의 대립은 끝이 났다. 이후 교황의 영향력은 점차 강화되었다.

바로 알기 ① 하인리히 4세가 교황 그레고리우스 7세에게 용서를 빌며 굴복한 카노사의 굴욕은 1077년에 일어났다. ② 1054년 크리스트교 세계는 로마 가톨릭교회와 그리스 정교로 나뉘게 되었다. ③ 10세기 초 클뤼니 수도원을 중심으로 교회를 정화하려는 개혁 운동이 일어났다. ⑤ 서유럽에서는 프랑크 왕국의 분열과 노르만족, 이슬람 세력의 침입으로 혼란에 빠진 상황에서 봉건제가 성립하였다.

07 자료는 중세 서유럽에서 형성된 주종 관계를 보여 준다. 중세 서유럽에서는 크리스트교 중심의 문화가 발전하였다. 중세 초기에는 교부 철학이 발달하였으며, 십자군 전쟁 이후에는 스콜라 철학이 발전하였다. 중세 초기에는 성직자들이 교회나 수도원을 중심으로 신학, 법학 등을 연구하였으나 12세기에는 대학이 세워져 학문 발전에 기여하였다. 중세 문학에서는 봉건 기사들의 용맹과 사랑을 그린 『아서왕 이야기』, 『롤랑의 노래』 등의 기사도 문학이 발전하였다. 한편, 중세 서유럽의 대표적인 건축 양식으로는 로마네스크 양식과 고딕 양식이 있다.

바로 알기 ① 성 소피아 대성당은 비잔티움 문화와 관련이 있다.

08 제시된 글에서 유스티니아누스 황제 때 전성기를 맞았다고 한 점, 황제 사후 잦은 외부 침입으로 위기를 맞고 영토를 상실하였다고 한 점 등을 통해 밑줄 친 '이 제국'이 비잔티움 제국임을 알 수 있다. 비잔티움 제국에서는 제국을 군관구로 나누고 군관구의 사령관에게 군사권, 행정권, 사법권을 주는 군관구제를 실시하였다.

바로 알기 ①, ⑤는 14세기의 프랑스, ②는 그리스의 아테네, ④는 노르만 왕조에서 볼 수 있었던 모습이다.

09 ㉠은 백년 전쟁(1337~1453), ㉡은 장미 전쟁(1455~1485)에 해당한다. 두 전쟁이 일어난 결과 영국과 프랑스에서는 많은 봉건 제후와 기사들이 몰락하였고 상대적으로 왕권이 강화될 수 있었다.

바로 알기 ① 11세기경의 제1차 십자군 원정 때 예루살렘을 회복하였다. ② 9세기에 프랑크 왕국이 셋으로 분열되었다. ④ 십자군 전쟁으로 동방과의 교역이 활발해져 상공업이 발달하고 이탈리아 도시들이 번영하였다. ⑤ 9세기 무렵부터 노르만족이 이동하면서 유럽 각지에 노르망디 공국, 키예프 공국 등이 세워졌다.

10 제시된 글에서는 교회의 허례허식과 교황을 비롯한 성직자의 타락상을 풍자하며 이를 우신과 연결하고 있다. 이를 통해 제시된 글이 에라스뮈스가 저술한 『우신예찬』임을 알 수 있다.

바로 알기 ① 마키아벨리는 『군주론』을 저술한 정치사상가이다. ③ 페트라르카는 이탈리아의 인문주의자이다. ④ 토머스 모어는 『유토피아』를 저술한 영국의 인문주의자이다. ⑤ 레오나르도 다빈치는 이탈리아의 미술가이자 사상가, 과학자이다.

11 (가)는 1555년 아우크스부르크 화의의 내용이고, (나)는 1648년 베스트팔렌 조약의 내용이다. 베스트팔렌 조약은 30년 전쟁의 결과 체결되었다.

바로 알기 ① 예수회는 신교의 확산에 대응하여 로욜라가 설립한 단체이다. ② 위그노 전쟁은 아우크스부르크 화의 이후에 일어났다. ④ 영국의 엘리자베스 1세가 영국 국교회를 확립하였다. ⑤ 콘스탄츠 공의회는 아우크스부르크 화의와 베스트팔렌 조약 체결 이전에 개최되었다.

12 밑줄 친 '이 문명'은 아스테카 문명이다. 이들은 그림 문자를 사용하였고 피라미드형 신전에서 제사를 지내는 등 고유의 문화를 만들었다. 그러나 아스테카 문명은 에스파냐의 침입으로 파괴되었다.

바로 알기 ①, ④ 쿠스코 태양 신전을 남기고 새끼줄 매듭으로 숫자와 문자를 대신한 문명은 잉카 문명이다. ③ 지구라트 건축은 메소포타미아 문명과 관련이 있다. ⑤ 『동방견문록』을 통해 동방에 대한 유럽인들의 관심이 높아졌다.

13 프랑스의 루이 14세는 태양왕을 자처하며 절대 권력을 누렸다. 그는 낭트 칙령을 폐지함으로써 상공업에 종사하던 신교도들이 프랑스를 떠나는 빌미를 제공하였다.

바로 알기 ②는 영국의 엘리자베스 1세, ③은 러시아의 표트르 대제, ④는 에스파냐의 펠리페 2세, ⑤는 프로이센의 프리드리히 2세와 관련이 있다.

14 16·17세기의 과학 혁명 시기에 코페르니쿠스는 지동설을 주장하여 중세의 우주관인 천동설을 대체하는 새로운 우주관을 제시하였고, 갈릴레이는 망원경으로 천체를 관측하였다. 뉴턴은 만유인력의 법칙을 발견하여 이를 보편적인 수학 공식으로 설명하였으며, 제너는 종두법을 발견하였다.

바로 알기 ⑤ 에디슨은 19~20세기의 발명가이다.

15 영국에서는 청교도 혁명이 일어나 찰스 1세가 처형되고 공화정이 수립되었다. 이후 왕정이 복고되고 제임스 2세가 즉위하여 전제 정치를 강화하자, 의회는 제임스 2세를 추방하고 메리와 윌리엄을 공동 왕으로 추대하였다(명예혁명, 1688).

바로 알기 ①, ②, ③은 19세기, ④는 18세기 후반에 영국에서 있었던 일이다.

16 학생들의 대화 내용에서 테르미도르 반동 사건이 언급되어 있고, 공포 정치를 주도하였다고 한 것을 통해 밑줄 친 '이 인물'이 로베스피에르임을 알 수 있다. 로베스피에르는 공안 위원회와 혁명 재판소를 설치하여 운영하는 등 공포 정치를 주도하였다.

바로 알기 ①, ② 대륙 봉쇄령을 선포하고 통령 정부를 구성한 인물은 나폴레옹이다. ④ 빈 회의의 개최를 주도한 인물은 메테르니히이다. ⑤ 항해법을 제정한 인물은 크롬웰이다.

17 제시된 글은 링컨이 1863년에 발표한 노예 해방 선언으로 미국 남북 전쟁 과정에서 이루어졌다. 군사력과 경제력에서 앞섰던 북부는 이 선언을 통해 여론의 지지를 얻을 수 있었으며, 게티즈버그 전투를 계기로 전세를 역전시켜 남북 전쟁에서 승리하였다.

바로 알기 ①, ② 보스턴 차 사건을 계기로 일어난 미국 독립 전쟁(미국 혁명)은 파리 조약의 체결로 종결되었다. ③ 입헌 군주제 수립을 이끈 것은 영국의 명예혁명이 대표적이다. ④ 대프랑스 동맹 재결성은 나폴레옹의 정복 전쟁과 관련이 있다.

18 제시된 글은 산업 혁명으로 나타난 긍정적인 현상과 부정적인 현상에 대해 설명하고 있다. 산업 혁명으로 생산력이 증가하고 교통이 편리해지면서 사람들의 생활은 풍요로워졌으나 도시 문제, 노동 문제 등 각종 사회 문제가 발생하였다.
바로 알기 ①, ② 신항로 개척으로 아메리카 대륙의 금과 은이 유럽에 대량 유입되면서 가격 혁명이 일어났다. ④ 중세 북유럽 도시들은 한자 동맹을 결성하고 발트해와 북해 연안의 무역을 독점하였다. ⑤ 중세 유럽에서 상공업 길드가 형성되면서 교역이 활성화되었다.

19 밑줄 친 '이 사상'은 사회주의이다. 산업 혁명으로 인한 빈부 격차 증가와 노동자의 어려운 삶 등의 문제점이 나타나자 자본주의 체제를 비판하는 사회주의가 등장하였다. 초기 사회주의 사상가였던 생시몽과 오언 등은 협동과 공동체를 강조하였다. 이에 비해 마르크스와 엥겔스 등은 자본주의 체제의 운동 법칙을 과학적으로 해명하고자 시도하였고, 자본가와 노동자 사이의 계급 투쟁을 통해 평등한 공산주의 사회가 올 것이라고 주장하였다.
바로 알기 ① 계몽사상은 18세기 유럽에서 등장한 사상으로, 인간의 이성을 통해 얻은 지식으로 사회를 개혁할 수 있다고 믿었다. ② 교부 철학은 중세 서유럽에서 초기 크리스트교의 교리를 그리스 철학에 기초하여 합리적으로 설명하려 한 철학이다. ④ 에피쿠로스학파는 헬레니즘 시대에 등장하였으며, 마음의 안정과 만족을 통해 개인의 행복을 찾을 수 있다고 하였다. ⑤ 12세기 이후 유럽 각지에 대학이 세워져 중세 문화 발전에 기여하였다.

주관식+서술형 문제

20 스위스에서는 칼뱅이 예정설을 주장하여 구원에 대한 확신을 가지고 근면하고 성실하게 맡은 일에 종사해야 함을 강조하였다.

21 제1차 선거법 개정으로 선거권을 받지 못한 영국 노동자들은 인민헌장을 작성하고 이를 의회에 제출하기 위한 차티스트 운동을 펼쳐 참정권 확대를 요구하였다.

22 (1) (가) 바스쿠 다 가마, (나) 마젤란
(2) 예시 답안 신항로 개척으로 유럽의 무역 중심지가 지중해에서 대서양으로 이동하면서 대서양 삼각 무역 체제가 성립하였다.

채점 기준	배점
지중해에서 대서양으로 무역 중심지가 이동하면서 대서양 삼각 무역 체제가 성립하였다고 서술한 경우	상
대서양으로 무역 중심지가 이동하였다고만 서술한 경우	하

Ⅴ 제국주의와 두 차례 세계 대전 116~118쪽

01 ④ 02 ① 03 ① 04 ② 05 ①
06 ③ 07 ④ 08 ⑤ 09 ④ 10 ②
11 ④ 12 ⑤ 13 ③ 14 ② 15 ⑤
16 근왕 운동 17 해설 참조

01 제시된 글은 인종주의의 특징을 서술하고 있다. 백인종은 우월하고 이에 반해 황인종이나 흑인종은 미개하다는 인종주의는 사회 진화론과 함께 제국주의 국가들의 침략을 정당화하는 사상적 기반이 되었다.
바로 알기 ①은 자유주의, ②는 사회주의, ③은 민족주의, ⑤는 중상주의와 관련이 있다.

02 밑줄 친 '이 국가'는 영국이다. 영국은 인도를 식민지화한 후 미얀마까지 식민지로 삼아 인도에 병합하였다. 또한 말레이반도와 보르네오 북부 등을 차지하여 말레이 연방을 수립하였다.
바로 알기 ② 청을 물리치고 베트남을 차지한 나라는 프랑스이다. ③ 비스마르크 제도와 마셜 제도를 점령한 나라는 독일이다. ④ 동인도 회사를 앞세워 인도네시아에 진출한 나라는 네덜란드이다. ⑤ 에스파냐와의 전쟁에서 승리하여 필리핀을 식민지로 삼은 나라는 미국이다.

03 제1차 아편 전쟁의 결과 영국과 중국이 체결한 난징 조약(1842)에 따라 홍콩이 영국에 할양되었다. 난징 조약은 상하이 등 5개 항구의 개항, 공행의 폐지, 홍콩 할양 등을 규정하였다.
바로 알기 ② 신축 조약은 의화단 운동의 결과 체결되었으며 외국 군대의 베이징 주둔을 허용하였다. ③ 베이징 조약은 제2차 아편 전쟁의 결과 체결되었으며 영국에 주룽반도 일부를 할양하였다. ④ 포츠머스 조약은 러일 전쟁의 결과 체결되었으며 만주와 한반도에서 일본의 이권을 인정하였다. ⑤ 시모노세키 조약은 청일 전쟁의 결과 체결되었으며 랴오둥반도 및 타이완을 일본에 할양할 것을 규정하였다.

04 제시된 글은 이홍장의 상소문이다. 이홍장, 증국번 등은 중체서용의 논리에 바탕을 두고 양무운동을 전개하였다. 이들은 군수 공장을 건설하고 각종 산업 시설을 세웠다.
바로 알기 ① 1919년 반일본·반군벌을 추구한 5·4 운동이 일어났다. ③ 신해혁명의 결과 쑨원을 임시 대총통으로 하는 중화민국이 수립되었다. ④ 변법자강 운동을 전개한 세력이 서양의 정치 제도까지 수용하여 입헌 군주제를 확립하고자 하였다. ⑤ 태평천국 운동 당시 천조 전무 제도를 실시하였다.

05 (가) 인물은 쑨원이다. 쑨원은 도쿄에서 중국 동맹회를 조직하여 삼민주의를 내걸고 공화국을 수립하고자 하였다.
바로 알기 ② 변법자강 운동을 주도한 인물은 캉유웨이와 량치차오 등이다. ③ 양무운동을 전개한 인물은 증국번, 이홍장 등이다. ④ 태평천국 운동을 일으킨 인물은 홍수전이다. ⑤ 중화민국의 대총통이 된 후 스스로 황제가 되고자 한 인물은 위안스카이이다.

06 (가) 메이지 천황의 왕정복고는 1868년의 일이고, (나) 일본 제국 헌법의 공포는 1889년의 일이다. 이 사이 시기인 1870년대에 일본에서는 자유 민권 운동이 전개되었다. 자유 민권 운동은 국회 개설, 시민의 자유와 평등, 민권 보장 등을 주장한 정치 운동이었다.

바로 알기 ① 명과 감합 무역을 시작한 것은 무로마치 막부 시기이다. ② 미일 화친 조약이 체결된 것은 페리 제독의 내항 이후인 1854년의 일이다. ④ 일본의 개항 직후 하급 무사들이 존왕양이 운동을 전개하였다. ⑤ 미국의 페리 함대가 일본에 개항을 강요한 것은 1853년의 일이다.

07 (가) 전쟁은 청일 전쟁(1894~1895)이고, (나) 전쟁은 러일 전쟁(1904~1905)이다. 러일 전쟁에서는 영국과 미국의 전폭적인 지원을 받은 일본이 승리하였다.

바로 알기 ①, ②, ⑤는 (나), ③은 (가)에 대한 설명이다.

08 밑줄 친 '이 단체'는 인도 국민 회의이다. 영국이 벵골 분할령(1905)을 발표하자, 인도 국민 회의는 콜카타 대회를 열어 영국 상품 배척, 스와라지(자치 획득), 스와데시(국산품 애용), 국민 교육 실시의 4대 강령을 채택하고 반영 운동을 전개하였다.

바로 알기 ㄱ, ㄴ. 브라흐마 사마지는 '브라만의 모임'이라는 뜻이다. 19세기 초 람 모한 로이를 중심으로 한 힌두교 지도자들은 힌두교의 순수한 교리로 돌아가자며 브라흐마 사마지 운동을 전개하였다.

09 제시된 글은 네덜란드가 점령한 인도네시아에 대해 설명하고 있다. 인도네시아에서는 1912년 서양식 교육을 받은 지식인과 이슬람교도 상인들이 중심이 되어 이슬람 동맹을 결성하였다.

바로 알기 ①, ②는 베트남, ③은 필리핀, ⑤는 태국에서 일어난 민족 운동이다.

10 밑줄 친 '이 정권'은 청년 튀르크당 정권이다. 오스만 제국에서는 미드하트 파샤가 주도하여 공포한 헌법(1876)이 술탄 압둘 하미드 2세와 보수 세력에 의해 폐지되었다. 이후 술탄의 전제 정치가 강화되자 청년 튀르크당이 무장봉기를 통해 정권을 잡았다. 청년 튀르크당은 헌법을 부활시키고 근대적 제도 개혁 등을 추진하였다. 그러나 극단적인 튀르크 민족주의를 내세워 제국 내 다른 민족의 반발을 샀다.

바로 알기 ① 베트남의 유교 지식인들을 중심으로 근왕 운동이 일어났다. ③ 인도 국민 회의를 비롯한 인도인의 저항 운동이 계속되자 영국이 벵골 분할령을 취소하였다. ④ 무스타파 케말은 정치 개혁을 단행하고 술탄 제도를 폐지하여 튀르키예 공화국의 대통령이 되었다. ⑤ 오스만 제국은 1839년부터 탄지마트라고 불리는 대대적인 개혁을 추진하였다.

11 (가) 운동은 아랍 지역에서 전개된 와하브 운동이다. 와하브 운동은 이슬람교 초기의 순수함을 되찾자는 취지에서 전개되었다. 이로 인해 와하브 왕국이 수립되었으나, 오스만 제국에 의해 멸망하였다. 그러나 와하브 운동은 훗날 사우디아라비아 왕국이 건설되는 계기가 되었다.

바로 알기 ① 이집트의 무함마드 알리는 이집트 총독으로 부임한 후 근대화 정책을 추진하였다. ② 이슬람 동맹은 인도네시아의 지식인, 이슬람교도 상인들이 중심이 되어 결성한 단체이다. ③ 이란의 개혁 세력과 이슬람 성직자들은 영국에 저항하여 담배 불매 운동을 비롯한 이권 회수 운동을 벌이고 입헌 정치 실시를 요구하였다. ⑤ 카스트제에 반대하고 사티의 타파를 주장한 것은 브라흐마 사마지 운동과 관련이 있다.

12 서양 열강의 침략에 맞서 이란에서는 입헌 혁명이 일어나 의회가 구성되고 입헌 군주제 헌법이 제정되었으며, 수단에서는 무함마드 아흐마드가 마흐디 운동을 전개하였다. 나미비아에서는 독일의 지배에 맞서 헤레로족이 저항하였다. 이집트에서는 아라비 파샤를 중심으로 한 군부가 '이집트인을 위한 이집트의 건설'을 내세우며 혁명을 일으켰다.

바로 알기 ⑤ 인도에서는 람 모한 로이를 중심으로 한 힌두교 지도자들이 브라흐마 사마지 운동을 전개하였다.

13 독일의 무제한 잠수함 작전은 제1차 세계 대전 중에 일어났다. 제1차 세계 대전은 사라예보 사건을 배경으로 발발하였으며, 제1차 세계 대전의 전후 처리 과정에서 국제 연맹이 창설되었다.

14 소금 행진의 내용을 통해 밑줄 친 '이 인물'이 인도의 간디임을 알 수 있다. 간디는 비폭력·불복종을 내세우며 영국 상품 불매, 납세 거부 등의 활동을 이끌었고 그 과정에서 소금 행진을 주도하였다.

바로 알기 ① 인도 독립 동맹을 결성한 인물은 네루이다. ③ 브라흐마 사마지 운동을 주도한 인물은 람 모한 로이이다. ④ 대장정을 단행한 인물은 중국의 마오쩌둥이다. ⑤ 로마자 표기법 도입 등을 추진한 인물은 튀르키예 공화국의 무스타파 케말이다.

15 학생들은 제2차 세계 대전에 대해 대화하고 있다. 제2차 세계 대전 중 연합군은 노르망디 상륙 작전으로 프랑스 서북부 해안에 상륙하여 독일군을 몰아내고 파리를 되찾았다.

바로 알기 ① 제1차 아편 전쟁의 결과 난징 조약이 체결되었다. ② 3국 동맹과 3국 협상 측이 전쟁에 가담하면서 제1차 세계 대전이 발발하였다. ③ 청일 전쟁의 결과 일본이 랴오둥반도와 타이완을 할양받았다. ④ 제1차 세계 대전 중 러시아는 독일과 강화 조약을 맺고 전선을 이탈하였다.

주관식+서술형 문제

16 베트남에서는 유교 지식인들이 황제의 권력을 회복하기 위해 근왕 운동을 일으켰으나 이 운동은 프랑스군에게 진압되었다.

17 (1) 뉴딜 정책

(2) **예시 답안** 미국은 정부의 적극적인 역할을 중시한 뉴딜 정책을 추진하여 정부 지출을 늘리고 공공사업을 통해 일자리를 창출하였다.

채점 기준	배점
정부 지출 증가, 공공사업으로 일자리 창출을 모두 서술한 경우	상
위 내용 중 한 가지만 서술한 경우	하

Ⅵ 현대 세계의 변화 119쪽

01 ③ 02 ① 03 ④ 04 ④ 05 ③
06 해설 참조

01 제시된 글은 1962년에 미국 대통령 케네디가 쿠바 해상을 봉쇄하겠다고 발표한 연설이다. 제2차 세계 대전 이후 냉전 체제가 확대되면서 소련이 쿠바에 미사일 기지를 건설하려 하자, 미국은 이를 자국에 대한 직접적인 위협이라고 판단하여 쿠바 해상을 봉쇄하였다. 이로 인해 핵전쟁 발발 직전의 상황까지 치달았으나 소련이 미사일 철수를 약속하여 전쟁으로 이어지지 않았다(쿠바 미사일 위기, 1962).

02 밑줄 친 '회의'는 반둥 회의(아시아·아프리카 회의)이다. 반둥 회의에서 아시아·아프리카 29개국 대표는 식민지 문제에 대하여 토론을 벌였고, '평화 10원칙'을 채택하였다. 이는 제국주의에 시달려 온 아시아·아프리카 국가가 외세에 대한 저항을 집단적으로 선포하였다는 의미가 있다. 이러한 노력으로 비동맹 노선을 표방하는 제3 세계가 형성되어 미국과 소련 중심의 냉전 양상에 변화가 나타났다.

바로 알기 ② 트루먼 독트린은 미국이 공산주의 확대를 막기 위해 발표한 외교 방침이다. ③ 미국 닉슨 대통령은 닉슨 독트린 발표 이후 중국을 방문하여 중국과 국교를 맺었다. ④ 세계 각국의 무역 불균형을 감시하고 자유 무역을 확대하기 위해 1995년 세계 무역 기구(WTO)가 출범하였다. ⑤ 미국은 북대서양 조약 기구(NATO)를 결성하여 자본주의 진영의 집단 방위 체제를 구축하였다.

03 두 학생은 냉전 시기 소련의 정치적 상황에 대해 대화를 나누고 있다. 스탈린 사후 흐루쇼프는 스탈린 독재 체제를 비판하였고, 브레즈네프 집권 시기에 소련은 중앙 집중식 계획 경제 정책을 실시하였다. 그러나 부정부패가 심해지고 경기가 침체되는 등 계획 경제의 한계가 드러났다.

바로 알기 ① 농노 해방령 발표는 1861년의 일이다. ② 신경제 정책(NEP)은 1921년부터 추진되었다. ③ 크림 전쟁은 1853~1856년에 일어났다. ⑤ 코민테른 결성은 1919년의 일이다.

04 냉전이 완화되던 시기 동유럽 국가들은 공산주의 체제를 버리고 시장 경제 제도를 받아들이기 시작하였다. 루마니아에서는 민주화 운동을 억압한 차우셰스쿠가 처형당하였으며, 폴란드에서는 바웬사가 이끈 자유 노조가 총선거에서 승리하면서 비공산주의 정권이 수립되었다. 서독과 동독은 통일을 위한 논의를 진행하였고 그 결과 독일이 통일되었다. 한편 중국에서는 개혁·개방 정책으로 경제가 성장하는 가운데 군중들이 톈안먼 광장에서 민주화를 요구하는 시위를 벌였다.

바로 알기 ④ 필리핀에서는 호세 리살이 에스파냐의 식민 지배에 저항하여 필리핀 연맹을 조직하였다(1892).

05 제시된 글은 1970년대에 대두된 신자유주의에 대해 설명하고 있다. 1970년대 들어 두 차례의 석유 파동과 달러의 지위 약화로 경제 불황이 나타나자 신자유주의가 제기되었다. 이에 따라 각국에서는 기업의 경쟁력을 높이기 위한 정책들이 추진되었고, 교역과 투자가 확대되었다.

바로 알기 ① 산업 국가들의 온실가스 배출량 감축을 위해 1997년 교토 의정서가 체결되었다. ② 1929년 뉴욕 증권 거래소의 주가가 대폭락하는 대공황이 발생하였다. 이는 제2차 세계 대전의 배경이 되었다. ④ 고르바초프는 1985년에 개혁과 개방을 내세우며 시장 경제와 정치 민주화의 도입을 추진하였다. ⑤ 1993년 유럽 연합(EU)이 출범하여 단일 화폐를 도입하면서 유럽의 경제 통합이 촉진되었다.

주관식+서술형 문제

06 (1) 닉슨 독트린

(2) 예시 답안 국제적으로 긴장 완화(데탕트)의 분위기를 조성하여 냉전 체제가 완화되는 데 영향을 주었다.

채점 기준	배점
국제적으로 긴장 완화의 분위기를 조성하여 냉전 체제의 완화에 영향을 주었다고 서술한 경우	상
냉전 완화라는 언급 없이 국제적으로 긴장 완화의 분위기가 조성되었다고만 서술한 경우	하

memo

memo